Krankhei

4. Auflage

Dieter Kerner

Krankheiten
großer Musiker

4. Auflage

Mit 58 Abbildungen und 1 Tabelle

 Schattauer Stuttgart –
New York 1986

CIP-Kurztitelaufnahme der Deutschen Bibliothek

Kerner, Dieter:
Krankheiten großer Musiker/Dieter Kerner
4. Aufl. – Stuttgart; New York: Schattauer, 1986
ISBN 3-7945-1127-1

© 1963, 1967, 1969, 1973, 1977 and 1986
by F. K. Schattauer Verlagsgesellschaft mbH, Lenzhalde 3,
D-7000 Stuttgart 1, Germany
Printed in Germany

Druck und Einband: Schwabenverlag AG, Senefelderstr. 12,
D-7302 Ostfildern 1 (Ruit), Germany

ISBN 3-7945-1127-1

INHALT

VORWORT
zur 1. Auflage

Dieses Buch weicht in vielem von dem ab, was wir über die Meister der Tonkunst aus der Feder berufener Biographen erfahren. Er wird hier nämlich – neben den rein historischen Daten – auf breiter Ebene der Versuch gewagt, große Musiker als Menschen und als Kranke zu beschreiben. Denn krank ist eine nicht geringe Anzahl von ihnen zeitlebens gewesen. Patienten in des Wortes eigentlicher Bedeutung waren sie mehr oder weniger alle, wenn auch manche nur vorübergehend.

Für die medizinischen Betrachtungen kamen jedoch nur die Persönlichkeiten aus dem Reich der Tonkunst in Frage, deren Leidensgeschichte, vom ärztlichen Standpunkt aus gesehen, Besonderheiten aufweist; diejenigen blieben folglich unberücksichtigt, welche nachweislich stets gesund waren oder am Ende ihres Lebens altersbedingten Aufbrauchkrankheiten erlagen.

Rückblickend Diagnosen zu stellen, bereitet oft Schwierigkeiten. Mitunter schienen die Umstände derart verwickelt und die landläufigen Quellen – mit oder ohne Absicht – zugeschüttet, daß sich das nosologische Bild nur durch die Kombination mosaikartiger Einzelbestandteile ergab. Jedoch glückt es dem erfahrenen Betrachter nicht selten, das Wesentliche aus scheinbar unwesentlichen Bruchstükken herauszufinden und die zur Abklärung einer befriedigenden Diagnose wichtigen Details in den Rahmen der medizinischen Gesamtschau einzubauen. Trotzdem hat der Tod der hier dargestellten Musiker manche Fragen unbeantwortet gelassen.

Was sich schließlich an ihnen während ihrer Sterbestunden ereignet haben mag, bevor sie jenes Land betraten, aus dem kein Wanderer wiederkehrt, das deuten uns immerhin die Totenmasken an. Chopin scheint wie erlöst vom endlos langen, chronischen Lungenleiden; Schönbergs Physiognomie zeigt doch die Qual der Atemnot, die den Herzkranken wie einen Schatten begleitet; Alban Bergs Züge verraten ein ganz unirdisches, schwereloses Schweben; Max Reger, aber auch Claude Debussy liegen in den Kissen, als wären sie soeben eingeschlafen; Mozarts Antlitz im Tode, erst seit kurzem in die einschlägigen Standardwerke aufgenommen, läßt deutlich die massiven Körperschwellungen infolge des toxischen Nierenversagens erkennen. Solches vermögen uns die Gesichter der soeben Verstorbenen offenbaren. Bereits einige Stunden später zerfällt alles in eine persönlichkeitsfremde Form, die kaum noch an das wahre Wesen der einstigen Träger erinnert.

Wenn auch die Lebens- und Krankheitsschicksale höchst verschieden waren, so kam doch der Tod zur überwiegenden Mehrheit der hier vorgestellten Musikerpersönlichkeiten als Freund, welcher die Runen des Leidens einebnete. Hinter ihnen – ihr Durchschnittsalter betrug nicht einmal 50 Jahre! – lag ein schwer durchlebtes Dasein, oft verbunden mit chronischem Siechtum. Ihrer eigentlichen Sendung, Fackelträger des Göttlichen zu sein, wurden sie jedoch trotz vieler heimlicher Zweifel nie untreu. Für den Arzt aber, welcher die Musiker als Patienten durch die oft so kurz bemessene Lebenszeit begleitet, ist es eine der schönsten Aufgaben, solchen Menschen dienen und helfen zu dürfen.

Mainz, Januar 1963   *Dr. med. D. Kerner*

PRÄSENTATION
der 4. Auflage

Deutschland hat seit Beginn des zwanzigsten Jahrhunderts eine Vielzahl von Pathographen hervorgebracht, nicht zuletzt aufgrund der Standardwerke von Ernst Kretschmer (1931) und Wilhelm Iange-Eichbaum bzw. Wolfram Kurt (1927 bzw.1967), die ganz in der Tradition eines psychiatrischen Biologismus wurzeln. Die Krankheiten von bedeutenden Persönlichkeiten wurden gleichsam im Telegrammstil erarbeitet. 1946 schrieb Gezra Révész sein Buch »Einführung in die Musikpsychologie« und 1952 sein bedeutsameres Werk »Talent und Genie«.

Auf diesem Hintergrund, der das Einzelschicksal weitgehend aussparte, begann der Mainzer Internist und glänzende Klavierspieler, Dr. med. Dieter Kerner, unabhängig von dem angeblichen Kausalverhältnis von Genie und Irrsinn seine Biographien, vor allem über Krankheiten großer Komponisten, zu schreiben. Dabei gelang es ihm, über eine Vielzahl von »mosaikartigen Einzelbestandteilen« Krankheitsbilder von diesen hochkreativen Persönlichkeiten diagnostisch herauszuarbeiten, in Frage zu stellen oder zu festigen. Über diesen bislang letzten großen Musikerpathographen, der die Lebens- und Leidensgeschichten von bedeutenden Komponisten sehr anschaulich darstellte, ist selbst wenig bekannt geworden.

Dieter Kerner kam am 16. Februar 1923 als einziges Kind, Sohn eines Arztehepaares, in Mainz-Gonsenheim zur Welt. 1947 promovierte er zum Doktor der Medizin und bildete sich fast zehn Jahre in verschiedenen Abteilungen der Mainzer Universitätskliniken weiter fort. 1958 ließ sich Dieter Kerner als Facharzt für innere Krankheiten in Mainz-Gonsenheim nieder. Bereits 1956 hatte der musikalisch begabte Arzt mit schriftstellerischen Arbeiten begonnen, vor allem über Mozarts Todeskrankheit. Die

Frucht seiner mehrjährigen Forschungsarbeiten waren die in mehreren Auflagen erschienenen beiden Bände »Krankheiten großer Musiker« und zahlreiche weitere Biographien. Lediglich achtundfünfzig Jahre alt starb Dieter Kerner.

Als ich zwei Jahre nach seinem Tod damit begann, das Standardwerk »Genie, Irrsinn und Ruhm« fortzusetzen, stieß ich unweigerlich auf die – durch ihre präzise Datenverarbeitung hervorstechenden – Arbeiten dieses Wissenschaftlers. Obwohl sein Werk »Krankheiten großer Musiker« in der Fachwelt nicht unumstritten ist, vor allem wegen der Theorie des Mordes an Mozart, hat mich sein Gesamtwerk nicht nur durch die systematische und logische Gedankenführung beeindruckt, sondern auch mein weiteres Schaffen beeinflußt.

Kerners Leistung bestand darin, erstmals ausführlich auf die Kranken- und Leidensgeschichten vieler Komponisten hingewiesen zu haben, wobei er Spekulationen möglichst vermied, aber wenn sie vorhanden waren, hartnäckig hinterfragte. Sachlichkeit und hoher Informationsgehalt zeichnen seine Patho-Biographien aus. Auch die Krankheitsgeschichte Robert Schumanns hat er präzisiert und ihr den Schauer des Wahnsinns genommen. In der psychiatrischen Fachwelt stieß er damit auf Widerstände, doch vertrete ich wie Dieter Kerner die Auffassung, daß eine rein psychiatrische Perspektive nur zu psychopathologischen Ergebnissen kommen kann. Insofern erscheint mir sein Werk als Kontrapunkt auf einem ansonsten von Biologisten und Psychologisten beanspruchten Betätigungsfeld. Andererseits hat Kerner bewiesen, daß auch er in der Lage war, psychische Ausnahmezustände zu erfassen, so z. B. bei Anton Bruckner. Und bei allen Befundergebnissen kam für ihn das Musikalische nie zu kurz: Das 1853 vollendete Violinkonzert d-Moll von Schumann ist »ein überdurchschnittliches Werk und weist in seinem heroisch-dramatischen ersten Satz« auf eine Fortentwicklung des Meisters hin.

In der Tat fließt in Kerners Aussagen eine Art von universeller Bildung ein, denn Kerners biographische Innensicht ist ein Zusammenspiel verschiedener Disziplinen, vor allem in den wechselhaften Aspekten von Musik, Musiker, Mensch und Patient. Und mit aller gebotenen Vorsicht sind die psychischen Entwicklungsverläufe dieser berühmten Menschen herausgearbeitet.

Kerner hat sich nie selbst, sondern immer das Werk in den Vordergrund gestellt; sein Erbe ist äußerst reichhaltig und vielfältig. Sein ganzer Stolz waren die beiden Bände über die Krankheiten großer Musiker – nicht nur Musik-, sondern auch ein Stück Kulturgeschichte. Mit diesen Büchern darf man ihn identifizieren: klar, anschaulich, gewissenhaft und systematisch. Und viele seiner Forschungsergebnisse, die er in diese beiden Bände einbrachte, haben sich auch im nachhinein als stichhaltig erwiesen. Dieter Kerner hat weder etwas geschönt, noch hat er sich vor der Niederschrift leidvollster Krankheitsbilder gedrückt, was ihm einige Kritiker übelgenommen haben, völlig zu Unrecht, wie ich meine. Andererseits hat er deutlich gemacht, daß das Werk eines neurotischen Komponisten keine kranke Kunst sein muß, ja nur allzuselten auch als solche zu bewerten ist. Bei allem Fortschritt der biographischen und pathographischen Forschung haben Kerners Bücher bzw. Aussagen heute nichts an Aktualität verloren. Das zeigen insbesondere seine Pathographien über Mozart, Beethoven und Schumann. Insofern ist es auch sehr lobenswert, die Krankengeschichten großer Komponisten aus der Innensicht Dieter Kerners erneut zu würdigen und zu lesen.

Wiesbaden, September 1986   *Dr. Wolfgang Ritter M.A.*

Η σοι γ'εκ γενεης τα δαμ' εσπεζο θαυμαζα εργα :
Ηε τις αθαναζων, ηε θνηζων ανθρωπων
Δωρον αγανον εδωκε, και εφρασε θεσφιν αοιδην ;

HOMER's Hymn on Mercury.

Das Wunderkind W. A. Mozart in seinem 8. Lebensjahr
Kupferstich von T. Cook, London

WOLFGANG AMADEUS MOZART
(1756—1791)

»De mortuis nil nisi vere!«
(Leitmotiv von N. Nissens Mozart-
biographie aus dem Jahre 1828)

»Übrigens benachrichtige (ich Sie), daß den 27. Januarii abends um 8 Uhr die Meinige mit einem Buben zwar glücklich entbunden worden. Die Nachgeburt aber hat man ihr wegnehmen müssen. Sie war folglich erstaunlich schwach. Jetzt aber, Gott sei Dank, befinden sich Kind und Mutter gut.« So berichtete Anfang Februar 1756 Mozarts Vater in einem Brief an den Verleger Lotter in Augsburg. Der 27. Januar ist der Namenstag des heiligen Johannes Chrysostomus (Goldmund), des im Jahre 407 gestorbenen Kirchenvaters und Patriarchen von Konstantinopel, eines glänzenden Predigers, des Schutzheiligen der Kanzelredner.

Musen und Genien standen Pate, als der Knabe — wie aus dem Salzburger Taufregister hervorgeht — bereits am nächsten Morgen, einem Mittwoch, auf die Namen Johannes Chrysostomus Wolfgangus Theophilus getauft wurde. Im Taufbuch der Dompfarre von Salzburg ist dieser Hergang unter dem Datum vom 28. Januar 1756 für immer festgehalten worden:

Januarius.
28.
med(ia hora) 11.
merid(iana) baptizatus est:
natus pridie h(ora) 8.
vesp(ertina)

Joannes Chry-	Nob(ilis) D(ominus)
sost(omus) Wolf-	Leopoldus
gangus Theo-	Mozart Aulae
philus fil(ius)	Musicus, et Maria
leg(itimus)	Anna Pertlin
	coniugeß

Wolfgang Amadé Mozart (er nannte sich nie Amadeus
wie es die Nachwelt tut, sondern er wählte aus seinen vier
Vornamen den Wolfgang und — in der französischen Form
— den Theophilus, das ist Gottlieb, aus) wurde als 7. Kind
der Eltern in Salzburg geboren; von den 6 vor ihm geborenen Geschwistern war nur das 1751 geborene »Nannerl«
am Leben geblieben. Denn das Schicksal der Neugeborenen
war in jener beängstigend unhygienischen Zeit, wie
B. Paumgartner treffend bemerkt, immer ungewiß; ein
gütiger Zufall, wenn sie die ersten Jahre überdauerten. Die
beiden Kinder des damals noch erzbischöflichen Geigers,
späteren Konzertmeisters und Vizekapellmeisters Leopold
Mozart und seiner Frau Anna, geb. Pertl, zeigten sehr früh
musikalische Begabung, die von dem Vater mit methodi-
scher Strenge und liebevoller Hingabe geleitet wurde. Die
der Tochter führte nicht weiter als bis zum — später in Vergessenheit geratenen — Wunderkind, die des Sohnes zur
Entfaltung eines der größten Genies, das die Geschichte
der Musik kennt. Zudem war die Lebenserwartung Mozarts gut: Der Vater wurde 68, die Mutter 57 Jahre, die
Schwester Nannerl sogar 78 Jahre alt. Wolfgang lernte
Latein, Französisch und Englisch, sprach auch fließend

Italienisch, wobei nicht einmal erwiesen ist, daß die Kinder irgendeine Schule besucht hätten. Es muß auch hervorgehoben werden, daß Wolfgangs musikalische Erziehung ganz privat war.

Nannerl hat mit elf, Wolfgang mit sechs Jahren das Klavierspiel und die Elemente der Musik soweit beherrscht, daß Vater Leopold mit den Wunderkindern im Jahre 1762 eine Reise nach München unternehmen konnte, wo der Knabe vor dem Kurfürsten spielte. Mozart, dessen erster Kompositionsversuch etwa in das 6. Lebensjahr fällt, war ein weichherziger, sensitiver Bub, der ungemein liebebedürftig blieb und schon in früher Jugend einen magischen Hang zu Zahlen und Zahlenkombinationen an den Tag legte. Auf ihrer ersten Reise scheinen die Wunderkinder einen nachhaltigen Eindruck hinterlassen zu haben, denn am 18. September 1762 brachen sie in Begleitung des Vaters wieder nach Wien auf, um am Schönbrunner Hof vor der Kaiserin Maria Theresia zu spielen.

»Wir hatten auf dieser Reise beständig Regen und viel Wind. Der Wolfgang hatte schon in Linz einen Katarrh, und aller Unordnung, frühem Aufstehen, unordentlichem Essen und Trinken, Wind und Regen ohngeachtet, blieb er, Gott Lob, gesund«, schrieb Vater Leopold am 16. Oktober aus Wien. Aber dann dauerte es doch nicht lange, bis ihn, laut Brief vom 30. Oktober, eine weitere Krankheit überfiel:

»... den 21. waren wir abends um 7 Uhr abermals bei der Kaiserin ... unser Wolferl war aber schon nicht recht wie sonst, und ehe wir dahin fuhren, wie auch, da er zu Bette ging, klagte er S.(chmerzen) v.(on) den Hintern und die Füße. Als er im Bette war, untersuchte ich die Orte, wo er die Schmerzen zu fühlen vorgab; ich fand etliche Flecken in der Größe eines Kreuzers, die sehr rot und etwas erhaben waren, auch bei dem Berühren ihm Schmerzen verursachten. Es waren aber nur an beiden Schienbeinen, an bei-

den Ellenbogen und ein paar am Podex. Auch sehr wenig.
Er hatte Hitzen, und wir gaben ihm Schwarz Pulver und
Margrafen Pulver. Er schlief etwas unruhig. Den folgenden
Freitag wiederholten wir die Pulver in der Frühe und
abends, und wir fanden, daß sich die Flecken mehr ausge-
breitet hatten; sie waren obwohl größer, doch nicht meh-
rer ... Wir fuhren fort, das Margrafen Pulver zu geben,
und am Sonntag kam er in einen Schweiß, den wir uns
gewunschen, denn bishero waren die Hitzen mehr trocken.
Ich begegnete dem Herrn Medicus der Gräfin v. Zinzendorf, die eben nicht hier war, und erzählte ihm die Umstände. Er kam gleich mit mir. Es war ihm lieb, daß wir so
verfahren hatten; er sagte, es *sei eine Art Scharlach-Aus-
schlags.* Er verordnete die Mixtur

Aquae Scabiosae	uncias duas
Pulveris Epileptici Marchandi	scrupula dua
Specierum Diatragacanthae	grana quindecim
Pugilli Herbae Jst.	
Syrupi Diacodion L.	unciam semis

Dann nichts als Suppen oder Bannadel (eingeweichte
Semmeln in Rindsbrühe), so wie wir schon ehe taten. Zu
Zeiten durchgepreßten Gerstenschleim, zu Zeiten einen
Huflattich Tee, und ein wenig Milch darein gegossen. Vor
dem Schlafengehen gaben wir ihm ein kleines Gläsl Milch
von gestoßenen Melaun-Kernen, und ein gar wenig Mag-
samen. Gott Lob, nun ist er so gut, daß wir hoffen, er
werde übermorgen, wo nicht morgen an seinem Namenstag, aus dem Bette kommen und das erstemal aufstehen.
Er bekam zu gleicher Zeit einen Stockzahn, das ihm eine
Geschwulst an dem linken Backen verursachte. Die Herr-
schaften hatten nicht nur die Gnade, täglich sich um die
Umstände des Buben erkundigen zu lassen, sondern sie
empfahlen ihn dem Medico auf das eifrigste: so, daß der
Herr Doctor Bernhard (so heißt er) unmöglich mehr besorgt
sein könnte, als er wirklich ist. Inzwischen ist mir diese

Begebenheit, ganz geringe gerechnet, 50 Dukaten Schaden. Doch danke ich Gott unendlich, daß es so abgelaufen; denn diese Scharlachflecke sind hier an den Kindern als eine Modekrankheit gefährlich: und ich hoffe, daß sich der Wolferl nun naturalisiert hat, denn die Luftveränderung war daran die Haupturfache.«

Bei der damaligen Erkrankung hat es sich wohl nicht um einen Scharlach gehandelt, sondern — und darin ist sich die jetzige medizinische Mozartforschung einig — um eine Knotenrose (Erythema nodosum), welche im strengen Sinn nie tuberkulös ist und in den Formenkreis der rheumatischen Infektionen gehört. Jedoch muß man beim Erstellen solcher Diagnosen vorsichtig sein, da gerade Infektionskrankheiten einem Gestaltwandel unterliegen (Pathomorphose) und sich heute schwer sagen läßt, an was Wolfgang damals erkrankte, wobei nach wie vor die Möglichkeit einer abortiv verlaufenen Scharlachinfektion zu diskutieren wäre. Leopold Mozart, der auf seinen Reisen stets eine Hausapotheke mitzuführen pflegte, versuchte die Erkrankung mit den Medikamenten der Schulmedizin zu beherrschen, wobei es sich bei Scabiosa um Krätzekraut, beim Margrafenpulver um ein Gemisch aus Mistel, Veilchenwurzel und Pfingstrosenwurzel handelte, dem man nach Belieben noch Goldblätter und Elfenbein sowie Korallen beifügte; species Diatragacantha ist getrockneter Traganthsaft, Syrupus Diacodii ist Syrupus Papaveris albi und wird in der überwiegenden Mehrheit aus zerstoßenen Mohnköpfen gewonnen. Ob nun die Mischung dieser verschiedenen pflanzlichen und mineralischen Stoffe eine entscheidende Besserung des Krankheitszustandes herbeiführte, bleibe dahingestellt, jedenfalls mußte Wolfgang vom 21. Oktober bis zu seinem Namenstag, dem 31. Oktober, das Bett hüten. Am 1. November stand er zum ersten Mal auf, am 5. November wurde die Honorarfrage mit dem behandelnden Arzt geregelt.

»Gott Lob! es ist alles wieder gut. Gestern haben wir unseren guten H. Dr. Bernhard mit einer Musik bezahlt. Er hat eine Menge guter Freunde eingeladen und uns im Wagen abholen lassen.«

Diesem Brief vom 6. November 1762 ließ Vater Leopold noch eine weitere Mitteilung am 24. November folgen:

»... folglich hat uns die Krankheit des Buben um respective 4 Wochen zurückgeschlagen, denn obwohl wir unterdessen, als er schon gesund ist, 21 Dukaten eingenommen, so ist doch solches nur eine Kleinigkeit: in dem wir täglich mit einem Dukaten genau auskommen.«

Die Tatsache, daß sich in Wien die Noblesse um die Mozarts riß, schmeichelte Vater Leopold natürlich sehr. Das Programm war riesenhaft. Wolfgang und Nannerl wurden überfordert. Nicht wenige Konzertbesucher dürften sich damals um Wolfgang gesorgt haben, wie etwa auch dieser, der die folgenden Verse verfaßte:

> »Nur wünsch' ich, daß Dein Leib der Seele Kraft aussteh',
> Und nicht wie Lübecks Kind, zu früh zu Grabe geh'.«

Hierbei handelte es sich um ein sprachliches Wunderkind, das in N. Nissens Mozartbiographie Erwähnung findet mit der melancholischen Feststellung: »Eine vorzeitig gereifte Frucht kann sich nicht lange erhalten.«

Kurz vor seiner Heimkehr ersuchte der sorgende Vater den Salzburger Hauswirt, vorher die »Zimmer ein paar Täge zu heizen«, und am 5. Januar 1763 trafen sie wieder dort ein, Wolfgang wahrscheinlich krank, von einem Gelenkrheuma befallen, wie eine spätere Briefnotiz Leopolds vom 15. November 1766 vermuten läßt:

»Unsere liebe Frau Hagenauer wird sich erinnern, daß der Wolfgangerl nach unserer Rückkunft von Wien krank geworden, und sehr übel war, so, daß man die Blattern fürchten mußte: und daß es sich am Ende durch die Füße hinauszog, an denen er Schmerzen klagte ...« —

Schon im Juni 1763 unternahm der Vater mit den Kin-

*Wolfgang Amadeus Mozart. Stich nach dem nicht mehr
vorhandenen Original des Josef Grassi*

dern eine neue große Tournée, die sie quer durch Deutschland bis nach Aachen, dann nach Brüssel und von hier nach Paris führte. Unterwegs wurden überall Fürsten, Adel, Klöster besucht, Konzerte gegeben und die Kinder in einer Weise zur Schau gestellt, die für das Empfinden der Gegenwart marktschreierisch wirkt, im damaligen Zeitalter der Wunderkinder aber nichts Ungewöhnliches an sich hatte (Blume).

»Ich habe ihn als siebenjährigen Knaben gesehen«, sagte Goethe am 3. Februar 1830 zu J. P. Eckermann, »wo er auf einer Durchreise ein Konzert (in Frankfurt) gab. Ich selber war etwa vierzehn Jahre alt, und ich erinnere mich des kleinen Mannes in seiner Frisur und Degen noch ganz deutlich.«

Fünf Monate dauerte der Pariser Aufenthalt, am Hofe zu Versailles ernteten sie reiche Lorbeeren. Am 10. April 1764 erfolgte die Weiterreise über Calais nach London, um »das größte Wunder darzustellen, dessen sich Europa und die Menschheit überhaupt rühmen kann«, wie eine Londoner Konzertanzeige versprach. Der Eindruck, den man dort von dem Wunderkind hatte, war derart stark, daß der britische Naturwissenschaftler Daines Barrington den Knaben eingehend »testete« und das Ergebnis seiner Untersuchungen in den »Philosophical Transactions« vom Jahre 1770 genau festhielt, ein Bericht, den er 1781 nochmals in einem Sammelband herausgab. Hierin heißt es:

»Als er Paris verlassen hatte, ging er nach England, wo er über ein Jahr blieb. Da ich während dieses Zeitraumes Zeuge seiner ganz außerordentlichen Fertigkeiten als Tonkünstler gewesen bin, sowohl in einigen öffentlichen Konzerten, als auch in seines Vaters Hause, wo ich lange Zeit mit ihm allein war, sende ich Ihnen folgenden Bericht, so staunenswert und fast unglaublich er auch erscheinen mag.« ... »Er war auch ein großer Meister in der Fingersetzung, und seine Übergänge von einer Taste zur anderen waren ungemein natürlich und wohl überlegt; er spielte auf diese Art eine lange Zeit unter einem Tuche, das über die Tasten des Klaviers gelegt war. Es war im Juni 1765, als ich Zeuge war von dem, was ich oben erzählte, da der Knabe erst 8 Jahre und 5 Monate alt war.*)

Ich stelle diese kurze Vergleichung zwischen zwei so frühzeitigen Wunder-Genies (Händel und Mozart) in der Musik an, da man hoffen darf, der kleine Mozart werde vielleicht ein gleich hohes Alter wie Händel erreichen, der gewöhnlichen Bemerkung entgegen, daß solche ingenia praecocia nur kurze Zeit leben. Ich glaube, ohne Nachteil für das Andenken jenes großen Tonsetzers, sagen zu können, daß die Waagschale in dieser Vergleichung sehr merklich auf Mozarts Seite sinkt, da ich schon angezeigt habe, daß er komponierte, als er noch nicht viel älter als 4 Jahre war ... Doch um nicht zu sehr sein Lobredner zu werden, erlauben Sie mir, mich zu unterzeichnen.«

Die Darstellung des Wunderkindes in seinem achten Lebensjahr, wie sie der Kupferstich von T. Cook vermittelt, läßt etwas von jener medialen Kraft erahnen, unter welcher Mozart zeitlebens stand. Das Auge starr in die Ferne gerichtet, die Wangen vom Spiel gerötet, erscheint er wie ein Bote aus einer anderen Welt, wie die Reinkarnation des Göttlichen aus dem Homerischen Hymnus an Hermes, wo selbst die Götter ob seines Saitenspiels zu staunen beginnen:

»Ward dir schon bei der Geburt diese wunderbare Begabung, Gab es dir einer der ewigen Götter, der sterblichen Menschen Als ein herrlich Geschenk und lehrte dies göttliche Singen?«

»Aber freilich, eine Erscheinung wie Mozart bleibt immer ein Wunder, das nicht weiter zu erklären ist«, äußerte Goethe am 14. Februar 1831 gegenüber Eckermann. Und er fährt fort: »Doch wie wollte die Gottheit überall Wunder

---

*) Mozart war damals jedoch bereits 9 Jahre und 5 Monate alt.

zu tun Gelegenheit finden, wenn sie es nicht zuweilen in außerordentlichen Individuen versuchte, die wir anstaunen und nicht begreifen, woher sie kommen.« Selbst die verwöhntesten Zeitgenossen erlagen immer wieder der Faszination dieses Vortrages, jener sphärenhaft verschwebenden Art der Interpretation, wenn die Tonsequenzen durch sein Spiel zum unvergeßlichen Erlebnis wurden: »Es ist dem Kinde nicht nur ein Leichtes, mit der größten Genauigkeit die allerschwersten Stücke auszuführen, und zwar mit Händchen, die kaum die Sexte greifen können; nein, es ist unglaublich, wenn man sieht, wie es eine ganze Stunde hindurch phantasiert und so sich der Begeisterung seines Genies und einer Fülle entzückender Ideen hingibt, welche es mit Geschmack und ohne Wirrwarr aufeinander folgen läßt. Der geübteste Kapellmeister kann unmöglich eine so tiefe Kenntnis der Harmonie und der Modulationen haben, welche es auf den wenigst bekannten, aber immer richtigen Wegen durchzuführen weiß. Es hat eine solche Fertigkeit in der Klaviatur, daß, wenn man sie ihm durch eine darüber gelegte Serviette entzieht, es nun auf der Serviette mit derselben Schnelligkeit und Präzision fortspielt. Es ist ihm eine Kleinigkeit, alles, was man ihm vorlegt, zu entziffern; es schreibt und komponiert mit einer bewunderungswürdigen Leichtigkeit, ohne sich dem Klaviere zu nähern und seine Akkorde darauf zu suchen.. Sie können wohl denken, daß es ihm nicht die geringste Mühe kostet, jede Arie, die man ihm vorlegt, zu transponieren und zu spielen, aus welchem Tone man es verlangt. Ich sehe es wahrlich noch kommen, daß dieses Kind mir den Kopf verdreht, höre ich es nur ein einziges Mal, und es macht mir begreiflich, wie schwer es sein müsse, sich vor Wahnsinn zu bewahren, wenn man Wunder erlebt.«

Indessen — auch diese Fahrt durch die Städte Europas forderte ihre schweren gesundheitlichen Opfer! Die überanstrengten Kinder gerieten allmählich in einen körperlichen Erschöpfungszustand; infolgedessen sank die Widerstandskraft gegenüber Infekten. In einem Brief vom September 1763 berichtete der Vater aus Koblenz von einer katarrhalischen Erkrankung im Bereich der oberen Luftwege, die sich Wolfgang zugezogen hatte; im Februar 1764 machte er in Paris eine schwere Angina durch. Im Zusammenhang damit stellte Leopold Mozart folgende Erwägung an: »Wissen Sie, was die Leute immer hier wollen? Sie wollen mich bereden, meinem Buben die Blattern einpfropfen zu lassen. Ich meines Teils überlasse es der Gnade Gottes. Es hängt von seiner göttlichen Gnade ab, ob er dies Wunder der Natur, so er in die Welt gesetzt hat, auch darinnen erhalten oder zu sich nehmen will.«

Die Rückreise von England, wo sich Wolfgang mit den Kastraten Manzuoli und Tenducci anfreundete und auch sonst wertvollste Verbindungen anknüpfen konnte, begann am 24. Juli 1765 und führte über Canterbury, Dover, Lille, Gent und Antwerpen nach Den Haag. Dort erkrankten die Kinder nach ihrem ersten Auftreten heftig zunächst unter grippalen Symptomen, die aber bald dem klassischen Bild einer Typhusinfektion Platz machten, in deren Verlauf die Tochter bis auf »Haut und Knochen« (Brief vom 5. November 1765) abmagerte. Von der Schwester angesteckt, erkrankte nun auch Wolfgang:

»Kaum war meine Tochter acht Tage aus dem Bette ..., so überfiel den Wolfgangerl den 15. November eine Unpäßlichkeit, die ihn in Zeit von vier Wochen in so elende Umstände setzte, daß er nicht nur absolut unkennbar ist, sondern nichts als seine zarte Haut und kleine Gebeine mehr an sich hat ... Sie möchten wissen, was ihm gefehlt hat? Das weiß Gott! Ich bin müde Ihnen Krankheiten zu beschreiben. Es fing mit Hitzen an ... Es schien eine Art hitzigen Fiebers zu sein; und es war es auch.« Später fährt er fort: »Unter seiner Krankheit mußte man immer für die Zunge Sorge tragen, die die meiste Zeit wie Holz so trocken und unrein war und oft mußte gesäubert werden; die Lippen verloren dreimal ihre Haut, die hart und schwarz wurde.«

Über Utrecht und Mecheln erreichten die Reisenden dann Anfang Mai 1766 Paris, fanden aber die Umstände weniger günstig als das erste Mal. Ende November 1766 trafen die Mozarts in Salzburg ein. Kurz vor dem Endziel erkrankte Wolfgang in München an einem Gelenkrheuma, und zwar unter ähnlichen Umständen wie 1763. Vater Leopold kam deshalb in seinem Brief vom 15. November 1766 darauf zurück und meinte:

». . . ob wir aber auch noch über Regensburg gehen werden, zweifle sehr, indem ich erst die völlige Genesung unseres Wolfgangerl abwarten müssen und dann erst nicht wissen, wie wir bald von hier loskommen. Inzwischen wird das Wetter immer schlechter . . . (folgt Bericht über die Krankheit Anno 63) . . . Nun ist es eben so. Er konnte auf keinen Fuß stehen; keine Zehen und keine Knie bewegen. Kein Mensch durfte ihm in die Nähe kommen, und er konnte 4 Nächte nicht schlafen. Das nahm ihn sehr mit und setzte uns um so mehr in Sorgen, weil immer, sonderlich gegen die Nacht, Hitze und Fieber da waren. Heute ist es merklich besser. Allein, es werden wohl noch 8 Tage herum gehen, bis er wieder recht hergestellt ist.«

Die Eltern zogen aus diesen gehäuften Erkrankungen ihrer Kinder leider nicht die entsprechende Lehre. Zudem scheint Vater Leopold keinen Arzt zugezogen, sondern selbst behandelt zu haben (A. Greither). Durch die bisherigen Erfolge vielmehr ermutigt, brach die gesamte Familie Mozart im September 1767 nach Wien auf, um die Gelegenheit einer Hochzeit am kaiserlichen Hofe wahrzunehmen. Doch fand die fürstliche Vermählung, von welcher sich Vater Leopold so viel versprochen hatte, nicht statt, weil die Prinzessin von den Blattern befallen wurde. Der Adel flüchtete auf seine Landsitze, die Epidemie breitete sich immer mehr in der Stadt aus, und die Mozarts standen vor verschlossenen Türen. Überstürzt, aber doch zu spät, reiste man Ende Oktober nach Olmütz ab. Beide Kinder erkrankten dort an den Pocken. In einem Brief vom 10. November 1767 aus Olmütz heißt es:

»Te Deum laudamus! Der Wolfgangerl hat die Blattern glücklich überstanden. Und wo? — in Olmütz! Und wo? In der Residenz Sr. Exzellenz Herrn Grafen Podstatsky . . . Montags den 26. fuhren wir nach Olmütz, wo wir etwas später anlangten . . . Um zehn Uhr klagte der Wolfgangerl über seine Augen; allein ich bemerkte, daß er einen warmen Kopf, heiße und sehr rote Wangen, hingegen Hände wie Eis so kalt hatte. Der Puls war auch nicht richtig; wir gaben ihm also Schwarzpulver und legten ihn schlafen. Die Nacht hindurch war er ziemlich unruhig, und die trockene Hitze hielt am Morgen immer noch an. Man gab uns zwei bessere Zimmer; wir wickelten den Wolfgangerl in Pelze ein und wanderten also mit ihm in die anderen Zimmer. Die Hitze nahm zu; wir gaben ihm etwas Margrafen-Pulver und Schwarzpulver. Gegen den Abend fing er an zu phantasieren; und so war die ganze Nacht und der Morgen des 28ten. Nach der Kirche ging ich zu Sr. Exzellenz dem Grafen von Podstatsky, der mich in großer Gnade empfing; und als ich ihm sagte, daß mein Kleiner krank geworden, und ich vorsehe, daß er etwa Blattern bekommen möchte, so sagte er mir, daß er uns zu sich nehmen wollte, indem er die Blattern gar nicht scheute . . . Nachmittags um 4 Uhr wurde der Wolfgangl in lederne Lainlachen und Pelze eingepackt, und in den Wagen getragen, und so fuhr ich mit ihm in die Domdechantey . . .

Sobald die Blattern herauskamen, war alle Alteration weg, und Gott Lob! er befand sich immer gut. Er war sehr voll, und da er erstaunlich geschwollen, und eine dicke Nase hatte, und sich im Spiegel besah, so sagte er: nun sehe ich dem Mayrl gleich, er verstund den Herrn Musi-

cum Mayr. Seit gestern fallen die Blattern da und dort ab;
und alle Geschwulst ist schon seit 2 Tagen weg.

... Eine Sorge liegt mir noch am Herzen, nämlich, daß
mein Mädel auch möchte die Blattern bekommen, denn
wer weiß, ob die etlichen Blattern, die sie hatte, die rechten
waren?«

Sie waren es allem Anschein nach nicht, denn in seinem
Brief vom 29. November 1767 aus Olmütz steht: »Iterum
iterumque Te Deum laudamus! Meine Tochter hat die
Blattern glücklich überstanden!«

Im Januar 1768 kehrte Leopold Mozart mit seinen soeben erst genesenen Kindern wieder nach Wien zurück, wo
er bis zum Dezember des gleichen Jahres blieb — eine wirtschaftlich schwere Zeit, die auch sonst nur verhältnismäßig
wenig von künstlerischem Erfolg gekrönt war. Um so größer aber ist für diesen Zeitraum die Anzahl der von Mozart
geschaffenen Kompositionen. Für einen Liebhaber, den Arzt
Dr. Mesmer, konnte Wolfgang in Wien noch »Bastien und
Bastienne« fertigstellen. Dr. F. A. Mesmer spielte Violon-
cell und Clavicembalo, ferner sang er Tenor; aber das eigentliche Instrument, welches ihm besonders lag, war die
Glasharmonika. Dem musischen Arzt-Freund hat Mozart
übrigens später in seiner Oper »Così fan tutte« in der Gestalt des Doktors ein Denkmal von Dauer gesetzt.

Ende 1768 kamen die Mozarts enttäuscht und resigniert
nach Salzburg. Die Schwester Maria Anna war bereits 18
Jahre alt, und das Wunderkind Wolfgang Amadeus, welches schon zu pubertieren begann, konnte man jetzt nur
noch in solchen Ländern auftreten lassen, die es nicht be-
reist hatte. Mit Wolfgang allein unternahm der Vater vom
Dezember 1769 bis zum 28. März 1771 die erste Italienreise, welche als Kombination von Bildungs- und Wunder-
kindreise gedacht war (Blume). Bei dieser Gelegenheit
sollte Wolfgang insbesondere mit den Eigentümlichkeiten
und Stilrichtungen der südländischen Musik vertraut ge-

macht werden, gleichzeitig aber auch als ausübender Künstler glänzen. Vater und Sohn reisten monatelang durch Italien und kamen zu hohen Ehren.

Am Karmittwoch des Jahres 1770 wurde in der Sixtinischen Kapelle in Rom das »Miserere« von Gregorio Allegri aufgeführt, welches zu kopieren bei Androhung der Exkommunikation verboten gewesen war. Jenes Tonwerk, für mehrstimmigen Chor und einen neunstimmigen Schlußchor gesetzt, schrieb Wolfgang Amadeus nach einmaligem Hören hernach nahezu fehlerlos aus dem Gedächtnis nieder, ohne deswegen in Acht und Bann zu geraten, wie seine besorgte Mutter befürchtete. Im Gegenteil, am 8. Juli verlieh ihm der Papst den Orden vom Goldenen Sporn, der ihn berechtigte, den Titel »cavaliere« zu führen; Mozart hat davon jedoch kaum Gebrauch gemacht.

Die gesamte Reise, bei welcher sogar Neapel und Venedig berührt wurden, brachte außerordentliche Erfolge; sie ist als die triumphalste unter allen bisherigen Abstechern ins Ausland anzusehen, wenn es auch nicht an zeitgenössischen Kritiken fehlte, die sich bedenklich über die Vergötterung aussprachen, die Leopold mit seinem Sohne treibe. Von August bis Dezember 1771 folgte die nächste Italienreise. Hierzu gibt es einen, lange posthum geschriebenen Briefkommentar der Schwester Nannerl vom 2. Juli 1819, worin sich — bezüglich alter Mozart-Bilder — folgender Hinweis findet: »Wie er von der Italienischen Reise zurückkam ..., da war er erst 16 Jahre alt, aber da er von einer sehr schweren Krankheit aufstand, so sieht das Bild kränklich und sehr gelb aus ...« Um was es sich damals handelte, ist unbekannt. Vom Oktober 1772 bis zum März 1773 erfolgte dann die dritte und letzte Italienreise. Mozart hat Italien später nie wieder betreten und auch nie mehr den Versuch gemacht, dorthin zurückzukehren — kein Kompositionsauftrag oder persönliche Bindungen führten Vater und Sohn je wieder nach dem Süden, obwohl Wolfgang im Oktober 1770 in die berühmte Accademia filarmonica von Bologna aufgenommen wurde. Trotz zahlreicher Ehrungen und einiger Gelegenheitsarbeiten glückte es nicht, dem Sohn eine ruhmreiche Anstellung von Dauer zu verschaffen — ein Phänomen, das Mozart zeitlebens verfolgte. Künstlerisch von hohem Gewinn, blieb das Ergebnis der drei Tourneen in wirtschaftlicher Hinsicht enttäuschend. So muß für diesen Zeitraum nur noch erwähnt werden, daß außer Katarrhen, Zahnschmezen und den bei dieser Art von Reisen häufigen Infekten uns sonst keine nennenswerte Krankheit Mozarts bekannt geworden ist. Auch die nachträglichen Worte der Schwester Nannerl vom 24. November 1799 lassen kaum verbindliche Schlüsse zu. Sie schrieb:

»Ich übersende Ihnen auch einen Kupferstich, der wie wir in Paris waren gestochen wurde, hieraus sehen Sie, daß mein Bruder ein recht hübsches Kind war, erst nach den Blattern hatte er sich so verunstaltet, und noch mehr wie er von Italien zurück gekommen, bekam er die welsche gelbe Farbe, die ihn ganz unkenntlich machte. Er war ein kleins doch proportioniertes Kind.«

Leopold und Wolfgang reisten dann wieder gemeinsam im Sommer des Jahres 1773 nach Wien, im Winter 1774/75 nach München. Auch diese beiden Unternehmungen schlugen in Hinsicht auf eine Anstellung Wolfgangs fehl, irgend etwas Unfaßliches scheint die Menschen von ihm ferngehalten zu haben. In Salzburg selbst wurde das Verhältnis der beiden Mozarts zum Erzbischof Hieronymus von Colloredo immer gespannter. Als Vater und Sohn gemeinsam eine neue Kunstreise planten und im Juni 1777 ein Urlaubsgesuch einreichten, lehnte der Kirchenfürst schroff ab. Wolfgangs Antwort war ein höflich formuliertes Entlassungsgesuch für seine Person, auf das der Erzbischof am 28. August mit der für Vater und Sohn verfügten Entlassung aus dem Salzburgischen Dienst antwortete.

Die Entlassung des Vaters wurde bald zurückgezogen, Wolfgang schien nun jedoch auf sich allein gestellt zu sein. So blieb dem Vater, der genau wußte, wie unerfahren und vertrauensselig sein in der Stimmung oft zum Extrem neigender Sohn war, keine andere Wahl, als schweren Herzens die Mutter mit auf die nächste Fahrt zu schicken. Beide reisten am 23. September 1777 ab. Von gänzlich passivem Wesen, dazu noch verbraucht und beleibt, vermochte die sichtlich kurzatmige Frau ihrem zum Schlendrian und Geldverschwenden neigenden Sohn keinerlei Zügel anzulegen. Zum Entsetzen des Vaters wurden beide auch noch in Mannheim seßhaft, da sich Wolfgang dort in die fünfzehnjährige Tochter Aloysia des Sängers Fridolin Weber verliebte und darüber sämtliche berufliche Aufgaben vergaß.

Am 22. Februar 1778 schreibt Wolfgang:

»Ich bin jetzt schon 2 Tage zu Hause geblieben und habe antispasmodisch und schwarzes Pulver und Holunderblütentee zum Schwitzen eingenommen, weil ich Katarrh, Schnupfen, Kopfweh, Halsweh, Augenweh und Ohrenweh gehabt habe; nun ist es aber Gott sei Dank wieder besser, und morgen hoffe ich wieder auszugehen, weil Sonntag ist.«

Vom 14. bis 23. März 1778 dauerte die nicht mit dem Postwagen, sondern mit einem Roßhändler unternommene Reise nach Paris, welche die beiden in ihrer einstigen, an den Händler veräußerten Chaise unternahmen. Das Quartier in der Seinestadt war mehr als bescheiden. Die Mutter schreibt, daß sie dort den ganzen Tag allein im Zimmer sitze wie im Arrest, dunkel und unwirtlich sei es außerdem; wenn sie aus dem Fenster sähe, ginge der Blick auf einen Hinterhof, und die Stiege sei derart eng, daß man nicht einmal ein Klavier heraufbringen könne. Zu allem Unglück starb die Mutter auch noch dort am 3. Juli, 57 Jahre alt, im Anschluß an einen fieberhaften Infekt (Typhus?), wobei sie letzten Endes einer Herzschwäche erlegen sein dürfte. In derselben Nacht schrieb Mozart, der gewiß auch die gesundheitliche Lage der Mutter völlig falsch eingeschätzt hatte, an den Abbé Bullinger:

»Allerbester Freund!

für Sie ganz allein.

Trauern Sie mit mir, mein Freund! — dies war der traurigste Tag in meinem Leben — dies schreibe ich um 2 Uhr nachts — ich muß es Ihnen doch sagen, meine Mutter, meine liebe Mutter ist nicht mehr! — Gott hat sie zu sich berufen — er wollte sie haben, das sah ich klar — mithin habe ich mich in den Willen Gottes gegeben. Er hatte sie mir gegeben, er konnte sie mir auch nehmen. Stellen Sie sich nur alle meine Unruhe, Ängste und Sorgen vor, die ich diese 14 Tage ausgestanden habe — sie starb ohne daß sie etwas von sich wußte — löschte aus wie ein Licht. Sie hat 3 Tage vorher gebeichtet, ist kommuniziert worden und hat die heilige Ölung bekommen — die letzten drei Tage phantasierte sie beständig und heut aber um 5 Uhr 21 Minuten griff sie in Zügen, verlor alsogleich dabei alle Empfindung und alle Sinne — ich drückte ihr die Hand, redete sie an — sie sah mich aber nicht, hörte mich nicht und empfand nichts — so lag sie bis sie verschied, nämlich in 5 Stunden um 10 Uhr 21 Minuten abends — es war niemand dabei als ich, ein guter Freund von uns, den mein Vater kennt, H. Haina und die Wächterin — die ganze Krankheit kann ich Ihnen heute unmöglich schreiben — ich bin der Meinung, daß sie hat sterben müssen — Gott hat es so haben wollen. Ich bitte Sie unterdessen um nichts als um das Freundstück, daß Sie meinen armen Vater ganz sachte zu dieser traurigen Nachricht bereiten — ich habe ihm mit der nämlichen Post geschrieben — aber nur daß sie schwer krank ist — warte dann nur auf eine Antwort — damit ich mich danach richten kann. Gott gebe ihm Stärke und Mut—

mein Freund! — Ich bin nicht jetzt, sondern schon lange her getröstet! — Ich habe aus besonderer Gnade Gottes alles mit Standhaftigkeit und Gelassenheit übertragen. Wie es so gefährlich wurde, so bat ich Gott nur um 2 Dinge, nämlich um eine glückliche Sterbestunde für meine Mutter, und dann für mich um Stärke und Mut, und der gütige Gott hat mich erhört und mir die 2 Gnaden im größten Maße verliehen . . .«

Die Abreise Wolfgangs aus Paris erfolgte überstürzt Ende September 1778 in einem Augenblick, als sich Prestige und Einnahmen abzuzeichnen schienen, obwohl er von sich aus nur sehr wenig getan hatte, um bekannt zu werden. Dann aber zog er die Rückfahrt, sehr zum Ärger des Vaters, in die Länge, da ihm auch kein Gedanke unbequemer war als die Heimkehr nach Salzburg. Er wählte den Weg über Mannheim und blieb dort nahezu zwei Monate. Endlich traf er an Weihnachten in Müchen wieder mit Aloysia Weber zusammen — aber zu seinem bitteren Kummer wollte die große Sängerin nun nichts mehr von ihm wissen. Erfolglos und mit tiefster Enttäuschung im Herzen kam Wolfgang Mitte Januar 1779 wieder im heimatlichen Salzburg an.

Wenn es auch dem Vater Leopold noch einmal gelungen war, in der Zwischenzeit die Wiedereinstellung seines Sohnes durchzusetzen — Wolfgang wurde im Januar 1779 Domorganist — so war dieses Verhältnis auf die Dauer doch untragbar. Seine Tage bei Hofe schienen gezählt, dort nahm er nun eine seltsame Zwitterstellung ein. Auch ließ ihn der Erzbischof die persönliche Verstimmung spüren. Wolfgangs bedrückte Gemütsverfassung änderte sich hingegen plötzlich, als er vom Münchener Hofe den Auftrag erhielt, die Oper »Idomeneo« zu komponieren. Am 22. November 1780 schrieb er von dort an den Vater:

»Ich habe dermalen einen Katarrh, welcher bei dieser Witterung hier sehr Mode ist; ich glaube und hoffe aber, er wird sich bald flüchten, denn die 2 leichten Kürassier-

Regimenter Rotz und Schleim gehen so immer nach und nach weg.«

Der um seinen Sohn stets besorgte Vater antwortete, wie immer prompt, am 25. November:

»Ich hoffe, Du wirst aus Deinem Katarrh eben keinen Spaß machen, denn, obwohl man die Katarrhe nicht achtet, so haben sie oft üble Folgen. Halte Dich warm, trink keinen Wein, und nehme vor dem Schlafengehen ein wenig schwarzes Pulver und eine kleine Messerspitze Margrafenpulver darunter, zum Frühstück Tee, aber nur nicht Kaffee.« Man sieht, an Vater Leopolds familiärer Besorgtheit hat sich in der Zwischenzeit ebensowenig geändert wie an seinen Behandlungsvorschlägen!

Die Aufführung am 29. Januar 1781 war ein glanzvoller Erfolg, aber die Einnahme gering — der »Opfer«-Gedanke dieser Oper hatte ihn ebenso fasziniert wie später auch in der »Zauberflöte«; vielleicht liegt darin das Unbegreifliche beider Werke begründet, welche Mozarts Biographik so merkwürdig umrahmen. Jedenfalls überschritt er seinen Urlaub beträchtlich, ließ seinen Vater immer deutlicher merken, wie unerträglich ihm zwar nicht Salzburg, aber die dortige Hofgesellschaft sei, und folgte im März einer Order des Erzbischofs nach Wien. Mozart fühlte sich wie ein Lakai behandelt; als nun für ihn Anfang Mai der plötzliche Befehl kam, sofort nach Salzburg zurückzureisen, kündigte er, trotz aller Einlenkungsversuche des Vaters, den Dienst bei Colloredo. Er stand auf der Straße, aber er war frei. Mozart lebte nun in Wien, anfangs beglückt, heiter, frei vom Zwang und voll euphorischer Zuversicht, weil er sich nun in Aloysias Schwester Konstanze verliebt hatte und ihm Heiratspläne vorschwebten. Aloysia Weber war 1779, ein Jahr nach ihrer Verpflichtung an das Münchener Theater, nach Wien engagiert worden. Mit ihr gingen, da der Vater kurz zuvor verstorben war, die Mutter und die drei Schwestern. Am 31. Oktober 1780 heiratete Aloysia übigens in

Wien den Schauspieler Lange, von dem auch das Mozart-porträt stammt, das der österreichischen Sondermarke von 1956 zugrundeliegt. Doch war Mozarts Position nicht ausreichend, um eine Familie zu gründen. Aus diesen Schwierigkeiten suchte er sich durch zunehmende Konzerttätigkeit und unermüdlichen Fleiß zu helfen. Er, der reine Tor, wurde von der Schwiegermutter geschickt in das Netz der Ehe gezogen. Mit Vater Leopold gab es deswegen ein Zerwürfnis, das später nie mehr bereinigt werden konnte, dasselbe gilt im wesentlichen auch bezüglich der Schwester Nannerl. Mozart begann schon morgens um 6 Uhr in der Früh mit der Arbeit und endete meist erst nach Mitternacht. Die Hochzeit fand am 4. August 1782 statt. Seine Ehe mit Konstanze, welche in Geldangelegenheiten ebensowenig weitblickend war wie ihr Gatte, ist rückblickend sogar als gut zu bezeichnen. Wenn sie auch die Größe ihres Mannes erst Jahrzehnte nach dessen Tod begriffen zu haben scheint, so war sie trotz ihrer leichtfertigen und oberflächlichen Art doch die Lebensgefährtin, die Mozart brauchte. Hingegen mißlangen in der Folgezeit die erwünschte Aussöhnung mit dem Vater und die Anbahnung eines freundschaftlichen Verhältnisses zur Schwester. Gegen Konstanze blieb der Vater stets kalt und abweisend, daran änderte auch die im Juli 1783 angetretene Reise des Ehepaares zu Vater und Schwester nach Salzburg nichts. Zudem war während ihres dortigen Aufenthaltes der erst im Juni geborene Sohn Raimund Leopold, den sie in Pflege gegeben hatten, gestorben, und noch im Dezember 1783 schrieb der Sohn an den Vater: »Wegen dem armen, dicken, fetten und lieben Buberl ist uns beiden recht leid.«

In den nächsten Jahren erkrankte Wolfgang einmal, wie wir aus einem Brief Leopolds vom 14. September 1784 an die Tochter Nannerl erfahren: »Mein Sohn war in Wien sehr krank. Er schwitzte in der neuen Oper des Paisiello durch alle Kleider und mußte in der kalten Luft erst den

Bedienten suchen, der seinen Überrock hatte, weil unterdessen der Befehl ergangen war, keinen Bedienten durch den ordentlichen Ausgang ins Theater zu lassen. Dadurch erwischte nicht nur er, sondern manch anderer ein rheumatisches Fieber, das, wenn man nicht gleich etwas dazu tut, in Faulfieber ausartet. Er schreibt:

»Ich habe vier Tage nacheinander zur nämlichen Stunde rasende Kolik bekommen, die sich allzeit mit starkem Erbrechen geendet hat. Ich muß mich nun entsetzlich halten. Mein Doktor ist Herr Sigmund v. Barisani, der ohnehin die Zeit, als er hier ist, fast täglich bei mir war. Er wird hier sehr gelobt, ist auch sehr geschickt; und Sie werden sehen, daß er in kurzem sehr avancieren wird.« Doch wird nicht gesagt, wo sich besagte Koliken manifestierten — Magen, Darm, Galle oder ableitende Harnwege —, so daß wir auf Grund dieser Mitteilung leider keine verbindlichen Schlüsse ziehen können.

Leopold Mozart stattete vom 11. Februar bis zum 25. April 1785 seinen Gegenbesuch in Wien ab und konnte sich von Wolfgangs wachsenden Erfolgen, die nicht zuletzt durch seine guten Verbindungen zum Adel entstanden waren, persönlich überzeugen. Hier erreichte Mozarts Leben in der Tat einen einmaligen, wenn auch kurzen wirtschaftlichen Höhepunkt. In der Großen Schulerstraße Nr. 846 bewohnte er eines der schönsten und teuersten Quartiere, welches außerdem sehr geräumig war; schon die reichverzierte Stuckdecke des Arbeitszimmers wird den Vater von der wirtschaftlichen Prosperität seines Sohnes hinlänglich überzeugt haben. In Gegenwart des befreundeten Joseph Haydn fand jenes historische Quartettspiel statt, bei dem dieser zu Leopold die berühmt gewordenen Worte: »Ihr Sohn ist der größte Komponist, den ich von Person und dem Namen nach kenne«, über Wolfgang gesprochen hat, wovon Leopold an die Tochter unter dem Datum des 14. Februars 1785 stolz berichtete.

Allein dieses Glück, in Wolfgangs Ruhm als ausübender Künstler und Komponist begründet, war nur vorübergehend. Wohl im Banne revolutionärer Gedanken, die ihn auch zum Vertonen des »Figaro«-Stoffes veranlaßten, erschien Mozart am 19. Februar 1786 auf dem Maskenball, kostümiert als indischer Philosoph. Dort verteilte er ein gedrucktes Flugblatt mit 8 Rätseln und vierzehn »Bruchstücken aus Zoroasters Fragmenten«, alle von ihm selbst verfaßt. Er sandte dieses Dokument auch an Vater Leopold, der es an Nannerl weitergab (J. H. Eibl).

Ein Text lautete:

»Bist du ein armer Dummkopf, so werde Kanonikus. Bist du ein reicher Dummkopf, so werde ein Pächter. Bist du ein adeliger, aber armer Dummkopf — so werde, was du kannst, für Brot. Bist du aber ein reicher, adeliger Dummkopf, so werde, was du willst; nur kein Mann von Verstand — das bitte ich mir aus.«

Entgegen allen Intrigen, an denen Mozarts »Rival«, der Komponist und kaiserliche Hofkapellmeister Antonio Salieri (1750–1825), besonders beteiligt war, erfolgte die »Figaro«-Premiere am 1. Mai 1786; für die Oper erhielt er 450 Gulden. Wenn auch der Erfolg, welcher sich schon jetzt kundtat, außergewöhnlich zu sein schien, verschwand das Werk doch im gleichen Jahr nach der neunten Aufführung vom Spielplan. Der Grund liegt auf der Hand: Der Adel fühlte sich zutiefst kompromittiert! B. Paumgartner schreibt: »Es bleibt eine erschütternde Tatsache, daß Mozart trotz der gewaltigen Leistung seines ›Figaro‹ den merkwürdigen Verfall seiner Beliebtheit als schöpferischer Musiker beim Wiener Publikum nicht zu hemmen vermochte. 1786 veranstaltete Mozart noch sieben Akademien, nach 1788 hat er aller Wahrscheinlichkeit nach keine mehr zustande gebracht. Alle Hoffnungen Mozarts, Rang, Ansehen und Einkommen zu erzwingen, entschwanden trauriger von Tag zu Tag.« Schon im Jahre 1786 ließen seine Einnahmen, woran

*Mozarts unerbittlicher »Rival«, der Komponist und kaiserliche
Hofkapellmeister Antonio Salieri (1750–1825)*

nicht zu zweifeln ist, erheblich nach, so daß Mozart den festen Plan hatte, nach England — wohin ihn zeitlebens eigenartige Kontakte banden — zu gehen. Da sich sein Vater weigerte, zwei Kinder inzwischen in Pflege zu nehmen, reiste Mozart stattdessen Anfang Januar 1787 nach Prag, um den »Figaro« hier zu sehen. Doch der dortige grandiose Applaus änderte seine Lage in Wien nicht, denn »der Prager Provinzialerfolg erregte in der Kaiserstadt kaum mehr als freundlich mitleidiges Kopfnicken« (B. Paumgartner). Man darf hierfür nicht die Gleichgültigkeit des Publikums in Ansatz bringen, das sich erfahrungsgemäß stets dem Neuesten zuwendet — dafür war der Abstieg nach dem »Figaro« zu jäh und zu brüsk. Die Zahl der Schüler nahm ständig ab, die Akademien verloren sich von selbst, in die Subskriptionslisten trug sich so gut wie niemand mehr ein. »Die Konzerttätigkeit Mozarts kam von 1787 an fast gänzlich zum Erliegen. Die einmaligen Opernhonorare oder Verlegerhonorare waren schnell aufgebraucht« (F. Blume). »Ohne Zweifel haben viele Zeitgenossen, die das überzeitlich Geniale des Werkes nicht begriffen, den ›Figaro‹ als einen heftigen Angriff gegen die sakrosankte Struktur der Wiener Gesellschaft empfunden. Man begann Mozart, wenn schon nicht als einen Aufrührer, so doch als einen kleinen Frondeur in diesen Kreisen anzusehen. Und wahrscheinlich hat man damals schon in jenen bevorzugten Schichten des Adels und des Wiener Bürgertums begonnen, von dem leidenschaftlichen jungen Künstler abzurücken, der so gerne und allzu deutlich seine Meinung heraussagte. Vielleicht war dies der Beginn der furchtbaren Vereinsamung, die Mozarts letzte Lebensjahre umschattete« (B. Paumgartner).

Am 10. Mai 1787 teilte Vater Leopold Mozart seiner Tochter Nannerl mit:

»Dein Bruder wohnt itzt auf der Landstraße No. 224. Er schreibt mir aber keine Ursache dazu, gar nichts! das mag ich leider errathen.« Dem weltkundigen Mann entging es nicht, daß sein Sohn in Wien gescheitert und aus der einst feudalen Wohnung in die Vorstadt, »auf die Landstraße«, verzogen war. In den letzten 1800 Tagen vor dem Tod senkte sich das große Schweigen auf Wolfgang Amadeus Mozart, wartete man in Wien im Grunde nicht mehr auf ein Werk von ihm. Sein gewaltsamer Tod ist nur der Schlußpunkt hinter alles. »Mozart stand in Spannung zur Ordnung der damaligen Gesellschaft — da er sich nicht fügen konnte und wollte, wurde er zum Revolutionär. Die Wiener Adelsgesellschaft, von deren Wohlergehen Mozart materiell abhing, hat dies durchaus bemerkt; zwar protegierte sie ihn zuerst, überantwortete ihn aber nach der Aufführung des Figaro dem Elend und damit dem frühen Tode« (A. Rosenberg).

Bereits die nächste Opernpremiere, »Don Giovanni«, konnte Mozart in Wien nicht erreichen, die Uraufführung erfolgte am 29. Oktober 1787 in Prag. Im Dezember wurde der Meister vom Kaiser Joseph II. zum k.k. Kammerkompositeur mit dem bescheidenen Jahresgehalt von 800 Gulden angestellt. Aber in der Folgezeit hat er nicht einmal die ersehnte 2. Kapellmeisterstelle erhalten, nur um die — allerdings unbesoldete — Position eines Adjunkten des Domkapellmeisters zu St. Stephan bewarb er sich im Todesjahr 1791 mit Erfolg.

Vater Mozart und sein Sohn haben sich später nie mehr gesehen. In seinem letzten Brief an ihn schreibt Wolfgang die bekannten Sätze:

»Nun höre ich aber, daß Sie wirklich krank seien! Wie sehnlich ich einer tröstenden Nachricht von Ihnen selbst entgegensehe, brauche ich Ihnen wohl nicht zu sagen; und ich hoffe es auch gewiß, obwohl ich es mir zur Gewohnheit gemacht habe, mir immer in allen Dingen das Schlimmste vorzustellen. Da der Tod (genau zu nehmen) der wahre Endzweck unseres Lebens ist, so habe ich mich seit ein paar

Jahren mit diesem wahren, besten Freunde des Menschen so bekannt gemacht, daß sein Bild allein nichts Schreckendes mehr für mich hat, sondern recht viel Beruhigendes und Tröstendes. Und ich danke meinem Gott, daß er mir das Glück gegönnt hat, mir die Gelegenheit (Sie verstehen mich) zu verschaffen, ihn als den Schlüssel zu unserer wahren Glückseligkeit kennen zu lernen. Ich lege mich nie zu Bette ohne zu bedenken, daß ich vielleicht (so jung als ich bin) den andern Tag nicht mehr sein werde — und es wird doch kein Mensch von allen, die mich kennen, sagen können, daß ich im Umgang mürrisch oder traurig wäre — und für diese Glückseligkeit danke ich alle Tage meinem Schöpfer und wünsche sie vom Herzen jedem meiner Mitmenschen ... Ich hoffe und wünsche, daß Sie sich während ich dieses schreibe besser befinden werden; sollten Sie aber wider alles Vermuten nicht besser sein, so bitte ich Sie ... mir es nicht zu verhehlen, sondern mir die reine Wahrheit zu schreiben oder schreiben zu lassen, damit ich so geschwind als es Menschen möglich ist in Ihren Armen sein kann; ich beschwöre Sie bei allem, was — uns heilig ist. — Doch hoffe ich bald einen trostreichern Brief von Ihnen zu erhalten, und in dieser angenehmen Hoffnung küsse ich Ihnen samt meinem Weibe und dem Carl 1000mal die Hände und bin ewig

Ihr gehorsamster Sohn
W: A: Mozart.«

Diese Worte, geschrieben am 4. April 1787, werden den Vater noch einmal von der Anhänglichkeit seines Sohnes überzeugt haben und dem 68jährigen, welcher am 28. Mai 1787 in Salzburg seine Augen für immer schloß, ein gewisser Trost gewesen sein. Trotzdem dürfen sie nicht darüber hinwegtäuschen, daß er letzten Endes unversöhnt und zutiefst resigniert starb — das große Ziel, welches er sich mit seinem Sohne vorgenommen hatte, war nicht erreicht worden. Bei aller Achtung und Wertschätzung blieb es dem Vater nicht verborgen, daß die späteren Erfolge Wolfgangs in umgekehrtem Verhältnis zu seinen raschen Siegeszügen als Wunderkind standen. Welch gewagten Einsatz hatte er riskiert, welche großen finanziellen Opfer auf sich genommen, indem er rastlos an der Ausbildung des Knaben gearbeitet und keine Reise gescheut hatte, die ihn noch mehr hätte bekannt machen können — und dies alles unter Umständen, bei denen jede Fahrt die Kräfte der Passagiere bis an den Rand der Erschöpfung trieb, in einer Zeit, in welcher der Zustand der Straßen mehr als zu wünschen übrig ließ, und die Strapazen, die den Insassen der Postkutschen abverlangt wurden, ans Legendäre grenzten! Und dennoch mußte es der Vater erleben, daß sein von Zweit- und Drittrangigen umgebenes Wunderkind, dem sogar ein Haydn den Wundermann attestierte, nach allen gescheiterten Versuchen bezüglich einer festen Anstellung in Wien ein mehr oder weniger vages Leben als freischaffender Bohemien führte, und dies an der Seite einer Lebensgefährtin, die Leopold ihrer Art und Einstellung nach zuwider gewesen ist. Allein auf sich selbst gestellt, fehlte es dem Sohne an der Ellenbogenkraft und an der erforderlichen Begabung für Intrige, um sich in die erste Reihe der musischen Günstlinge emporzuspielen und seinem merkantil veranlagten Vater den wirtschaftlichen Beleg für sein Künstlertum zu erbringen. Mozart war sich außerdem des eigenen Wertes voll bewußt und in des Wortes ursprünglichster Bedeutung stolz. Das hat ihm namentlich in der Wiener Gesellschaft über die neidischen Kollegen hinaus noch viele persönliche Feinde eingebracht. Ohne weise Führung blieb Mozart ein Kind, und wir wissen nicht, in welchen Kreisen er verkehrte, und ob die posthumen Beschuldigungen, es seien dies leider oft keineswegs die besten gewesen, zutreffen.

Zudem ist Mozarts äußere Erscheinung in gar keiner Weise markant gewesen. Als der Zauber des Wunderkindes

SIEGEL DER SEHR EHRW: S: IOH: LOGE
ZVR GEKROENTEN HOFFNVNG
IM ORIENT VON WIEN.

*Das Siegel von Mozarts Wiener Loge, der er offiziell seit Ende
1784 angehörte*

verblich, blieb dem Aspekt nach nur die durchschnittliche Hülle eines gewöhnlichen Sterblichen übrig: Das Göttliche war in ihn eingelagert wie eine an der Oberfläche nicht erkennbare Goldader in taubes Gestein. So mag es auch verständlich sein, wenn Tieck, als er Mozart 1789 in Berlin sah, von ihm sagen konnte, daß er »klein, rasch, beweglich und blöden Auges, eine unansehnliche Figur« sei. Nur wenig über 150 Zentimeter groß, später etwas korpulent, bot dieser ewig quecksilbrig-nervöse Mann mit dem großen Kopf, der plumpen Nase und der von Pockennarben verunstalteten Haut physiognomisch wenig Anziehendes. Wolfgangs Augen waren von zartem Blau, das Haar sehr blond. Der etwas »unstete und zertstreute« Blick rührte mit von einer Myopie her, die sich auch schon auf den Kinderbildern durch den leichen Exophthalmus ankündigt. Infolge jener gewaltigen Strapazen während der Reisen und einer entsprechend mangelhaften Ernährung zog sich das Wunderkind eine Rachitis zu. Schädelveränderungen (Stirnhöcker), Zwergwuchs und Knochenverbiegungen an druckbelasteten Stellen, hier an den Händen, bezeugen das. So trägt Beethovens Neffe Karl zu Anfang des Jahres 1824 in die Konversationshefte des tauben Komponisten ein: »Mozarts Finger waren von dem unablässigen Spielen so gebogen, daß er das Fleisch nicht selbst schneiden konnte.« Gäbe es nicht eine davon unabhängige, aber fast gleichlautende Briefnotiz Zelters an Goethe, könnte man alles für Übertreibung halten. Außerdem trug Mozart sein Haar lang, und zwar wegen Fehlbildungen im Bereich der äußeren Ohrmuschel, eines fehlenden Ohrläppchens und einem massiven Wulst, welcher die Muschel durchzog und die Öffnung des äußeren Gehörganges schlitzartig verkleinerte. Diese Anomalie vererbte sich übrigens auf den jüngeren der beiden Söhne, nämlich Wolfgang Franz.

Mozart liebte kräftige Farben, vor allem Rot. Seine ständige innere Unruhe fand ihren Niederschlag in äußerer

Betätigung — den stets in nervöser Bewegung befindlichen Händen, der hastigen Sprechweise, der Neigung zum Tanzen, Kegeln, Billardspiel. Von hoher, reiner Gesinnung und in allen Dingen des Lebens äußerst korrekt, fiel er seiner naiven, gutgläubigen Wesensart, die in seltsamem Gegensatz zu seiner sonstigen intuitiven Menschenkenntnis stand, mehr als einmal zum Opfer. Wenn auch böswillige biographische Verdrehungen nach seinem Tode das Gegenteil — nicht zuletzt zum Zwecke der Begründung seines vorzeitigen Endes — in Umlauf zu setzen versuchten, so darf trotz seiner Hingabefähigkeit an die irdischen Genüsse dieser Welt nicht vergessen werden, daß er sich zeitlebens ein kindlich reines Herz und einen lauteren Charakter bewahrte. Zudem ist Mozart stets ein Suchender gewesen. Ende 1784 wurde er Freimaurer; eine Mitgliederliste der »Loge zur neu gekrönten Hoffnung in Wien, in der Weihburggasse im Graf Fuchs'schen Hause« nennt 1787 neben ihm noch den Theaterdirektor E. Schikaneder. Mozarts Vater Leopold wurde in Wien am 4. April 1785 ebenfalls als Lehrling in den Bund aufgenommen und schon am 22. April in den Meistergrad erhoben. Wolfgang Amadeus hat sehr wahrscheinlich noch einen weit höheren Rang innegehabt.

Was sich in seinem Innern abspielte, kann trotz des vorliegenden großen biographischen Materials nur erahnt werden. Der »letzte Mozart« entzieht sich nach einem unerforschlichen Gesetz der detaillierten Interpretation, weshalb E. Schenk von der »Unfaßbarkeit seiner Person« spricht. Die Gegenwart besitzt, so eigenartig das erscheint, kein allgemeingültiges, treffendes und umfassendes Mozartbild. Je nach Lage des Temperamentes hat jeder Betrachter das in ihn hineininterpretiert, was ihm selbst am meisten entgegenkam. Weil die Gemälde sehr von der Musik und weniger vom Persönlichen her aufgebaut sind, weichen die Mozartporträts allesamt so stark voneinander ab. In dem Werk »Aethiopica« von Heliodor wird beschrieben, auf welche Weise sich göttliche Wesen in der Antike für gewöhnliche Sterbliche, sofern sie eingeweiht sind, zu erkennen geben: Durch ihren undurchdringlichen Blick, ihre ungehemmte Beweglichkeit und durch ein Körpermal. Alle diese Voraussetzungen sind bei Mozart — ohne daß man nun ins Schwärmen verfällt — tatsächlich erfüllt gewesen.

Denn wenn er zwar als Mensch aus Fleisch und Blut unter uns lebte, war er dabei doch »ein ganz anderer«, nicht zuletzt durch einen erheblichen Psychoinfantilismus, der auch den Mann Mozart nie verließ und ihn bei aller kritischen Lebenserkenntnis vor den Trivialitäten des Alltags abschirmte. Ihn darum mit dem Maßstab unserer Erfahrung zu messen, ist ein Unding. Seine Seele war keineswegs so hell und luzid, wie sie sich in den Werken darstellt; Mozarts Gemüt ist gespalten gewesen. Immer hat man beim Lesen auch der besten Biographien den Eindruck, daß sie uns nur Teilwahrheiten vermitteln. Wohin zog es ihn, mit wem verkehrte er, wohin begab er sich außerhalb der kontrollierbaren Bahnen des Lebens? Weshalb nannte er sich um 1782 mit einem Mal Wolfgang Adam (so auch im Trauungsdokument)!? Zeitlebens stand Mozart unter dem dämonischen Zwang des ständigen Produzierenmüssens, nicht allein durch die äußere Notlage, sondern einem verborgenen inneren Drang gehorchend, für dessen Ursache er selbst keine Erklärung gehabt haben dürfte. Während andere bestrebt waren, das letzte Werk ins rechte Licht zu rücken, war Mozart im Geist schon beim nächsten. Allein die Fülle von 623 Opera — die angefangenen und unvollendet gebliebenen nicht mitgerechnet! — erbringt den Beweis für diese gewaltige schöpferische Spannung, der er ausgeliefert zu sein schien, und die gewissermaßen seine Lebenskerze an beiden Enden zugleich abbrennen ließ. Sein vorzeitiger Tod läßt ihn vor unserem geistigen Auge eher geläutert erscheinen. Daran vermag auch die Tatsache nichts zu ändern, daß Mozarts Musik für die Zeitgenossen viel zu schwer verständlich und technisch viel zu kompliziert war, was — außer den verborgenen Intrigen — später die Mißerfolge seines Nie-zum-Zuge-Kommens in Wien teilweise miterklärt. Aber Mozart hätte auch weitergeschrieben, wenn der geringe Prozentsatz jener Werke, deren Druck er erleben durfte, nicht gedruckt worden wäre. Zu diesen Faktoren trat vor dem Tode noch ein Zug des Ausgeliefertseins an höhere, invisible Mächte, ein Zug der Ausweglosigkeit in das Bild (Blume).

Das Jahr 1787 brachte Mozart einen weiteren herben Verlust, denn am 2. September starb sein Freund, der ihn behandelnde Arzt Dr. Sigmund Barisani, worüber er in seinem Stammbuch schreibt:

»Heute, am 2. September dieses nämlichen Jahres, war ich so unglücklich, diesen edlen Mann, liebsten, besten Freund und Erretter meines Lebens, ganz unvermutet durch den Tod zu verlieren. Ihm ist wohl! Aber mir, uns und allen, die ihn genau kannten — uns wird es niemals wohl werden, bis wir so glücklich sind, ihn in einer besseren Welt und auf Nimmerscheiden zu sehen.«

Von 1788 an versank Mozart rasch in den wirtschaftlichen Ruin. Charakteristisch ist nun, daß man ihn in Wien zwar nicht ganz zum Verstummen bringt, seine Opernaufführungen jedoch rasch nach der Premiere wieder absetzt:

Im Mai dieses Jahres erfolgte die Wiener Erstaufführung des »Don Giovanni«, die Oper wurde aber zu Mozarts Lebzeiten bloß 15mal gegeben und verschwand noch im gleichen Jahr vom Spielplan. Im Juni dieses Jahres beginnen die uns erhaltenen Bettelbriefe an den befreundeten Kaufmann Michael Puchberg, der ihm, soweit man das übersehen kann, insgesamt rund 1500 Gulden borgte. Auch 1789 gelang es Mozart nicht, Subskribenten für irgendwelche Akademien zu gewinnen. Die Kunstreise an der Seite von Fürst K. Lichnowsky im April (Prag, Dresden, Berlin, Leipzig) »war fast nutzlos geblieben« (F. Blume). Anfang Juni kehrte er nach Wien zurück. Kurze Zeit später erkrankte auch noch seine Frau an einem Beingeschwür und mußte mehrere Monate zur Kur nach Baden. Ende August wurde »Figaro« wieder ins Programm aufgenommen, jedoch nur 12mal gegeben. Der Kaiser, wieder auf Mozart aufmerksam geworden, ließ ihm einen Opernauftrag erteilen. Im Burgtheater hat man am 26. Januar 1790 »Così fan tutte« aufgeführt und nach insgesamt 10 Abenden für immer abgesetzt. Im Mai 1790 kamen noch 2 Schüler zu Mozart, er »möchte es gerne auf 8 Scolaren bringen«. Nach dem Tode des Kaisers änderte sich in Mozarts Leben nichts, er lebte weiter »im Jammer« und betonte, daß sein Schicksal in Wien so widrig sei, daß er nichts verdienen könne, selbst wenn er wolle. »Meine gegenwärtigen Umstände sind aber so, daß ich, ohne die Hilfe eines biederen Freundes, meine Hoffnung zu meinem ferneren Glücke ganz verloren geben muß.« Trotz aller äußeren Behinderungen kommen hier jene beiden Haupteigenschaften zum Durchbruch, die für das Scheitern von Mozarts Leben hauptsächlich verantwortlich zu machen sind: Das Übermaß der Begabung auf der einen und seine Unfähigkeit, die Umwelt in seinen Bann zu zwingen auf der anderen Seite; ferner der Umstand, daß ihm Erwerb und Besitz stets gleichgültig waren, weshalb er nie disponieren oder kalkulieren konnte.

Anfang Mai heißt es in einem Schreiben:

»Mir ist sehr leid, daß ich nicht ausgehen darf, um mit Ihnen selbst sprechen zu können, allein meine Zahn- und Kopfschmerzen sind noch so groß, und ich fühle überhaupt noch eine starke Alteration.« Der neue Kaiser, Leopold II., wollte im Grunde genauso wenig mit Mozart zu tun haben wie sein Vorgänger und alle seine Träume, daß er an der Schwelle des Erfolges stünde, entpuppten sich als Phantastereien.

Am 14. August schreibt er wieder an Puchberg:

»So leidentlich als es mir gestern war, so schlecht geht es mir heute; ich habe die ganze Nacht nicht schlafen können vor Schmerzen. Ich muß mich gestern von vielem Gehen erhitzt und dann unwissend erkältet haben. Stellen Sie sich meine Lage vor: krank und voller Kummer und Sorge. Eine solche Lage verhindert auch die Genesung um ein merkliches. In 8 oder 14 Tagen wird mir geholfen werden; sicher, aber gegenwärtig habe ich Mangel. Könnten Sie mir denn nicht mit einer Kleinigkeit an die Hand gehen? Mir wäre für diesen Augenblick mit allem geholfen . . .« Hier verstand es der Absender, den Bericht über einen banalen Infekt geschickt mit dem Wunsch nach finanzieller Subvention zu verbinden und ein momentanes körperliches Mißbehagen zum Mittelpunkt eines wirtschaftlichen Anliegens zu machen.

In Wien selbst gelang ihm jetzt kein Erfolg mehr, obwohl seine Werke in Prag begeisterte Aufnahme fanden. Aber war die »Führungsspitze« in Prag, war dort der Adel nicht derselbe wie in Wien, mußte man sich dort durch den »Figaro« nicht ebenso herausgefordert fühlen? Hierzu möge folgendes gesagt werden: In Wien, nicht in Prag saß die Regierung, die sich im eigentlichen Sinn durch Mozart kompromittiert wähnte. Hinzu kommt, daß sich beide Städte in einem heimlichen Konkurrenzkampf miteinander befanden, und daß es als Ehrensache galt, in künstlerischen Dingen an der Moldau grundsätzlich eine andere Meinung zu haben als an der Donau — wenn dem Komponisten dort das Publikum weit fortschrittlicher und verständiger erschien als in der Wahlheimat, dann hatte das zum Teil ganz andere Gründe, als er dachte. Mozart befand sich »auf der Reise nach Prag« angesichts der bitteren Notwendigkeit, in der Fremde *keinem* Boykott ausgesetzt zu sein, wie das in Wien seit dem Jahre 1786 der Fall gewesen ist. Zuletzt fiel er wohl noch Wucherern in die

Hände. Am 1. Oktober verpfändete Mozart für 1000 Gulden das gesamte Mobiliar, um die Reise zur Kaiserkrönung nach Frankfurt am Main zu finanzieren, obgleich man ihn dorthin gar nicht einlud. Die Briefe an die Gattin bezeugen, wie lustlos und resigniert er war. Am 3. Oktober schreibt er aus Frankfurt an Konstanze über die als Auftrag gedachte Trauermusik für das Mausoleum des Feldmarschalls Laudon, deren tiefernste Einleitungstakte die damalige Seelenverfassung widerspiegeln. Das Werk ist als ein Stück für eine Orgelwalze in einer Uhr gedacht, dauert etwa 8 Minuten und wurde als Trauermusik noch viele Jahre nach Mozarts Tod verwandt:

». . . ich habe mir so fest vorgenommen, gleich das Adagio für den Uhrmacher zu schreiben . . . tat es auch — war aber, weil es eine mir sehr verhaßte Arbeit ist, so unglücklich, es nicht zu Ende bringen zu können — ich schreibe alle Tage daran — muß aber immer aussetzen, weil es mich ennuiert — und gewiß, wenn es nicht einer so wichtigen Ursache willen geschähe, würde ich es sicher ganz bleiben lassen — so hoffe ich aber doch, es so nach und nach zu erzwingen —«

Zwar war Mozart »berühmt, bewundert und beliebt«, wie er am 8. Oktober nach Hause schrieb, und »wenn die Academie ein bischen gut ausfällt, so habe ich es meinem Namen . . . zu danken.« Der materielle Erfolg des Konzertes, welches erst am 15. Oktober stattfand, war hingegen schlecht; zu der geplanten zweiten Veranstaltung am 17. Oktober ist es in Frankfurt nicht mehr gekommen. Der Not gehorchend — und sicher nicht aus innerem Anliegen — fuhr dann Mozart am 16. Oktober mit dem Marktschiff nach Mainz, wo er am Mittwoch, dem 20. Oktober, im Akademiesaal des Kurfürstlichen Schlosses vor dem Kurfürsten Karl Joseph von Erthal in Gegenwart des Reichs-Vizekanzlers Franz de Paula Gundaccar Fürst Colloredo und seiner Gemahlin sowie ihren Söhnen ein Konzert gab.

Eine eindrucksvolle zeitgenössische Schilderung in Gedicht-
form lautet:

»Beim letzten Kurfürst war's im Schloß zu Mainz
an einem Spätherbstabend. Vorm Portale
um Läufer und Heiducken drängt sich Volk
und steh'n in langer Reihe die Karossen.
Im Festsaal droben aber rauscht's und glänzt's
von Perlen, Gold und seidnen Prunkgewändern.
Was nur von Adel und von hohem Rang,
ist hier versammelt. Hochfrisierte Damen
in steifen Röcken flüstern unverwandt
zum Fächerspiel mit stolzen Kavalieren,
doch plötzlich richten alle Augen sich
auf einen Punkt. Naht dorther ein Gekrönter
dem Erzbischof, der auf dem Kurstuhl thront?
Ein Mächtiger der Erde, wie schon häufig
als Gast kam in seiner Herrscherpracht,
ein König? – Nein! und doch ist es ein König,
der jetzt vortritt im schlichten Bürgerkleid
sich tief verbeugt und zum Klavier dann schreitet,
ein Herrscher in dem unbegrenzten Land,
wo frei der Melodien Ströme fließen:
Herr Wolfgang Amadeus Mozart ist's –.
Und wie er kaum die Tasten noch berühret,
Wird's kirchenstill auf einmal rings im Saal;
andächtig lauscht der Kreis erwählter Gäste
dem Spiel des Meisters, und als es vorbei,
da klatschen sie ihm Beifall, daß der Puder
von den Perücken stäubt, ja, daß sogar
(entgegen allem Brauch) Seine Gnaden
der Kurfürst selbst es über sich gewinnt
und drückt die Hand dem Musikantenkind.«

Allein Mozart nennt in seinem Brief vom 23. Oktober
nur »magere 15 Carolin« (= 165 Gulden) als Geschenk des
Kurfürsten, als hätte ihn der Name »Colloredo« als böser
Geist bis hierher verfolgt. Schon am nächsten Tag reiste er
weiter nach Mannheim; dort wohnte Mozart am 23. Oktober der Hauptprobe des »Figaro« bei. In einem Bericht
heißt es, »Mozart habe klein, schmächtig und blaß ausgesehen und sei durch seine hervorstehenden Augen und die

große Nase in seiner äußeren Erscheinung aufgefallen«
(E. L. Stahl). Über Schwetzingen und München kehrte Mozart heim nach Wien. Dort nahm er Abschied von Joseph
Haydn, dessen erste Englandreise begann, und Mozart war
voll düsterer Ahnungen. Am 4. März 1791 gab er sein letztes öffentliches Konzert. Die Zahl der Werke war gerade
in dem vorhergehenden Jahr klein. Seine Verschuldung
nahm ständig zu. Konstanze zog es wieder zur Kur nach
Baden, allein was Mozart anbetrifft, so sind ernstliche Erkrankungen aus all den vergangenen Jahren nicht bekannt
geworden.

Die weiten Reisen vom Jahr 1789 und auch die Fahrt zur
Kaiserkrönung nach Frankfurt im Herbst 1790 hätte niemals ein Mensch unternommen, der sich nicht wohl fühlte
oder gar chronisch kränkelte. Kaum ein Jahr seines arbeitsreichen Lebens war übrigens so fruchtbar wie das Todesjahr
1791! Die Komposition der »Zauberflöte«, deren mysteriöses Textbuch zum Teil noch ebensowenig geklärt ist wie
die hintergründige Art der Auftragserteilung, fiel im wesentlichen in die Monate Mai, Juni und Juli 1791. Libretto
wie Tonwerk durchzieht eine larvierte Zahlensymbolk, die
Oper selbst hat ein Herzstück der Freimaurerei zum Inhalt,
welches Mozart und sein Texter Schikaneder in die Handlung verwoben, was Außenstehenden allerdings nicht auffällt; beide sind ja selbst Logenbrüder gewesen. Mozarts
Frau Konstanze weilte währenddessen meist in Baden zur
Kur an der Seite ihres Freundes Franz Xaver Süßmayr.

Bereits im Sommer fühlte sich Mozart unwohl, mehr
und mehr wuchs der Verdacht, daß ihm jemand nach dem
Leben trachtete. Das britische Verlegerehepaar Vincent und
Mary Novello besuchte im Jahre 1829 die Hinterbliebenen
Mozarts, darunter auch die Witwe, wobei sie folgende
wichtige Notiz in ihr Tagebuch, das übrigens erst im Jahre
1945 aufgefunden und 1955 gedruckt wurde, eintrugen:

»Ungefähr sechs Monate vor seinem Tode kam Mozart

der furchtbare Gedanke, daß ihn jemand . . . vergiften wolle — er kam eines Tages zu Konstanze und klagte über große Schmerzen in den Lenden und allgemeine Mattigkeit — einer seiner Feinde habe ihm die verderbliche Mixtur beigebracht, die ihn töten würde, und sie könnten den Zeitpunkt seines Todes genau und unweigerlich berechnen.« Im Juni 1791 war zudem erstmals bei Mozart ein merkwürdiger »grauer Bote« mit einer sonderbaren Nachricht erschienen, was Mozart zutiefst erschreckte. Es heißt, dieser Bote hätte eine Totenmesse, das »Requiem«, in Auftrag gegeben. Nissen schreibt hierzu: »Ja, Mozart äußerte selbst andere, sehr seltsame Gedanken, und wenn man sie ihm auszureden versuchte, so schwieg er, aber unüberzeugt.«

Bernhard Paumgartner stellt rückblickend fest:

»Der zeitweilige Glaube des kranken Meisters an einen Anschlag auf sein Leben (»einer seiner Feinde« — »some of his enemies«) ist unbezweifelbar. Noch am 25. August 1837 schreibt Konstanze, die über diese Frage nie ganz sicher war, an den Regierungsrat Ziegler nach Münster über ihren Sohn, daß dieser nicht wie sein Vater Neider zu befürchten habe, die ihm nach dem Leben trachteten. — Es bleibt seltsam, daß die wichtigsten Dokumente und Nachrichten über Mozarts Tod erst eine gute Generationsspanne, etwa 35 Jahre später, auftauchten. Die offizielle Mozartforschung hat — fast bis in die letzten Jahrzehnte — manche Einzelheit geflissentlich verschwiegen, so daß eine gewissenhafte Berichterstattung, auch wenn sie von einer Vergiftung Mozarts nicht überzeugt ist, um der historischen Objektivität willen alles Erreichbare über seine Erkrankung und sein Ende wenigstens anzuführen verpflichtet ist.«

Es heißt, Mozart sei gerade in diesem seinem letzten Lebensjahr durch den leichtlebigen Theaterdirektor E. Schikaneder, auf dessen Vorstadtbühne später die Premiere der »Zauberflöte« erfolgte, zu einem unsittlichen Lebenswandel verleitet worden. Sogar H. Abert weist darauf hin: »Die damit verbundene Freiheit und Schikaneders Vorbild haben ihn damals in das wüste Treiben mit hineingerissen und . . . gerade diese Vorgänge blieben im Gedächtnis der Leute haften.« Nach J. B. Suard litt Mozart auf Grund seiner »Beziehungen zu einer Theaterdame« an einer unheilbaren Krankheit, was allerdings auch als planmäßige Irreführung in die Welt gesetzt worden sein kann. Damals wurde die Syphilis innerlich mit Quecksilber (= Sublimatpillen) therapiert. Ein solches Rezept lautete etwa:

> Mercurii sublimati corrosivi grana quindecim solve in Aquae destillatae drachmis sex.
> Decantato liquori adde
> Micae panis albi, drachmas duas cum dimidia.
> Misce fiat Massa, ex qua formentur pilulae Nr. 120.
> S. Morgens und abends 2 Pillen zu nehmen.
> (15 Gran = 1,05 gr.; 1 Drachme = 4,4 gr.)

Gerade in Wien behandelte Gerard van Swieten (1700 bis 1772), der Leibarzt Maria Theresias, seit dem Jahre 1754 Syphilitiker mit seinem »Liquor mercurii Swietenii«, der ein Viertel bis ein Halbes Gran Sublimat, in Branntwein gelöst, enthielt; der Alkohol dürfte hierbei nicht nur als Vehikel, sondern auch als beliebtes und zugleich stimulierendes Geschmackskorrigens gedient haben. Man mußte also nur eine Dezimale bei der Verabfolgung dieser hochgiftigen Quecksilberverbindung ändern, und schon hätte Mozart sein »Gift« ganz freiwillig »als Heilmittel« eingenommen! Eine Geschlechtskrankheit ist bei Mozart aber völlig unbewiesen, weshalb solche Spekulationen mit allen Vorbehalten wiedergegeben seien.

Schon während der Arbeit an der »Zauberflöte« sank er »in öftere Ermattung und minutenlange halbohnmächtige Bewußtlosigkeit« (F. Rochlitz). Da im eigenhändigen Werksverzeichnis die Beendigung dieser Oper — außer Priestermarsch und Ouvertüre — unter »Jullius« eingetragen ist, sind auch die vorerwähnten Beschwerden für besagten Zeitabschnitt anzusetzen. Ferner unterstreicht N. Nissen die Kraftabnahme, er schrieb »den Titus bey hinschwindenden Kräften« (»and a general languor spreading over him by degress«, Novello). Sein früherer Librettist Lorenzo da Ponte lud Mozart zwar nach London ein (Memoiren, Bd. II), aber er wollte erst den Erfolg der »Zauberflöte« in Wien abwarten, heißt es. Fort von Wien wollte Mozart in jedem Fall, sonst hätte sich der Meister im gleichen Jahr nicht um eine dauerhafte Anstellung bei Fürst G. A. Potemkin beworben.

Die kompositorische Tätigkeit an der »Zauberflöte« wurde plötzlich durch den eiligen Auftrag der böhmischen Stände unterbrochen, zur Krönung Leopolds II. in Prag als König von Böhmen die Festoper zu schreiben. »Sehr kränklich war er nach Prag gereiset«, schrieb F. Rochlitz in seinen »Mozart-Anekdoten« von 1798/99. Da er Mozart noch persönlich kannte und von der Umgebung des Komponisten aufschlußreiche Hinweise erhielt, wird man seinem Zeugnis Glauben schenken dürfen. In Prag kam Mozart am 28. August an. Sein Kranksein vor der Abreise ist also erhärtet, dasselbe geht aus dem »Krönungsjournal für Prag« (1791) hervor: »Die Komposition (»Titus«) ist von dem berühmten Mozart und macht demselben Ehre, ob er gleich nicht viel Zeit dazu gehabt und ihn noch dazu eine Krankheit überfiel, in welcher er den letzten Theil derselbigen verfertigen mußte.«

»Schon in Prag kränkelte und medizierte Mozart unaufhörlich; seine Farbe war blaß und die Miene traurig, obschon sich sein munterer Humor in der Gesellschaft seiner Freunde doch oft noch in fröhlichen Scherz ergoß«, hielt F. X. Niemetschek fest.

Längst hatten ihn die äußeren Umstände in die Knie gezwungen, der einstige impetuöse Elan, seine Satire und Personenkritik fehlen in den Briefen der letzten Jahre.

»Bey Hofe zeigte sich gegen Mozarts Komposition eine vor-
gefaßte starke Abneigung«, heißt es in einem zeitgenössischen Bericht. Es wird dunkel angedeutet, daß er dort in
Verruf gekommen sei wegen seiner Schulden (und Schlim-
merem, wenn man auch nicht sagte, was das nun war).
Darum verwundert auch der Mißerfolg der Prager »Titus«-
Aufführung vom 6. September 1791 nicht. Die Kaiserin soll
das Werk eine »Porcheria tedesca« genannt haben, vielleicht wurde ihr Gemahl beim Anblick des brennenden
Kapitols unliebsam an die Schwierigkeiten erinnert, in denen sich damals seine Schwester Marie Antoinette in Paris
befand – schon standen die Gewitterwolken der Revolution drohend am Himmel –, und er hielt möglicherweise
unter solchen Umständen die Wahl des Themas für reak-
tionär, faßte das Werk als einen gegen sich selbst gerichteten Affront auf. Bei Mozart wußte man zwar, was er vollendete, aber nie, was er noch alles hätte schreiben können!
Da in Begleitung des Kaiserpaares viele Leute vom Hof mit
nach Prag gekommen waren, und entsprechende Intrigen
unter Salieris Schirmherrschaft ins Kraut schossen, wurde
die Krönungsoper mehr oder weniger zu einem »Prager
Debakel im Wiener Milieu«.

Aus jener Zeit stammt der apokryphe Brief, der an da
Ponte in Triest gerichtet gewesen sein soll, und von welchem seit neuestem das Autograph fehlt:

»Mein Kopf ist schwach und zerstreut, das Bild dieses
Unbekannten will nicht von meinen Augen weichen. Ich
sehe ihn ständig vor mir; er bittet, er bedrängt mich, und
ungeduldig treibt er mich zur Arbeit an. Ich fahre in ihr
fort, denn zu komponieren strengt mich weniger an als un-
tätig zu sein. Andererseits habe ich vor nichts mehr zu
zittern. Ich fühle es und brauche keinen Beweis; die Stunde
schlägt. Ich bin im Begriffe zu sterben. Ich höre auf, ehe ich
in den Genuß meines Talentes gekommen bin. Das Leben
war so schön, meine Laufbahn begann unter so günstigen

Vorzeichen; aber niemand kann sein Schicksal ändern. Niemand mißt sich selber seine Tage zu; man muß sich ergeben, das ist es, was der Vorsehung gefällt. Ich vollende meinen Grabgesang; ihn darf ich nicht unbeendet hinterlassen.«

Im 18. Kapitel der »Anekdoten aus Mozarts Leben« schreibt F. Rochlitz:

»Die letzte Zeit seines Lebens, da er schon an einem kränkelnden Körper und besonders an so äußerst leichter Reizbarkeit der Nerven litt, wurde er, der — wie sich, meines Bedünkens, psychologisch leicht erklären läßt — überhaupt sehr furchtsam war, besonders viel von Todesgedanken beunruhigt. Nun arbeitete er so viel, so schnell — freylich deshalb auch zuweilen so flüchtig . . . Seine Anstrengung ging dabey oft so weit, daß er ganz entkräftet zurücksank . . . er nahm an nichts mehr wahren Anteil.« Im 19. Kapitel fährt der Verfasser fort: »In dieser Zeit schrieb er seine Zauberflöte, seine Clemenza di Tito, sein himmlisches Requiem . . . Schon über der ersten dieser Opern versank er . . . in öftere Ermattung und minutenlange halbohnmächtige Bewußtlosigkeit.«

Die gleichen Symptome finden sich auch in N. Nissens Mozartbiographie von 1828 wieder. Sie dominierten, als er die letzten Musiknummern der »Zauberflöte«, den Priestermarsch und die Ouvertüre, am 28. September beendete. Konstanze, welche wieder in Baden weilte, erschien anläßlich der Uraufführung am 30. September in Wien, und im Gegensatz zu den früheren Opern scheint diesmal gleich der Erfolg auf seiner Seite gewesen zu sein. An diesem und am nächsten Tag hat Mozart die Aufführung vom Flügel aus geleitet. Um ihn etwas abzulenken, fuhr Konstanze mit ihm aus, wobei es zu jener denkwürdigen Begebenheit kam, welche als Bericht bei Niemetschek und Nissen schon klassische Bedeutung erlangt hat:

»Mit inniger Betrübnis sah seine Gattin seine Gesundheit immer mehr hinschwinden. Als sie eines Tages an einem schönen Herbsttage mit ihm in den Prater fuhr, um ihm Zerstreuung zu verschaffen, und sie Beyde einsam saassen, fing Mozart an vom Tode zu sprechen und behauptete, daß er das Requiem für sich setze. Dabey standen ihm Thränen in den Augen, und als sie ihm den schwarzen Gedanken auszureden suchte, sagte er: Nein, nein, ich fühle mich zu sehr, mit mir dauert es nicht mehr lange: *Gewiß, man hat mir Gift gegeben!* Ich kann mich von diesem Gedanken nicht loswinden.«

Mozarts Wiener Hausstand glich seit 1789 dem eines armen Junggesellen. »Wo ich geschlafen habe? — zu Hause, versteht sich — ich habe recht gut geschlafen, nur haben mir die Mäuse rechtschaffene Gesellschaft geleistet — ich habe ordentlich mit ihnen discutiert« (Brief vom 25. Juni 1791).

Mozarts gesundheitliche Verfassung war damals jedoch keineswegs bedrohlich, auch die Briefe an Konstanze in Baden lassen nichts Diesbezügliches erkennen. Vom Juli bis zum 4. Dezember hat er außer der Ouvertüre, dem Priestermarsch und sonstigen Einzelheiten zur »Zauberflöte« neben der Oper »Titus« noch mehrere Werke ganz vollendet, nämlich das Klarinettenkonzert in A-Dur und zwei Kantaten, deren letztere im Autograph 18 Blätter umfaßt und für die Einweihung des zweiten Tempels der Loge »Zur Neugekrönten Hoffnung« am 18. November gedacht war. Selbst im Oktober hielt Mozart an seinem bisherigen Arbeitsrhythmus fest, sein Appetit sowie der Schlaf waren noch leidlich normal, wie die Briefe — sofern er nicht alles verharmloste — aus jener Zeit beweisen. Denn die Beschwerden, soweit sie uns überliefert sind, wirken diffus und wenig charakteristisch. Mozart ist nur unterschwellig krank gewesen: Rückenschmerzen, Mattigkeit, Depressionen, Ohnmachten, Flüchtigkeit und Schreckhaftigkeit neben extrem leichter Reizbarkeit und Blässe! Am 8., 9. und

13. Oktober besuchte Mozart die »Zauberflöte«, das letzte Mal sogar mit seinem Gegner Salieri — er rechnete vielleicht mit Mozarts baldigem Tod! Am 16. Oktober fuhr Mozart mit dem Knaben Karl nach Baden, um Konstanze heimzuholen; sie reisten am 17. Oktober zurück (J. Eibl).

Ende Oktober wurde Mozart bettlägerig. Der in den ersten Novembertagen hinzugezogene Dr. Closset verordnete vollständige Ruhe und untersagte Mozart das Arbeiten (A. Greither).

In vielen Mozartbiographien findet man die Angabe von Mozarts Hausdiener J. Deiner, der folgenden Ausspruch Mozarts, bevor er gänzlich wegunfähig war, festhielt: »Mich befällt eine Kälte, die ich mir nicht erklären kann.« Dieser Bericht erschien erstmals am 28. Januar 1856 in der Wiener Morgenpost und hat jene Szene zum Inhalt, da Mozart in sein Stammlokal »Zur silbernen Schlange« tritt und sich erschöpft in ein Nebenzimmer setzt:

»Als Mozart in dieses Zimmerchen gekommen war, warf er sich müde auf einen Sessel und ließ den Kopf in die vorgestützte rechte Hand sinken. So saß er ziemlich lange, worauf er dem Kellner befahl, ihm Wein zu bringen, während er sonst Bier zu trinken pflegte. Als der Kellner den Wein vor ihn hinstellte, blieb Mozart regungslos sitzen, ohne auch nur von dem Getränk zu kosten. Da trat der Hausmeister Joseph Deiner durch die Türe, welche in den kleinen Hofraum führte, in das Extrazimmer. Dieser war Mozart gut bekannt und wurde von ihm stets mit viel Vertrauen behandelt. Als Deiner des Tonmeisters ansichtig wurde, blieb er stehen und betrachtete ihn lange aufmerksam. Mozart sah ungewöhnlich blaß aus, sein gepudertes blondes Haar befand sich in Unordnung, und der kleine Zopf war nachlässig gebunden. Plötzlich sah er empor und bemerkte den Hausmeister. ›Nun, Joseph, wie gehts?‹ fragte er. ›Das sollte ich wohl Sie fragen‹, entgegnete Deiner, ›denn Sie sehen ganz krank und miserabel aus . . . Vermut-

SYNOPSE DER KRANKHEITSSYMPTOME

Symptom	Quelle: Niemetschek	Nissen	Novello	Rochlitz	Karl Th. Mozart
1. Subakutes Vorstadium					
Rückenschmerzen			+		
Mattigkeit	+	+	+	+	
Blässe	+				
Depressionen	+	+			
Ohnmachten		+		+	
Extr. Reizbarkeit		+		+	
Furchtsamkeit		+		+	
Flüchtigkeit		+		+	
Fühlt sich vergiftet	+	+	+		+
Kältegefühl	Deiner-Bericht				
2. Toxisches Finalstadium					
Erbrechen		+			
General. Ödem		+			+
Leibkoliken					+
Foetor					+
Finales Fieber		+	+		
Schreibfähigkeit erhalten		+	+		
Tremor	Letzte Handschrift in KV 623				
Bewußtsein erhalten	+	+			
Ärzte in der Diagnose uneinig	+				

lich haben Sie in Böhmen viel Bier getrunken und sich damit den Magen verdorben.‹ ›Mein Magen ist besser, als du meinst‹, sagte Mozart, ›ich habe schon mancherlei verdauen gelernt!‹ Ein Seufzer begleitete diese Worte. — ›Nein‹, sagte Mozart, ›ich fühle, daß es bald ausmusiziert sein wird.‹«

Im November, schreibt A. Leitzmann, verließ Mozart schon selten sein Lager, aber nicht mehr das Zimmer. Genauere Einzelschilderungen fehlen jedoch, über die Krankheitssymptome wird kaum etwas gesagt. Letztmals in der Öffentlichkeit gesehen hat man Mozart am 18. November, als er anläßlich der Weihe eines neuen Tempels der Loge »Zur Neugekrönten Hoffnung« seine Freimaurerkantate KV 623 dirigierte. Sie ist sein »finales« Werk, auf dem 18. Blatt erkennt man in der Partitur ein deutliches Kleinerwerden der Schrift (Mikrographie) neben Koordinationsstörungen und erdbebenartigen Veränderungen des Ductus infolge eines Quecksilbertremors. Wahrscheinlich, aber nicht sicher zu beweisen, stammt auch aus dieser Zeit ein undatierter Entschuldigungsbrief an einen unbekannten Empfänger, sehr wahrscheinlich ebenfalls ein Mitglied der Freimaurerloge, wie bereits die Anrede erkennen läßt:

»Lieber Bruder. Nun ist es eine Stunde her, daß ich nach Hause kam — und zwar mit starken Kopfschmerzen und Magenkrampf behaftet; — ich hoffte immer auf Besserung — da ich aber leider das Gegenteil empfinde, so sehe ich wohl, daß ich nicht dazu bestimmt bin, unserer heutigen ersten Feierlichkeit beizuwohnen, und bitte Sie, lieber Br., mich deswegen an Ort und Stelle bestens zu entschuldigen. — Niemand verliert dabei mehr als ich; ich bin Ewig ihr

aufrichtigster Br. Mozart

Euer Hochgräflichen —
O Ja gewis«

Vom 20. November an konnte Mozart das Bett nicht mehr verlassen. Hände und Füße wurden dick, die Schwellungen dehnten sich über den ganzen Körper aus (»una gonfiezza generale«, wie der Sohn Karl Thomas schrieb), und weil sie auch am Rumpfe bestanden, fertigte man ihm besondere Nachtjacken an.

Nissen schreibt: »Seine Todeskrankheit, wo er bettlägerig wurde, währte 15 Tage. Sie begann mit Geschwulsten an Händen und Füßen und einer beynahe gänzlichen Unbeweglichkeit: derselben, der später plötzliches Erbrechen folgte, welche Krankheit man hitziges Frieselfieber nannte. Bis zwey Stunden vor seinem Verscheiden blieb er bey vollkommenem Verstande.« Der Gesang eines Kanarienvogels verursachte Mozart physische Schmerzen. Abends verfolgte er mit der Uhr in der Hand jedes Akt-Ende seiner zu immer größerem Erfolg gelangenden »Zauberflöte«-Aufführungen. Ein Brief von Mozarts Schwägerin Sophie, allerdings erst Jahrzehnte nach dessen Tod abgefaßt, besagt:

»Nun, als M. erkrankte, machten wir beyde ihm die Nacht-Leibel, welche er vorwärts anziehen konnte, weil er sich vermög Geschwulst nicht drehen konnte; und weil wir nicht wußten, wie schwer krank er seye, machten wir ihm auch einen wattirten Schlafrock, daß, wenn er aufstehete, er gut versorgt sein möchte, und so besuchten wir ihn fleißig . . . Ich suchte mich zu fassen und ging an sein Bette, wo er mir gleich zuruffte: Ach gut, liebe Sophie, daß Sie da sind. Sie müssen heute Nacht da bleiben, Sie müssen mich sterben sehen. Ich suchte, mich stark zu machen und ihm es auszureden, allein er erwiederte mir auf alles: Ich habe ja schon den Todten-Geschmack auf der Zunge, und: Wer wird denn meiner liebsten Constance beystehen, wenn Sie nicht hier blieben . . . Die arme Schwester ging mir nach und bat mich um Gottes willen, zu denen Geistlichen bey St. Peter zu gehen . . .«

Zu diesem Brief vom 7. April 1825 gibt es noch eine weitere Ergänzung der Verfasserin, abgedruckt bei Nissen:

»Die Schwägerin meynt, Mozart sey in seiner Krankheit

nicht zweckmäßig genug behandelt worden, denn statt daß man auf andere Weise das Friesel noch mehr heraustreiben sollte, hätte man ihm zur Ader gelassen und kalte Umschläge auf den Kopf gemacht, worauf die Kräfte zusehends geschwunden und er in Bewußtlosigkeit gefallen sey, aus der er nicht wieder zu sich kam . . .«

Am 28. November wurde von Dr. Sallaba »Hitziges Frieselfieber«, wie es heißt, diagnostiziert, am 3. Dezember ein Aderlaß durchgeführt. Wie Mozarts Ärzte — Dr. N. Closset und besagter M. von Sallaba, von denen der Letztgenannte schon 1797 starb — ihren Patienten therapierten, ist unbekannt. Mozart wohnte damals im sogenannten kleinen Kaiserhaus in der Rauhensteingasse Nr. 970, 1. Stock. Das ziemlich geräumige Zimmer war sehr dunkel; es hatte zwei Fenster in einen engen Hof. Das Arbeitszimmer befand sich um die Ecke, gegen die Straße zu — in diesem Milieu endete der einst gefeierte Tonmeister! In der »Allgemeinen musikalischen Zeitung«, Leipzig (25. Juli 1827), fand sich ein anonymer Bericht aus München, wo der Sänger B. Schack im Dezember 1826 gestorben war, so daß man in ihm den Urheber der nachfolgenden Zeilen vermuten darf:

»Selbst an dem Vorabend seines Todes ließ er (Mozart) sich die Partitur des Requiem noch zum Bette hinbringen und sang (es war zwey Uhr Nachmittags) selbst noch die Altstimme; Schack, der Hausfreund, sang, wie er es denn vorher immer pflegte, die Sopranpartie, Hofer, Mozarts Schwager, den Tenor, Gerl(e), später Bassist beym Mannheimertheater, den Baß. Sie waren bey den ersten Takten des Lacrimosa, als Mozart heftig zu weinen anfing, die Partitur bey Seite legte, und elf Stunden später um ein Uhr Nachts, verschied (5ten Dec., 1791, wie bekannt).«

F. X. Niemetschek weist darauf hin, daß »die Ärzte in der Bestimmung seiner Krankheit nicht einig« waren. Am Abend des 4. Dezember bekam der Kranke hohes Fieber, es

Handschriftliche Eintragung in N. Nissens »Kollektaneen«, Mozarts Tod betreffend

trat unerträgliches Kopfweh auf. Dr. Closset, der im Theater weilte, erschien nach der Vorstellung und verordnete kühle Umschläge auf die Stirn. Etwa um 0.50 Uhr des anbrechenden 5. Dezembers, kurz vor Vollendung der ersten Tagesstunde, ist Mozart laut Mitteilung der Zeitgenossen, wie auch aus dem obigen Bericht hervorgeht, tot gewesen. Aber trotz einer ins Gigantische angewachsenen Pyramide aus Mozartliteratur sind wirklich brauchbare Meldungen über sein Ende nach wie vor ganz rar. Eine davon findet sich im Reisetagebuch der Novellos:

»Gegen Abend sandten sie nach dem Arzt, der aber im Theater war und dem Boten antwortete, er würde kommen, sobald die Oper vorüber wäre. Bei seiner Ankunft wies er Madame Haibel (die Schwägerin) an, Mozarts Schläfen und Stirne in Essig und kaltem Wasser zu baden. Sie fürchtete, daß die plötzliche Kälte dem Leidenden schaden könnte, dessen Arme und Beine sehr heiß und dick waren (whose arms and limbs were much inflamed and swollen). Aber der Arzt bestand darauf und Madame Haibl legte ein feuchtes Tuch auf seine Stirne. Sogleich ging ein leichtes Beben durch Mozarts Körper und kurz darauf hauchte er in ihren Armen seine Seele aus. In diesem Augenblick waren nur Madame Mozart, der Arzt und sie selbst im Zimmer anwesend.«

An dieser Stelle sei noch eine Notiz aus N. Nissens Kollektaneen, zum Teil unpublizierten handschriftlichen Notizen, die vom Salzburger Mozarteum verwahrt werden, wiedergegeben. Er hielt fest:

»Sein Tod erregte öffentliche Teilnahme. Die Leute blieben vor den Fenstern seiner Wohnung stehen und wehten mit ihren Schnupftüchern hinauf. Er fragte seine Frau, was der Medikus Closset gesagt hatte. Sie antwortete Tröstliches. Er widersprach: es sei nicht wahr und war sehr betrübt: nun soll ich sterben, da ich Dich u. (die) Kinder versorgen könnte. Ach nun hinterlasse ich Euch unversorgt.

Plötzlich bekam er ein Erbrechen — es fuhr von ihm heraus in einem Bogen — das war braun und er war todt.« —

Das Totenbuch der Pfarre von St. Stephan und das Verzeichnis der Verstorbenen in der Stadt Wien vom 5. Dezember 1791 melden »Hitziges Frieselfieber« als Todesursache. Diese Diagnose findet sich aber außer bei Mozart sonst bei keinem der männlichen Toten vom November und Dezember 1791, was von vornherein eine »Seuche« ausschließt. Zudem kannte man nur »Fieber mit Ausschlägen« oder »Fieber, hitzige«, auch »Frieselfieber« (M. Stoll), aber *nicht* »Hitziges Frieselfieber«; die Eintragung dürfte also von einem Leichenbeschauer — was damals durchaus üblich war — und nicht von einem Arzt stammen, denn einen ärztlich unterschriebenen Totenschein oder eine ärztliche Epikrise kennen wir keineswegs. Eine Sektion unterblieb. Die Konfusion bezüglich Mozarts Todeskrankheit beginnt also schon bei der Sterbeeintragung. Noch schlechter steht es um die 1824 inaugurierte Diagnose »Rheumatisches Entzündungsfieber« des Dr. Guldener von Lobes: Dieser Krankheitsbegriff taucht nur dreimal in den damaligen Totenprotokollen auf!

Mozarts musikalisches Genie war nie umstritten, seine Todeskrankheit immer! Das merkwürdige Aussehen der Leiche und postmortale Anschwellungen ließen dem Vernehmen nach bald Gerüchte eines Giftmordes aufkommen. Am 6. Dezember wurde der Sarg eingesegnet und soll in einem Reihengrab auf dem Friedhof von St. Marx beigesetzt worden sein. Zeugen für die Beerdigung fehlen, denn die wenigen Freunde kehrten angeblich bereits am Stubentor wegen schlechten Wetters um. Das kann aber nicht zutreffen, denn auf Grund der sehr gewissenhaften meteorologischen Eintragungen des Grafen C. von Zinzendorf wissen wir, daß während dieses Zeitraumes ein sehr stabiles Wetter herrschte, »temps doux et brouillard fréquent«, also Nebel und Nieselregen, mithin keinesfalls das vielzitierte »Schnee- und Regenwetter«, welches die Trauergemeinde schon vorzeitig in alle Winde zerstreute! Jede Frage nach einem sogenannten »Mozartgrab« mündet ins Spekulative.

Die Zahl der Vermutungsdiagnosen bezüglich Mozarts Tod ist nicht gering — sie alle halten jedoch einer ernsthaften Prüfung nicht stand. Unter dem »Hitzigen Frieselfieber« verstand die Medizin des 18. Jahrhunderts eine mit Hautausschlag, Fieber und Schüttelfrösten einhergehende Krankheit — der Wiener Schule war jedoch dieser Begriff, wie oben erwähnt, nicht geläufig. Mozarts Leiden verlief jedoch schleichend, auch passen die Körperschwellungen gar nicht in den Rahmen eines akut-toxischen Geschehens. Da aber die Quecksilbervergiftung in gewissen Stadien, wie wir später sehen werden, mit Hautausschlag und finalem Fieber einhergehen kann, ist man mit der Annahme des »Hitzigen Frieselfiebers« zwar auf eine falsche Fährte geraten, es steckt aber doch ein Körnchen Wahrheit in dieser Definition.

Eine Hirnhautentzündung (»deposito alla testa« = »Ablagerung der krankmachenden Materie im Kopf«), die Guldener von Lobes vermutete, kommt ebenfalls nicht in Betracht, denn Mozart war bis zum Abend des letzten Tages bei vollkommenem Bewußtsein und wohl auch beschränkt arbeitsfähig. Eine tuberkulöse Hirnhautentzündung paßt noch viel weniger in den Rahmen des Krankheitsgeschehens, wie es überhaupt der Mozartforschung der letzten 50 Jahre mit absoluter Sicherheit gelungen ist, eine Tuberkulose in Mozarts Anamnese auszuschließen.

Andere Autoren nahmen an, Mozart sei an einer Herzinsuffizienz gestorben. Dem widerspricht schon die Tatsache, daß Mozart ganz kurz vor seinem Tode in der Öffentlichkeit eine längere Kantate dirigierte; außerdem ist nichts von einem Kardinalsymptom, der Atemnot, berichtet. Selbst Laien müßten dieselbe bemerkt haben, als er kurz vor dem

Tode angeblich noch die Alt-Partie bei einer Gesangsprobe am Krankenbett übernahm. Wieder andere Verfasser neigten der Auffassung zu, eine Thyreotoxikose mit Herzschwäche habe sein frühes Ende verursacht, allein davon ist man in der Gegenwart immer mehr abgekommen, zumal Mozart in den letzten Lebensjahren zur Körperfülle neigte. Wäre Mozart einer Herzschwäche erlegen, dann wären die Körperschwellungen an den Beinen und nicht, wie wir genau wissen, überall, besonders jedoch am Rumpfe, aufgetreten. Zur Annahme eines — nicht vorhandenen — Morbus Basedow sahen sich frühere Autoren gedrängt, weil Mozart stets quecksilbrig war, etwas hervortretende Augen hatte und ein erethisches Wesen an den Tag legte, jedoch bereits von Kindheit an!

Die 1824 von dem österreichischen Protomedicus inaugurierte Vermutungsdiagnose »Rheumatisches Entzündungsfieber« hat andere Autoren in die Richtung eines rheumatischen Leidens, einer Polyarthritis rheumatica, gewiesen. 1906 vertrat der Ungar J. v. Bókay in einem Zeitschriftenartikel ebenfalls diese These, und der eidgenössische Zahnarzt Dr. C. Bär hat 1966 dasselbe Thema zum Gegenstand einer Monographie gemacht: Bei beiden stirbt der Patient nach einem akut-brisanten rheumatischen »Schub« infolge von »Herzkomplikationen« und »Aderlässen«; das seit dem Sommer 1791 schwelende Krankheitsbild wird dabei völlig übergangen. Die Worte »Geschwulst an Händen und Füßen« deuten beide im Sinne des Rheumas, obwohl Mozart bis zuletzt schrieb — wie wäre das möglich gewesen bei einer Beteiligung der Handgelenke, dazu noch einer schmerzhaften Affektion der Extremitäten, von der *nirgends* die Rede ist?! Außerdem hatte Mozart bis ganz zuletzt *kein* Fieber. Ferner erledigt sich die Rheumathese dadurch, daß eine — noch dazu tödliche — Rheumaerkrankung bei einem Erwachsenen nach überstandenen Rheumaschüben in der Jugend, die bei Mozart zweifellos vorhanden waren, erfahrungsgemäß nicht vorkommt, was Bär übrigens bekannt ist und durch eine seit dem 18. Jahrhundert eingetretene Änderung des rheumatischen Krankheitsbildes erklärt werden soll, jedoch liegt für eine solche Pathomorphose kein Grund vor. Und wie soll ein junger Mann innerhalb von etwa zwei Wochen am »akuten Rheumatismus« sterben? Hier müssen nun »die Aderlässe« herhalten, obwohl wir bloß von einem einzigen wissen! Hinzu kommt eine medizinhistorische Kuriosität, welche den Vertretern der »Rheumathese« völlig entging: Dieser Formulierung von einst, im neuralpathologischen Sinne verstanden, kommt überhaupt keine rheumatologische Bedeutung im heutigen Sinne zu! Nach der Lehre der Neuralpathologen werden alle Funktionen des Organismus vom Nervensystem gelenkt. »Eine krankhafte Stimulation des Nervensystems führt zu pathogenetisch gleichen Zuständen: zum Rheuma der fibrösen Organe, zu Ödemen der serösen Organe, Katarrhen der Schleimhäute, Tetanus des Nervensystems, Neuralgien usw. Daß man damals darunter etwas ganz anderes verstand, als Bär nachzuweisen versucht, geht einmal aus dem epidemischen Charakter der Krankheit Mozarts hervor, den Guldener v. Lobes bescheinigt, ferner paßt zum rheumatischen Fieber in unserem heutigen Sinne überhaupt nicht das ›deposito alla testa‹, der Befall des Gehirns, welcher angeblich die Todesursache darstellte. Mit anderen Worten: Unter dem rheumatischen Entzündungsfieber verstand man vor 150 Jahren etwas ganz anderes, nämlich eine Krankheit heute nicht mehr bestimmbarer Natur« (A. Greither). Das einzige, was in diesem Zusammenhang zu beweisen ist und belegbar erscheint, bleibt die Wassersucht im finalen Geschehen, die nichts mit lokalen – unbeschriebenen – Gelenkschwellungen zu tun hat!

Der erste Arzt, welcher im medizinischen Fachschrifttum über Mozarts Todeskrankheit publizierte, war der Franzose J. Barraud. Er stellte 1905 die Niere in den Vordergrund, seine ebenso geistreichen wie temperamentvollen Sätze in der »Chronique médicale« verdienen es noch heute, gelesen zu werden:

»Mozart ist nur noch ein Schatten seiner selbst. Das bißchen Körperfülle, das er sich im Laufe der Zeit zugelegt hatte, schmilzt wie der Schnee an der Sonne dahin. Seine Blässe war erschreckend; der Glanz seiner Augen war erloschen, und seine Schwäche war derart stark geworden, daß er jeden Augenblick das Bewußtsein verlor . . . Mitte November verschlimmerte sich das Übel rapid. Seine Hände und Füße sind beträchtlich (wassersüchtig) angeschwollen, er fühlt sich von einer Art Lähmung umgeben und ist gezwungen, sich zu Bett zu legen . . . Die Agonie begann . . . Mozart ist nach unserer Meinung an Albuminurie (= Brightsche Krankheit, Wassersucht) gestorben. Und wenn man seine extreme Schwäche in Rechnung stellt, als er die ersten Anfälle seines Übels wahrnimmt, wird man leicht begreifen, daß die Nephritis nicht mehr als 6 Monate gebraucht hat, um einen Menschen niederzuschmettern, der sein ganzes Leben lang hat kämpfen müssen — um sein Brot!« Damit war der erste, entscheidende Schritt getan zur Erkenntnis des Nierenleidens im Hinblick auf die Todesursache Mozarts, auch wenn diese Diagnose später eminent erweitert und ausgebaut wurde, ja selbst die Vertreter der Vergiftungsthese (J. Dalchow, G. Duda, D. Kerner) sehen in der Niere das insuffiziente und für den Tod maßgebliche Organ.

Später hat man die Vorstellung einer *chronischen* Nephropathie dahingehend zementiert, daß man an eine in der Jugend durchgemachte Nephritis dachte, welche im Laufe der Zeit zur Schrumpfniere führte. Es gelang jedoch bis jetzt keinem Autor, ein solches Leiden aus den Quellen herauszulesen oder gar zu beweisen, selbst die Briefe sind diesbezüglich gänzlich »leer«, die chronische Nephritis erwächst, sehr zum Leidwesen ihrer Verfechter, einem dokumentarischen Vakuum. Eine »echte, stille Urämie«, wie sie von ihnen gewünscht wird, ist schon deswegen auszuschließen, weil wir wissen, daß Mozart bis zuletzt arbeitsfähig und noch dazu bei vollem Bewußtsein war. Urämiker sind erfahrungsgemäß immer wochen- meist sogar monatelang vor dem Ende kaum arbeitsfähig und tagelang vor dem Tode *bewußtlos*. Folglich dürfte es als ganz unwahrscheinlich abzulehnen sein, daß ein solcher Patient noch während der drei letzten Lebensmonate zwei Opern, zwei Kantaten, ein Klarinettenkonzert und dergleichen fertigstellt, ja sogar noch nach Prag reist! Gesetzt den Fall, Mozart hätte als Kind einen — biographisch nicht belegbaren — Infekt durchgemacht (z. B. Tonsillitis mit Nephritis oder Pyelonephritis), dann würde er mit an Sicherheit grenzender Wahrscheinlichkeit keine weiteren 25–30 Jahre mehr gelebt haben, dazu noch voller Vitalität und usque ad finem arbeitend. Wie Sarre zeigte, leben selbst heute nach 25 Jahren nur noch 12 Prozent der Kranken mit chronischer Nephritis, die Hälfte ist schon nach 10 Jahren tot — um wieviel mehr erst zur Mozartzeit, wo die Lebensbedingungen und Hygiene sowie die ärztlichen Kenntnisse weit bescheidener waren als heute! Höchst unwahrscheinlich, daß Mozart dann die große Ausnahme gewesen sein soll, welche die Regel bestätigt! Gerade seine gigantische schöpferische Gesamtleistung von rund 20 000 beschriebenen Notenseiten ist der beste Gegenbeweis für »Apathie, Lethargie, chronisches Nierensiechtum«, von den Strapazen seiner vielen Reisen, die er noch im letzten Lebensjahr spielend meisterte, erst gar nicht zu reden. Und noch eins! Patienten, die einem chronischen Nierenleiden erliegen, lassen zuletzt meist keine beachtlichen Ödeme mehr erkennen. Schon F. Volhard stellte fest, daß »mit Eintritt und Zunahme der Niereninsuffizienz der nephrotische Einschlag verblaßt«. Bei Mozart aber standen gerade die finalen Schwellungen derart im Vordergrund, daß sie selbst den Laien auffielen.

So befand sich die Exegese über Mozarts letzte Krankheit in einem Dilemma: Die akuten terminalen Ödeme hätte man zur Not noch mit dem Bild der akuten Nephritis in Einklang bringen können, aber dann wären diese Erscheinungen mit den wochen- und monatelang *vorher* schwelenden Allgemeinsymptomen kaum vereinbar gewesen. Umgekehrt sprachen seine schöpferischen Leistungen und seine weiten Reisen bis unmittelbar vor dem Tod gänzlich gegen das Vorliegen einer latenten Niereninsuffizienz. Wenn zudem Mozart über längere Zeit nierenkrank gewesen wäre, dann wäre uns irgendwann einmal etwas von stärkerem Durst berichtet worden, welcher ein unabdingbares Symptom dieser Krankheit ist — aber an keiner einzigen Stelle der uns bekannten Quellen finden wir einen Hinweis darauf! Auch die bekannte Silberstiftzeichnung der Dorothea Stock von 1789 läßt keine »gedunsenen Züge« erkennen. Hierbei wird oft vergessen, daß Mozart dem pastösen Menschentyp zugehörte und bereits die Bilder des siebenjährigen Wunderkindes eine etwas teigige Haut erkennen lassen.

»Weil sein Körper nach dem Tode schwoll, glaubt man gar, daß er vergiftet worden«, schrieb das Berliner musikalische Wochenblatt bereits Ende Dezember 1791. »Er klagte über Gift-Symptome und daß er nun die Welt verlassen müsse«, teilte J. Isaak Gerning 1802 in seiner »Reise durch Österreich und Italien« mit. Eine inhaltlich fast gleichlautende Mitteilung steht in Gerbers »Lexikon der Tonkünstler«, Leipzig 1813. Mozarts wiederholt geäußerter Verdacht, daß ihm »sein Feind«, der Komponist Antonio Salieri, »nach dem Leben trachte«, sowie dahingehende Andeutungen seiner Frau Konstanze haben dazu geführt, daß man diese Vermutung besonders in Rußland immer wieder diskutierte. Hierbei soll es sich (laut I. Belza: »Mozart und Salieri«, Moskau 1953) um ein »langsam wirkendes Gift gehandelt haben, das Mozart in größeren Zeitabständen verabreicht wurde«. Das bei Reclam im Jahre 1889 erschienene Textbuch zur »Zauberflöte« bringt übrigens denselben Hinweis. Da die Symptomatologie der Arsenikvergiftung gar nicht auf Mozarts Todeskrankheit paßt, kommt nur *eine einzige* Intoxikation in Frage, die *chronische Quecksilbervergiftung!* Rückenschmerzen, Mattigkeit, Depressionen, Ohnmachten, Flüchtigkeit und Schreckhaftigkeit gehören neben extrem leichter Erregbarkeit und Blässe zur Symptomatologie des toxikologisch scharf umrissenen »Erethismus mercurialis«. Am Ende länger dauernder Vergiftungsperioden treten toxische Nephrosen auf mit final urämischen Symptomen, ferner ein Quecksilbertremor. Zum Bild der heute genau bekannten Kalomelkrankheit zählt man Fieber, Exanthem und Hirnhautreizung, lauter Symptome, *die alle* bei Mozart beobachtet wurden. Auch das oben erwähnte Kältegefühl ist für diese Art der Giftwirkung geradezu klassisch.

*

Daraus geht zur Genüge hervor, daß das Endstadium der Quecksilberintoxikation einem echten, akuten Nierenversagen gleicht, und in der Tat hat Mozarts Todeskrankheit eine geradezu tragische Ähnlichkeit mit dem uns heute bekannten Bild der chronischen Quecksilbervergiftung. Außer den biographisch belegten Schwindel- und Ohnmachtsanfällen fügen sich auch die übrigen Befunde lückenlos in die Symptomatologie des sogenannten Merkurialismus: Die bis zuletzt voll erhaltene Arbeitsfähigkeit, das Fehlen des Durstes, die erst ganz zuletzt aufgetretenen eminenten Körperschwellungen durch akutes Nierenversagen, ferner Erbrechen und Halluzinationen, finaler Kräfteverfall sowie Hautausschlag und Hirnhautreizung. Gerade eine solche Verschiedenartigkeit brachte damals die ver-

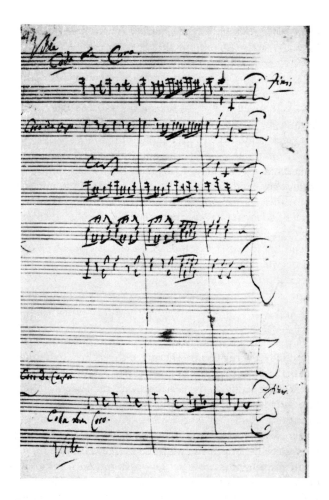

Die letzten drei Takte von Mozarts Kantate KV 623 (beendet
am 15. November 1791) lassen einen deutlichen Quecksilbertremor (Ataxie, Mikrographie, erdbebenartige Veränderungen
des Schriftspiegels) auf dem 18. Blatt des Autographs erkennen,
besonders in den Mittelstimmen

schiedensten Vermutungsdiagnosen ins Rollen (»Hitziges Frieselfieber«, »Rheumatisches Entzündungsfieber«, »Gehirnhautentzündung«, »Nierenversagen« usw.), und in jeder von ihnen steckt eine markante Teilsymptomatik der chronischen Quecksilbervergiftung!

Wenn auch das Quecksilber viel zu Mozarts Zeit als Abführmittel gebraucht wurde, so ist der Giftmord mit Quecksilber am Ende des 18. Jahrhunderts nur relativ selten im Schrifttum verzeichnet. Dies kommt daher, weil die medikamentöse Anwendung des Quecksilbers über die Wiener Schule hinaus damals noch wenig Anwendung gefunden hatte. Mozart verkehrte sonntags regelmäßig im Hause des Gottfried van Swieten, dessen Vater Gerard als erster die Lues mit Sublimat, in Branntwein gelöst, behandelte. Wir dürfen im Zusammenhang damit nicht vergessen, daß die Kenntnis der detaillierten Giftwirkung zum Zwecke der Tötung eines Menschen im 18. Jahrhundert weit größer war als heute. L. Lewin sprach 1920 die Vermutung aus, daß man früher von einem Gifte oft nur eine einzige richtige Dosis zu geben brauchte, um anfangs noch keine manifesten Symptome und dennoch eine allmähliche Untergrabung der Gesundheit zu erzielen. Erst mit der Serienfabrikation der Handfeuerwaffen verschwinden die Gifte und deren eingehende Kenntnis mehr und mehr in den nachfolgenden Jahrzehnten aus dem Erfahrungsschatz der Europäer.

Nach dem Stand der Dinge kann nicht daran gezweifelt werden, daß Mozart einer Quecksilbervergiftung zum Opfer fiel, welche im Sommer 1791 zunächst mit unterschwelligen Dosen systematisch eingeleitet wurde, bevor er schließlich in der zweiten Novemberhälfte die tödliche Restdosis erhielt, so daß Arme wie Beine anzuschwellen begannen. Man wird gut daran tun, sein Ende nicht als eine isolierte Untat zu betrachten, sondern als Schlußpunkt hinter jene grauenhafte Vereinsamung, in welcher er sich seit 1786 befand und die ziemlich synchron mit der »Figaro«-Premiere einsetzte. (Im Februar 1785 war die Aufführung des gleichnamigen Theaterstückes von Beaumarchais in Wien noch verboten worden!)

Interessant ist im Hinblick auf das Wissen um dieses Todesgeschehen, daß der Titelkupfer zum ersten Textbuch der »Zauberflöte« auf einer linkerhand abgebildeten Hermessäule acht Merkurallegorien erkennen läßt (8 ist die heilige Zahl von Hermes = Merkur!), welche der Alchemie des Mittelalters und anderen entsprechenden Symbolen (Ibis, Schlange, Widderkopf, Leier) entstammen. Selbst die österreichische Mozartsonderbriefmarke von 1956 hat am Rande wieder 8 Merkurallegorien aufzuweisen, welche an den Eckpunkten von den Sonnenrädern abgehen: nämlich viermal zwei Leiern und Caducei. Der akademische Maler in Wien, welcher die Marke seinerzeit entwarf, hat in einem persönlichen Schreiben die Richtigkeit dieser Interpretation bestätigt. Besonders wichtig ist hierbei die Tatsache, daß nach den Vorstellungen der Alchemie des Mittelalters sowohl die Zahl 8 als auch die Farbe grau dem Planeten Merkur zugewiesen sind, was wieder lebhafte Gedankenverbindungen weckt zum »Grauen Boten«, der Mozart vor seinem Ende in Wien öfter in Schrecken versetzte und eine Seelenmesse bestellte. So profan es klingen mag — aber diejenigen, die Mozarts Tod beschleunigten, haben ihn mit einem ihm »standesgemäßen« Gift liquidiert, mit Merkur, dem Idol der Musen. Man verwandte ja keineswegs das übliche Blei oder Arsen, sondern Quecksilber, welchem von jeher divine Eigenschaften nachgerühmt wurden: Es ist zwar metallisch, aber doch flüssig und zudem flüchtig, es verdampft bereits bei Zimmertemperatur. Unter den Elementen nimmt es eine Sonderstellung ein, es galt darum als »göttlich«, als androgyn, als zweigeschlechtlich. Quecksilber, das streng gehütete Geheimnis der Alchemisten, ist also eine »heilige Substanz«, weil es Wasser und Luft in seinem Wesen vereint. Von jenem Jugendporträt mit dem Homerischen »Hymn on Mercury« bis zum jähen Tod schließt sich in Mozarts Biographik ein schrecklicher Kreis, so daß man den Worten Greithers nur zustimmen kann: »Aus den Mozartbiographien erfährt der medizinische Laie gerade so viel, um ehrfürchtig vor dem dunklen, über Mozart waltenden Geschick zu verstummen.« Nun, man erfährt darüber hinaus aus dem Textbuch der »Zauberflöte« noch einiges mehr, wenn man deren altheidnische Opfer- und Einweihungsmythen, die bis auf den Osiris- und Dionysoskult zurückreichen, *richtig* interpretiert. Hier, im Textbuch der Zauberflöte, das ebenso wie die Musik der Oper auf ein festes Zahlenschema eingeschworen ist, liegt Mozarts eigenes Schicksal verborgen. Dem Gift, nämlich Quecksilber (= Merkur), kommt unter diesen Umständen mehr zu als ein Mittel zum Mord — es hat mythologischen, fast religiösen Charakter. Die Zauberoper wurde zum Mausoleum Mozarts, sein Tod vorausbestimmt. Nur so sind auch die Worte zu verstehen, die der verstorbene finnische Komponist Jan Sibelius am 31. Oktober 1956 an den Verfasser schrieb:

»Ja, es scheint wohl so gewesen zu sein, daß einer der größten der Tonkunst ermordet wurde. Welches Glück, daß er schon so viel geschrieben hatte!«

Für den Arzt ist »der Fall« mit der klinischen Dokumentation eigentlich abgeschlossen, denn jede forensische Nachforschung versandet heute, da zwischen Einst und Jetzt mehrere Generationen liegen, sowieso im Anonymen. Aber nach Mozarts Tod haben sich zuviele Dinge ereignet, die man nicht einfach übergehen oder beiseite lassen kann. Schon F. X. Niemetschek drückte sich 1798 diskret, aber unmißverständlich aus: »Sein früher Tod, wenn er ja nicht auch künstlich befördert war . . .«, und im »Neuen teutschen Merkur« von Wieland (November 1798) finden sich folgende Worte bezüglich Mozarts Ende: »Freilich muß je-

Järvenpää, den 31. Oktober 1956.

Herrn Dr.med. Dieter Kerner,
Heidesheimerstrasse 10,
Mainz-Gonsenheim.

Sehr geehrter Herr Dr. Kerner,

　　Haben Sie vielen Dank für Ihr leibens-
würdiges Schreiben vom 27. August mit der
"richtigen" Schumann-Marke und der Schrift
"Mozart als Patient", die ich mit grösstem
Interesse gelesen habe. Ja, es scheint wohl
so gewesen zu sein, dass einer der grössten
der Tonkunst ermordet wurde. Welches Glück,
dass er schon so viel geschrieben hatte.

　　Mit verbindlichem Gruss

　　　　Ihr sehr ergebener

*Brief des finnischen Komponisten J. Sibelius vom
31. Oktober 1956*

dem Biedermann sein Herz über die jammervolle Engher-
zigkeit bluten, womit der harmlose, nur seiner Kunst lebende Mozart in Wien dem Mangel und vielleicht einem
noch auf andere Weise beschleunigten Tode preisgegeben
wurde.« Aber erst 32 Jahre nach der Beisetzung lebte das
Mordgerücht mit besonderer Vehemenz auf. Hatte sich zuvor eigentlich nur »das Ausland« damit befaßt, so kamen
1823 die alarmierenden Nachrichten aus Wien selbst. Sie
konzentrierten sich auf Mozarts unerbittlichen »Rival«, den
Komponisten und kaiserlichen Hofkapellmeister Antonio
Salieri (1750–1825). Er ist in der ganzen Affäre bis jetzt die
letzte greifbare Person geblieben, und für ihn dürfte das
lateinische Sprichwort Gültigkeit besitzen: »Non semper
errat fama.«

Es begann damit, daß mehrere Tageszeitungen in Wien
berichteten, Salieri habe den Mord an Mozart zugegeben,
die Angelegenheit gebeichtet und einen Selbstmordversuch
unternommen. Daß Mozart ihn schon zu Lebzeiten als seinen Mörder deklarierte, ist dem Reisetagebuch der Novellos zu entnehmen: »Salieris Feindschaft begann mit Mozarts Komposition von Così fan tutte. Er hatte die Oper
selbst begonnen, aber aufgegeben, da er sie für unwürdig
hielt, in Musik gesetzt zu werden. Der Sohn (Wolfgang
Franz Xaver) stellt es in Abrede, daß er (Salieri) Mozart
vergiftet habe, obwohl der Vater es glaubte und Salieri es
in seinen letzten Tagen gestand.« Wie I. Belza mitteilte,
hat der österreichische Musikhistoriker G. Adler († 1941) in
unserem Jahrhundert eine diesbezügliche Beichte von Salieri in einem Wiener Kirchenarchiv entdeckt und davon
seinen Schüler B. Assafjeff in Kenntnis gesetzt, ohne daß
Einzelheiten bekannt wurden.

Zwischen dem 22. und 25. November 1823 schrieb der
Neffe Karl in die Konversationshefte des tauben Beethoven:
»Salieri hat sich den Hals abgeschnitten, lebt aber noch.«
Am 27. November notierte der polnische Musiker K. K. Kur-

pinski, der damals zu Besuch in Wien weilte, in sein Tagebuch: »Ich wollte mich Salieri vorstellen, aber man sagte
mir bei Artaria (dem Musikverlag), daß er niemanden, auch
seine besten Freunde nicht, zu sich lasse. Es heißt, daß er
sich den Hals durchschnitten habe.«

Bald darauf trägt der Neffe Karl in Beethovens Konversationshefte ein: »Salieri behauptet, er habe Mozart vergiftet.« Dann der Kapellmeister A. Schindler: »Mit Salieri
geht es wieder sehr schlecht. Er ist ganz zerrüttet. Er phan-
tasirt stets, daß er an dem Tode Mozarts schuld sey und
ihm mit Gift vergeben habe. Dieß ist Wahrheit — denn er
will dieß als solche beichten. So ist es wahr wieder, daß
alles seinen Lohn erhält.« Während des Winters der Wiener Redakteur J. Schickh: »Es sind 100 zu 1 zu wetten, daß
die Äußerung Salieris wahr ist! Die Todesart Mozarts bestätigt diese Äußerung.« Und sogar 1825, nach Salieris Tod,
hält der Neffe fest: »Man sagt auch jetzt sehr stark, daß
Salieri Mozarts Mörder ist.«

Daraufhin erklärte man Salieri für geistesgestört und
brachte ihn zwangsweise ins Spital. Danach bekam er zwei
Pfleger, welche im Juni 1824 ein Attest unterschrieben, daß
er nie irgendwelche Selbstbezichtigungen geäußert hätte.
Sein behandelnder Arzt, Dr. Joseph Röhrig, hüllte sich in
Schweigen und unterzeichnete nicht mit. Über die Art und
den weiteren Verlauf dieser Wesensveränderung Salieris
schweigen sich die zeitgenössischen Biographien hartnäckig
aus, selbst der vielverwandte Begriff »Delir« taucht nicht
auf, laut Totenprotokoll verschied er »am Brand des Alters«.

Hinzu kam ein weiteres Ereignis: Am 23. Mai 1824 wurde im Wiener Redoutensaal die 9. Sinfonie von Ludwig
van Beethoven neben einzelnen Teilen der Missa solemnis
aufgeführt. Dabei flatterte von der Galerie ein Flugblatt herab, das ein überschwengliches Gedicht, betitelt »A Lodovi-

68

Der Journalist G. Carpani (1752–1825), der 1824 eine lange
Verteidigungsschrift publizierte, um Salieri von dem Vorwurf,
Mozart vergiftet zu haben, zu entlasten

co van Beethoven. Ode alcaica di Calisto Bassi«, 20 Strophen lang, beinhaltete. Es entpuppte sich aber bei näherer Betrachtung als larvierte Anklageschrift gegen Antonio Salieri, und besonders die Strophen 6, 7, 17, 18 erregten unliebsames Aufsehen. Angeblich zum Lobe Beethovens verfaßt, finden sich darin unter Bezugnahme auf Mozart und Salieri böse Worte wie diese: »Wolfgang, die Bleichsucht ist an seiner Seite, die in der Hand hält den vergifteten Becher.« Calisto Bassi, ein 24 Jahre alter und aus Verona stammender Textdichter verstand es, sich während des nachfolgenden Verhörs geschickt aus der Affäre zu ziehen und sämtliche Bezichtigungen als »puren Zufall« abzutun. Ihm kam der Umstand sehr zustatten, daß die Zensur nichts Anstößiges in den Versen witterte und sie freigab. So wurde auch diese Angelegenheit totgeschwiegen, in keiner Theaterzeitung erschien ein Hinweis, selbst die Tagespresse überging den Vorfall.

Nun aber war es für Salieris Freunde höchste Zeit, einzugreifen. Der Journalist G. Carpani veröffentlichte in der Mailänder Vierteljahresschrift »Biblioteca Italiana« vom 3. Quartal 1824 einen riesigen Brief, betitelt »Lettera del sig. Carpani in difesa del M°. Salieri calunniato dell'avvelenamento del M°. Mozzard«, welcher neben endlosen Weitschweifigkeiten kaum brauchbare Sachlichkeiten enthält. Anschließend folgt das bekannte Gefälligkeitsattest des Dr. Guldener von Lobes:

»Gerne teile ich Euer Gnaden alles mit, was mir über die Krankheit und den Tod Mozarts bekannt ist. Er erkrankte im vorgerückten Herbst an einem rheumatisch-entzündlichen Fieber, das damals fast allgemein unter uns umging und viele Menschen befiel. Ich erfuhr davon indessen erst einige Tage später, als sich sein Zustand bereits verschlimmert hatte. Ich besuchte ihn um verschiedener Rücksichten willen nicht, aber ich erkundigte mich über ihn beim Herrn

Dr. Closset, mit dem ich sozusagen alle Tage zusammentraf. Dieser hielt die Krankheit Mozarts für gefährlich und fürchtete von Anfang an einen schlimmen Ausgang, insbesondere eine Absetzung im Kopfe (un deposito alla testa). Eines Tages traf er den Dr. Sallaba und sagte ihm aufs bestimmteste: Mozart ist verloren, es ist nicht mehr möglich, die Absetzung aufzuhalten. Sallaba teilte mir diese Bemerkung sofort mit, und in der Tat starb Mozart einige Tage danach mit den gewohnten Symptomen einer Absetzung im Kopfe. Sein Tod erweckte allgemeine Anteilnahme, aber niemand kam es in den Sinn, auch im entferntesten den Verdacht einer Vergiftung anzunehmen. Viele Menschen sahen ihn während seiner Krankheit, viele erkundigten sich über ihn, seine Familie stand ihm mit viel Fürsorge bei, sein von allen hochgeschätzter Arzt, der begabte und erfahrene Closset, hat ihn mit all der Aufmerksamkeit eines verantwortungsvollen Arztes behandelt und mit der Anteilnahme eines jahrelangen Freundes, so daß ihm sicher nicht entgangen wäre, wenn auch nur die geringste Spur einer Vergiftung zu entdecken gewesen wäre. Die Krankheit nahm ihren gewohnten Verlauf und hatte ihre gewohnte Dauer. Closset hatte sie so richtig beobachtet und erkannt, daß er den tödlichen Ausgang fast auf die Stunde voraussagte. Die Krankheit befiel zur gleichen Zeit verschiedene Einwohner Wiens und hatte bei manchen den gleichen tödlichen Ausgang und die gleichen Symptome wie bei Mozart. Die genaue Besichtigung der Leiche zeigte nichts Ungewöhnliches.

Das ist alles, was ich imstande bin, über Mozarts Tod zu sagen. Es würde mir ein hohes Vergnügen sein, wenn ich dazu beitragen könnte, die schreckliche Verleumdung des hervorragenden Salieri zu entkräften. Es bleibt mir nur übrig, Euer Gnaden um Entschuldigung zu bitten, daß ich diese wenigen Zeilen nicht sofort übersandt habe. Immer neue Geschäfte und ein ständiges Unwohlsein, das sich erst

nach einem Aderlaß besserte, haben meinem guten Willen
immer neue Hindernisse in den Weg gelegt.

Döbling, 10. Juni 1824

Ihr ergebener Diener
Guldner.«

Da hier ein Arzt über einen Patienten, den er nachweislich auf dem Krankenbett weder besuchte noch untersuchte, urteilt, verweist er seinen »Befundbericht« selbst
auf den zweiten Platz. Außerdem ist die Anwesenheit des
Guldener von Lobes für das Jahr 1791 in Wien nicht belegt.
Auf Grund der Angaben in der österreichischen National-
enzyklopädie ist er erst um 1802 von Prag, wo er an drei
Krankenhäusern wirkte, in die Donaumetropole verzogen.
Mozarts letzter Arzt, Dr. Closset, auf den sich Guldener
berief, lebte damals noch, aber unbegreiflicherweise hüllte
er sich in Schweigen – vielleicht hat man ihn auch erst gar
nicht befragt. Außerdem herrschte in Wien Ende 1791 gar
keine Seuche. Die Totenprotokolle bezeugen es. Im Dezember starben dort sogar weniger Menschen (1042) als im September (1064). Stellt schon Guldeners Formulierung »Rheumatisches Entzündungsfieber« im Sinne der damaligen Medizin, wie oben dargelegt, etwas sehr Vages dar, so muß
auch die im Totenbuch angegebene Diagnose »Hitziges
Frieselfieber« als irreführend betrachtet werden, wohl um
eine epidemische Krankheit vorzutäuschen, so daß jede
weitere Untersuchung des Kadavers unterblieb, und man
ihn »aus Angst vor Ansteckung« rasch entfernte.
Carpani selbst will den Lesern in besagtem Artikel weis-
machen, daß Mozarts Leiche »gerichtlich untersucht« worden ist, was indessen niemals der Fall war. Dann erwähnt
er in seiner Apologie einen Zeugen, der »Mozarts Sterbestunde beiwohnte«, und zwar den späteren Musiker Sigis-

Mozarts älterer Sohn Karl Thomas (1784–1858) führte in Mailand als Steuerbeamter ein bescheidenes Dasein

mund von Neukomm, der 1778 in Salzburg zur Welt kam, damals also 13 Jahre alt gewesen ist und zudem erwiesenermaßen 1791 gar nicht in Wien wohnte. Auch weitere Behauptungen Carpanis — er stand im Dienst der Wiener Geheimpolizei und hatte einen zweifelhaften Ruf — wie die angeblich gute menschliche Harmonie zwischen Salieri und Mozart sowie seine Feststellung, Salieri selbst habe zu Lebzeiten »von dieser verleumderischen Erfindung keine Ahnung« gehabt, sind längst durch beweiskräftige zeitgenössische Gegenargumente widerlegt. Aufs Ganze gesehen hat Carpanis Verteidigung Salieri wenig genützt. Beide starben schon 1825, Dr. Guldener von Lobes 1827. Zudem war es damals von Mailand bis Wien ein weiter Weg, und es ist fraglich, ob man dort von der »Biblioteca Italiana« überhaupt Notiz nahm. Alles, was Carpani seinen Lesern sagte, mußten diese auf Treu und Glauben hinnehmen. Die Gefahr, daß eine unbequeme Erwiderung folgen würde, schien schon durch die Wahl des Ortes bei der Publikation gebannt.

Aber gerade in Mailand lebte ein Mensch, mit dessen Existenz Carpani kaum rechnen konnte: Karl Thomas Mozart! Im Jahre 1784 in Wien als der ältere der beiden Mozartsöhne zur Welt gekommen, brachte man ihn nach dem Tod des Vaters zunächst zum befreundeten Professor Niemetschek nach Prag, wo er dann auf Anordnung der Mutter Konstanze das Handelsfach ergreifen mußte, ohne die Gymnasialstudien vollendet zu haben. Er fand aber in diesem Beruf keine Befriedigung und zog 1805 nach Mailand, studierte dort zunächst Musik, hörte aber nach drei Jahren wieder damit auf und wurde Beamter bei der österreichischen Regierung. Seitdem er auf die Musikerlaufbahn verzichtet hatte, führte Karl Thomas ein bescheidenes Dasein und diente nach Kräften dem Ruhm des Vaters. Er soll ein kleiner, schmächtiger Mann mit schwarzen Augen und leicht ergrauten Haaren gewesen sein, dazu schlicht und höchst bescheiden in seinem Benehmen. Zusammen mit dem Bruder war Karl Thomas im September 1842 in Salzburg Zeuge der Denkmalsenthüllung für seinen Vater, trat 1850 in den Ruhestand, überlebte die ganze Familie und starb unvermählt am 31. Oktober (dem Namenstag des Vaters) 1858, 74 Jahre alt, zu Mailand. Das hier wiedergegebene Schriftstück ist in Italienisch abgefaßt, beginnt ohne Anrede und endet nach dreieinhalb Manuskriptseiten unvermittelt. Es wurde ganz zufällig im Internationalen Musikerbriefarchiv (Berlin; jetzt Wien) in den sechziger Jahren dieses Jahrhunderts entdeckt. Die zahlreichen Durchstreichungen und Verbesserungen im Text lassen darauf schließen, daß der Verfasser zunächst seine Gedanken ex tempore aufzeichnete. Möglicherweise erwog er eine spätere Ausarbeitung, die dann doch angesichts der Aussichtslosigkeit eines solchen Unternehmens unterblieb. Der derzeitige Eigentümer des Originals ist nicht zu ermitteln, es gibt nur eine Kopie, welche absolut zweifelsfrei die Handschrift des Mozartsohnes erkennen läßt. Der Text lautet in deutscher Übersetzung:

»Ich habe den Brief gelesen, den Herr Abt Carpani in die italienische Bibliothek (= Biblioteca Italiana) aufnehmen ließ, um Salieri gegen die Anschuldigung der Vergiftung zu verteidigen. Ich stimme mit allem überein, was er in dem ersten Teil seiner Verteidigungschrift anführt, das heißt bezüglich der Neigung der Menschen, den boshaften, sonderbaren und geheimnisvollen Behauptungen Glauben zu schenken. Unangebracht scheint mir übrigens das von Herrn Carpani gebrauchte Kunstmittel, um die Zustimmung der Italiener zu seiner Meinung zu gewinnen, wenn er davon spricht, die Ehre der Nation schützen zu wollen, welche gewiß nicht von der Untat eines einzelnen Menschen Schaden nehmen kann. Aber noch weniger stimme ich mit seiner Meinung bezüglich des zweiten Teiles überein, in welchem er sich mit dem eigentlichen Thema befaßt. Man denke nur an die weitschweifige und zum Teil vollkommen unpassende Diskussion, die einzig und allein geführt wurde, um Gelegenheit zu finden, derart scharfe Ausdrücke zu gebrauchen, mit welchen er immer großzügig gewesen ist, wenn es sich um Mozart handelte und die — obwohl er es nicht offen gesteht — doch zeigen, *wie* verschieden sein oben erwähntes Urteil über Mozart von dem der großen Mehrheit ist. Es lohnt sich nicht, ihm in seinen Behauptungen zu folgen, da sie damit nichts zu tun haben. Was man aufklären sollte, ist, ob es sich bei seiner Krankheit um ein nicht diagnostiziertes entzündliches Gallenfieber handelte, das der Arzt gleich als hoffnungslos bezeichnete (er erkannte die Gefahr erst in den letzten Augenblicken).

Besonders erwähnenswert sind meiner Ansicht nach die Umstände, nämlich, daß ein paar Tage vor dem Tod eine derart große, allgemeine Schwellung auftrat (una gonfiezza generale), welche den Kranken an jeder kleinsten Bewegung hinderte, ferner der Gestank, der eine innerliche Auflösung ankündigte und gleich nach dem Tode immer stärker wurde, so daß er eine Leichen-Sektion unmöglich machte.

Ein anderer bezeichnender Umstand ist der, daß der Kadaver nicht steif und kalt wurde, sondern, wie es bei Papst Ganganelli und denen, die durch Pflanzengift starben, der Fall war, in allen Teilen weich und elastisch blieb.

Möge der Maestro Salieri an dem Tod Mozarts unschuldig sein, wie ich es wünsche und glaube. Ob das Leben Mozarts gewaltsam beendet wurde und man Salieri dieses Verbrechen zuschreiben soll?

In bezug auf diesen zweiten Teil möchte ich mich den zahlreichen Zeugen anschließen, die die persönlichen Eigenschaften des Maestro Salieri zu schätzen wußten, und darum glaube ich, daß er unschuldig ist, möchte aber unterstreichen, daß ich dazu nicht durch die Verteidigungsschrift

Carpanis veranlaßt wurde. Ich kann das Zeugnis des Herrn Neukomm nicht als gültig anerkennen, da er um jene Zeit kaum der Kindheit entwachsen war, ebenso halte ich die Behauptung für falsch, daß er beim Tode Mozarts zugegen gewesen sei. In die Familie Mozart wurde er neun Jahre später eingeführt, als er zum Erzieher des jüngsten Sohnes des Maestros ausersehen wurde. Falls man aber die Glaubwürdigkeit der Behauptung Neukomms anerkennen wollte, wie kann man das, was Carpani behauptete, mit der von Neukomm in die französischen Blätter eingerückten Erklärung vereinbaren? Demgemäß sollte man glauben, daß der kranke Salieri — obwohl geistesgestört — *sich dazu bekennt, am Tode Mozarts schuld zu sein* (im Manuskript unterstrichen), während Carpani durchaus bemüht ist, diesen Umstand zu verneinen und seine Meinung durch das Zeugnis der Krankenpfleger Salieris unterstützt.

Gänzlich falsch sind außerdem die Umstände, die Carpani anführt und welche den Tod Mozarts begleitet hätten. Es ist falsch und noch nicht erwiesen, ob Mozart gestorben ist, weil sein Lebenslauf beendet war oder ob sein Tod durch Gewalt herbeigeführt wurde. Indessen gibt es starke Anzeichen, das in Betracht zu ziehen. Übrigens darf man nicht vergessen, was Mozart selbst in den letzten Monaten seines Lebens vermutete, ein Verdacht, der bei ihm durch die sonderbaren Auswirkungen der inneren Unordnung, die er spürte, entstanden war und mit der mysteriösen Bestellung des Requiems zusammentrifft — alles Dinge, die so allgemein bekannt sind, daß ich sie hier nicht weiter zu erwähnen brauche . . .«

Auffallend ist, daß der Verfasser dieser Zeilen sehr genaue Informationen besessen haben muß. Auch sind dem Autor alle Widersprüche, in die sich Carpani auf der einen und S. von Neukomm auf der anderen Seite (»Journal des débats«, Paris; eine wesentlich kürzere, aber ziemlich inhaltsähnliche Verteidigung Salieris à la Carpani in französischer Sprache) im Rahmen ihrer sogenannten Apologien verwickelten, bekannt. Besonders die Hinweise auf das letzte Krankheitsgeschehen erscheinen wichtig: Einmal erwähnt er Koliken im Leib, die eine Gallenblasenaffektion hätten vermuten lassen, ferner weist er auf jene enormen Körperschwellungen hin, die eine Sektion unmöglich machten. Entzündliche Prozesse im Bereich der Mund- und Darmschleimhaut dürften als Ursache für die Körperausdünstungen, die eine »innerliche Auflösung« ankündigten, anzusehen sein — lauter wichtige klinische Bausteine, die sonst nirgends vermerkt sind! Allerdings gehören die vorbeschriebenen Leichenveränderungen in den Bereich der Fabel: Selbst Papst Klemens XIV., der 1773 den Jesuitenorden aufhob und dessen bürgerlicher Name Ganganelli lautete, wird zur Stützung dieser bereits in der Antike vertretenen irrigen These, daß Pflanzengifte keine Totenstarre aufkommen lassen, herangezogen. »Weich und elastisch« blieb der Leichnam Mozarts durch die Wasseransammlung im Gewebe, durch das Ödem, welches für das finale Nierenversagen charakteristisch ist. Ganz zweifellos aber hat Karl Thomas Mozart an einen unnatürlichen Tod seines Vaters geglaubt.

Das eigentliche Nachspiel zu all dem kam von dem frühverstorbenen russischen Dichter Alexander Puschkin (1799 bis 1837), der mit 37 Jahren nur wenig älter wurde als Mozart. Im Jahre 1830 schuf er den Einakter »Mozart und Salieri«. Er war gewiß kein Sensationsschriftsteller und besaß wichtige Detailkenntnisse, da er oft im Künstlersalon des österreichischen Botschafters zu Petersburg, Graf Ludwig Ficquelmont (1777–1857), mit dem er befreundet war, verkehrte. Der Dichter stand zudem einflußreichen Kreisen nahe, und nicht zuletzt waren es Frauen, welche ihm die im Westen erschienenen, aber von der zaristischen Zensur verbotenen Bücher und Periodika übermittelten. Via Diplomatenpost gewann er weitere Einblicke in vertrauliche

Angelegenheiten, er ist also stets »au courant de tout« gewesen (I. Belza).

Unter dem Datum vom 26. Oktober 1830 beendete Puschkin in der Einsamkeit des väterlichen Erbgutes Boldino — da ihm die Ausbreitung der Cholera vorübergehend die Rückkehr nach Moskau verbot — hier, im östlichen Gouvernement Nischnij-Nowgorod, das vorerwähnte Werk, welches etwa zehn Druckseiten umfaßt. Puschkin war damals 31 Jahre alt.

Man gewinnt bei der Lektüre des kontrastreichen Stückes den Eindruck, als habe Puschkin den »Rivalen« Salieri nicht nur als Neider oder Widersacher aufgefaßt. Er *muß* diese Tat vielmehr unter innerem Zwang vollbringen. So baut Puschkin im großen Salierimonolog dann Mozart wie ein divines Wesen auf, dessen Stunde nun kommt, das geopfert wird:

> »Nein! länger darf ich fortan meinem Los
> Nicht widerstehn; ich bin erwählt, um ihm
> Halt zu gebieten — sonst sind wir verloren,
> Wir alle, Diener der Musik und Priester,
> Nicht ich allein mit meinem hohlen Ruhme.
> Was nutzts, wenn Mozart noch am Leben bleibt,
> Um eine neue Höhe zu erreichen?
> Wird er die Kunst damit erhöhen? Nein;
> Sie stürzt aufs neue ab, wenn er verschwindet:
> Denn einen Nachfolger läßt er uns nicht.
> Was haben wir von ihm? Ein Cherub
> Bracht er uns einige Paradieseslieder,
> Den flügellosen Wunsch in uns empörend,
> Um uns, Kindern des Staubs, dann zu entfliegen!«

Ja, Salieri besitzt seit 18 Jahren noch ein Gift, das ihm einst die Gattin übereignete:

> »Jetzt — wird es Zeit! Was Liebe dargebracht
> Geh' heute in den Kelch der Freundschaft über.«

Dann folgt jene Stelle, die den Kulminationspunkt des Dramas verkörpert, aber grundsätzlich bereits in Bassis früherem Gedicht vorweggenommen zu sein scheint:

79

Mozart: »Und Genius und Verbrechen sind unvereinbar
stets. Hab ich nicht recht?«

Salieri: »Meinst du? (Er schüttet Gift in das Glas
Mozarts) So trinke doch!«

Mozart: »Ich trink dein Wohl,
Mein Freund, und auf den aufrichtigen Bund,
Der Mozart und Salieri eng verbindet,
Zwei Söhne einer Harmonie« (Er trinkt).

Salieri: »Halt ein, halt ein! Du trankest schon! . . .
ohne mich?«

Puschkin, der nach einer unglücklichen Duellaffäre starb,
fand in dem Komponisten N. Rimsky-Korsakoff (1844 bis
1908) den ebenbürtigen Künstler, welcher 1898 Puschkins
Einakter vertonte. Die Dauer der Aufführung beträgt etwa
50 Minuten. Salieris Monologe erscheinen in Rembrandt-
schem Hell-Dunkel, dazwischen finden sich Melodien aus
Mozartopern und einzelne Requiempartien. Hier ist das
seltene Ereignis Wirklichkeit geworden, daß ein bedeutender Musiker seinem geistigen Idol ein Denkmal in Noten
setzte.

An diesem Punkte endet die Tätigkeit des forschenden
Arztes. Mit der Erarbeitung einer präzisen Diagnose, mit
der Sammlung des biographischen Materials und mit der
Feststellung, daß Mozart die Natur seiner Todeskrankheit
sehr richtig erfaßt hatte, ist ein Ergebnis erreicht worden,
das vielleicht durch einige historische Details im Laufe der
Zeit ergänzt, in seiner Gesamtschau kaum nennenswert
verändert werden dürfte. Es darf auch heute noch mit der
Neuentdeckung von Quellen gerechnet werden, wie dies
für das Reisetagebuch der Novellos, unmittelbar nach dem
zweiten Weltkrieg, gilt, oder für die Entgegnung des Mozartsohnes Karl Thomas auf Carpanis Verteidigung Salieris. Dabei können immer noch neue Krankheitssymptome
ans Licht kommen, die das Bild der Quecksilbervergiftung
ergänzen. Wenn das eine oder andere fehlt, besagt das kei-

neswegs etwas gegen die Diagnosestellung, denn die Menschen von damals dachten nicht im ärztlichen Sinne; so fehlen auch die Körperschwellungen in der Beschreibung von Niemetschek, Rochlitz u. a., erst N. Nissen erwähnt sie und Karl Thomas Mozart. Bis in die jüngste Vergangenheit hinein haben die Ereignisse von 1791 die Menschen beeindruckt. Der im letzten Weltkrieg vom Feindflug nicht mehr zurückgekehrte A. de Saint-Exupéry beschließt sein 1939 erschienenes Buch »Wind, Sand und Sterne« mit folgenden Gedanken: »Mozart ist zum Tode verurteilt . . . Mich bedrückt, daß in jedem dieser Menschen etwas von einem ermordeten Mozart steckt.« Der amerikanische Autor D. Weiss ist dann in zwei Bänden, »Sacred and Profane« sowie »The Assassination of Mozart« dem ganzen Fragenkomplex weiter nachgegangen und hat manches Nützliche, wenn auch in feuilletonistischer Form, herausgefunden (London 1968 und 1970).

Über die biographische Rahmenhandlung hinaus, die leicht zu Sensationsberichten führen könnte, wird es immer gut sein, wenn man den Blick auf den Kranken selbst lenkt, der einsam und verlassen, auf seinem Leidenslager einer Zukunft ohne Hoffnung auf Genesung entgegenblicken mußte. Wie sein Leben unter dem Zwange des schöpferischen Impulses stand, so ist auch sein Tod eine einzige Passion gewesen, aus deren Finale sich Mensch und Werk zu unwiederbringlicher Ganzheit sublimierten. Denn in Mozart starb das größte musikalische Genie des Abendlandes. Vielleicht am treffendsten ist der gesamte Fragenkomplex von W. A. Bauer und O. E. Deutsch auf Seite 180 der Kleinausgabe Mozartscher Briefe umrissen worden:

»Daß Wolfgang Amadé Mozart am 5. Dezember 1791, zwei Monate vor seinem 36. Geburtstag, starb, erfüllt uns immer wieder mit bitterem, hilflosem Schmerz. Dem Kinde Mozart hat ein früher Bewunderer die Worte des homerischen Hermeshymnos zugerufen, da Apoll staunend dem

Wunder des Leierspiels des jungen Hermes lauscht und fragt, ob ihm ein sterblicher Mensch oder ein Gott das erhabene Geschenk göttlichen Gesangs gegeben habe: nie seien vorher so wunderbare Töne erklungen. Und so staunen auch wir vor dem Kinde, dem Manne Mozart: er war und bleibt ein Bote aus einer anderen Welt.«

WOLFGANG AMADEUS MOZART

1. *Baader, E. W.:* Quecksilbervergiftung, in: Handbuch der praktischen Medizin, München – Berlin 1957.

2. *Bär, C.:* Mozart – Krankheit, Tod, Begräbnis, Salzburg 1966.

3. *Barrington, D.:* Miscellanies, London 1781.

4. *Bauer, W. A., Deutsch, O. E.:* Mozart, Briefe und Aufzeichnungen, Bd. III+IV, Kassel 1962 und 1963.

5. *Bauer, W. A., Deutsch, O. E.:* Mozarts Briefe i. d. Fischer-Bücherei, Nr. 318, Frankfurt – Hamburg 1960.

6. *Barraud, J.:* A quelle maladie a succombé Mozart? »La Chronique Médicale« 15. Nov. 1905, Nr. 22.

7. *Beethoven, L. van:* Konversationshefte, Bd. IV+V. Leipzig 1968 und 1970.

8. *Belza, I.:* Mozart und Salieri, Moskau 1953.

9. *Belza, I.:* Nachwort zur russischen Ausgabe des Buches »Sacred and Profane« von David Weiss, Moskau 1970.

10. *Belza, I.:* Vergessene polnische Komponisten, Moskau 1963.

11. *Belza, I.:* Zur Entstehung von Puschkins Tragödie »Mozart und Salieri«. Nachrichten der Akademie der Wissenschaften (Reihe Literatur und Sprache), Moskau 1964.

12. *Blagoi, D. D.:* Puschkins Werk in der Zeit von 1826 bis 1830, Moskau 1967.

13. Berliner Musikalisches Wochenblatt vom 12. Dezember 1791, Nachrichten aus Briefen (Andeutung einer möglichen Vergiftung Mozarts).

14. *Blom, E.:* Mozart's Death, »Music & Letters« 1957: 320.

15. *v. Bôkay, J.:* Die Todesursache Mozarts, Orvosî Hetilap Nr. 3/1906 (Ungarisch), auch ref. in Mitteilungen der Medizin und Naturwissenschaften, Bd. 6 (1907), 323.

16. *Carp, L.:* Mozart: His tragic life and controversial death. Bulletin of the New York Academy of Medicine, Vo. 46, Nr. 4/1970.

17. *Cloeter, H.:* Die Grabstätte W. A. Mozarts auf dem St. Marxer Friedhof in Wien. Wien 1941.

18. *Dalchow, J., G. Duda, D. Kerner:* W. A. Mozart – Die Dokumentation seines Todes, Pähl/Obb. 1966.

19. *Daumer, G. F.:* »Aus der Mansarde«, Zeitschrift, Mainz 1861, Heft 4. »Verhältniß der geheimen Gesellschaften, namentlich des Freimaurerordens, zu großen und genialen Persönlichkeiten, an zwei ausgezeichneten Ordensmitgliedern – Mozart und Lessing – aufgezeigt und ins Licht gesetzt.«

20. *Dent, E. J.:* Mozarts Opern, Berlin (E. Reiss), o. J. (1922).

21. *Deutsch, O. E.:* Mozart – Dokumente seines Lebens, dtv-Ausgabe Nr. 140, München 1963.

22. *Deutsch, O. E.:* Carpanis Verteidigung Salieris (mit Wiedergabe des Textes in Italienisch, Einleitung in deutscher Sprache), Schweizerische Musikzeitung 1957: 8.

23. *Deutsch, O. E.:* W. A. Mozart. Die Dokumente seines Lebens, Kassel 1961.

24. *Einstein, A.:* Mozart, Zürich 1953.

25. Frankfurter Konversationsblatt (Belletristische Beilage zur Postzeitung) Nr. 298 vom 14. Dezember 1855 Mozarts letzte Wohnung).

26. *Eibl, J. H.:* W. A. Mozart, Chronik eines Lebens. Kassel 1965.

27. *Gessmann, G. W.:* Die Geheimsymbole der Alchemie, Arzneikunde und Astrologie des Mittelalters, Ulm 1959.

28. *Greither, A.:* Die Todeskrankheit Mozarts. In: Literatur-Eildienst »Roche« Nr. 4/1967: 25.

29. *Greither, A.:* Die Todeskrankheit Mozarts. Deutsche Medizinische Wochenschrift 1967: 723.

30. *Greither, A.:* Die sieben großen Opern Mozarts (mit einer Pathographie Mozarts), Heidelberg 1970.

31. *Gugitz, G.:* Zu Mozarts Tod. Mozarteums-Mitteilungen 1920: 1.

32. *Guitard, E. H.:* Mozart victime du mercure. Revue d'histoire de la pharmacie 1961: 178.

33. *Guldener v. Lobes, E. V.:* Beobachtungen über die Krätze, gesammelt in dem Arbeitshause zu Prag. Prag 1791.

34. *Hajdecki, A.:* Mozarts Taufnamen. In: Beethoven-Forschung (Lose Blätter), Heft 6+7, August 1916 (Wien), herausgegeben von Th. v. Frimmel.

35. *v. Hermann, A.:* Antonio Salieri. Inaug.-Diss. (unvollendet), Wien 1827.

36. *Hirsch, A.:* Handbuch der historisch-geographischen Pathologie, Stuttgart 1881.

37. *Holmes, E.:* The life of Mozart. London 1845.

38. *Holz, H.:* Mozarts Krankheiten und sein Tod. Inaug.-Diss., Jena 1938.

39. *Hoschek, R., W. Fritz:* Taschenbuch für den medizinischen Arbeitsschutz und die werksärztliche Praxis, Stuttgart 1964 (Hg-Vergiftg.).

40. *Hummel, W.:* W. A. Mozarts Söhne, Kassel 1956.

41. *Immermann, H.:* »Der Schweißfriesel«, Wien+Leipzig 1913.

42. *Jahn, O.:* W. A. Mozart. 4 Bde, Leipzig 1856–1859.

43. Karola Kurpinskiego Dziennik podrózy 1823. Krakau 1954: 162.

44. *Kerner, D.:* Starb Mozart eines natürlichen Todes?, in »Wiener med. Wochenschrift« 1956: 1070.

45. *Kerner, D.:* Mozarts Todeskrankheit, Veröffentlichungen des Internationalen Musiker-Brief-Archivs Berlin, Berlin, Mainz 1961.

46. *Kerner, D.:* Mozarts Todeskrankheit. In: ABBOTTEMPO (Illinois) 1967, Bd. 2, S. 2 (8 Sprachen).

47. *Kerner, D.:* Die Kontroverse um Mozarts Tod (Carpanis Verteidigung Salieris). Ärzteblatt Rheinland-Pfalz vom Jan., März, Mai und Juli 1970 (24 S.).

48. *Kerner, D.:* Eine unbekannte Erwiderung auf Carpanis Verteidigung Salieris. Acta Mozartiana 1967: 31.

49. *Kerner, D.:* Mozarts Aufenthalt in Mainz. Mainzer Almanach 1963: 94.

50. *Kuschinsky, G., H. Lüllmann:* Chronische Hg-Vergiftung. In: Kurzes Lehrbuch der Pharmakologie, Stuttgart 1966.

51. Leipziger »Allgemeine musikalische Zeitung«, 1825, Sp. 349 (Hinweis auf Salieris Selbstanklagen).

52. *Leitzmann, A.:* Mozarts Persönlichkeit, Leipzig (Insel) 1914.

53. *Leitzmann, A.:* Wolfgang Amadeus Mozarts Leben in seinen Briefen und Berichten der Zeitgenossen. Leipzig o. J. (Insel).

54. *Lewin, L.:* Die Gifte in der Weltgeschichte. Berlin 1920.

55. *Lewin, L.:* Gifte und Vergiftungen. Berlin 1929.

56. *Ludendorff, M.:* Mozarts Leben und gewaltsamer Tod. München 1936.

57. *Ludwig, H.:* Erscheinungsformen der chronischen Pyelonephritis. In: Z. ärztl. Fortbild. Nr. 5: 358 (1967).

58. *Moeschlin, S.:* Klinik und Therapie der Vergiftungen, Stuttgart 1956.

59. Mozarts Werkverzeichnis (1784–1791), Faks.-Druck, Wien 1938.

60. v. *Mosel, I. F.:* Über das Leben und die Werke des Anton Salieri. Wien 1827.

61. *Nettl, P.:* Mozart und die königliche Kunst. Berlin 1932.

62. *Nettl, P.:* W. A. Mozart als Freimaurer und Mensch. Hamburg 1956.

63. *Niemetschek, F. X.:* Leben des k. u. k. Kapellmeisters Wolfgang Gottlieb Mozart. Leipzig 1798.

64. *Nissen, G. N.:* Biographie W. A. Mozarts. Leipzig 1828.

65. *Nottebohm, G.:* Mozartiana. Leipzig 1880.

66. *Novello, V. und M.:* A Mozart Pilgrimage. Transcribed and compiled by Nerina Medici di Marignano, edited by Rosemary Hughes. First printed London 1955. Deutsche Übersetzung (Boosey & Hawkes, Bonn) 1959.

67. Österreichische National-Enzyklopädie von 1835 (Dr. Guldener von Lobes zog 1802 nach Wien).

68. *Orel, A.:* Mozarts deutscher Weg. Wien 1943.

69. *Paumgartner, B.:* Mozart. Zürich + Freiburg 1967.

70. *Paumgartner, B.:* Erinnerungen. Salzburg 1969.

71. *Pisarowitz, K. M.:* Salieriana. Mitteilungen der Internationalen Stiftung Mozarteum 1960, Heft 3/4.

72. *Puschkin, A.:* Gesammelte Werke. Herausgegeben von J. von Guenther, München 1966.

73. *Reinhard, W.:* Die Krankheiten Mozarts und Schumanns, Med. Mschr.: 320 (1956).

74. *Reuter, F.:* Giftmord und Giftmordversuch. Wien 1958.

75. *Rochlitz, F.:* Verbürgte Anekdoten aus Wolfgang Gottlieb Mozarts Leben, ein Beytrag zur richtigern Kenntnis dieses Mannes, als Mensch und Künstler. Allgemeine Musikalische Zeitung (AMZ) Leipzig 1798: 18 ff.

76. *Rosenberg, A.:* »Die Vorschule des Genies« (Vater Leopold Mozart). Schaffhauser Nachrichten vom 15. November 1969.

77. *Rosenberg, A.:* »Die Zauberflöte«. München 1964 und 1972.

78. *Saint-Exupéry, A. de:* Wind, Sand und Sterne. Düsseldorf 1956.

79. *Sarre, H.:* Die Prognose der chronischen Nephritis. Lebensversicher.-Med. 1 (1963).

80. *Schachter, M.:* A propos des maladies et de la mort de Mozart. Neuropsichiatria 119 (Genova) (1960).

81. *Schenk, E.:* Mozarts erster Arzt. Sonderdruck a. d. Anzeiger der phil. hist. Klasse d. österr. Akademie d. Wissenschaften, Wien (M. Rohrer) 1954.

82. *Schenk, E.:* Mozart und die Gestalt (»Die Musik«, Nov. 1941: 62).

83. *Schiedermair, L.:* Mozart. Bonn 1948.

84. *Schiedermair, L.:* Mozart. Sein Leben und seine Werke. München 1922.

85. *Scheidt W.:* Quecksilbervergiftung bei Mozart, Beethoven und Schubert. Med. Klin. 1967: 195.

86. *Schmidt, E. F.:* Ein schwäbisches Mozartbuch. Lorch 1948.

87. *Schnerich, A.:* Faksimile-Ausgabe des Requiem-Autographs. Wien 1913.

88. *Schurig, A.:* Mozart und seine Welt. Leipzig 1913.

89. *Schurig, A.:* W. A. Mozart. 2 Bde. Leipzig 1913.

90. *Schurig, A.:* Aufzeichnungen, Dokumente von Konstanze Mozart (1782–1842). Dresden 1922.

91. *Sederholm, C. G.:* »Ist Mozart an Morbus Basedow ge-

storben?« Ciba-Symposium Bd. 7, Heft 5, Dezember 1959.

92. Slonimsky, N.: The weather at Mozart's funeral. »The Musical Quarterly«, 1/1960.

93. Smith, E.: »La Clemenza di Tito«, Kommentar im Beiheft der Decca-Schallplattenfirma, 1968.

94. Solozow, A.: Leben und Werk von N. Rimsky-Korsakoff. Moskau 1964.

95. Stefan, P.: Die Zauberflöte. Wien 1937.

96. Stahl, E.: Mozart am Oberrhein. Straßburg 1942.

97. Stoll, M.: Heilungsmethoden in dem Praktischen Krankenhaus zu Wien. Wien 1789.

98. Storck, K.: Mozart. Sein Leben und Schaffen. Stuttgart 1908.

99. Szametz, R.: »Hat Mozart eine Psychose durchgemacht?« Inaug.-Diss., Frankfurt a. M. 1936.

100. Taylor, A. S.: Die Gifte. Köln 1862.

101. Tenschert, R.: Mozart. Leipzig 1930.

102. Troyat, H.: Puschkin. Eine Biographie. München 1959.

103. Ulibischeff, A.: Mozarts Leben und Werke. 2. Aufl., Stuttgart 1859 (4 Bde.).

104. Valentin, E.: Mozart. Hameln 1947.

105. Valentin, E.: Mozart. Eine Bild-Biographie. München 1959.

106. Valentin, E.: »Das Motiv der Prüfung im Drama Mozarts.« Vortrag anl. des 17. Mozart-Festes der Deutschen Mozart-Ges. in Augsburg 1968, wiedergegeben unter dem Titel »Mozarts Aktions-Drama« im Programmheft des 19. Deutschen Mozart-Festes, Augsburg 1970.

107. Volhard, F.: Die doppelseitigen hämatogenen Nierenerkrankungen. In: Handbuch der inneren Medizin, Bd. III (Springer), Berlin 1918.

108. Weiss, D.: Sacred and Profane. A Novel of the life and times of Mozart. London (Hodder & Stoughton) 1968.

109. Weiss, D.: The Assassination of Mozart. London (Hodder & Stoughton) 1970.

110. *Weizmann, E.:* »Wiener Arbeiterzeitung« vom 14. April 1957 (Totenprotokolle von 1791).

111. *Weber, G.:* Weitere Ergebnisse der weiteren Forschungen über die Echtheit des Mozartschen Requiems. »Cäcilia« Heft 22/23, Mainz 1827.

112. *Wildermann, H.:* W. A. Mozart. Leben und Gestalt in 36 Darstellungen. Dornach (Schweiz) 1956.

113. *Woyts, J. J.:* Schatzkammer medicinisch- und natürlicher Dinge. Leipzig 1716.

114. *v. Wurzbach, C.:* Mozart-Buch. Wien 1869.

115. *Zangger, H.:* Quecksilber-Vergiftung. In: Handb. Inn. Med., Bd. 6 (Springer), 1919.

116. »Die Zauberflöte«, Textbuch mit Einführung b. Reclam, Leipzig 1889.

117. »Die Zauberflöte«, Faksimile-Nachdruck des Textbuches der Erstausgabe. Wien 1942.

118. »Die Zauberflöte«, Originalpartitur nebst Einführung (G. Gruber) in Serie II, Werkgruppe 5, Band 19 der Neuen Ausgabe sämtlicher Werke. Kassel (Bärenreiter) 1970.

Ludwig van Beethoven (1770–1827)
Gemälde von F. Waldmüller

LUDWIG VAN BEETHOVEN
(1770—1827)

>»Zusammengefaßter, energischer, inni-
>ger habe ich noch keinen Künstler ge-
>sehen. Ich begreife recht gut, wie er
>gegen die Welt wunderlich stehn muß.«
>
>(J. W. v. Goethe
>an Christiane v. Goethe, 19. 7. 1812)

>»Vor allem muß man sagen, daß Beet-
>hoven, wenn auch ein höchst sonder-
>licher, doch ein wahrhaft guter Mensch
>war.«
>
>(F. Grillparzer)

Ludwig van Beethovens Einzug in die Wiener Gesellschaft und in das Bürgertum seiner Zeit vollzog sich nicht
zuletzt auf Grund einer wesentlichen *technischen* Neue-
rung im Instrumentenbau: durch den volleren Klang der
neuen Klaviere, die um die Jahrhundertwende entstanden
und — im Gegensatz zu ihren Vorgängern — nun eine viel
nuancenreichere, ja fast orchestrale Tonfülle aufwiesen.
Vom Beginn seines Schaffens bis zu dem Zeitpunkt, da er
die Feder für immer aus der Hand legte, ist Beethoven
diesem Instrument verbunden geblieben und hat Über-
wältigendes für das Pianoforte geschaffen.

Beethoven soll bedauert haben, daß ihm Mozart im Jahre 1787, als er nur etwa zwei Wochen in Wien weilte, nicht vorspielte. Damals war er knapp 17 Jahre alt und gehörte zu jenen drei Kindern, die von den sieben Nachkommen der Eheleute Maria Magdalena und Johann van Beethoven am Leben blieben. Sein Bruder Karl starb 1815 mit 41 Jahren, die Mutter mit 40 Jahren an Tuberkulose. Nur der Bruder Johann erreichte mit 72 Jahren ein hohes Alter.

Ludwig van Beethoven entstammte einer niederdeutschen Künstlerfamilie. Die Großmutter, die drei Kinder gebar, brachte man wegen Trunksucht in ein Kloster. Ihr einziges überlebendes Kind Johann — der ebenfalls wegen Trunksucht schon früh seine Stellung als Tenor bei der Hofkapelle des Bonner Kurfürsten aufgeben mußte — war der Vater von Ludwig van Beethoven.

Der in den Biographien immer wieder erwähnte Neffe Karl, dessen Vormundschaft Beethoven später übernahm, ist der Sohn des an Tuberkulose verstorbenen Bruders Karl gewesen. Beethoven hatte eine fast krankhafte Zuneigung zu ihm gefaßt, was auch gewisse Prozeßakten andeuten; er wurde 52 Jahre alt und hinterließ 5 Kinder, jedoch nur einen Sohn. Dieser Ludwig van Beethoven, der sich auch »Louis von Hoven« nannte, bereiste als internationaler Hochstapler die Alte und die Neue Welt. 1890 wurde er, bereits erheblich vorbestraft, letztmals in Paris gesehen — wo er starb, ist unbekannt (P. Nettl). —

Die musikalische Begabung hatte Ludwig van Beethoven zweifellos vom Vater ererbt, und dieser unterrichtete seinen Buben recht streng. Am 26. März 1778 trat der kleine Junge erstmals in einem Konzert zu Köln öffentlich auf. Er hatte auch sonst gute Lehrer (z. B. Christian Gottlob Neefe), die ihn auf dem Klavier, der Geige und der Orgel unterwiesen, und weil Beethoven stets sehr wißbegierig gewesen ist, eignete er sich auch eine gute Allgemeinbil-

Ludwig van Beethoven
Lebendmaske von F. Klein aus dem Jahre 1812

dung an. »Durch ununterbrochenen Fleiß erhalten Sie Mozarts Geist aus Haydns Händen«, schrieb Graf Waldstein in Beethovens Stammbuch, als dieser zum zweiten und letzten Male der Heimat den Rücken kehrte, um im Herbst 1792 nach Wien zu reisen. Von dieser Stadt ist er, außer gelegentlichen Exkursionen und Badereisen, bis zu seinem Tode nicht mehr fortgekommen. Die Brüder Karl, Kaspar und Johann — der Letztgenannte brachte es als Apotheker zu einem gewissen Vermögen — folgten ihm dorthin nach.

In der Kindheit hat Beethoven sicher die Pocken durchgemacht. Die Lebendmaske des Bildhauers F. Klein aus dem Jahre 1812 zeigt im Bereich des Kinns deutliche Pokkennarben. Ob Beethoven auch am Typhus erkrankt war, wie oft behauptet wird, läßt sich weder anamnestisch noch datenmäßig belegen.

In Wien, wo er sich klugerweise als Eleve bei Haydn und Salieri anmeldete, hatte Beethoven bald Zutritt zu den vornehmsten Kreisen sowie zum Bürgertum. Hier wuchs Beethoven, zumal Mozarts Thron verwaist war, vor allem als Pianist — seine einzigartigen freien Phantasien auf dem Klavier sind leider unwiederbringlich dahingesunken — zu ungeahnter Größe heran, obwohl er in der Zeit von 1795 bis 1799 nur insgesamt achtmal öffentlich auftrat. Beethoven wird damals als klein und wenig anziehend beschrieben, das Gesicht rot und voller Narben. Er hatte breite Schultern und einen kurzen, derben Nacken. Sein Körper war untersetzt, die Stirn stark gewölbt und kugelig, die Nasenwurzel eingezogen. Unter dichten, buschigen Augenbrauen leuchteten in seltsamem, fast unheimlichem Glanz kleine, abgrundtiefe, durchdringend geistreiche Augen, beweglich wie ihr Träger. In den Jahren 1804/05 benützte Beethoven, da er kurzsichtig war, eine plumpe, silberne Brille, später die »Lorgnette«. Jedoch weiß das sogenannte »Fischhoffsche Manuskript« — unter diesem Titel hat ein Unbekannter zahlreiche Sätze und Aussprüche Beethovens

aus nicht mehr vorhandenen Heften und Notizbüchern ab-
geschrieben — bereits 1796 von einer »gefährlichen Krankheit« während der Berliner Reise zu berichten, die aber
nicht näher bezeichnet wurde. Fast gleichzeitig, vielleicht
auch etwas später, treten nun erste Hörstörungen auf, und
zwar anfänglich auf dem linken Ohr, ferner Durchfälle sowie Verdauungsbeschwerden, die ihn bis zum Lebensende
begleiteten. Und dies zu einer Zeit, da er die Klaviersonaten op. 10 komponierte!

Über die Symptome seines fortschreitenden Leidens, das
den Meister schon in der 3. Lebensdekade zum Dauer-
patienten werden ließ, schreibt er an seinen Freund Carl
Amenda, der als Probst im kurländischen Talsen wirkte,
wie an einen Beichtvater:

» ... Wie oft wünsche ich Dich bei mir, denn Dein Beethoven lebt sehr unglücklich; wisse, daß mir der edelste Teil,
mein Gehör, sehr abgenommen hat, schon damals, als Du
noch bei mir warst, fühlte ich davon Spuren, und ich ver-
schwieg's, nun ist es immer ärger geworden; ob es wird
wieder können geheilt werden, das steht noch zu erwarten,
es soll von den Umständen meines Unterleibes herrühren;
was nun den betrifft, so bin ich fast ganz hergestellt, ob nun
auch das Gehör besser werden wird, das hoffe ich zwar,
aber schwerlich, solche Krankheiten sind die unheilbarsten.
Wie traurig ich nun leben muß, alles, was mir lieb und
teuer ist, meiden ... Die Sache meines Gehörs bitte ich
Dich als ein großes Geheimnis aufzubewahren und niemand, wer es auch sei, anzuvertrauen.« (1. Juni 1800.)

Schon zeigt sich eine gewisse Resignation, ein Erkennen
der Unheilbarkeit seines Leidens, für dessen wahre Ursache
der Inhalt des Schreibens möglicherweise einen unzwei-
deutigen Hinweis gibt. Beethoven wollte sein Leiden vor
keinem Menschen wahrhaben, obwohl damals den Außenstehenden dieses Ohrenleiden auffiel. An einem Winter-
abend des Jahres 1800 führte Wenzel Czerny seinen zehn-

jährigen Sohn Carl — den bedeutenden Pianisten in der Folgezeit — zu Beethoven, um ihn »prüfen« zu lassen:

»Ein sehr wüst aussehendes Zimmer, überall Papiere und Kleidungsstücke verstreut, einige Koffer, kahle Wände, kaum ein Stuhl.« Inmitten dieser abenteuerlichen Unordnung trat ihm der berühmte Mann selbst entgegen, der kleine Czerny spielte zu dessen großer Freude die erst kürzlich erschienene »Sonate pathétique« auswendig vor, dabei entging ihm aber nicht, daß »Beethoven in beyden Ohren Baumwolle hatte, welche in gelbe Flüssigkeit getaucht schien.«

Weitere Ausführungen bringt ein Brief an den Arzt Dr. Wegeler, einen Bonner Jugendfreund, welcher später auch ein Lied Beethovens in der Freimaurerloge gesungen hat. Dieser Brief trägt das Datum vom 29. Juni 1801:

»Nur hat der neidische Dämon, meine schlimme Gesundheit, mir einen schlechten Stein ins Brett geworfen, nämlich: mein Gehör ist seit drei Jahren immer schwächer geworden, und das soll sich durch meinen Unterleib, der schon damals wie Du weißt elend war, hier aber sich verschlimmert hat, indem ich ständig mit einem Durchfall behaftet war, und mit einer dadurch außerordentlichen Schwäche, ereignet haben, Frank wollte meinem Leib. den Ton wiedergeben durch stärkende Medizinen und mein Gehör durch Mandelöl, aber prosit, daraus wird nichts, mein Gehör ward immer schlechter, und mein Unterleib blieb immer in seiner vorigen Verfassung, das dauerte bis voriges Jahr Herbst, wo ich manchmal in Verzweiflung war, da riet mir ein medizinischer asinus das kalte Bad für meinen Zustand, ein gescheiterer das gewöhnliche lauwarme Donaubad, das tat Wunder, mein Bauch ward besser, mein Gehör blieb oder ward noch schlechter, diesen Winter gings mir wirklich elend, da hatte ich wirkliche schreckliche Koliken, und ich sank wieder ganz in meinen vorigen Zustand zurück, und so bliebs bis ungefähr 4 Wochen, wo ich zu

Vering ging, indem ich dachte, daß dieser Zustand zugleich auch einen Wundarzt erfordere, und ohnedem hatte ich immer Vertrauen zu ihm, ihm gelang es nun fast gänzlich diesen heftigen Durchfall zu hemmen, er verordnete mir das laue Donaubad, wo ich jedesmal noch ein Fläschchen stärkende Sachen hineingießen mußte, gab mir gar keine Medizin, bis vor ungefähr 4 Tagen Pillen für den Magen und einen Tee fürs Ohr und darauf kann ich sagen befand ich mich stärker und besser nur meine Ohren, die sausen und brausen Tag und Nacht fort, ich kann sagen, ich bringe mein Leben elend zu, seit 2 Jahren fast meide ich alle Gesellschaften, weils mir nun nicht möglich ist, den Leuten zu sagen, ich bin taub, hätte ich irgend ein anderes Fach, so gings noch eher, aber in meinem Fach ist das ein schrecklicher Zustand, dabei meine Feinde, deren Anzahl nicht geringe ist, was würden diese hiezu sagen — um dir einen Begriff von dieser wunderbaren Taubheit zu geben, so sage ich dir, daß ich mich im Theater ganz dicht am Orchester anlehnen muß, um den Schauspieler zu verstehen, die hohen Töne von Instrumenten, wenn ich etwas weit weg bin höre ich nicht, im Sprechen ist es zu verwundern, daß es Leute gibt, die es niemals merkten, da ich meistens Zerstreuungen hatte, so hält man es dafür, manchmal, auch hör ich den Redenden, der leise spricht, kaum, ja die Töne wohl, aber die Worte nicht, und doch sobald jemand schreit, ist es mir unausstehlich, was nun werden wird, das weiß der liebe Himmel, Vering sagt, daß es gewiß besser werden wird, wenn auch nicht ganz — ich habe schon oft den Schöpfer und mein Dasein verflucht, Plutarch hat mich zu der Resignation geführt, ich will wenns anders möglich ist, meinem Schicksal trotzen, obschon es Augenblicke meines Lebens geben wird, wo ich das unglücklichste Geschöpf Gottes sein werde.«

Auch in einem zweiten Briefe an Wegeler vom 16. November 1801 kommt Beethoven nochmals auf sein Leiden zu sprechen. Er schreibt in dem für ihn bezeichnenden explosiven Briefstil mit rarer Interpunktion folgendes:

»Mein guter Wegeler! ich danke dir für den neuen Beweis deiner Sorgfalt um mich, ʼum so mehr, da ich es so wenig um dich verdiene — du willst wissen, wie es mir geht, was ich brauche, so ungerne ich mich von dem Gegenstande überhaupt unterhalte, so tue ich es doch am liebsten mit dir — Vering läßt mich nun schon seit einigen Monaten immer Vesicatorien auf beide Arme legen, welche aus einer gewissen Rinde, wie du wissen wirst, bestehen, das ist nun eine höchst unangenehme Kur, indem ich immer ein paar Tage des freien Gebrauchs (ehe die Rinde genug gezogen hat) meiner Arme beraubt bin, ohne der Schmerzen zu gedenken, es ist nun wahr, ich kann es nicht leugnen, das Sausen und Brausen ist etwas schwächer als sonst, besonders am linken Ohre, mit welchem eigentlich meine Gehörkrankheit angefangen hat, aber mein Gehör ist gewiß um nichts noch gebessert, ich wage es nicht zu bestimmen, ob es nicht eher schwächer geworden? — mit meinem Unterleib gehts besser, besonders wenn ich einige Tage das lauwarme Bad brauche, befinde ich mich 8 auch 10 Tage ziemlich wohl, sehr selten einmal etwas Stärkendes für den Magen, mit den Kräutern auf den Bauch fange ich jetzt auch nach deinem Rat an; — von Sturzbädern will V. nichts wissen, überhaupt aber bin ich mit ihm sehr unzufrieden, er hat gar zu wenig Sorge und Nachsicht für so eine Krankheit, komme ich nicht einmal zu ihm und das geschieht auch mit viel Mühe, so würde ich ihn nie sehen — was hältst du von Schmidt, ich wechsle zwar nicht gern, doch scheint mir V. zu sehr Praktiker, als daß er sich viel neue Ideen durchs Leben verschaffte — man spricht Wunder vom Galvanism was sagst du dazu? — ein Mediziner sagte mir er habe ein taubstummes Kind sehen sein Gehör wieder erlangen in Berlin, und einen Mann, der ebenfalls sieben Jahre taub gewesen und sein Gehör wieder erlangt habe

— ich höre eben Dein Schmidt macht hiermit Versuche —
etwas angenehmer lebe ich jetzt wieder, indem ich mich
mehr unter Menschen gemacht, Du kannst es kaum glauben, wie öde, wie traurig ich mein Leben seit 2 Jahren zu-
gebracht, wie ein Gespenst ist mir mein schwaches Gehör
überall erschienen, und ich floh — die Menschen, mußte
Misanthrop scheinen, und bins doch so wenig, diese Veränderung hat ein liebes zauberisches Mädchen hervorgebracht, die mich liebt, und die ich liebe, es sind seit 2 Jahren wieder einige selige Augenblicke, und es ist das erste
Mal, daß ich fühle, daß — Heiraten glücklich machen
könnte, leider ist sie nicht von meinem Stande — und jetzt
— könnte ich nun freilich nicht heiraten — ich muß mich
nun noch wacker herum tummeln, wäre mein Gehör nicht,
ich wäre nun schon lang die halbe Welt durchgereist, und
das muß ich — für mich gibts kein größeres Vergnügen als
meine Kunst zu treiben und zu zeigen — glaub nicht, daß
ich bei euch glücklich sein würde, was sollte mich auch
glücklicher machen, selbst eure Sorgfalt würde mir wehe
tun, ich würde jeden Augenblick das Mitleiden auf euren
Gesichtern lesen, und würde mich nur noch unglücklicher
finden . . .«

Über die Szene, bei welcher Beethovens beginnende
Taubheit sich deutlich abzuzeichnen begann, berichtet der
Musiker F. Ries:

»Auf einer dieser Wanderungen gab Beethoven mir den
ersten auffallenden Beweis der Abnahme seines Gehörs,
von der mir schon Stephan von Breuning gesprochen hatte.
Ich machte ihn nämlich auf einen Hirten aufmerksam, der
auf einer Flöte, aus Fliederholz geschnitten, im Walde recht
artig blies. Beethoven konnte eine halbe Stunde gar nichts
hören und wurde, obschon ich ihn wiederholt versicherte,
auch ich höre nichts mehr (was indes nicht der Fall war),
außerordentlich still und finster.« —

Beethovens Schwerhörigkeit begann bereits im Alter von

26 Jahren. Es ist nicht sicher zu entscheiden, ob damals anfangs eine akute, schmerzhafte Ohrerkrankung bestand, oder ob die Hörstörung, die ja bald beide Ohren ergriff, ohne irgendwelche Begleitsymptome schleichend begann. Den biographischen Daten nach ist der letztere, also der chronisch-progrediente, schleichende Beginn viel wahrscheinlicher.

Zunächst schwand auf dem linken Ohre, später auch auf dem rechten, die Wahrnehmungsfähigkeit für hohe Töne; laute Gespräche empfand Beethoven als besonders störend. Sausen und Brausen sowie Ohrenschmerzen, möglicherweise auch zwischenzeitliche Tubenkatarrhe infolge interkurrenter Infekte, traten während der jahreszeitlichen Klimaschwankungen in wechselnder Stärke auf. Bei totalem Ertauben rechts scheint bis zuletzt ein kleiner Rest von Hörfähigkeit links erhalten geblieben zu sein, auch vernahm er noch kurz vor dem Tode gellende Schreie. Aber dieses sein Leiden verbannte ihn sukzessiv aus der eigentlichen Stätte seines Wirkens, aus dem Konzertsaal: Erst mußte er als Solist abtreten, später auch als Begleiter und Orchesterleiter. Bis etwa zum Jahre 1818 vermochte er immerhin mittels seiner Hörrohre einen gewissen Eindruck von den eigenen Kompositionen zu erhalten, danach konnte er sich nur noch auf schriftlichem Wege mit der Umwelt verständigen.

Über die Ursache von Beethovens Gehörleiden wurden die verschiedensten Ansichten geäußert, und zwar u. a. Neuritis und Atrophie des N. acusticus, Infektfolgen, Tuberkulose, nervöse Erschöpfung, toxische Alkoholwirkung, Otosklerose, chronische Otitis und Labyrinthitis, am meisten jedoch Syphilis.

Beethoven hat mit an Sicherheit grenzender Wahrscheinlichkeit nie eine aktive Tuberkulose durchgemacht, eine toxische Innenohrschädigung infolge Alkoholabusus muß in Anbetracht der frühen subjektiven Initialsymptome im

Alter von erst 26 Jahren von vornherein als unbegründet abgelehnt werden. Da sich nirgends im Schrifttum ein sicherer Anhalt für das Vorliegen eines anfänglich akuten exsudativen Prozesses im Bereich der Paukenhöhle gewinnen läßt und auch weitere Anhaltspunkte, die auf einen chronisch-entzündlichen Prozeß des Innenohrs hindeuten, fehlen, steht die Diagnose »chronische — nicht spezifische Otitis und Labyrinthitis« von vornherein auf schwachen Füßen. Die Tatsache, daß die Schwerhörigkeit etwa gleichstark und schleichend *beidseitig* auftrat, spricht gegen eine gewöhnliche akute und chronische Mittelohrentzündung als Ursache. Tubenkatarrhe jedoch dürfte Beethoven, der sich viel im Freien aufhielt und mitunter ganz durchnäßt heimkam, öfter durchgemacht zu haben. Eine Labyrinthitis hingegen wäre zweifelsohne mit subjektiv stark empfundenen Reizerscheinungen des Gleichgewichtsapparates (Schwindel, Fallneigung, Gangabweichung — für welche sich biographisch nirgends auch nur der geringste Anhalt findet!) einhergegangen, ebenso eine sogenannte Menièresche Erkrankung.

Eine Infektion an Typhus oder Fleckfieber ist ebenfalls nicht zu belegen; dies um so weniger, als Beethoven in seiner umfangreichen Korrespondenz bezüglich der subjektiven Beschwerden sehr mitteilsam war und ziemlich genaue Angaben zu machen pflegte. Toxische Hörstörungen treten zudem akut und nicht wie bei Beethoven sehr langsam und chronisch-fortschreitend auf.

Viel Energie hat man auf die Zementierung der Diagnose »Otosklerose« verwandt, wohl weil sie die einzige und letzte differentialdiagnostische Möglichkeit bietet, um »der ominösen Lues« auszuweichen. Allein alle auf uns gekommenen Befunde widersprechen einer solchen Feststellung: Der im übrigen sehr gewissenhafte Sektionsbericht meldet nichts von einer Stapesankylose, auch schwand bei Beethoven zuerst die Wahrnehmung der *hohen* (Flöte)

Töne und *nicht* der tiefen, wie das für Otosklerose typisch ist. Diese Krankheit tritt auch familiär gehäuft auf, aber außer bei Beethoven ist sonst kein Fall von Taubheit oder Schwerhörigkeit innerhalb der Sippe bekannt geworden. Auch der Umstand, daß Beethoven keine lauten Geräusche vertrug, vermag nichts zur Stützung dieser Diagnose beizutragen.

Im *Sektionsbericht* steht:

»Die Hörnerven waren zusammengeschrumpft und *marklos;* die längs denselben verlaufenden Gehörschlagadern waren über eine Rabenfederspule ausgedehnt und knorplicht. Der linke, viel *dünnere* Hörnerv entsprang mit drei sehr dünnen, *graulichen,* der rechte mit einem stärkeren, hellweißen Streifen aus der in diesem Umfange viel *konsistenteren* und blutreicheren Substanz der vierten Gehirnkammer.« Mit anderen Worten: Schwere Degenerationserscheinungen am 8. Hirnnerven bilateral mit Atrophie und Markscheidenverlust, bedeutende Erweiterung der begleitenden Gefäße, welche bereits teilweise verknorpelt waren als Symptom chronisch-entzündlicher Prozesse in diesem Bereich! Und zudem im Gehirn, von wo die Gehörnerven ihren Ausgang nehmen, eine Zellgewebsvermehrung wohl im Sinne eines spezfischen Granulationsgewebes, wodurch es *absteigend,* also *zentrifugal,* zum Untergang dieser Nerven gekommen sein dürfte. Bemerkenswert ist der Umstand, daß der Sektionsbericht bei dem 1884 verstorbenen Komponisten *F. Smetana,* welcher nachweislich an Syphilis erkrankt war, was die Hörnerven anbetrifft, nahezu wörtlich mit demjenigen Beethovens übereinstimmt. Das ärztliche Mißtrauen in besagter Sache wäre weniger groß, hätte es bezüglich Beethovens Biographik nicht eindeutige Manipulationen gegeben wie etwa die Vernichtung seiner Korrespondenz mit Dr. Bertolini 1831, das planmäßige Verschwinden der meisten Konversationshefte, ganz zu schweigen davon, daß der Sektionsbericht abhanden kam, und unter dem nur in Abschrift vorliegenden Dokument die *Schlußdiagnose fehlt.* Zudem sind die Felsenbeine, welche man eigens im anatomischen Institut verwahrte, später »entwendet worden«. Auch versuchte jemand, wie Th. v. Frimmel mitteilte, sich wenige Tage nach dem Begräbnis durch Bestechung des Totengräbers den Schädel zu beschaffen. Dies alles erweckt, um ein Wort des Dermatologen Erich Hoffmann zu besagtem Thema zu zitieren, »dem Kenner doch starken Verdacht.«

Etwa dreißig Jahre lang traten bei Beethoven — ungefähr zur gleichen Zeit beginnend wie das Gehörleiden — Koliken im Unterbauch sowie rezidivierende Diarrhoen in wechselnden Zeitabständen auf. Sämtliche Medikamente, Bade- und Diätkuren zeitigten nur einen vorübergehenden Erfolg, wobei die Arbeitsfähigkeit des Patienten gar nicht wesentlich beeinträchtigt gewesen zu sein scheint. Ferner fällt im Sektionsbericht die Erwähnung einer vergrößerten und konsistenzvermehrten Bauchspeicheldrüse auf. Eine Vergrößerung des Pankreas, das durch Bindegewebswucherung gleichzeitig induriert und folglich konsistenzvermehrt erscheint, beobachtet man ebenfalls als Endzustand der subakuten oder chronischen Pankreatitis, die in einem hohen Prozentsatz der Fälle als Begleiterscheinung einer Spätsyphilis auftritt. Die von Beethoven immer wieder angegebenen Beschwerden, nämlich während der Verdauung in den Rücken austrahlende Schmerzen, Appetitstörungen, fieberhafte Diarrhoen, Zungenbelag und lästig redizivierende Knochenschmerzen infolge Osteoporose, die sich wie ein roter Faden durch die gesamte Krankengeschichte hinziehen, sind die Kardinalsymptome der *spezifischen* »Pancreatitis interstitialis«, welche das klinische Bild der chronischen Pankreasinsuffizienz im Gefolge haben.

Die Sektion bewies, daß Ludwig van Beethoven letztlich

an den Folgen einer Schrumpfleber (Leberzirrhose) im Leberkoma (Coma hepaticum) starb, nachdem mehrere Bauchpunktionen zur Behebung der Bauchwassersucht (Aszites) vorausgegangen waren. Bilder vom moribunden Beethoven zeigen hingegen, daß diese ganz erfolglos waren, und der Leibesumfang eminent blieb. »Die Leber erschien auf die Hälfte ihres Volumens zusammengeschrumpft, lederartig fest, grünlichblau gefärbt und an ihrer höckerigen Oberfläche, sowie an ihrer Substanz mit bohnengroßen Knoten durchwebt«, steht im Sektionsbericht. Im Schrifttum begegnet man öfter dem Hinweis, daß es sich bei Beethovens Leberleiden um eine alkoholische Schrumpfleber gehandelt habe. Dem ist entgegenzuhalten, daß Beethoven bestimmt kein Trinker im üblichen Sinne war und erst seit seiner Bekanntschaft mit K. Holz etwa ab 1824 mehr Alkohol als zuvor zu sich nahm. Ferner werden seit 1825 Blutungen aus der Speiseröhre (Ösophagusvarizen) beschrieben. »Die Milz traf man mehr als nochmal so groß«, wobei für das ganze Geschehen zusätzlich die Möglichkeit einer spezifischen Genese in Betracht zu ziehen ist, zumal die syphilitischen und bei Leberzirrhose üblichen anatomischen Veränderungen einander weitestgehend gleichen können. Rückblickend werden wir kaum zu erklären vermögen, ob der 1821 beschriebene ikterische Schub durch eine Kopfpankreatitis oder hepatogen bedingt war, da sich solche Krankheitsbilder überschneiden. Verschlimmernd wirkten bei Beethoven zweifelsohne die Folgen des Alkoholabusus, so daß klinisch die pathologischen Veränderungen als Kombinationsprodukt verschiedener Noxen imponierten.

Das Schädelfoto von I. Rottmayer aus dem Jahre 1863 zeigt ferner eine knöcherne Vorwölbung der rechten Schläfengegend, welche bereits im Beethovenjahr 1927 als syphilitische Knochenveränderung gedeutet wurde. Der Sektionsbericht enthält darauf keinen Hinweis. Vergleichende

Messungen am Totenschädel wurden auch erst bei der zweiten Exhumierung im Jahre 1888 — und da nur am Stirnbein — und nicht bei der ersten Exhumierung im Jahre 1863, als das Foto entstand, vorgenommen. Einem fraglichen »Artefakt durch Lehmausfüllung« steht entgegen, daß bereits die Lebendmaske von F. Klein aus dem Jahre 1812 an *derselben* Stelle ebenfalls eine Vorwölbung erkennen läßt. Bezüglich dieser Knochenveränderung ist zu sagen, daß schon 1894 Gangolphe isolierte hyperostotische Knochenneubildungen mit breitflächiger Ausdehnung im Verlauf einer Spätlues beschrieben hat, bei welchen die den gummösen Formen sonst eigene Destruktion fehlt. Hierher gehört auch die Feststellung im Lehrbuch der pathologischen Anatomie von Kaufmann, worin es heißt: »An anderer Stelle läßt das Schädeldach bei Lues eine fingerdicke, dichte, steinharte Hyperostose erkennen.«

Wir dürfen nicht vergessen, daß die Diagnose »Lues« keineswegs erst aus jüngster Vergangenheit stammt, sondern dieser begegnet man im bisherigen medizinischen Beethoven-Schrifttum an den verschiedensten Stellen! Allein rund 25 fachliche Publikationen schließen sich jener Diagnose in der ersten Hälfte dieses Jahrhunderts an; unter den Autoren finden wir zahlreiche Hals-Nasen-Ohrenärzte, den Dermatologen E. Hoffmann sowie den Beethoven-Forscher Th. v. Frimmel, der sich studienhalber viel mit der Heilkunde beschäftigte. In einem Brief des Beethovenbiographen A. W. Thayer — der nach Abschluß der drei ersten Bände schon zwanzig Jahre vor seinem eigenen Tod die Biographie unter undurchsichtigen Begründungen unvollendet ließ — heißt es, daß Beethoven an einer »veneral disease« erkrankt war, welche »well known to many persons« gewesen sein soll. Thayer fährt fort (Brief vom 29. 10. 1880): »... that his ill health and his deafness perhaps come from some common cause.« Auf Grund persönlicher Informationen seitens der Otologen Jacobsohn und Politzer scheinen noch heute Rezepte und Aufzeichnungen von Beethovens eigener Hand vorzuliegen, die keinen Zweifel an der spezifischen Natur seines Leidens lassen. Dies ist durchaus glaubhaft, da sich neben den Konversationsheften noch herausgerissene Einzelblätter im Besitz in- und ausländischer Autographensammler befinden. Da Beethoven einmal an die Gräfin Erdödy schrieb: ».... von dieser Zeit an erhielt ich wieder eine Art Pulver, wobei ich wieder sechs des Tages nehmen mußte und mich dreimal mit einer volatilen Salbe einreiben mußte«, hat B. Springer 1926 diese Medikation nicht zu Unrecht als kombinierte Quecksilber-Schmierkur aufgefaßt. Sicher stehen auch Beethovens zahlreiche Badekuren (Karlsbad, Teplitz, Baden, Rodaun, Heiligenstadt, Hetzendorf, Mödling usw.) hiermit in Zusammenhang. Wahrscheinlich hat auch, wie E. Jap betont, der Biograph Thayer vor allem von Beethovens Arzt Dr. Bertolini Informationen über Beethovens venerische Erkrankung erhalten, die von diesem aber nie veröffentlicht worden sind.

Viele Biographen setzten alles daran, uns ein Wunschbild anzubieten, in welchem seine zahlreichen Beziehungen zu Frauen nur als platonische Liebe erscheinen. Doch ist das schon auf Grund des Werkserlebnisses bei diesem ungeheuer vitalen und aggressiven Mann, der, als er nichts mehr vernahm, seine Gefühle auf den Neffen Karl pervertierte, ganz unwahrscheinlich. Beethoven, der gewiß um die Ursache seines Leidens wußte, war da nicht kleinlich, denn kurz vor seinem Ende versicherte der Meister, es »sei sein aufrichtiger Wunsch, daß was man einstens über ihn sage, *nach allen Beziehungen strenge der Wahrheit getreu gesagt werde*, gleichviel ob dieser oder jener sich dadurch getroffen fühle *oder es selbst seine eigene Person* betreffe.« Wer daran zweifelt, sollte immerhin eine fast parallele Stelle aus dem »Heiligenstädter Testament« von 1802 zur

Kenntnis nehmen: »... ihr meine Brüder Carl und (Johann), sobald ich tot bin und Professor Schmidt lebt noch, so bittet ihn in meinem Namen, daß er *meine Krankheit beschreibe,* und dieses hier geschriebene Blatt füget ihr dieser meiner *Krankengeschichte* bei ...« Die Ärzte, welche sich jenes Auftrages annahmen, hat man, eben weil sie der Wahrheit zu dienen versuchten, oft verlästert. Sie standen, was das Quellenmaterial anbetrifft, geistig vor »verbrannter Erde«, zumal die Epigonen kein Mittel unversucht ließen, dieses zu eliminieren — zum Teil auch deswegen, weil namentlich die Konversationshefte derart massive Verbalinjurien gegen die damalige Wiener Regierung enthielten, daß man sie vernichten zu müssen meinte. So notierte Beethoven zwischen März und Juni 1819 in die Konversationshefte:

»L. V. Lagneau, die Kunst alle Arten der Lustseuche zu erkennen, zu heilen und sich dafür zu sichern etc. etc., Erfurt, bej wimmer dem jägerhorn gegenüber, 5 fl. 54 + w. w.«

Auch die Vermutung, Beethoven könnte das für seinen Neffen notiert haben, ist unhaltbar, denn dieser war damals erst 13 Jahre alt! Wie sehr man immer bestrebt war, solche Fakten zu verheimlichen, erhellt folgender Umstand: Der Beethovenforscher Max Unger teilte in Heft 10/1958 der »Neuen Zeitschrift für Musik« mit, der Musikwissenschaftler Max Friedländer habe ihm nach dem Ersten Weltkrieg einmal mündlich von einem Rezept gegen Syphilis berichtet, das auf den Namen Beethoven ausgestellt war und welches sich lange in Friedländers Dokumentensammlung befand. Aber Friedländer wollte es unter keinen Umständen der Öffentlichkeit preisgeben, weil er der Ansicht war, daß damit das Andenken an den Unsterblichen getrübt würde. Später soll er das Schriftstück nach seiner Emigration in die Vereinigten Staaten einem Museum geschenkt haben — so ist auch diese wertvolle Quelle wieder zugeschüttet worden. Sie wäre um so wichtiger gewesen, als es kaum über einen Komponisten ein derart großes und ernstzunehmendes internationales medizinisches Fachschrifttum gibt wie gerade über Ludwig van Beethoven.

Beethovens Krankheiten lassen sich, wie wir sehen, in mehrere umschriebene Gruppen einteilen, nämlich:

a) das Gehörleiden,
b) das Darm- und Leberleiden sowie
c) Knochenveränderungen am Schädel.

Wenn es gelingt, mehrere gleichzeitig bestehende Erkrankungen bei einem Menschen ursächlich auf *denselben* Nenner zu bringen, dann hat diese Konzeption auf Grund der naturwissenschaftlichen Erfahrung eine weit größere Wahrscheinlichkeit als die Annahme von mehreren, scheinbar voneinander unabhängigen und heterogenen Krankheiten. Es wäre dasselbe, als wenn ein Patient wegen Durst, allgemeiner Leistungsminderung, Pruritus, Neuritis und Furunkulose von zahlreichen Ärzten gleichzeitig behandelt würde und eines Tages ein anderer einen Diabetes feststellt. Das bei Beethoven vor dem 30. Jahre aufgetretene und in Schüben verlaufene Gehörleiden, die auf dem Boden der chronischen Pankreopathie fast ebenso lange wiederkehrenden Durchfälle, der tödliche Ausgang unter dem Bild einer Schrumpfleber und schließlich die im Leben wie postmortal beobachteten Schädelveränderungen legen den Verdacht auf Syphilis mehr als nahe. Somit kann den Worten des Beethoven-Forschers Th. v. Frimmel aus dem Beethovenjahrbuch von 1926 im wesentlichen auch heute nichts mehr hinzugefügt werden. Hier heißt es:

»Man hat bei der Vorgeschichte der Beethovenschen Leberzirrhose die Wahl zwischen den Veranlassungen der chronischen Gedärmentzündung, des habituellen Weingenusses und der ominösen Lues, wozu endlich noch das verwickelte Zusammenwirken aller drei Faktoren kommt.«

110

Schon im Jahre 1912 hatte derselbe geschrieben: »*Davor* aber ist wohl eine Allgemeinerkrankung anzunehmen, deren organische Gifte sich gerade im Bezirk des Gehörorgans breitgemacht haben. Beethovens Taubheit war ein Symptom. Die Krankheit selbst heißt anders« (»Beethoven-Forschung«, Lose Blätter, Heft 3, März 1912). Und er verschweigt nicht, daß auch ihm aus der Feder A. W. Thayers vertrauliche Hinweise über jene »andere« Krankheit Beethovens zuteil geworden sind.

Tiefe Resignation spricht aus Beethovens »*Heiligenstädter Testament*« vom 6. Oktober 1802:

»Für meine Brüder Carl und (Johann) Beethoven.
O ihr Menschen die ihr mich für feindselig störrisch oder misanthropisch haltet oder erklärt, wie unrecht tut ihr mir ihr wißt nicht die geheime Ursache von dem; was euch so scheinet, mein Herz und mein Sinn waren von Kindheit an für das zarte Gefühl des Wohlwollens, selbst große Handlungen zu verrichten dazu war ich immer aufgelegt, aber bedenket nur, daß seit 6 Jahren ein heilloser Zustand mich befallen, durch unvernünftige Ärzte verschlimmert, von Jahr zu Jahr in der Hoffnung gebessert zu werden, betrogen, endlich zu dem Überblick eines *dauernden* Übels (dessen Heilung vielleicht Jahre dauern oder gar unmöglich ist) gezwungen, mit einem feurigen lebhaften Temperamente geboren selbst empfänglich für die Zerstreuungen der Gesellschaft, mußte ich früh mich absondern, einsam mein Leben zubringen, wollte ich auch zuweilen mich einmal über alles das hinaussetzen, o wie hart wurde ich durch die verdoppelte traurige Erfahrung meines schlechten Gehörs dann zurückgestoßen, und doch war's mir noch nicht möglich den Menschen zu sagen: sprecht lauter, schreit, denn ich bin taub, ach wie wär es möglich, daß ich dann die Schwäche *eines Sinnes* angeben sollte; der bei mir in einem vollkommeneren Grade als bei andern sein sollte, einen Sinn, den ich einst in der größten Vollkommenheit besaß, in einer

111

Vollkommenheit, wie ihn wenige von meinem Fache gewiß haben noch gehabt haben — o ich kann es nicht, drum verzeiht, wenn ihr mich da zurückweichen sehen werdet, wo ich mich gerne unter euch mischte, doppelt wehe tut mir mein Unglück, indem ich dabei verkannt werden muß, für mich darf Erholung in menschlicher Gesellschaft, feinere Unterredungen, wechselseitige Ergießungen nicht statt haben, ganz allein fast nur so viel als es die höchste Notwendigkeit erfordert, darf ich mich in Gesellschaft einlassen, wie ein Verbannter muß ich leben, nahe ich mich einer Gesellschaft, so überfällt mich eine heiße Ängstlichkeit, indem ich befürchte in Gefahr gesetzt zu werden, meinen Zustand merken zu lassen — so war es denn auch dieses halbe Jahr, was ich auf dem Lande zubrachte, von meinem vernünftigen Arzte aufgefordert, so viel als möglich mein Gehör zu schonen, kam er fast meiner jetzigen natürlichen Disposition entgegen, obschon, vom Triebe zur Gesellschaft manchmal hingerissen, ich mich dazu verleiten ließ, aber welche Demütigung wenn jemand neben mir stand und von weitem eine Flöte hörte; oder jemand den Hirten singen hörte, und ich auch nichts hörte solche Ereignisse brachten mich nahe an Verzweiflung, es fehlte wenig, und ich endigte selbst mein Leben — nur die Kunst, sie hielt mich zurück, ach es dünkte mir unmöglich, die Welt eher zu verlassen, bis ich das alles hervorgebracht, wozu ich mich aufgelegt fühlte, und so fristete ich dieses elende Leben — wahrhaft elend; einen so reizbaren Körper, daß eine etwas schnelle Veränderung mich aus dem besten Zustande in den schlechtesten versetzen kann — Geduld — so heißt es, sie muß ich nun zur Führerin wählen, ich habe es — dauernd hoffe ich, soll mein Entschluß sein, auszuharren, bis es den unerbittlichen Parzen gefällt, den Faden zu brechen, vielleicht gehts besser, vielleicht nicht, ich bin gefaßt — schon in meinem 28. Jahre gezwungen Philosoph zu werden, es ist nicht leicht, für den Künstler schwerer als für irgend jemand — Gottheit du siehst herab auf mein Inneres; du kennst es, du weißt, daß Menschenliebe und Neigung zum Wohltun drin hausen, — o Menschen, wenn ihr einst dies leset, so denkt, daß ihr mir Unrecht getan, und der unglückliche, er tröste sich, einen seines gleichen zu finden, der trotz allen Hindernissen der Natur doch noch alles getan, was in seinem Vermögen stand, um in die Reihe würdiger Künstler und Menschen aufgenommen zu werden — ihr meine Brüder Carl und (Johann), sobald ich tot bin und Professor Schmidt lebt noch, so bittet ihn in meinem Namen, daß er meine Krankheit beschreibe, und dieses hier geschriebene Blatt füget ihr dieser meiner Krankheitsgschichte bei, damit wenigstens so viel als möglich die Welt nach meinem Tode mit mir versöhnt werde — zugleich erkläre ich euch beide hier für die Erben des kleinen Vermögens, (wenn man es so nennen kann) von mir, teilt es redlich, und vertragt und helft euch einander, was ihr mir zuwider getan, das wißt ihr, war euch schon längst verziehen, dir Bruder Carl danke ich noch insbesondere für deine in dieser letztern spätern Zeit mir bewiesene Anhänglichkeit, mein Wunsch ist es, daß euch ein besseres sorgenloseres Leben, als mir, werde, empfehlt euren Kindern Tugend, sie nur allein kann glücklich machen, nicht Geld, ich spreche aus Erfahrung, sie war es, die mich selbst im Elende gehoben, ihr danke ich nebst meiner Kunst, daß ich durch keinen Selbstmord mein Leben endigte — lebt wohl und liebt euch, — allen Freunden danke ich, besonders Fürst Lichnowski und Professor Schmidt. — Die Instrumente von Fürst L. wünsche ich, daß sie doch mögen aufbewahrt werden bei einem von euch, doch entstehe deswegen kein Streit unter euch, sobald sie euch aber zu was nützlicherm dienen können, so verkauft sie nur, wie froh bin ich, wenn ich auch noch unterm Grabe euch nützen kann — so wärs geschehen — mit Freuden eil ich dem Tode entgegen — kommt er früher als ich Gelegenheit gehabt habe, noch alle meine Kunst-

Fähigkeiten zu entfalten, so wird er mir trotz meinem harten Schicksal doch noch zu frühe kommen, und ich würde ihn wohl später wünschen — doch auch dann bin ich zufrieden, befreit er mich nicht von einem endlosen leidenden Zustande? — komm, *wann du* willst, ich gehe dir mutig entgegen — lebt wohl und vergeßt mich nicht ganz im Tode, ich habe es um euch verdient, indem ich in meinem Leben oft an euch gedacht, euch glücklich zu machen, seid es — Heiligenstadt am 6. Oktober 1802   Ludwig van Beethoven«

Hierzu findet sich noch eine Nachschrift. Diese lautet:

»Für meine Brüder Carl und (Johann) nach meinem Tode zu lesen und zu vollziehen —

Heiligenstadt am 10. Oktober 1802 so nehme ich denn Abschied von dir — und zwar traurig — ja die geliebte Hoffnung — die ich mit hierher nahm, wenigstens bis zu einem gewissen Punkte geheilet zu sein — sie muß mich nun gänzlich verlassen, wie die Blätter des Herbstes herabfallen gewelkt sind; so ist — auch sie für mich dürr geworden, fast wie ich hierher kam — gehe ich fort — selbst der hohe Mut — der mich oft in den schönen Sommertagen beseelte — er ist verschwunden — o Vorsehung — laß einmal einen reinen Tag der *Freude* mir erscheinen — so lange schon ist der wahren Freude inniger Widerhall mir fremd — o wann — o wann o Gottheit — kann ich im Tempel der Natur und der Menschen ihn wieder fühlen, — Nie? — — nein — o es wäre zu hart.«

In diesem Dokument verlegt also Beethoven selbst den Beginn seiner Leiden ins Jahr 1796, wie es auch Wegeler später mit folgenden vielsagenden Worten tat: »Im kranken Unterleib meines Freundes lag schon 1796 der Grund seiner Übel, seiner Harthörigkeit und der ihm zuletzt tödlichen Wassersucht.«

Bereits 1801/02, zur Zeit der Komposition der düsteren »Mondschein-Sonate«, der Zweiten Sinfonie und der Sonate d-moll (op. 31,2) steht Beethoven im Schatten seiner schweren Krankheit. Alle Behandlungsversuche bezüglich der immer wieder schubweise auftretenden Durchfälle mit lauwarmen Donaubädern, Magenpillen und Diätrichtlinien, der zunehmenden Taubheit mittels Mandelöl, »Vesikatorien« und verschiedenen Teesorten hatten nur eine vorübergehende Besserung im Gefolge, welche ihrer Bedeutung nach lediglich als Spontanremissionen zu werten sind. Auch Baumwolle in den Ohren vermochte da keine grundsätzliche Änderung des Zustandes zu erzielen, obwohl Beethoven später einmal schrieb: »Baumwolle in den Ohren am Klavier benimmt meinem Gehör das unangenehme Rauschende.« Vielleicht, daß dadurch immerhin vorübergehend die subjektiven Ohrgeräusche herabgemindert erschienen. Und die Unmöglichkeit, jene für seine Popularität wichtigen Konzertreisen durchzuführen, wirkte sich auf Beethovens Psyche deletär aus, obwohl gerade damals seine Schaffenskraft ständig zunahm. Es entstand ein Wunderwerk nach dem anderen, ohne daß sich auch nur im mindesten die Folgen der Taubheit nachweisen ließen, denn sein Ton- und Klangvorstellungsvermögen war völlig intakt (Th. v. Frimmel).

Zwangsläufig zog sich Beethoven von nun an aus dem öffentlichen Musikleben mehr und mehr zurück, durch die Vernachlässigung der Klaviertechnik ging auch die Virtuosität allmählich verloren. Alle Bilder zwischen 1801 und 1803 zeigen strengen Ernst und Traurigkeit. Es wird berichtet, daß er bereits 1803 sein c-moll-Klavierkonzert nicht zu voller Zufriedenheit des Publikums vortrug, durch übermäßigen Pedalgebrauch kam es vor allem im langsamen Satz zu Klangverschiebungen, und Ignaz Pleyel, der ihn 1805 hörte, war enttäuscht.

Meist recht bescheiden angezogen schritt er, nur mittelgroß, unrasiert und das Antlitz voller Pockennarben, durch die Straßen Wiens. »Beethoven war ein wenig derb, um nicht zu sagen roh; doch blickte ein ehrliches Auge unter den buschigen Brauen hervor« (L. Spohr). Im Winter wie im Sommer erhob er sich schon sehr früh vom Lager, meist bei Sonnenaufgang, um sofort an die Arbeit zu eilen. Mittags weilte er gerne im Kaffeehaus, verstand es zudem, blitzschnell um eine Ecke zu verschwinden, wenn er jemandem nicht begegnen wollte. Spätestens um zehn Uhr abends begab er sich zu Bett. Waschen und Baden gehörte zu Beethovens Lieblingsbeschäftigungen, gutes Brunnenwasser trank er in Mengen. Abends jedoch bevorzugte er alkoholische Getränke. Geistig rege blieb Beethoven bis zu seinem Ende, die Konversationshefte, in welche er später mit dickem Zimmermannsbleistift seine Eintragungen machte, weisen mehrere Titel über die Behandlung von Ohrenleiden, Hämorrhoiden, venerischen Krankheiten und Augenübeln auf, es finden sich darin auch Klassikerausgaben (z. B. Schiller), astronomische Berechnungstabellen für das kommende Jahr, die Biographie über einen Großmeister des Templerordens sowie die Erstausgabe einer Entdeckungsreise ins südliche Eismeer vermerkt. Erworben hat er wohl das wenigste davon, weil er haushalten mußte, denn im Nachlaß erscheinen die Bücher, auf 18 Gulden veranschlagt, als kleinstes Wertobjekt.

Wer Beethoven beim Phantasieren auf dem Flügel erlebte, konnte sich des Eindruckes nicht erwehren, daß übernatürliche Kräfte von ihm Besitz ergriffen, und er wie ein Medium wirkte. Erwachte er aus dem Rausch seines Schaffens, so sah man ihn »mit verstörten Gesichtszügen, die Beängstigung einflößen konnten.« Im Gegensatz zu Mozart hat er langsam und mühevoll gearbeitet und viel umgearbeitet. Unterwegs hielt er einen Bleistiftstummel in der Hand, blieb öfter wie lauschend stehen, sah auf und nieder und zeichnete Noten auf sein Blatt. Vom Unwetter überrascht, ließ er mitunter irgendwo seinen Hut liegen, dann kam er ganz durchnäßt und geistesabwesend zurück.

Eine eigenhändige Eintragung von ihm lautet: »auf dem Kahlenberge 1815 Ende September (links) im Walde — ich bin seelig, glücklich im Wald — jeder Baum spricht durch dich. O Gott, welche Herrlichkeit, in einer solchen Waldgegend in den Höhen ist Ruhe — Ruhe ihm zu dienen —« Wenn sich sein langes, dichtes Haar im Sturm bewegte, hatte Beethoven wirklich etwas Dämonisches. »Er lauschte dem Flimmern der Sterne im Mantel des Cherub, der vor Gott steht« (B. Paumgartner). Denn »die Natur war seine einzige Vertraute«, erzählte Therese von Brunsvik, »sie war seine Zuflucht.«

Zwischen 1802 und 1808 traten immer wieder Durchfälle mit Fieber und Kolikschmerzen im Unterleib auf, besonders dann, wenn Beethoven etwas schwer Verdauliches gegessen hatte. Trink- und Badekuren in vielen Bädern, wohin er meist während der heißen Sommermonate überzusiedeln pflegte, brachten nur einen vorübergehenden Erfolg. Wie aus den Konversationsheften zu entnehmen ist, bevorzugte er leicht verdauliche Speisen, besonders Brotsuppen, Fisch, Kalbfleisch; sein Lieblingsgericht war Makkaroni und Käse. Nur gelegentlich gönnte er sich eine Pfeife Tabak, in späteren Jahren auch eine Zigarre. Geregelte Diät hat Beethoven, welcher stets auf Hausangestellte sowie auf das Essen aus Gaststätten angewiesen war, sicher niemals einhalten können. Außerdem war er ein schwer zu führender und unberechenbarer Patient.

Im Jahre 1804 wurde die 3. Sinfonie, die »Eroica«, aufgeführt; auch entstanden im gleichen Jahr die »Waldstein-Sonate« und die »Apassionata«. Die Oper »Leonore« (später »Fidelio«) war 1805 kaum vom Erfolg gekrönt. Allen Widerständen zum Trotz komponierte Beethoven nun rasch hintereinander das 4. Klavierkonzert, das Violinkonzert, die 4. Sinfonie und die Musik zu Collins Theaterstück »Coriolan«. Das Gehörleiden blieb zu jener Zeit stationär. Zwar schreibt Beethoven in die Skizzenblätter zu

Überleitung vom 3. zum 4. Satz der c-moll-Sinfonie. Über 15 Takte hinweg dürften hier die subjektiven Ohrgeräusche des Komponisten ihren Niederschlag gefunden haben

den »Rasumowski-Quartetten«: »Kein Geheimnis sei dein Nichthören mehr — auch bei der Kunst«, aber der Musiker Czerny berichtet: »Noch in den Jahren 1811 und 1812 studierte ich bei ihm mehreres, und er korrigierte mit größter Genauigkeit, so gut wie zehn Jahre früher.«

Im Jahre 1808 entstanden die 5. und die 6. Sinfonie. Ehe der Jubel im Finale der Fünften zum Durchbruch kommt, nach dem pp-Ausklang des III. Satzes, nehmen die Dämonen der Schwerhörigkeit in der nachtdunklen Überleitung zum Finale klingende Gestalt an: Das dumpfe Klangkonvolut der Streicher über dem Orgelpunkt as - c wird, zunächst von einzelnen, dann von immer gehäufter auftretenden monotonen Paukenschlägen auf c durchzuckt, Symbol für das Hämmern und Pochen im eignen Ohr. Bis sich dann die Violinen zaghaft-fragend zu Wort melden und die aufkeimende Lebensbejahung anmelden, hat Beethoven über 15 Takte nicht nur Autobiographisches, sondern Autopathographisches zu Papier gebracht. Goethe hörte das Werk, als es ihm der junge Mendelssohn später im Klavierauszug vorspielte, und der Künstler berichtet davon am 25. Mai 1830 in einem Brief:

»An den Beethoven wollte er (Goethe) gar nicht heran; ich sagte ihm aber, ich könnte ihm nicht helfen, und spielte ihm nun das erste Stück der c-moll-Symphonie vor. Das berührte ihn ganz seltsam. Er sagte erst: Das bewegt aber gar nichts, das macht nur staunen; das ist grandios! Und dann brummte er so weiter und fing nach langer Zeit wieder an: Das ist sehr groß, ganz toll! Man möchte sich fürchten, das Haus fiele ein.«

Durch seine wachsenden Erfolge beeindruckt, wurde Beethoven von Jérome Bonaparte das Amt des ersten Kapellmeisters in Kassel angeboten, jedoch blieb Beethoven — nach Aussetzung einer festen jährlichen Leibrente seitens der mit ihm befreundeten Fürsten Lobkowitz und Kinsky sowie des Erzherzogs Rudolph, welche 4000 Gulden betrug — endgültig in Wien. Diese Rente wurde später infolge von Vermögensschwierigkeiten der Gönner erheblich reduziert, sie betrug dann 1360 Gulden.

Auf Grund seiner — wie er glaubte — gesicherten Existenz wollte sich Beethoven in den Jahren 1808/09 verheiraten. Damals komponierte er die Klavier-Miniature »Für Elise«, das 5. Klavierkonzert, die Musik zu Goethes »Egmont« (hierzu meinte Goethe, daß Beethoven mit bewundernswertem Genie in seine Intentionen eingegangen sei) und das Quartett in f-moll, op. 95. Im Jahre 1809, während der Beschießung Wiens durch die Franzosen, notierte F. Ries: »Beethoven brachte die meiste Zeit in einem Keller zu, wo er noch den Kopf mit Kissen bedeckte, um ja nicht die Kanonen zu hören.« Erneute Verschlechterung des Hörvermögens bewog ihn im Jahre 1810 zu folgendem Bekenntnis: »Hätte ich nicht irgendwo gelesen, der Mensch dürfe nicht freiwillig scheiden von seinem Leben, solange er noch eine gute Tat verrichten kann, längst wär' ich nicht mehr — und zwar durch mich selbst!«

Um seinen Gesundheitszustand zu bessern, besuchte Beethoven 1811 und 1812 die böhmischen Bäder. Am 2. September 1812 teilte J. W. v. Goethe seinem Freund K. F. Zelter in Berlin mit:

»Beethoven habe ich in Teplitz kennen gelernt. Sein Talent hat mich in Erstaunen gesetzt; allein er ist leider eine ganz ungebändigte Persönlichkeit, die zwar gar nicht unrecht hat, wenn sie die Welt detestabel findet, aber sie freilich dadurch weder für sich noch für andere genußreicher macht. Sehr zu entschuldigen ist er hingegen und sehr zu bedauern, da ihn sein Gehör verläßt, was vielleicht dem musikalischen Teil seines Wesens weniger als dem geselligen schadet. Er, der ohnehin lakonischer Natur ist, wird es nun doppelt durch diesen Mangel.«

Es war dies etwa der Zeitpunkt, da Beethoven auf dem rechten Ohr immer mehr ertaubte; doch hat er den Höhepunkt seines Ruhmes um 1812/13 erreicht, nicht zuletzt auch durch sein pompöses Orchesterwerk »Die Schlacht bei Vittoria« oder »Wellingtons Sieg«, op. 91, dessen Uraufführung auf den 8. Dezember 1813 fiel, und womit er, nach seinen eigenen Worten, »die Wiener schlug«. Allein die Verständigung mit den Orchestermitgliedern, die Beethoven auf die eigenartigste Weise versuchte, bereitete schon erhebliche Schwierigkeiten. Nach einer Phantasie beim Grafen Dönhoff war 1812 »die Hälfte der Saiten vom Piano abgehauen«. Ebenfalls im Jahre 1812 wurde die bekannte Gesichtsmaske von F. Klein angefertigt; der erste Versuch des Bildhauers mißlang, da Beethoven fürchtete, unter der drückenden Hülle zu ersticken, aber dann glückte der Abguß schließlich doch.

»Gott, Gott! mein Hort, mein Fels, o mein Alles! du siehst mein Inneres ... O höre, stets Unaussprechlicher, höre mich deinen unglücklichen, unglücklichsten aller Sterblichen. Der mit einem Übel behaftet wird, welches er nicht ändern kann, sondern welches nach und nach ihn dem Tode näher bringt«, heißt es im »Fischhoffschen Manuskript«.

1811/12 komponierte Beethoven, stets unermüdlich fleißig, die 7. und die 8. Sinfonie. Er ist nun schon viele Jahre lang Patient gewesen, und mit schier übermenschlichen Kräften trotzte er der Krankheit, verhielt er sich seiner Umgebung gegenüber wie ein scheinbar Gesunder. Aber langsam schwindet jetzt das Licht des Lebens und der inneren Erleuchtung, die »Wende« zeichnet sich etwa ums Jahr 1814 herum ab, als die Klaviersonate e-moll, op. 90, entsteht. Von nun an sinkt die Produktivität, gemessen an der früheren Werkfülle, um etwa 40 % ab. Im gleichen Jahr baute der Erfinder des Metronoms, N. Mälzel, vier Hörmaschinen für Beethoven, von denen die kleinste vorübergehend Verwendung fand. Wenn er am Klavier saß, benützte der Meister einen großen Schalltrichter, der ihm die Töne vom In-

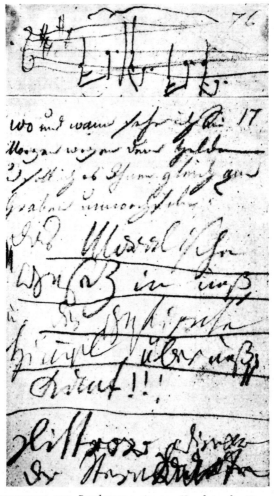

Eintragungen von Beethovens eigener Hand in die Konversationshefte. Oben das Anfangs-Thema der Sonate E-Dur, op. 109, darunter das bekannte Wort von I. Kant »Das Moralische Gesetz in uns und der gestirnte Himmel über uns — Kant!!!«

strument zum Ohr leitete. Und bei einer Musikakademie dirigierte bereits heimlich ein zweiter Kapellmeister hinter Beethoven. Der Pianist I. Moscheles notierte:
»Sein Spiel, den Geist abgerechnet, befriedigte mich weniger, weil es keine Reinheit und Präzision hat; doch bemerkte ich viele Spuren eines großen Spieles, welches ich in seinen Kompositionen schon längst erkannt hatte.«

Diesen Gegebenheiten Rechnung tragend, ist Beethoven letztmals 1815 als Pianist in Erscheinung getreten; aber »er greift jetzt erstaunlich falsch.« Die letzten Sonaten von op. 106 aufwärts hat der Tonmeister nicht mehr selbst auszuführen vermocht (v. Frimmel). Der Musiker L. Spohr berichtet aus derselben Zeit über Beethovens Klavierspiel:

»Ein Genuß war's nicht, denn erstlich stimmte das Pianoforte sehr schlecht, was Beethoven wenig kümmerte, da er ohnehin nichts davon hörte, und zweitens war von der früher so bewunderten Virtuosität des Künstlers infolge seiner Taubheit fast gar nichts übriggeblieben! Im Forte schlug der arme Taube so darauf, daß die Saiten klirrten, und im Piano spielte er wieder so zart, daß ganze Tongruppen ausblieben.«

1815 starb Beethovens Bruder Karl, und Beethoven übernahm die Vormundschaft über dessen Sohn, seinen Neffen Karl, der zum Entsetzen seines Onkels 1826 demonstrativ einen Suizidversuch unternahm. »Ein großes Unglück ist geschehen ... Karl hat eine Kugel im Kopfe ... nur schnell, um Gottes willen schnell ...«, schrieb damals der Meister an Dr. Smetana. Beethovens Bruder Johann versuchte ebenfalls auf ihn einzuwirken und mahnte 1825:
»Wenn Du aber bedenkst, was Dein Oncle schon für dich gethan hat, gewis mehr als 10 000 fl. (Gulden) hat er für dich schon verwendet, und welche Mühe und Plage hast du ihm schon gemacht; in der Jugend sieht man das nicht ein, aber wenn du einmal älter wirst, dann wirst du dieses

123

besser einsehn . . .« Eifersüchtig wachte Beethoven darüber, daß der Neffe keine Zuneigung zu Gleichaltrigen fand. Eine Notiz von Karl aus dem September 1823 in die Konversationshefte spricht Bände: »Du hast mich noch beym Fenster geküßt . . . Du hast mich noch selbst ins Bett gejagt, als ich noch bey dir am Fenster im Hemd saß.« Wahrscheinlich geriet der junge Mann, der von den Beethovenbiographen so gern als »liederlich« verschrieen wurde, mit der Zeit in eine erhebliche Konfliktsituation, über die man besser den Mantel des Schweigens breitet und aus welcher er erst durch den Tod seines Onkels befreit worden ist.

Nach 1815 verstand Beethoven »bei Gesellschaften überhaupt nicht, was gesprochen wurde«. Man »mußte ihm ins Ohr schreien«, das Haar erschien »meliert«. Sein Äußeres hat er zu dieser Zeit schon oft vernachlässigt. Er nahm selten etwas in die Hand, das nicht fiel oder zerbrach, das Tintenfaß warf er öfter ins Klavier, kein Möbel war bei ihm sicher, am wenigsten ein kostbares. Die Unterkünfte wechselte er in beängstigender Häufigkeit — ebenso oft die Ärzte.

»Seine Wohnung ist ganz merkwürdig: im ersten Zimmer zwei bis drei Flügel, alle ohne Beine auf der Erde liegend, Koffer, worin seine Sachen, ein Stuhl mit drei Beinen, im zweiten Zimmer sein Bett, welches winters wie sommers aus einem Strohsack und dünner Decke besteht, ein Waschbecken auf einem Tannentisch, die Nachtkleider liegen auf dem Boden; hier warteten wir eine gute halbe Stunde, denn er rasierte sich gerade« (Bettina von Arnim über Beethovens Wiener Wohnung).

Wahrlich, eine fast klösterliche Umgebung, in die von außen her kein Laut mehr zu dringen scheint. Und doch hat sich nicht nur die gebildete Welt, sondern alles, was im Reiche der Musik Rang und Namen hatte, dort um ihn geschart, obwohl er unerwünschte Gäste auf mancherlei Weise zu erschrecken verstand. »Beethoven spuckte auch in die Hand, mitunter zog er sein buntes Schnupftuch heraus, räusperte sich und spuckte einen Fladen darauf, den er einige Zeit betrachtete, bevor er das Schnupftuch wieder zusammenlegte und in die Tasche schob« (Th. v. Frimmel).

Mitte Oktober 1816 traten katarrhalische Fieber auf und fesselten Beethoven wochenlang ans Bett. Dies währte bis in den Juni 1817. Im gleichen Jahr begann er mit der Komposition der »Hammerklaviersonate«, op. 106: »Jetzt schreibe ich eine Sonate, welche meine größte sein soll.« Die beiden ersten Sätze entstanden lange vor dem Adagio, wohl dem innigsten und ergreifendsten Satz der ganzen Klavierliteratur. »Die Sonate ist in drangvollen Umständen geschrieben, denn es ist hart bejnahe um des Brodeswillen zu schreiben, u. so weit hab ich es nur gebracht.«

Aber die Arbeit ging nur mühsam vorwärts, weshalb Beethoven im Jahre 1818 von der »vorausgegangenen unfruchtbaren Zeit« spricht. Immer länger werden nun die schöpferischen Pausen, mühsam nimmt das Form an, was sonst verhältnismäßig rasch Gestalt gewann. Aus früheren Entwürfen zu zwei Sinfonien wurde später die »Neunte«. Wie Beethoven Czerny gegenüber zugab, zwang ihn die Taubheit zum »Verlassen der älteren Form«, zu Rochlitz sagte Beethoven, er bringe sich nicht so leicht zum Schreiben, ihm graue vor dem Anfang großer Werke.

Im Jahre 1818 nützten Mälzels Hörrohre nichts mehr, Beethoven kam der Welt mehr und mehr abhanden. Bei Gesprächen führte er die »Konversationshefte« mit sich, von denen nur rund 1/3 erhalten blieb (136 Exemplare). Beethoven ging haushälterisch mit Kräften und Geld um. Zwar hinterließ er 9885 Gulden, aber allein die »Krankheitskosten« hatten zuletzt 432 Gulden und die »Leichenkosten« 404 Gulden verschlungen. »Geizig«, wie mitunter behauptet wird, war Beethoven zwangsläufig, er stand vor einer absolut unsicheren und zudem ungesicherten Zukunft. Wie ein Stoßseufzer klingt darum folgender Vermerk in den Konversationsheften: »Erbsteuer auf Bank

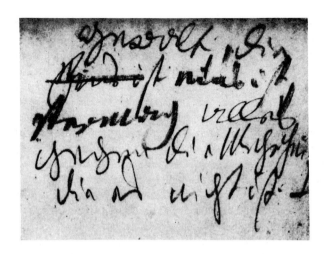

Eintragung von Beethovens eigener Hand in die Konversationshefte Frühjahr 1819: »Gewalt, die eins ist, vermag alles gegen
die Mehrheit, die es nicht ist«

A.(ktien) u. Oblig.(ationen) von den Zeiten des Erblassers
– o Elend!« –

Beethoven arbeitete jetzt an der »Missa solemnis«, deren Fertigstellung fünf Jahre dauerte. Im September 1820 zog er sich eine Erkältung zu, am 10. Januar 1821 meldete die »Allgemeine musikalische Zeitung«, daß »Herr von Beethoven an einem rheumatischen Fieber krank darnieder lag«, welches etwa sechs Wochen währte. Als er sich im Juli und August dieses Jahres in Unterdöbling aufhielt, »entwickelte sich endlich die Gelbsucht vollständig, eine mir höchst ekelhafte Krankheit«, und Beethoven berichtete selbst davon am 18. Juli an den Erzherzog Rudolph. Jedoch dürften solche »Schübe« später noch öfter aufgetreten sein, denn sie gehörten in den Formenkreis jener Leberzellschädigung, welche schließlich, in Verbindung mit dem Aszites, zum Coma hepaticum führte. Auch das Porträt von Prof. G. F. Waldmüller aus dem Jahre 1823 läßt den permanenten Subikterus, welcher seltsam zu den grauen Haaren kontrastiert, deutlich erkennen. Wie sehr Beethovens Schaffenskraft durch diese Krankheitsprozesse beeinträchtigt war, wird durch die Tatsache erhellt, daß in den Jahren 1820–1822 lediglich die drei Klaviersonaten op. 109 bis 111 beendet wurden.

Sein Grad der Taubheit wechselte indessen. Zu jener Zeit spielte er noch voller Begeisterung mit dem französischen Geiger J. A. Boucher; doch waren die oberen Saiten auf seinem Instrument durchweg abgesprengt. In Gesellschaften vernahm man ihn auch hin und wieder. Wenn Beethoven zuhörte, hielt er dabei in der Hand ein Hörrohr. Aber beim Komponieren »bringt er oft auch nicht eine einzige Note heraus. Er hört sie nur mit den Ohren des Geistes. Während sein Auge die fast unmerkliche Bewegung seiner Finger andeutet, daß er den Satz durch alle ... Abstufungen verfolgt, ist das Instrument in der Tat fast ebenso stumm als der Spieler taub ist.«

Im November 1822 versuchte Beethoven ein Orchester zu dirigieren. A. Schindler schreibt über diese Generalprobe zum »Fidelio«: »Die Ouvertüre ging noch reibungslos; aber bei dem ersten Duett stellte es sich heraus, daß Beethoven nichts von dem hörte, was auf der Bühne erklang. Es wurde wiederholt. Wiederum fiel alles durcheinander.« Der Taube wandte sich fragend an Schindler. Der bat ihn schriftlich, nicht weiter fortzufahren und mit ihm nach Hause zu kommen. »Im Nu sprang er in das Parterre hinüber und sagte bloß: ›Geschwinde hinaus!‹ Unaufhaltsam lief er seiner Wohnung zu. Eingetreten, warf er sich auf das Sofa, bedeckte mit beiden Händen das Gesicht und verblieb in dieser Lage, bis wir uns an den Tisch setzten. Aber auch während des Mahles war kein Laut aus seinem Munde zu vernehmen; die ganze Gestalt bot das Bild der tiefsten Schwermut und Niedergeschlagenheit.«

Beethovens Bruder Johann übernahm nun die Finanzangelegenheiten. Da dieser aus allen Werken Kapital zu schlagen versuchte, unterliefen peinliche Zwischenfälle mit verschiedenen Verlegern. Immer schwerer rang Beethoven mit seinen Einfällen und äußerte hierzu: »Denn sehen Sie, seit einiger Zeit bringe ich mich nicht mehr so leicht zum Schreiben. Ich sitze und sinne und sinne.« Oder: »Ja, ja so ists. Rossini und Konsorten, die sind eure Helden. Von mir wollen sie nichts mehr!« Instinktiv merkte er, daß seine Popularität im Sinken war, besonders beim Lesen mancher Konversationsheft-Eintragungen — so vermerkt A. Schindler Ende 1823: ». . . allein es haben sich Kerls gefunden, die mit Gewißheit behaupten wollten, es sey von Ihnen gar nichts mehr zu erwarten, indem Sie nichts mehr Großes schrieben (Infamia).« Die »Bagatellen« für Klavier op. 119 bekam Beethoven mehrfach ungedruckt zurück. Der Verlag Peters, dem er das Werk zuerst anbot, teilte dem Komponisten mit: »Ihre Stücke sind des Preises unwert, und Sie sollten es unter Ihrer Würde halten, die Zeit mit solchen

Kleinigkeiten, wie sie jeder machen könnte, zu verbringen.«

Im Jahre 1823 wirkte Beethoven schon sehr gealtert. Am 13. April wohnte er dem Konzert des Wunderkindes F. Liszt bei. Vom Frühjahr an trat bei dem kurzsichtigen Patienten (−4 und −1,75 D) ein »schmerzhaftes Augenleiden« auf, welches im akuten Stadium etwa zwei Monate andauerte und wovon er noch im Januar 1824 berichtete. Hierbei handelte es sich wahrscheinlich um eine Bindehautentzündung oder gar eine (spezifisch bedingte) Iritis. Während des ganzen Jahres 1823 begleiteten Beethoven außerdem Diarrhoen, wie aus den Konversationsheften hervorgeht. So hält beispielsweise sein Bruder Johann im Januar 1823 fest: »Hast du dein Abweichen (Durchfall) noch nicht verloren? Du solltest etwas Rhabarberpulver nehmen und dabei gute Diät halten, durchaus keine Fische essen. Es ist nichts als vom Essen und vielen Wassertrinken.« Oder sein damaliger Hausarzt, Dr. Smetana, fährt fort: »Für den Katarrh dürfen Sie nichts anderes als unter Tage ein paar mal Gerstenschleim nehmen; das Abweichen wird sich stillen, wenn Sie nichts Fettes-Unverdauliches einige Tage essen und zur Tafel gewässerten roten Wein trinken wollen.« Sogar der Neffe versucht ihn zu trösten: »Ich hab' heut auch das Abweichen gehabt nach Tisch. Du sollst jetzt ja kein Selterwasser mehr trinken. Es ist schon zu kalt ... Auf den Bergen sollst du herumgehen. Der Nadelhölzer wegen.« Ein Unbekannter notiert: »Reiben Sie sich beym Durchfall mit den Händen den Unterleib.« Der Bruder meint: »Abends sagt Hufeland soll man nicht viel essen, und besonders wenig Fleisch, öfters eine Eyer Speiß.« Ein Fremder, der sich offenbar mit Beethovens Taubheit beschäftigt, trägt ein: »Wenn man stark spricht, verstehen Sie mich doch!«

Beethoven nahm lebhaften Anteil an allen musikalischen Ereignissen. Die Aufführung von Webers »Euryanthe« in Wien interessierte ihn sehr, bedeutende Virtuosen suchten ihn in seinen jeweiligen Behausungen auf — 1823 waren es allein deren vier! — und als im Spätherbst der greise Tonmeister A. Salieri einen Selbstmordversuch unternahm und verkündete, er habe einst Mozart vergiftet und müsse das beichten, machte der Kapellmeister Schindler Anfang 1824 folgenden Vermerk: »Sie sind wieder so düster, erhabener Meister — wo fehlt es denn — wo ist denn die heitere Laune seit einiger Zeit? — lassen Sie sichs nicht so zu Herzen gehen, es ist größtenteils das Schicksal großer Männer! es leben ja Viele, die bezeugen können, wie er gestorben, ob Symptome sich zeigten. Er wird aber Mozart mehr geschadet haben durch seinen Tadel als Mozart ihm.« Und schließlich vertraut Beethoven seinen Konversationsheften auch geheime Gedanken an: »Ich schreibe nur das nicht, was ich am liebsten möchte, sondern des Geldes wegen, was ich brauche. Es ist deswegen nicht gesagt, daß ich doch bloß ums Geld schreibe — ist diese Periode vorbei, so hoffe ich endlich zu schreiben, was mir und der Kunst das Höchste ist — Faust!«

Endlich wurde 1823, nach mehrjähriger Arbeit, die »Missa solemnis« fertig. Auch arbeitete er jetzt an der Neunten Sinfonie. Immer mehr dürfte Beethoven die Aussichtslosigkeit seiner Lage, was die Taubheit anbetrifft, klar geworden sein. Das Erlebnis des Todes wird zum ständigen Begleiter, der ihm unmerklich wie ein Schatten folgt. In kaum einem Lebensabschnitt sind seine Klagen über subjektive Beschwerden größer als jetzt. So schreibt Beethoven an den Geiger L. Spohr am 17. September 1823 aus Baden:

»Meine Gesundheit war noch nicht in bestem Stande, als H. mich besuchte. Ich kam sehr übel hierher, doch geht es nun schon besser als früher; auch mein Augenübel ist auf dem Wege der Besserung. Meiner Kränklichkeit wegen blieben mehrere andere Werke liegen, welche ich jetzt fortsetzen muß.«

Die stets wiederkehrenden »Gedärmentzündungen«
zwangen Beethoven — wenigstens zeitweilig — zur Einhal-
tung von Magenschonkost. Aber daß Goethe, den er bezüglich der »Missa solemnis« um Subskription ersucht
hatte, nichts von sich hören ließ, kränkte ihn tief. Auch
dürften echte Differenzen, die immer noch totgeschwiegen
oder bagatellisiert werden, zwischen ihm und dem Wiener
Kaiserhaus bestanden haben, denn Beethoven geriet mit
der Zeit in eine kaum zu beschreibende Isolierung. Sein
Liebäugeln mit England, besonders während der letzten
Lebensphase, war gewiß keine Laune des Augenblicks,
sondern aus der Notlage erwachsen — in der Donaustadt
ließ man den »letzten Beethoven« fast genauso fallen wie
einst den »letzten Mozart«. Nur die Uraufführung der
9. Sinfonie am 7. Mai 1824 bescherte Beethoven den wohl
gewaltigsten Triumph seines Lebens. Es erklangen auch
Sätze aus der »Missa solemnis«. Von den Beifallsstürmen
vernahm er allerdings nichts mehr. Sie galten einem Manne, der den Sieg des Geistes über die Leiden des Leibes, den
Triumph des inneren Hörens über die Zone des Schweigens von außen errungen hatte, und in seinem Werk ehrte
man ihn selbst. Trotz der Einmaligkeit des Ereignisses blieb
aber die Kaiserloge jetzt leer. Endlich wurde die 9. Sinfonie
nach vorheriger Absprache dem König von Preußen gewidmet, welcher dankend, aber kühl, am 25. November
zurückschrieb: ». . . und übersende Ihnen den beigehenden
Brillant Ring zum Zeichen meiner aufrichtigen Wertschätzung.« Beethoven hatte jedoch einen Orden erwartet und
war sehr enttäuscht. Zudem fand er beim Öffnen des Etuis
zu seiner nicht geringen Verwunderung »statt des verhei-
ßenen Brillanten einen röthlichen Stein«, den er — tief
verärgert — für 300 Papiergulden an einen Hofjuwelier verkaufte. Einen echten Ring hat Beethoven nie erhalten.

Er hörte jetzt mitunter so schlecht, daß der Geiger I. Schuppanzigh Beethoven dabei überraschte, wie dieser mit einem Stiefelknecht heftige Schläge gegen die Wand führte, um dadurch noch akustische Eindrücke zu erzielen — oder galt es gar seinen Nachbarn, mit denen er meist in Fehde lebte ... ? Ein winziger Rest von Hörfähigkeit — vor allem für Streichmusik, weshalb er zuletzt meist Quartette komponierte — ist aber aus seinen letzten Jahren beglaubigt. Und wenn auch die linke Hand nun gänzlich untauglich fürs Klavier geworden war, spielte er im Herbst 1825 ein 13 Takte langes Klavierstück — übrigens ein Kabinettstück der Musikliteratur! — vor Sarah Burney Payne, der es auch dediziert worden ist. Denn *die Vorstellung vom »stocktauben Beethoven« kann heute nicht mehr aufrechterhalten werden!* Das war er, in des Wortes ursprünglicher Bedeutung, *nie* und hat bis zuletzt auch laute Anrufe wahrgenommen. Noch im September 1823 konnte sich ein Besucher sehr gut mit ihm ohne Hörrohr verständigen.

Als der Geiger J. Böhm im Jahre 1825 bei Beethoven war, ist das Essen ganz minderwertig gewesen, das Fleisch zäh, das Fett ranzig, die Eier ungenießbar. »Das Tagtägliche erschöpft mich«, sagte Beethoven. Jetzt rächte sich bitter, daß er ledig geblieben war. In seinem Schreiben an den Neffen vom 29. August 1824 steht: »Mein Magen ist schrecklich verdorben und kein Arzt! — ich nehme seit gestern nichts als Suppe und ein paar Eier und bloß Wasser, meine Zunge ist ganz gelb.« Seitdem er in diesem Jahr die Bekanntschaft mit dem Geiger K. Holz gemacht hatte, trank er mehr als zuvor; es gelang den Ärzten nicht, ihn zur Enthaltsamkeit zu bewegen, obwohl es bei ihm nie an guten Vorsätzen fehlte und er den Neffen öfter bat, ihm echtes und ja nicht künstlich hergestelltes Mineralwasser zu besorgen oder Schokolade, die er jetzt anscheinend besser vertrug als Bohnenkaffee. Den Kanon

Kanon »Doktor sperrt das Thor dem Todt«, geschrieben am
11. Mai 1825 in Baden, Helenental

»Doktor sperrt das Thor dem Todt,
Note hilft auch aus der Noth«

komponierte er eigens für seinen damaligen Arzt Dr. A.
Braunhofer und schrieb ihm am 13. Mai 1825 aus Baden:
»Mein katarrhalischer Zustand äußert sich hier folgen-
dermaßen: nämlich ich speie ziemlich viel Blut aus, wahrscheinlich nur aus der Luftröhre; aus der Nase strömt es
aber öfter, welches auch der Fall diesen Winter öfter war.
Daß aber der Magen schrecklich geschwächt ist u. überhaupt meine ganze Natur dies leidet keinen Zweifel, bloß
durch sich selbst, so viel ich meine Natur kenne, dörften
meine Kräfte schwerlich ersetzt werden.«
Also schon jetzt Blutungen aus Ösophagusvarizen, tiefe
Depressionen, sie klingen im Brief vom 9. Juni 1825 an
den Neffen mit:
»Wie ich hier lebe (in Baden), weißt Du, dazu noch bei
der kalten Witterung. Das beständige Alleinsein schwächt
mich nur noch mehr, denn wirklich grenzt meine Schwäche
oft an Ohnmacht. O kränke nicht mehr, der Sensenmann
wird ohnehin keine lange Frist mehr geben.« Und später
schreibt er ihm: »Es wird bald ein Ende haben mit Deinem
treuen Vater.«
Aus der ersten Hälfte dieses Jahres stammt auch das
Streichquartett a-moll, op. 132, dessen dritter Satz folgende
Eintragungen aufweist: Molto adagio (Heiliger Dankgesang
eines Genesenen an die Gottheit, in der lydischen Tonart)
– Andante (Neue Kraft fühlend) – Molto adagio (Mit in-
nigster Empfindung). Der Dichter L. Rellstab besuchte ihn
und stellte fest:
»Das Gesicht war viel kleiner, als ich es mir nach den in
eine gewaltsam geniale Wildheit gezwängten Bildnissen
vorgestellt hatte. Nichts drückte jene Schroffheit aus ...
Seine Farbe war bräunlich, doch nicht jenes gesunde, kräftige Braun, das sich der Jäger erwirbt, sondern mit einem

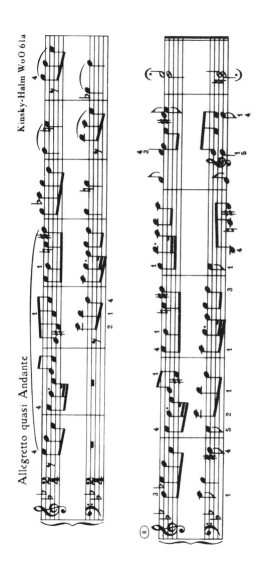

Kinsky-Halm WoO 61a

Allegretto quasi Andante

Die Klavierminiature g-moll für Sarah Burney Payne aus dem Jahr 1825

gelblich kränkelnden Ton versetzt. Nicht ein Zug der Härte, nicht einer der mächtigen Kühnheit, die den Schwung seines Geistes bezeichnet, war auch nur vorübergehend zu bemerken.«

Mitte Oktober 1825 zog Beethoven ins Schwarzspanierhaus, seine letzte Wohnung, wo er anderthalb Jahre später auch starb. In den ersten Monaten von 1826 traten neue Unterleibsbeschwerden und »gichtische Affektionen« auf. Dr. Braunhofer verordnete blande Kost, Mandelmilch, Chinatropfen und verbot alle reizenden, würzenden Nahrungsbestandteile (Schweisheimer). Rückenschmerzen machten dem Meister das Leben zur Qual. Dennoch war das Jahr, was sein Gesamtwerk anbetrifft, erfolgreich: Es entstanden das Streichquartett cis-moll, op. 131, ferner das Finale zum Streichquartett op. 130 und das Streichquartett F-Dur, op. 135.

Der letzte Satz trägt die Überschrift: »Der schwer gefaßte Entschluß. Muß es sejn? Es muß sejn, es muß sejn«, und darin wetterleuchten beim »Grave« noch einmal Akkordfolgen, wie sie uns aus der Schicksalssinfonie vertraut sind.

Beethoven hat dieses Quartett im Herbst 1826 auf dem Gut Wasserhof seines Bruders Johann in Gneixendorf vollendet. Er soll damals sehr schwach gewesen sein und wurde durch ein kürzeres Gespräch bereits völlig ermüdet, außerdem nahm der Leibesumfang infolge des Aszites erheblich zu. Oft beobachtete man ihn draußen auf dem Lande am Abhang eines Waldhügels sitzend und arbeitend, oder die Dorfkinder sahen Beethoven auf den Stoppelfeldern herumgehen, gestikulierend und schreiend. Man hörte ihn auch Klavier spielen. Er versuchte sich noch an einem neuen Quintett, gelangte aber nicht über 24 Takte hinaus. Als Beethoven auf offenem Gefährt Anfang Dezember nach Wien zurück reiste — zwischendurch mußte er in einem kleinen Dorfwirtshaus übernachten, in einem ungeheizten, zugigen Zimmer — trat eine Lungenentzündung mit

Schüttelfrost, trockenem Husten und Seitenstechen sowie starkem Durst auf, allein es glückte noch einmal, den Kranken am Leben zu erhalten. Am achten Tag der Behandlung durch Prof. Dr. A. Wawruch trat nach einem nächtlichen Brechdurchfall eine intensive Gelbsucht auf, Symptom jener schweren Leberzellschädigung, welcher der Meister bald darauf erlag.

Über diese letzte Krankheit Beethovens sind wir recht gut informiert, weil Prof. Dr. A. Wawruch — was nur wenigen bekannt ist — handschriftliche Aufzeichnungen, datiert vom 20. Mai 1827, hinterließ. Diese wurden knapp zwei Monate nach dem Verscheiden Beethovens zu Papier gebracht, aber erst in Wawruchs Nachlaß aufgefunden. Alois Fuchs veröffentlichte sie in der »Wiener Zeitschrift« vom 30. April 1842 unter dem Titel »Ärztlicher Rückblick auf Ludwig van Beethovens letzte Lebensepoche.«

Wawruch, der am Wiener Allgemeinen Krankenhaus wirkte und Beethoven als Amateurcellospieler sympathisch war, hat seinen berühmten Schutzbefohlenen etwa vom 5. Dezember an bis zum Tode betreut. Weil aber Beethoven infolge seines Leberleidens hochgradig wassersüchtig gewesen ist, mußte die erste Bauchpunktion, ausgeführt von Dr. J. Seibert (im Auftrag von Prof. A. Wawruch), am 20. Dezember vorgenommen werden. Die vierte und letzte Punktion erfolgte am 27. Februar 1827, das Wasser floß später aus der Punktionsstelle bis in die Mitte des Krankenzimmers. Es dürfte zu erheblichen Kompetenzschwierigkeiten am Krankenbett gekommen sein, denn Beethoven wurde mit der Zeit in seinem Vertrauen zu Wawruch schwankend und bestand auf der Hinzuziehung weiterer Kollegen. Der Knabe Gerhard von Breuning war in dieser Zeit viel um den Vereinsamten. »Ich habe heute sagen hören«, schrieb dieser in die Konversationshefte, »daß Du so unter den Wanzen zu leiden hast, daß Du, wenn Du ruhst, alle Augenblicke aus dem Schlaf aufwachst. Da Dir der Schlaf gutthut, werde ich Dir etwas bringen, um die Wanzen zu verjagen.«

An seinen Freund, den Harfenfabrikanten J. A. Stumpff in London, schreibt Beethoven Anfang 1827:

»Leider liege ich schon seit dem 3ten December bis jetzt an der Wassersucht darnieder. Sie können denken, in welche Lage mich dieses bringt! Ich lebe gewöhnlich nur von dem Ertrage meiner Geisteswerke, alles für mich und meinen Carl, davon zu schaffen. Leider seit dritthalb Monaten war ich nicht im Stande eine Note zu schreiben ... Bedenken Sie noch daß sich das Ende meiner Krankheit noch gar nicht bestimmen läßt und es endlich wird möglich gleich in vollen Segeln auf dem Pegasus durch die Lüfte zu segeln! Arzt, Chirurgus, alles muß bezahlt werden. — Ich erinnere mich recht wohl, daß die Philharmonische Gesellschaft vor mehreren Jahren ein Concert zu meinem Besten geben wollte. Es wäre für mich ein Glück, wenn Sie diesen Vorsatz fassen wollte, ich würde vielleicht aus aller meiner bevorstehenden Not doch gerettet werden können. Ich schreibe deswegen an Herrn Smart. Und können Sie, werther Freund! etwas zu diesem Zwecke beitragen, so bitte ich Sie nur sich mit Herrn S. zu vereinigen. Auch an Moscheles wird deßhalb geschrieben, und in Vereinigung aller meiner Freunde glaube ich doch daß sich ... etwas für mich wird thun lassen.«

Da diese Freunde offenbar weniger in Wien lebten, schreibt Beethoven an G. Smart kurz darauf:

»Leider sehe ich bis zu dem heutigen Tage noch dem Ende meiner schrecklichen Krankheit noch nicht entgegen, im Gegentheil haben sich nur meine Leiden, und damit auch meine Sorgen noch vermehrt ... Von was soll ich denn leben bis ich meine ganz gesunkenen Kräfte zusammenraffe, um mir wieder mit der Feder meinen Unterhalt zu verdienen. Kurz ich will Ihnen nicht mit neuen Klagen lästig werden und mich nur hier auf mein Schreiben vom

22. Febr. beziehen und Sie bitten, allen Ihren Einfluß anzuwenden, die philharm. Gesellschaft dahin zu vermögen, ihren früheren Entschluß rücksichtlich der Academie zu meinem Besten jetzt in Vollführung zu bringen.«

Am 14. März wendet er sich an I. Moscheles:

»Wahrlich ein hartes Los hat mich getroffen! Doch ergebe ich mich in den Willen des Schicksals und bitte nur Gott stets, er möge es in seinem göttlichen Willen so fügen, daß ich so lange ich noch hier den Tod im Leben erleiden muß, vor Mangel geschützt werde. Dies wird mir so viel Kraft geben mein Loos, so hart und schrecklich es immer sein möge, mit Ergebenheit in den Willen des Allerhöchsten zu ertragen.«

Jedenfalls erhielt Beethoven eine Ehrengabe von 100 Pfund seitens der Londoner Philharmonischen Gesellschaft und Händels Werke — er schätzte diesen unter allen Komponisten am meisten — von seinem Freund J. A. Stumpff. Und Moscheles antwortete: »Dein Brief hat uns in höchstem Maße erstaunt. Wie! Der große Mann, den ganz Europa ehrt und feiert, das größte, edelste Herz liegt in Wien im Elend zwischen Leben und Tod. Und das müssen wir aus London erfahren. Und von London aus beeilt man sich, seine Pein zu lindern und ihn großmütig der Verzweiflung zu entziehen...«

Am 18. März diktierte Beethoven Schindler einen bewegten Dankesbrief an Moscheles:

»Mit welchem Gefühle ich Ihren Brief vom 1. März durchlesen, kann ich gar nicht mit Worten schildern. Der Edelmuth der Philharmonischen Gesellschaft, mit welchem man meiner Bitte beinahe zuvorkam, hat mich in das Innerste meiner Seele gerührt... ich verpflichte mich der Gesellschaft dadurch meinen wärmsten Dank abzustatten, indem ich ihr entweder eine neue Symphonie, die schon skizziert in meinem Pulte liegt (die Zehnte), eine neue Ouverture oder etwas anderes zu schreiben verbinde, was die Gesellschaft wünscht. Möge der Himmel mir nur recht bald wieder meine Gesundheit schenken, und ich werde den edelmüthigen Engländern beweisen, wie sehr ich ihre Theilnahme an meinem traurigen Schicksale zu würdigen wissen werde.«

An den Verlag B. Schott's Söhne in Mainz hatte Beethoven am 22. Februar folgende schriftliche Bitte gerichtet:

»Je geschwinder ich also diesen Rheinwein oder Moselwein erhalte, desto wohltätiger kann er mir in diesem jetzigen Zustande dienen.« In der Hoffnung auf Genesung sandte der Verlag, mit welchem Beethoven gerade wegen seines Streichquartettes cis-moll verhandelte, am 8. März zwölf Flaschen Rüdesheimer Berg, Jahrgang 1806, ferner einen heilenden Kräuterwein sowie »3/4 Pfund Wurzel« (Männertreu), denn man gestattete jetzt dem Kranken auch Puncheis, was Beethoven zunächst euphorisch stimmte und zu den Arbeiten an der 10. Sinfonie animierte. Denn sein Geist blieb rege, er las »Kenilworth« von W. Scott und seine »alten Freunde« Homer, Plutarch, Aristoteles (B. Paumgartner), soweit es die Kräfte noch erlaubten.

Aber der Kranke war bereits hochgradig hinfällig und bis zum Skelett abgemagert. »Ich werde wohl bald nach oben machen«, sagte er zu J. N. Hummel, der ihn zusammen mit F. Hiller einige Male besuchte. Er lag im Bett, schien starke Schmerzen zu verspüren und stöhnte zuweilen; Schweiß stand auf seiner Stirne.

Am 23. März stellte Ludwig van Beethoven sein Testament fertig, die letzten mit zitternder Hand geschriebenen Worte lauten:

»Mein Neffe Karle Soll alleini Erbe sejn, das Kapital meines Nachlalaßes soll jedoch Seinen natürlichen oder testamentarischen Erben zufallen.

Wien am 23. März 1827

Luwig van Beethoven.«

Anton Schindler schrieb am 24. März 1827 an Ignaz Mocheles:

»... allein mein guter Moscheles, wenn Sie diese Zeilen lesen, wandelt unser Freund nicht mehr unter den Lebenden. Seine Auflösung geht mit Riesenschritten, und es ist nur ein Wunsch unser aller, ihn bald von diesem schrecklichen Leiden erlöst zu sehen. Nichts anderes bleibt mehr übrig. Seit acht Tagen liegt er schon beinahe wie todt, nur manchen Augenblick rafft er seine letzten Kräfte zusammen und fragt auch etwas oder verlangt etwas. Er befindet sich fortwährend in einem dumpfen Dahinbrüten, hängt den Kopf auf die Brust und sieht starr Stundenlang auf einen Fleck, kennt die besten Bekannten selten, ausgenommen, man sagt ihm, wer vor ihm steht. Kurz, es ist schauderhaft, wenn man dieses sieht; und nur noch wenige Tage kann dieser Zustand dauern; denn alle Functionen des Körpers hörten seit gestern auf. Scharenweise kommen jetzt die Menschen, um ihn noch zu sehen, obgleich durchaus Niemand vorgelassen wird, bis auf jene, welche keck genug sind, den sterbenden Mann noch in seinen letzten Stunden zu belästigen ...«

Professor Wawruch hielt fest: »... bei einer rasch zunehmenden Abmagerung und einem bedeutenden Sinken der Lebenskraft verfloß der Januar, Februar und März. Beethoven prognosticirte in trüben Stunden des Selbstgefühls nach der vierten Paracentese seine herannahende Auflösung, und er irrte nicht. Kein Trost vermochte ihn mehr aufzurichten, und als ich ihm mit der herannahenden Frühlingswitterung Linderung seiner Leiden tröstend verhieß, entgegnete er mir lächelnd: ›Mein Tagewerk ist vollbracht; wenn hier noch ein Arzt helfen könnte, his name shall be called wonderful!‹«

»Nachdem ich am Morgen des 24. März zu ihm kam«, schrieb später A. Schindler an den Verlag B. Schott's Söhne in Mainz, »fand ich sein ganzes Gesicht zerstört und ihn so schwach, daß er sich mit größter Anstrengung nur mit höchstens zwei bis drei Worten verständlich machen konnte. Gleich darauf kam der Ordinarius (Dr. Wawruch), der, nachdem er ihn einige Augenblicke beobachtete, zu mir sagte: Beethoven gehe mit schnellen Schritten der Auflösung nahe! Da wir die Sache mit seinem Testament schon tags vorher, so gut es immer ging, beendet hatten, so blieb uns nur noch Ein sehnlicher Wunsch übrig, ihn mit dem Himmel auszusöhnen (um auch der Welt zugleich zu zeigen, daß er als wahrer Christ sein Leben endigte). Der Prof. Ordinarius schrieb ihm also auf und bat ihn im Namen aller seiner Freunde, sich mit den heil. Sterbesakramenten versehen zu lassen, worauf er ganz ruhig und gefaßt antwortete: Ich wills. — Der Arzt ging fort und überließ mir dies zu besorgen. Beethoven sagte mir dann: ich bitte Sie nur noch um das, an Schott zu schreiben und ihm das Dokument zu schicken. Er wirds brauchen. Und schreiben Sie ihm in meinem Namen, denn ich bin zu schwach: ich ließ ihn recht sehr bitten um den versprochenen Wein... Der Pfarrer kam gegen 12 Uhr, und die Funktion ging mit der größten Auferbauung vorüber, — und nun erst schien er an sein letztes Ende selbst zu glauben, denn kaum war der Geistliche draußen, als er mir und dem jungen Herrn v. Breuning sagte: Habe ichs nicht immer gesagt, daß es so kommen wird? — Darauf bat er mich nochmals, an Schott nicht zu vergessen und auch der philharmonischen Gesellschaft (in London) nochmals in seinem Namen für das große Geschenk (100 Pfund Sterling) zu danken... In diesem Augenblick trat der Kanzley-Diener des H. Hofrath v. Breuning mit dem Kistchen Wein und dem Tranke von Ihnen geschickt, ins Zimmer. Das war gegen $^3/_4$ auf 1 Uhr. Ich stellte ihm die zwei Bouteillen Rüdesheimer und die anderen zwei Bouteillen mit dem Tranke auf den Tisch zu seinem Bette. Er sah sie an und sagte: schade! schade! — zu spät! Dies waren seine allerletzten Worte. Gleich darauf

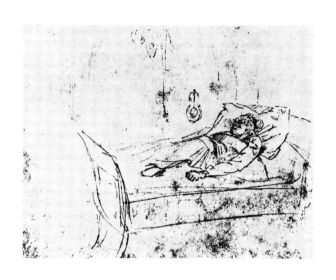

Ludwig van Beethoven auf dem Totenbett, Bleistiftzeichnung
von J. Teltscher. Man sieht, daß der Aszites unvermindert
fortbestand, trotz aller Punktionen

verfiel er in solche Agonie, daß er keinen Laut mehr hervorbringen konnte.

Gegen Abend verlor er das Bewußtsein und fing an zu phantasieren. Dies dauerte fort bis den 25ten abends, wo schon sichtbare Spuren des Todes sich zeigten. Dennoch endete er erst den 26ten, um $^3/_4$ auf 6 Uhr abends.

Dieser Todeskampf war furchtbar anzusehen; denn seine Natur überhaupt, vorzüglich seine Brust, war riesenhaft. Von Ihrem Rüdesheimer Weine genoß er Löffelweise bis zu seinem Verscheiden . . .«

Am Nachmittag des 26. März zog ein gewaltiger Schneesturm mit Gewitter über die Stadt Wien. »Nachdem Beethoven von 3 Uhr nachmittags an, da ich zu ihm kam, bis nach 5 Uhr röchelnd im Todeskampfe bewußtlos dagelegen hatte«, erinnert sich A. Hüttenbrenner, »fuhr ein von einem heftigen Donnerschlag begleiteter Blitz hernieder und erleuchtete grell das Sterbezimmer (vor Beethovens Wohnhause lag Schnee). Nach diesem unerwarteten Naturereignisse öffnete Beethoven die Augen, erhob die rechte Hand und blickte starr mit geballter Faust mehrere Sekunden lang in die Höhe mit sehr ernster, drohender Miene, als wollte er sagen: ›Ich trotze euch, ihr feindlichen Mächte! Weichet von mir! Gott ist mit mir.‹ Auch hatte es den Anschein, als wollte er wie ein kühner Feldherr seinen zagenden Truppen zurufen: ›Mut, Soldaten! Vorwärts! Vertrauet auf mich! Der Sieg ist uns gewiß!‹ Als er die erhobene Hand wieder aufs Bett niedersinken ließ, schlossen sich seine Augen zur Hälfte. Kein Atemzug, kein Herzschlag mehr!...«

Nur die Schwägerin aus Gneixendorf und Hüttenbrenner weilten an seinem Lager. Der Letztere drückte ihm die Augen zu, nachdem er ausgelitten hatte.

So starb Ludwig van Beethoven, und er schritt durch eben jenes Tor, welches wenige Jahre zuvor in seinem Kanon noch ärztliche Kunst dem Tod versperren sollte, in eine neue, grenzenlose Freiheit! —

Die Sektion erfolgte am 27. März, einen Tag nach dem Tode, und wurde in Wawruchs Beisein von J. Wagner, einem Assistenten des pathologischen Institutes, in Beethovens Wohnung ausgeführt. Die Totenmaske hingegen nahm man — entgegen anderen Vermutungen — erst am 28. März ab, als sich durch die Zersägung des Schädels und die Herausnahme beider Felsenbeine bereits erhebliche Strukturveränderungen im Gewebe vollzogen hatten. Zweimal sind die Gebeine Beethovens exhumiert worden; das erste Mal am 13. Oktober 1863, wobei der Schädel in neun Einzelteile zerfallen war, welche durch Dr. v. Breuning mittels Lehmausfüllung zusammengesetzt wurden. Später fertigte I. B. Rottmayer von diesem restaurierten Schädel ein Foto an. Am 21. Juni 1888 erfolgte die zweite Exhumierung, man brachte die Gebeine nach dem Neuen Wiener Zentralfriedhof. Oft wurde später und heute noch darüber diskutiert, ob Beethovens zahlreiche Ärzte (Schmidt, Bertolini, Malfatti, Smetana, Wawruch u. a.) ihren berühmten Patienten richtig behandelten. Hierzu ist zu sagen, daß sie durchweg alle versuchten, sein Leben, entsprechend dem damaligen Stand des Wissens, so erträglich wie nur möglich zu gestalten. Auf Grund des Sektionsberichtes ist es sogar erstaunlich, daß der Kranke das für seine Verhältnisse hohe Alter von 56 Jahren erreichte. —

Es heißt, daß bei Beethovens Beerdigung etwa 30000 Menschen zugegen waren, und eine Marktfrau soll einem Fremden, der sich nach der Ursache des Auflaufs erkundigte, verwundert zur Antwort gegeben haben, daß man heute den General der Musikanten begrabe. Als rege sich das schlechte Gewissen, erschien auch gleich eine »Einladung zu Ludwig van Beethovens Leichenbegängnis, welches am 29. März um 3 Uhr Nachmittags Statt finden wird. Man versammelt sich in der Wohnung des Verstorbenen im Schwarzspanier-Hause Nr. 200 am Glacis vor dem Schottenthore. Der Zug begibt sich von da nach der Drey-

Beethovens Begräbnis am 29. März 1827. Das Aquarell von F. Stöber läßt eine ungeheure Menschenmenge vor seinem Sterbehaus, dem Schwarzspanierhaus, erkennen (im Hintergrund links der Sarg), die ihm das letzte Geleit gab

faltigkeits-Kirche bey den P. P. Minoriten in der Alsergasse. Die musikalische Welt erlitt den unersetzlichen Verlust des berühmten Tondichters am 26. März 1827 Abends gegen 6 Uhr. Beethoven starb an den Folgen der Wassersucht, im 56. Jahre seines Alters, nach empfangenen heil. Sacramenten. Der Tag der Exequien wird nachträglich bekannt gemacht von L. van Beethovens Verehrern und Freunden. — (Diese Karte wird in Tob. Haslingers Musikhandlung vertheilt.)« Franz Grillparzer schrieb die Leichenrede, die der Schauspieler H. Anschütz vor dem Friedhof am späten Nachmittag des 29. März 1827 sprach.

Dies war der Abschied von L. van Beethoven, der zu Bettina Brentano 1810 sagte: »Musik ist höhere Offenbarung als alle Weisheit und Philosophie. Wem meine Musik sich verständlich macht, der muß frei werden von alle dem Elend, womit sich die anderen schleppen.« Und wenn gerade Laien in ihm den »General der Musikanten« sahen, dann deswegen, weil seine Musik, wie sein Wesen, heroisch und dramatisch ist — urmännlich, da ihr Schöpfer das Gesetz des Lebens bejahte, daß Dasein gleichbedeutend ist mit Ringen. Beethoven lebte sogar gerne auf der Erde, obwohl ihn die Krankheit über drei Jahrzehnte in Fesseln schlug. Aber er streckte vor dem Fatum, das ihn zwar besiegen, aber nicht zur Kapitulation bringen konnte, nie die Waffen und hat sich, wenn auch mitunter resignierend, in das Unvermeidliche mit Würde gefügt. Trotz sämtlicher Miseren verstand er es wie kaum ein anderer Meister, seine Energien umsichtig anzulegen und aus jeder Situation das Beste zu machen. »Das Moralische Gesetz in uns und der gestirnte Himmel über uns — Kant —«, schrieb er einmal in die Konversationshefte, damit setzte er jenen Meilenstein, der zu seinem eigentlichen Wesen hinführt. Durch die schreckliche Passion der Taubheit—sein Kreuz im wahrsten Sinne des Wortes —, die ihm nichts an Leid ersparte, das einem Musiker widerfahren kann, wuchs er in jene Region

147

der Vereinsamung, aber auch der inneren Vollendung, aus der er den Hörer stets aufs Neue zu beschenken und zu trösten vermag. Denn jenseits von Raum und Zeit besteht eine Kraft, die, wie der Schlußchor der »Neunten« verkündet, alle Gegensätze aufhebt und im Ewigen versöhnt. Gerade der »letzte Beethoven« hat in Reiche geschaut, wie sie andere Sterbliche vor der Schwelle des Todes nicht zu erblicken vermögen. Für ihn gilt das Wort des Dirigenten Bruno Walter vom 26. Dezember 1939:

»Ich glaube eben, daß *Beethoven*, Bach, Schubert usw., wie Jesaias, Johannes und ihresgleichen, Propheten-Naturen sind, inspiriert, d. h. vom heiligen Geist erfüllt; und da ich organisiert bin, ihre Sprache zu verstehen, ja zu sprechen, so habe ich in bescheidener Weise Teil an Äußerungen des heiligen Geistes.«

Allein der Preis war hoch, teuer genug mußte er sich das Erreichte erkaufen. »Die Nachricht von Beethovens Tode hat uns sehr betrübt. Die Wiener mögten nun gern die Schande von sich wälzen, daß sie ihn haben darben lassen; das Faktum läßt sich aber nicht läugnen, und alle Declamationen dagegen werden nichts helfen. Ich weiß es aus einem eignen Briefe von ihm, daß er Noth gelitten hat. Sein Begräbnis war sehr glänzend! So sind die Deutschen!«, schrieb L. Spohr am 11. April 1827 an W. Speyer. Gewiß, Beethoven konnte auf gute Einkünfte blicken, aber er verlor Unsummen durch die ständige, damals völlig erfolglose Art der Behandlung seiner Leiden, durch die Unredlichkeiten des Personals und eine geldgierige Umgebung. Vom Vermögen allein hätte er unter solchen Umständen niemals mehrere Jahre, vor allem nicht als Dauerpatient, leben können. Beim Betrachten der Konversationshefte wird quälend deutlich, wie sehr dieses Genie schon lange vor seinem Tode in den Sog einer tyrannischen Umwelt geriet, die ihn zu beherrschen und auf ihr mittelmäßiges Niveau herunterzuziehen bestrebt war — wohl wissend um seine Hilflosigkeit und Abhängigkeit. Wenn Beethoven zu solchen Querelen schließlich Ja und Amen sagte, dann nur darum, weil er sich diesen Kreaturen ausgeliefert wußte. Was hätte er getan, wenn sie morgen alle nicht mehr erschienen wären, die Stundenfrauen, die Zubringer, der Neffe Karl, der Bruder Johann, die zahllosen Manager und jene vielen Namenlosen, die kleine Dienstleistungen vollbrachten, um sich in seinem Ruhme zu sonnen? Beethoven nahm sie halt in Kauf, um das Gespenst der absoluten Isolierung nicht in seine vier Wände einzulassen.

Doch er, der innerlich Stolze, hat jene Hörigkeit nie verwunden und gewiß als Schmach empfunden. Er sah nach England als dem Land der Freiheit (L. Magnani). Wie jeder Mensch, spielte auch er mit dem Gedanken, daß woanders alles besser sein müsse und bedachte nicht, daß er »drüben« wahrscheinlich mit denselben Problemen zu ringen gehabt hätte, die sich vor ihm auch in Wien auftürmten. Bereits 1817 wollte er zwei große Sinfonien für England komponieren, und seine »Neunte« ist ursprünglich »für die Philharmonische Gesellschaft in London« geschrieben worden. Die Ungeduld, mit der man in England auf dieses Werk wartete, dessen Zusendung, gleich Beethovens geplanter Fahrt, sich immer wieder verzögerte, wurde noch durch die Beliebtheit verstärkt, welche Beethoven dort genoß. Schon zehn Jahre vor seinem Ende war Beethoven im Begriff, einer Einladung zu folgen, jedoch verging ein Frühjahr nach dem anderen, ohne daß er sich zur Reise entschließen konnte. Wahrscheinlich war er sich dessen bewußt, daß die zunehmende Schwerhörigkeit entscheidende zwischenmenschliche Kontakte ausschloß und so alles von vornherein eine halbe Sache — also ein uneingestandener Mißerfolg — gewesen wäre. Die hochherzige Spende, welche ihn auf dem Totenbett erreichte, sein Plan, eine »Zehnte« für die Engländer zu komponieren, bezeugen, wie sehr Beethovens Gedanken und Gefühle dort weilten, und F.

Hiller gegenüber, der ihn wenige Tage vor der Agonie besuchte, wiederholte er, daß er im Anschluß an seine Genesung sofort nach London abreisen werde — Britannia erschien ihm als Fata Morgana, am liebsten wäre er, um seine eigenen Worte zu wählen, »hin geflogen.«

»Dich zu retten ist kein andres Mittel als *von hier:* nur dadurch kannst du wieder so zu den Höhen deiner Kunst entschweben, wo du hier in Gemeinheit versinkst. Nur eine Sinfonie und dann fort, fort, fort!«, hatte er in sein Tagebuch geschrieben.

Und wirklich zog er am 26. März 1827, als der Tod wie ein Befreier zu ihm kam und seine Ketten löste, aus in eine andere Welt jenseits aller Länder und Meere, wo die Schrecken der Taubheit keine Macht mehr über ihn zu gewinnen vermochten!

Anhang

Wortlaut des Sektionsprotokolles, soweit es in der unbeglaubigten Abschrift durch *Ignatz von Seyfried* (»Beethovens Studien im Generalbaß«, Wien 1853, Anhang S. 45) und ohne Schlußdiagnose auf uns gekommen ist:

»Der Leichnam war, insbesondere an den Gliedmaßen, sehr abgezehrt und mit schwarzen Petechien übersät, der Unterleib ungemein wassersüchtig aufgetrieben und gespannt.

Der Ohrknorpel zeigte sich groß und unregelmäßig geformt, die kahnförmige Vertiefung, besonders aber die Muschel derselben war sehr geräumig und um die Hälfte tiefer als gewöhnlich; die verschiedenen Ecken und Windungen waren bedeutend erhaben. Der äußere Gehörgang erschien, besonders gegen das verdeckte Trommelfell, mit glänzenden Hautschuppen belegt. Die Eustachische Ohrtrompete war sehr verdickt, ihre Schleimhaut ausgewulstet und gegen den knöchernen Teil etwas verengert. Die ansehnlichen Zellen des großen und mit keinem Einschnitte bezeichneten Warzenfortsatzes'waren von einer blutreichen Schleimhaut ausgekleidet. Einen ähnlichen Blutreichtum zeigte auch die sämtliche, von ansehnlichen Gefäßzweigen durchzogene Substanz des Felsenbeins, insbesondere in der Gegend der Schnecke, deren häutiges Spiral leicht gerötet erschien.

Die Antlitznerven waren von bedeutender Dicke; die Hörnerven dagegen zusammengeschrumpft und marklos; die längs denselben verlaufenden Gehörschlagadern waren über eine Rabenfederspule ausgedehnt und knorplicht. Der linke, viel dünnere Hörnerv entsprang mit drei sehr dünnen, graulichen, der rechte mit einem stärkeren, hellweißen Streifen aus der in diesem Umfange viel konsistenteren und blutreicheren Substanz der vierten Gehirnkammer. Die Windungen des sonst viel weicheren und wasserhältigen Gehirns erschienen nochmal so tief und (geräumiger) zahlreicher als gewöhnlich. Das Schädelgewölbe zeigte durchgehends große Dichtheit und gegen einen halben Zoll betragende Dicke.

Die Brusthöhle zeigte, so wie ihre Eingeweide, die normgemäße Beschaffenheit.

In der Bauchhöhle waren vier Maß graulich-brauner trüber Flüssigkeit verbreitet. Die Leber erschien auf die Hälfte ihres Volumens zusammengeschrumpft, lederartig fest, grünlichblau gefärbt und an ihrer höckerigen Oberfläche, sowie an ihrer Substanz mit bohnengroßen Knoten durchwebt; deren sämtliche Gefäße waren sehr enge, verdickt und blutleer.

Die Gallenblase enhielt eine dunkelbraune Flüssigkeit nebst häufigem, griesähnlichem Bodensatz. Die Milz traf man mehr als nochmal so groß, schwarz gefärbt, derb; auf gleiche Weise erschien auch die Bauchspeicheldrüse größer

und fester; deren Ausführungsgang war von einer Gans-
federspule weit. Der Magen war samt den Gedärmen sehr
stark von Luft aufgetrieben.

Beide Nieren waren in eine zolldicke, von trüber brauner
Flüssigkeit vollgesickerte Zellschicht eingehüllt, ihr Gewebe blaßrot und aufgelockert; jeder einzelne Nierenkelch
war mit einem warzenförmigen, einer mitten durchge-
schnittenen Erbse gleichen Kalkkonkremente besetzt.«

Doctor Joh. Wagner ,
Assistent beim patho-
logischen Museum.

1. *Alexander, G.:* Erkrankungen des Ohrlabyrinths. Neue Freie Presse, Wien, 7. August 1913.

2. *Alexander, G.:* Wiener Klinische Wochenschrift 1911: 13.

3. *Alexander, G.:* Die Syphilis des Gehörorgans, Wien 1915.

4. *Alexander, G.:* in: Handbuch HNO-Erkrankungen, »Lues congenita der Gehörorgane«, Springer 1926.

5. *Altmann, W.:* Einführung zum Streichquartett F-Dur, op. 135 von L. van Beethoven in der Edition Eulenburg Nr. 4.

6. *Antonini, I.:* Sordità e personalità di Beethoven. Minerva med. 1965 (16): 435–443.

7. *Archimbaud, J.:* Beethoven: Souffrances et surdité, Lyon, Méditerranée Médical, Tom. 6, Nr. 71 (1970): 59–61+ Tom. 7, Nr. 1 (1971): 65–71.

8. *v. Asow, M. H.:* Ludwig van Beethoven, Heiligenstädter Testament. Wien, Wiesbaden 1957.

9. *Baratoux, G., M. Natier:* A propos de la surdité de Beethoven. Chron. médicale XII (1905): 492.

10. *Becker, W. H.:* Wie sie endeten. Die Thorraduran-Therapie XXI (1950): 49.

11. *Beethoven, L. van:* 9 ausgewählte Briefe an A. Schindler (Faksimile-Ausgabe), VEB Deutscher Verlag für Musik, Leipzig 1970, Edition von K. H. Köhler.

12. *Beethoven, L. van:* Konversationshefte. Band I–III, Berlin 1941–1943, Band IV–V- Leipzig (VEB Deutscher Verlag für Musik) 1968–1970.

13. Beethoven's diseases. Lancet I (1921): 41.

14. Bericht über die am 21. Juni 1888 vorgenommene Untersuchung an den Gebeinen Ludwig van Beethovens, Wien 1888.

15. *Bertein, P., R. Apperce:* Le cas Beethoven. Oto-rhinolaryng. internat. XIV (1930): 113.

16. *Biechteler, W.:* Krankheiten und Todesursachen berühmter Männer. Inaug.-Diss. München 1938.

17. *Bilancioni, G.:* La sordità di Beethoven. Giorn. med. milit. X (1921): 531.

18. *Bing, M., J. Jenny:* Über Medizinisches und Psychologisches im Yoga. Ciba-Zschr. 1950: 1451.

19. *Bittorf:* Klinik der Lebersyphilis. Handbuch Haut- und Geschlechtskrankheiten, Springer 1931, Bd. 16/2.

20. *Blondel, R.:* La surdité de Beethoven. Le Menestrel XC (1928): 173 und 181.

21. *Bodros, P.:* La surdité de Beethoven. Presse médicale 1938: 949.

22. *Böhme, G.:* Die Krankheiten Ludwig van Beethovens. Materia Medica Nordmark, 5. Sonderheft 1962.

23. *Bonnier, P., P. Garnault:* La surdité de Beethoven. Chronique médicale 1905: 521.

24. *Bory, R.:* Ludwig van Beethoven. Sein Leben und sein Werk in Bildern. Zürich (Atlantis) 1960.

25. *v. Breuning, G.:* Aus dem Schwarzspanierhaus, Wien 1874, in: Stefan Ley: Beethoven als Freund der Familie Wegeler – v. Breuning, Bonn 1927.

26. *Brünger, E.:* Betrachtungen über van Beethovens Krankheit, insbesondere seine Schwerhörigkeit, Inaug.-Diss. Köln 1942.

27. *McCabe, B. F.:* Beethoven's Deafness. Annals of Otology, Rhinology and Laryngology 67: 192 (1958).

28. *Callomon, F. T.:* Zeitgeschichtliche ärztliche Krankheitsberichte und Selbstschilderungen des eigenen Krankheitszustandes aus den letzten Lebensepochen hervorragender Gestalten der Vergangenheit. Münchener Medizinische Wochenschrift 1960: 1901 ff.

29. *Carlii:* Stéatorrhée syphilitique et tétanie. Bull. Soc. méd. Hôp. Paris III (1939): 785.

30. *Carpenter, Ch. K.:* Disease or defamation? Ann.-otol. rhin. and laryng. XLV (1936): 1069.

31. *Cecchetelli, E.:* La sordità di Beethoven. Policlinico XXIX (1922): 70.

32. *Chrelitzer:* Ein Fall von Pancreatitis luetica. Beitr. Dermat. 1900: 77.

33. *Coon, E. H.:* The Deafness of Beethoven – Tragedy and Triumph. Nassau Medical News XXIV (1951), Nr. 11: 1.

34. Darstellung (nach Aktenlage) der Ausgrabung und Wiederbeisetzung der irdischen Reste von Beethoven und Schubert, Wien 1863.

35. *Ermoloff, I.:* The influence of Beethoven's malady upon

his spiritual nature. The Musician (Boston) XII (1907), Nr. 8.

36. *Ernest, G.:* Beethoven, Berlin 1920.

37. *Ernest, G.:* Der kranke Beethoven. Med. Welt XIII (1927): 491.

38. *Fontain, R.:* Peut-on parler de folie chez Beethoven? Progrès médicale 1911: 486.

39. *Frangenheim:* Syphilis der Knochen, in: Handbuch der Haut- und Geschlechtskrankheiten, Springer 1928, Bd. XVII/3.

40. *v. Frimmel, Th.:* L. v. Beethoven, Berlin 1903, Harmonia-Verlag.

41. *v. Frimmel, Th.:* Beethoven-Studien, 2 Bde, München und Leipzig 1905/06.

42. *v. Frimmel, Th.:* Beethoven-Forschung (Lose Blätter), Heft 1–10, Wien und Mödling 1911–1925.

43. *v. Frimmel, Th.:* in: Beethoven-Forschung 1912, Heft 3.

44. *v. Frimmel, Th.:* Beethoven-Handbuch, Breitkopf & Härtel (Leipzig) 1926, Bd. 1.

45. *Forster, W.:* Beethovens Krankheiten und ihre Beurteilung, Breitkopf & Härtel (Wiesbaden) 1955.

46. *Glaser, H.:* Zur Schicksalsanalyse großer Musiker, Österreichische Musikzeitschrift (ÖMZ) 1961: 24.

47. *Gangolphe:* Contribution à l'étude des localisations osseuses de la syphilis de l'ostéomyélite des os longs. Lyon méd. Tome 47, 1884.

48. *Gangolphe:* Maladie des os. Paris (Masson), 1894.

49. *Gradenigo, G.:* La sordità di Beethoven. Arch. ital. otol. XXXII (1921): 221.

50. Handbuch der Inneren Medizin, Berlin 1953 3/II: S. 384, 830, 881 ff.

51. Handbuch Haut- und Geschlechtskrankheiten XVI/2, Berlin 1931: Lebersyphilis. XVII/3: Die Syphilis der Knochen (Ausgabe 1928).
XIX: Kongenitale Lues und Gehörorgan (Ausgabe 1927).

52. *Heilmeyer, L.:* Lehrb. Inn. Med. Berlin 1955: 761 ff.

53. *Hoffmann, E.:* Die Bedeutung der Syphilis für unser Fach und darüber hinaus. Arch. Dermat. u. Syph. Bd. 189, Unna-Bericht: 285 (1949).

54. *v. Irmer, O.:* Vorwort zu »Beethoven, Klavierstücke« (Henle), Urtext, München-Duisburg 1963.

55. *Jacobsohn, L.:* DMW 1910: 1282.

56. *Jacobsohn, L.:* DMW 1927: 1610.

57. *Jacobsohn, L.:* DMW 1928: 284.

58. *Jap, E.:* Schwerhörigkeit und musikalisches Schaffen bei Smetana und Beethoven. Inaug.-Diss. Düsseldorf 1967.

59. *Kalischer, A.:* Beethovens Augen und Augenleiden, in: Die Musik I, 1902: 1062 und 1156.

60. *Kastner, E.:* L. van Beethovens sämtliche Briefe, Band I bis IV, Berlin 1908.

61. *Kastens:* Beiträge zur pathol. Anatomie und Statistik zur Syphilis congenita. Inaug.-Diss. Kiel 1898.

62. *Kaufmann, E.:* Lehrbuch der speziellen pathol. Anatomie, 1931, Bd. II.

63. *Kerner, D.:* Beethovens Krankheiten und sein Tod. Münchener Medizinische Wochenschrift 1957: 740 ff. und 1958: 1442 ff.

64. *Kerner, D.:* Beethovens Taubheit. Abbottempo 1970, Buch IV: 2 ff. (8 Sprachen).

65. *Kerst, F.:* Die Erinnerungen an Beethoven, Stuttgart 1913.

66. *Klewitz:* Über Syphilis hereditaria tarda hepatitis, DMW 1920: 172.

67. *Klotz-Forest:* La dernière maladie de Beethoven. Chron. médicale XIII (1906): 209.

68. *Klotz-Forest:* La surdité de Beethoven. Chron. médicale XII (1905): 321.

69. *Landon, H. C. R.:* Beethoven. Sein Leben und seine Welt in zeitgenössischen Bildern und Texten. Zürich (Universal-Edition A. G.) 1970.

70. *Ley, St.:* Beethoven. Sein Leben in Selbstzeugnissen, Briefen und Berichten. Berlin (Propyläen) 1939.

71. *Ley, St.:* Wahrheit, Zweifel und Irrtum in der Kunde von Beethovens Leben, Wiesbaden (Breitkopf & Härtel) 1955.

72. *Loewe-Cannstadt, R.:* Beethovens Krankheit und Ende. Die Musik XIX (1927): 418.

73. *Madden:* Early acute benign syphilitic hepatitis with jaundice. Min. Med. J. 1948: 1221.

156

74. *Magnani, L.:* Beethovens Konversationshefte, München (Piper) 1967.

75. *Mahr, J.:* Carl Czerny – das Genie des Fleißes, NZ/Musik 1969 (Heft 11): 520.

76. *Marage, G.:* Causes et conséquences de la surdité de Beethoven. Compt. rend. Acad. sciences Nr. 189 (1929): 1036.

77. *Massin, J. B.:* Beethoven, Materialbiographie. Daten zum Werk und Essay, München (Kindler) 1970.

78. *Menier, M.:* La surdité de Beethoven. Arch. de laryngol. XXXI (1911): 179.

79. *Nassau:* Die angeborene Syphilis. Erg. Inn. Med. 44 (1932).

80. *Nettl, P.:* Beethovens Großneffe in Amerika, NZ/Musik 1959 (Heft 10): 506.

81. *Neumann, H.:* Beethovens Gehörleiden, Wiener med. Wschr. LXXVII (1927): 1015.

82. *de Paula Pinto Hartmann, F.:* A surdez Beethoven; aspectos clinico e historico. Rev. brasil. otorinolaring. 14 (1946): 11.

83. *Paumgartner, B.:* Das kleine Beethovenbuch, Salzburg (Residenz) 1968.

84. *Politzer, A.:* Geschichte der Ohrenheilkunde, Bd. I, Stuttgart 1907.

85. *Posticescu, V.:* Disease of Beethoven, Rev. sc. otorhinolaryng. 11 (1947): 92.

86. *Quenouille, R.:* Le déséquilibre mental de Beethoven, Paris 1925.

87. *Richter, H.:* Über die Labyrinthitis, MMW 1952: 97.

88. *Riezler, W.:* Beethoven, Berlin und Zürich 1936.

89. *Rogers, J. F.:* The physical Beethoven, Pop. Sc. Month. LXXXIV (1914): 265.

90. *Schiedermair, L.:* Beethovens Krankheiten. Köln. Ztg. 29. IX. 1927, Nr. 638 B.

91. *Schindler, A. F.:* Biographie von L. v. Beethoven, herausgegeben von A. Kalischer, Münster, 1840/1909.

92. *Schlesinger:* Die Erkrankung des Pankreas bei hereditärer Lues. Virchows Archiv 154 (1898): 501.

93. *Schlesinger:* Die Lehre von der Erbsyphilis der Erwachsenen. Dermat. Wschr. 1926 (I): 674.

94. *Schmidt-Görg, J., H. Schmidt:* Ludwig van Beethoven, Braunschweig (Westermann) 1969.

95. *Schultze, F.:* Die Krankheiten Beethovens, MMW 1928: 1040 ff.

96. *Schweisheimer, W.:* Beethovens Leiden, München 1922.

97. *Schweisheimer, W.:* Beethovens Ärzte, in: »Die Medizinische« 1959: 258.

98. *Schweisheimer, W.:* Ist Beethoven durch ärztliche Fehlbehandlung zu früh gestorben? Mat. Medica Nordmark 1970: 552 ff.

99. *Spohr, L.:* Lebenserinnerungen, 2 Bde, Tutzing (H. Schneider) 1968.

100. *Springer, B.:* Die genialen Syphilitiker, Berlin 1926.

101. *Squires, P.:* The problem of Beethoven's deafness. Journ. abnorm. and social psychol. XXXII (1937): 11.

102. *Stevens, K. M., W. G. Hemenway:* Beethoven's deafness. JAMA 1970 (Vol. 213): 434 ff.

103. *Thayer, A. W.:* Ludwig van Beethovens Leben. Deutsche Übersetzung und Bearbeitung von H. Deiters, Bd. 1–5, Leipzig 1901–1922.

104. *Unger, M.:* Beethovens letzte Briefe und Unterschriften, in: »Die Musik«, 1942: 153.

105. *Vieille, F.:* Etat mental de Beethoven, Thèse de Lyon 1905.

106. *Walko:* Über chronische Pancreatitis luetica. Arch. Verdgskrkh. 13 (1907): 497.

107. *Wegeler, F.:* Biographische Notizen über Ludwig van Beethoven, Coblenz 1838, in: Stefan Ley: Beethoven als Freund der Familie Wegeler – v. Breuning, Bonn 1927: 13.

108. *Zekert, O.:* Apotheker Johann v. Beethoven. Pharm. Mon.-Hefte 1928.

Franz Schubert (1797–1828)
Lithographie von Kriehuber (1846)

FRANZ SCHUBERT
(1797—1828)

> »Wir sind nichts; was wir suchen
> ist alles.«
>
> *Hölderlin*

Der irdische Nachlaß von Franz Schubert aus »alten Musikalien, Kleidern und Bettwäsche« wurde auf etwa 63 Gulden geschätzt — sein unsterbliches Werksverzeichnis aber umfaßt u. a. 10 Sinfonien, 7 Ouvertüren, mehrere Opern, 15 Streichquartette, 7 Messen, 22 Klaviersonaten und ungefähr 700 Lieder!

Franz Schubert wurde am 31. Januar 1797 in dem Wiener Vorort Lichtenthal geboren. Von den 14 Kindern aus der ersten Ehe seines Vaters, der von Beruf Schullehrer war, blieben fünf am Leben. Schuberts Mutter starb 1812 im 55. Lebensjahr an Typhus. Sein Vater heiratete knapp zwölf Monate später noch einmal eine um zwanzig Jahre jüngere Frau. Diese schenkte ihm weitere fünf Kinder und stand zu ihren Stiefkindern in einem mustergültigen Verhältnis. Als Franz Schubert starb, waren sein Vater und seine Stiefmutter noch am Leben.

Kaum zehn Jahre alt, spielte Schubert bereits Klavier und Violine; mit elf Jahren komponierte er heimlich, sang im Kirchenchor die Sopransoli und erhielt mit fünfzehn Jahren geregelten musikalischen Unterricht bei Antonio Salieri. Doch Schubert, der im Grunde seines romantischen Wesens stets Autodidakt blieb, trennte sich nach dreijähriger Ausbildung im Jahre 1816 wieder von seinem Lehrer. Im Herbst 1814 trat er als Gehilfe in die Schule seines Vaters ein. »Wenn in ihm die Goethesche Lyrik wogte und sich in Musik zu kristallisieren suchte, mußte er äußerliche Ruhe bewahren, um den Fünfjährigen die ersten Tropfen menschlicher Weisheit zu verabreichen.« So dauerte diese Zeit geregelter Tätigkeit nur drei Jahre, dann kehrte er seiner Schule den Rücken. Da Schubert keine andere Anstellung fand und sich selbst nur mühsam durch Erteilen von Musikunterricht durchschlug, konnte er auch seine Jugendliebe Therese Grob nicht ehelichen.

Im Jahre 1815 komponierte er insgesamt 144 Lieder, darunter »Wanderers Nachtlied«, »Der Fischer«, »Erster Verlust« und »Erlkönig«. Als der »Erlkönig« an den Verlag Breitkopf & Härtel in Leipzig gesandt wurde, witterte der Unternehmer dahinter einen Betrug und vermutete einen Mißbrauch mit dem Namen des 1768 geborenen königlichen Konzertmeisters Franz Schubert in Dresden. An ihn schickte man zur Aufklärung den »Erlkönig«, und dieser antwortete: »Ich habe die Cantate Erlkönig niemals komponiert, werde aber zu erfahren suchen, wer dergleichen Machwerk übersandt hat, um auch den Patron zu entdekken, der meinen Namen so mißbraucht.«

Franz Schubert beherrschte glänzend Partituren und war ein hervorragender Partner im Vierhändigspiel. Obwohl kein blendender Pianist, bewältigte er doch mit seinen kurzen, dicken Fingern die schwierigsten Sonaten, wobei die Hände »mit mäusehafter Art« auf den Tasten herumliefen. Schubert arbeitete meist nur vormittags. Nach dem Mittagessen machte er Besuche oder traf sich mit seinen Freunden im Kaffeehaus, in dem er oft ein paar Stunden verweilte, eine kleine Schale schwarzen Kaffe oder Tee trank, Pfeife

rauchte und nebenher Zeitungen las. Da er die Runde seiner Anhänger ungemein zu beleben wußte, hatte er einen
großen Freundeskreis. »Die Unschuld und Harmlosigkeit
seines Gemütes waren ganz unbeschreiblich.« Neid und
Mißgunst blieben ihm stets fremd. Immer freute er sich,
wenn eine musikalische Aufführung voller Schönheit dar-
geboten wurde; dann »legte Schubert die Hände ineinan-
der und gegen den Mund und saß ganz verzückt da«. Laute
Fröhlichkeit liebte er nicht, selbst sein Lachen war nur ein
unterdrücktes Kichern. Er, der so oft zum Tanze aufspielte,
hat selber nie getanzt. Schuberts Gestalt war unter Mittel-
größe, sein Haar gekräuselt. Von unscheinbarem Wesen,
adipös und jeder Äußerlichkeit abhold, machte er auf
Frauen nur wenig Eindruck. Wegen seiner hochgradigen
Kurzsichtigkeit vergaß Schubert oft, die Brille beim Schlafen
abzusetzen, jedoch hatte er dergestalt »glitzernde Augen,
daß sich das Feuer auf den ersten Blick verriet«. »Beim
Komponieren kam mir Schubert wie ein Somnambulus
vor. Die Augen leuchteten dabei hervorstechend wie ein
Glas« (Hüttenbrenner). Mühelos ging ihm die Arbeit von
der Hand: »Ich lebe und componiere wie ein Gott, als
wenn es so seyn müßte«, schrieb er 1818 an die Freunde.
»Da es seiner Natur nicht gegeben war, durch Hervorrufen
und Ausarbeiten starker Spannungen in die Tiefe zu wirken, drängte es ihn, um sich restlos aussprechen zu können,
in die Breite. Die Schubertschen ›himmlischen Längen‹ sind
der Ausdruck eines Gefühls der Zeitlosigkeit, des Schwe-
bens über Zeit und Wirklichkeit« (Dahms). — Am meisten
schätzte Schubert Mozart und Beethoven. Letzteren sah er
öfters in der Verlagsbuchhandlung von Steiner & Co., hatte
aber wohl niemals den Mut, ihn anzusprechen. Die 8 Variationen (op. 10), die »Beethoven von seinem Verehrer
und Bewunderer Franz Schubert gewidmet« waren, spielte
derselbe mehrere Monate mit dem Neffen Karl fast täglich.
Aber erst auf dem Sterbelager dürfte der Meister beim Le-

sen von Schubertliedern dessen wahre Größe erkannt haben.

Mit zunehmenden Jahren wurde Schubert immer korpulenter und neigte zu alkoholischen Exzessen. Sein Biograph Dr. Heinrich Kreißle von Hellborn schreibt hierüber: »Es ist eine bekannte Tatsache, daß Schubert ein aufrichtiger Verehrer des Weines war; ja, es gibt Leute, welche ihn zum Trunkenbold zu stempeln versuchen, wahrscheinlich einiger harmloser Exzesse wegen, deren er sich allerdings schuldig gemacht hat. Wenn viel und guter Wein auf dem Tische stand, mußte man auf Franzen ein wachsames Auge haben.«

Die erste Krankheit, welche authentisch überliefert ist, fiel in den Dezember des Jahres 1822, in welchem die berühmte »Unvollendete« entstand. Schon 1907 stellte O. E. Deutsch fest, daß damals »Schubert im Spital, an einer schweren venerischen Krankheit darniederliegend, die ersten ›Müllerlieder‹ komponierte.« Wie aus einem Brief an M. v. Schwind hervorgeht, mußten ihm wegen eines Exanthems im Kopfbereich die Haare geschoren werden. Deshalb trug Schubert bis zum Abklingen der Hauterscheinungen eine Perücke. Schober bekam von Schwind am 22. Februar 1824 die Mitteilung: »Schubert ist sehr wohl, er hat seine Perücke abgelegt.« Und einige Tage später, am 6. März: »Schubert ist schon recht wohl. Er sagt, in einigen Tagen der neuen Behandlung hätte er gefühlt, wie sich die Krankheit gebrochen habe und alles anders sei.« — Trotzdem folgten tiefe Depressionen. Am 14. August 1823 schrieb Schubert an Schober: »Ob ich je wieder ganz gesund werde, bezweifle ich fast.« Schon im November des gleichen Jahres erfolgte ein Rückfall. Am 31. März 1824 schrieb er an Kupelwieser in Rom:

»Mit einem Wort, ich fühle mich als den unglücklichsten, elendsten Menschen der Welt. Denke Dir einen Menschen, dessen Gesundheit nie mehr richtig werden will, und der aus Verzweiflung darüber die Sache immer schlechter statt besser macht, dessen glänzendste Hoffnungen zu Nichte geworden sind, dem das Glück der Liebe und Freundschaft nichts bieten als höchstens Schmerz.«

Nachdem Schubert der Schule den Rücken gekehrt hatte, war er so arm dran, daß er nicht einmal die Miete für ein Klavier erschwingen konnte. Meist wohnte er bei Freunden und ließ sich von diesen das Essen im Gasthaus bezahlen. Als Anselm Hüttenbrenner den Tondichter zum ersten Male im Winter 1818 besuchte, fand er ihn in einem »halbdunklen, feuchten und ungeheizten Kämmerlein, in einen alten, fadenscheinigen Schlafrock gehüllt, frierend und — komponierend«. Um 1820 trat ein großes Absinken der schöpferischen Leistung ein, erst 1823 folgte wieder ein starker künstlerischer Auftrieb. Im Jahre 1821 war es Schubert nicht möglich, Verleger für seine Lieder zu finden. Man sandte ihm die Noten, selbst ohne Honorarforderung, ungedruckt zurück, weil die Begleitung zu schwierig und der Komponist zu unbekannt sei. Endlich erschien der »Erlkönig« als erstes Werk, nachdem seine Freunde die Druck-Kosten freiwillig übernommen hatten. Im November des Jahres 1825 wurde ihm zum ersten und letzten Male in seinem Leben ein Amt angeboten; hierbei handelte es sich um die Stelle eines 2. Hoforganisten mit einer Jahreseinnahme von 500 Gulden. Aber zum Kummer aller lehnte Schubert ab.

Bis zum Ende des Jahres 1825 war er weitgehend beschwerdefrei. Dann suchte ihn die Krankheit wieder heim. Im Sommer des Jahres 1826 traten starke Kopfschmerzen auf, und Anfang 1827 schrieb Schubert: »Meine gewöhnlichen Kopfschmerzen setzen mir schon wieder zu.« In diese Zeit fällt auch das einzige Konzert seines Lebens. Stets überkam ihn mit jedem neuen Schub der Krankheit die alte ahnungsvolle Schaffensunrast. Das Hauptwerk des Jahres 1828 ist — neben den gewaltigen drei letzten Klaviersonaten und der C-Dur-Sinfonie — die »Winterreise«. Nach der Vollendung dieses Liederzyklus fühlte sich Schubert ständig angegriffen, ohne daß jedoch sein Zustand besorgniserregend war. J. von Spaun berichtet: »Schubert war durch einige Zeit düster gestimmt und schien angegriffen. Auf meine Frage, was in ihm vorgehe, erwiderte er: ›Nun, ihr werdet bald hören und begreifen.‹ Eines Tages sagte er zu mir: ›Komme heute zu Schober, ich werde euch einen Kranz schauerlicher Lieder vorsingen. Sie haben mich mehr angegriffen, als dieses je bei anderen Liedern der Fall war.‹ Er sang uns nun mit bewegter Stimme die ganze Winterreise durch. Wir waren durch die düstere Stimmung dieser Lieder ganz verblüfft, und Schober sagte, es habe ihm nur ein Lied, ›Der Lindenbaum‹, gefallen. Schubert sprach hierauf nur: ›Mir gefallen diese Lieder mehr als alle, und sie werden euch auch noch gefallen . . .‹ «.

Im September 1828 begann Schubert ernstlich zu kränkeln. Es traten erneute Schwindelanfälle und »Blutwallungen« auf. Anfang Oktober unternahm er einen dreitägigen Ausflug bis nach Eisenstadt in Ungarn, wo er am Grabe Haydns weilte. Sein letztes Werk ist »Die Taubenpost« vom Oktober 1828.

Am 31. Oktober wollte er mit seinen Brüdern im Gasthaus einen Fisch verzehren. Nach dem ersten Bissen legte Schubert Messer und Gabel weg und erklärte, es ekle ihn vor der Speise; ihm sei, als habe er Gift genommen. Von nun an soll Schubert fast nichts mehr gegessen haben. Am 3. November hörte er in der Pfarrkirche von Hernals das »Requiem« seines Bruders Ferdinand und ging im Anschluß daran drei Stunden spazieren. Am 4. November meldete er sich bei Simon Sechter als Schüler an, um durch diesen Lehrer seine Kenntnisse von der Kunst des Fugensatzes zu erweitern. Dann legte er sich zu Bett, ohne jemand Bescheid zu sagen, erschien auch nicht im Gasthaus, was weniger auffiel, da Schubert bereits früher über Mangel an

Appetit geklagt hatte. Zunächst versuchte Schubert noch, täglich ein paar Stunden aufzustehen, um die Korrekturen der »Winterreise« durchzusehen. Infolge zunehmender Erschöpfung mußte er aber auch dies bald unterlassen. Vom 11. November an legte sich Schubert ständig nieder, verfiel immer mehr, klagte nur über große Mattigkeit und Schlaflosigkeit, verspürte jedoch keine Schmerzen. Am 12. November schrieb er an Schober:

»Lieber Schober! Ich bin krank. Ich habe schon 11 Tage nichts gegessen und nichts getrunken, und wandle matt und schwankend von Sessel zu Bett und zurück. Rinna behandelt mich. Wenn ich auch was genieße, so muß ich es gleich von mir geben. Sey also so gut, mir in dieser verzweiflungsvollen Lage durch Lektüre zu Hülfe zu kommen. Von Cooper habe ich gelesen: Den letzten der Mohikaner, den Lootsen und die Ansiedler. Solltest du vielleicht noch was von ihm haben, so beschwöre ich dich mir solches bey der Fr. von Bogner im Kaffeehaus zu depositieren . . .«

Schubert war sehr pünktlich im Einnehmen von Arzneien und hatte deshalb eine Taschenuhr neben seinem Bett aufgehängt. Der behandelnde Arzt, Hofarzt Ernst Rinna von Sarenbach, erkrankte selbst. Die Behandlung übernahm jetzt der Stabsarzt Josef von Vering, der am 16. November mit Johann Baptist Wisgrill am Krankenbett ein Konsil abhielt. Das Ergebnis war die Annahme des bevorstehenden Überganges der Krankheit in Nervenfieber, welches sie mit Tee, Aderlaß, »Vesikaturpflastern« und Senfwickeln — wie aus der Abrechnung von Schuberts Bruder über die Unkosten bei Franzens Krankheit zu entnehmen ist — zu beherrschen versuchten.

Am 17. November klagte Schubert über Schwäche und Hitzegefühl im Kopf. Seine Freunde Bauernfeld und Lachner besuchten ihn, und Schubert, der eine mehrstündige

Unterredung mit ihnen führte, verlangte einen neuen Operntext. Doch war er sehr matt und in deprimierter Stimmung. »Schubert lag hart darnieder, klagte über Schwäche, Hitze im Kopf, doch war er noch des Nachmittags vollkommen bei sich, ohne Anzeichen des Irreredens.« Am gleichen Abend aber kam es zu heftigen Delirien und Bewußtseinstrübungen, ebenso am nächsten Tag. Während des 18. November wollte der Kranke das Bett verlassen und war der Meinung, in einem fremden Zimmer zu liegen. Schubert war räumlich desorientiert und sagte: »Nein, ist nicht wahr; hier liegt Beethoven nicht!« Seinem Arzt sah er starr ins Auge, griff an die Wand und murmelte: »Hier ist mein Ende.«

Das Familienverzeichnis von Schuberts Vater zeigt folgende Eintragung: Franz Peter . . . † Mittwoch, den 19. November 1828, nachmittags 3 Uhr (am Nervenfieber), begraben Samstag, 22. November 1828.

Schubert lag auf dem Totenbett, mehr einem Schlafenden als einem Entschlafenen gleichend. Seine Gebeine wurden zusammen mit denen Beethovens 1863 und 1888 exhumiert. Luische Veränderungen konnten am Skelettsystem Schuberts, welches eingehend photographiert wurde, nicht festgestellt werden. Unweit von Beethovens Grab setzte man 1888 Schuberts irdische Überreste auf dem Neuen Wiener Zentralfriedhof bei.

Die Diagnose seiner Todeskrankheit lautete bislang meist »Typhus«. Auch der Arzt W. Schweisheimer war 1921 noch der Ansicht, daß »die Dauer der Krankheit wie beim typischen Typhus drei Wochen betrug«. Hierbei wird immer wieder übersehen, daß Schubert bereits im Herbst 1828 ein todkranker Mann war, als ihn Schwindelanfälle und Kopfschmerzen (vgl. die Durchführung im Andantino der vorletzten Klaviersonate A-Dur!) beim Schreiben erheblich behinderten. Mitte Oktober 1828 hatte ihn A. Schindler nach Budapest eingeladen, um dort ein Privatkonzert zu geben. Allein der Meister konnte sich nicht mehr zu einem Antwortbrief entschließen.

Gegen die übliche Diagnose »Typhus« spricht das bis zuletzt erhaltene Bewußtsein, das Fehlen des Fiebers (welches erst final beobachtet wurde), das Fehlen der Durchfälle und die auch durch Kreissle von Hellborn mitgeteilte Schlaflosigkeit. Noch sieben Tage vor seinem Tode verlangte Schubert ja nach neuer Lektüre und zwei Tage vor seinem Ende nach einem neuen Operntextbuch! Da die auf uns gekommenen Berichte sehr spärlich sind, wurden nur Symptome wie Kopfweh, Erbrechen, Appetitlosigkeit und große Mattigkeit überliefert; erst ganz zuletzt kamen noch Bewußtseinstrübungen, räumliche Desorientiertheit und Fieber dazu. Die damalige vieldeutige Diagnose »Nervenfieber« umfaßte nicht nur den Typhus abdominalis, sondern auch alle fieberhaften Erkrankungen mit vorwiegenden Gehirnsymptomen (Delirien, Schlafstörungen, Bewußtlosigkeit vor dem Tode). So gesehen, gleicht Schuberts Todeskrankheit weitgehendst jenem klinischen Zustandsbild, das durch den spezifisch bedingten Verschluß einer Hirnarterie (basal oder im Bereich der Fossa Sylvii) verursacht wird. Zweifelsohne hat es sich hierbei um eine Spätfolge der früher durchgemachten venerischen Infektionskrankheit gehandelt, und sicher ist Paumgartner mit seinen Worten der Wahrheit näher gekommen, als viele ahnen: »Gleich zu Anfang des Jahres 1823 wurde Schubert von einer schweren Krankheit befallen. Sie war nicht mehr aus seinem Körper zu bringen, wenn sie auch seinen Tod nicht unmittelbar verschuldet hat.« Der bekannte Dermatologe Erich Hoffmann schrieb — unter Bezugnahme auf die Krankheiten von Beethoven und Schubert — im Jahre 1949: »Schuberts Erkrankung wird von dem Musikhistoriker L. Schiedermair auf Grund hinterbliebener, eindeutiger Rezepte bezeugt. Die Verheimlichung der Syphilis, unterstützt durch unsere Schweigepflicht, wird mit allen Mitteln geübt; das erschwert den historischen Nachweis ungemein; Beseitigung von Briefen, Rezepten und anderem Beweismaterial muß aber den Verdacht des Kenners wachrufen.«

In Beethovens breitem Schatten verschwand lautlos Schuberts schlichte Bescheidenheit (Dahms). Beethoven war in seinen späteren Jahren eine Berühmtheit, von der die Freunde jedes Briefstück aufhoben. Schubert spielte bei seinem Tode nur als Liederkomponist eine gewisse, wenn auch kleine Rolle. Der Mann, welcher einmal zu dem Schauspieler Anschütz sagte: »Mir kommt's manchmal vor, als gehörte ich gar nicht in diese Welt«, ist dem Ruhm immer in schlichter Selbstlosigkeit aus dem Wege gegangen. Das beweist nicht zuletzt eindrücklich seine einmal gegenüber Spaun geäußerte Bemerkung: »Er sei es ganz gewohnt, übersehen zu werden, ja es sei ihm dieses sogar recht lieb, da er sich dadurch weniger beengt fühle.« So ist es nicht weiter verwunderlich, daß er — naiv wie ein Kind — weder Gönner hatte noch suchte. Und dennoch war auch Schubert, der ewige Träumer und romantische Schwärmer, welcher im Adagio eines Paganini-Konzertes 1828 »einen Engel singen gehört« hatte, ein musikalisches Genie, das die Krankheit viel zu früh auslöschte.

Wie bei Beethoven nahm die damalige Presse auch von Schuberts Verscheiden keine Notiz. Erst zehn Jahre später entdeckte Robert Schumann die Partitur der C-Dur-Symphonie bei Ferdinand Schubert, schrieb einen flammenden Aufsatz darüber in der »Neuen Zeitschrift für Musik« und erwirkte 1839 die erste Aufführung im Leipziger Gewandhaus. Gerade er hatte die Bedeutung Schuberts wie kaum ein zweiter erkannt, als er die Worte fand: »Die Zeit, so zahllos und Schönes sie gebiert, einen Schubert bringt sie nicht wieder.«

170

FRANZ SCHUBERT

1. *Bingold, K.:* in: Handb. Inn. Med. (1952), Bd. I/1, S. 1436 ff.

2. *Dahms, W.:* Schubert, Berlin und Leipzig (1912).

3. *Demme, H.:* Die Gefäßsyphilis des Gehirns, Handb. Inn. Med. (1952), Neurol. Bd. 3, Teil III, S. 306.

4. *Deutsch, O. E.:* Franz Schubert: Die Dokumente seines Lebens, München und Leipzig 1914.

5. *Deutsch, O. E.:* Bühne und Welt, Bd. 9, S. 227, Berlin 1907.

6. *Franken, F. H.:* Das Leben großer Musiker im Spiegel der Medizin, Stuttgart 1959.

7. *Georgii, W.:* Klaviermusik, Atlantis-Verlag, Berlin, Zürich 1941.

8. *Hoffmann, E.:* Die Bedeutung der Syphilis für unser Fach und darüber hinaus. Arch. f. Dermat. und Syphilis, 189: 285 (1949).

9. *Költzsch, H.:* Franz Schubert in seinen Klaviersonaten, Leipzig 1927.

10. *Kreissle v. Hellborn, H.:* Franz Schubert, Wien 1865.

11. *Paumgartner, B.:* Schubert. Atlantis-Verlag, Zürich 1947.

12. *Schweisheimer, W.:* Der kranke Schubert, Zschr. f. Musikwiss. (1920/21) Heft 9/10, S. 552 ff.

13. *Volkmann, H.:* Medizinische Terminologie, München 1947.

Robert Schumann (1810–1856) in seinem 30. Lebensjahr nach einer Lithographie von Kriehuber

ROBERT SCHUMANN
(1810—1856)

»Und könnte ich einmal diesen deut-
schen Namen verherrlichen durch Ton
und Wort — was ist das für ein Ge-
danke, der mich so stürzt von Ewigkeit
zu Ewigkeit, von Menschenalter zu
Menschenalter!«

Robert Schumann wurde am 8. Juni 1810 in Zwickau geboren. Not und Entbehrungen, ständige Wegbegleiter vieler Komponisten, haben aber an seiner Wiege nicht Pate
gestanden. Sein Vater, ein Verlagsbuchhändler, verfügte
durch seinen rastlosen Fleiß über so ansehnliche Ersparnis-
se, daß einer gediegenen Ausbildung des Sohnes nichts im
Wege stand. Der Vater starb im Alter von 53 Jahren »an
den Folgen eines tief eingewurzelten Nervenübels«; die
blutsmäßig mit Lessing verwandte Mutter, welche ihren
Gatten um zehn Jahre überlebte, wurde 65 Jahre alt und
soll zuletzt an Depressionszuständen gelitten haben. Robert Schumann hatte noch vier ältere Geschwister. Die psychisch erheblich alterierte Schwester Emilie beging im Alter
von 19 Jahren Selbstmord. Die drei Brüder starben vor der
Vollendung der 5. Lebensdekade im Alter von 28, 40 und
48 Jahren an verschiedenen Krankheiten.

Robert Schumann entstammte einer Familie, in welcher die Tonkunst keineswegs heimisch war. Die ersten schöpferischen Versuche des Jungen, der gewiß nicht als Genie imponierte, aber bereits auf der Schule wußte, daß er später einmal berühmt werden würde, weisen ins literarische Gebiet. Diesem blieb er auch bis zu seinem Tode in der ihm eigenen Ambivalenz künstlerischer Aussagefähigkeit treu — wohl wissend, daß die Menschen seiner romantischen Zeit vom geschriebenen Wort eine Heilswirkung erwarteten. Schumanns gesteigerte Empfänglichkeit für die verborgenen Schwingungen von Wort und Klang erklärt seine früh erkennbare, übersensible Verhaltensweise, welche ihn als Romantiker — besonders zur Zeit des Gymnasialabiturs (1828) unter dem Einfluß von Jean Paul — in eine Situation drängte, die ihn stets faszinierte und insgeheim beherrschte: die des Doppelgängers!

In Schumanns Tagebüchern findet man als ein bezeichnendes Zeitsymptom der Romantik eine exzessive Selbstanalyse; sein dort erkennbarer Weltschmerz versteht sich letzten Endes als unüberbrückbares Spannungs- und Mißverhältnis von Mensch und Leben. Gerade die Künstler dieser Ära, deren Geistigkeit in nie wiederkehrender Einmaligkeit das Kosmische und unaussprechliche Metaphysische berühren und deren Dasein nicht selten den Stempel von Weltschmerz und Weltekel trägt, sind in besonderem Maße gefährdet: Novalis stirbt mit 28 Jahren, Kleist mit 34; Robert Burns wird nur 37 Jahre alt, Lord Byron 36; Lenau sinkt mit 42 Jahren in geistige Umnachtung, Hölderlin ist 36 Jahre lang geisteskrank; Franz Schubert, Prototyp des romantischen Musikers, lebte nur 31 Jahre, Mendelssohn rafft mit 38 Jahren, Carl Maria von Weber mit 39 Jahren der Tod dahin.

Schumanns dichterische Anlage behielt lange gegenüber seiner Neigung zur Musik die Oberhand. Der Vater, welcher sein musikalisches Talent erkannte, wollte ihn durch

Carl Maria von Weber ausgebildet wissen — aber beide
starben unerwartet. »Hinausgeworfen in das Dasein, ge-
schleudert in die Nacht der Welt, ohne Führer, Lehrer und
Vater — so stehe ich nun da!« Deshalb begann Schumann
ab Ostern 1828 auf den Wunsch der Mutter und der Brüder
mit dem Studium der Rechte an der Leipziger Universität.
Doch die Juristerei vermochte Schumann ebensowenig zu
begeistern wie das eigentliche Studentenleben. Die spätere
Übersiedlung nach Heidelberg, eine Rhein- und Italienreise
ließen den Plan, Musiker zu werden, nur noch mehr in
ihm reifen, und im Jahre 1830 stellte er seine Mutter vor
die vollendete Tatsache, daß er sich künftig bei Friedrich
Wieck in Leipzig zum Klaviervirtuosen ausbilden lasse.

Aber die Pianistenlaufbahn erwies sich bald als Selbst-
täuschung. Trotz intensivster Übung wollte sich der erhoffte Erfolg auf dem Instrument nicht einstellen. Sicher ist,
daß auch das Interesse am virtuosen Klavierspiel bald dahin war — der technische Leerlauf schematischer Finger-
übungen stand im scharfen Kontrast zu Schumanns tiefem
Musikgefühl. »Eine von Schumann erfundene Vorrichtung,
die die Unabhängigkeit der Finger befördern sollte, indem
sie den vierten Finger vermittelst einer Schlinge in einer
gewissen Höhe hielt, während die anderen Finger übten,
hatte die unglückliche Wirkung, daß eine Erschlaffung der
Sehnen eintrat, die sich allen Mitteln zum Trotz als unheilbar erwies«, teilte uns später seine Tochter Eugenie
mit. Am 5. Mai 1832, also noch ehe es zur Ausbildung
jener Tendovaginitis stenosans (komplizierte Sehnenschei-
denentzündung) im Bereich des dorsalen Querbandes der
Hand kam, hatte sich jedoch Schumann bereits schriftlich
unmißverständlich dahingehend geäußert, daß er »an den
reisenden Virtuosen nicht denke«. So kam ihm diese
Krankheit im Grunde gar nicht einmal ungelegen, obwohl
er während des ganzen Jahres 1833 und noch bis in den
März 1834 seinen Angehörigen über die Mißerfolge der

allopathischen, homöopathischen und elektrophysikalischen »Therapie des Fingerübels« eingehend Bericht erstattete. »Klavier spiele ich wenig noch; erschrecken Sie nicht — (auch ich bin resigniert und halte es für eine Fügung), an der rechten Hand habe ich einen lahmen, gebrochenen Finger.« — Mit um so größerer Freude erfüllte dafür Schumann die Zuneigung von Friedrich Wiecks Tochter Clara, welche nicht nur ein musikalisches Wunderkind, sondern außerdem noch von ungewöhnlicher Schönheit war. »Du mußt einmal meinen Robert heiraten«, hatte Schumanns Mutter bereits 1828 dem um 9 Jahre jüngeren Mädchen zugeflüstert. Und Robert Schumann sah in der Virtuosin Clara die künstlerische Verwirklichung seines nie erreichten pianistischen Fernzieles. »Als du mir den ersten Kuß gabst, da glaubt' ich mich einer Ohnmacht nahe, vor meinen Augen wurde es schwarz, das Licht, das dir leuchten sollte, hielt ich kaum.« Ihr Vater jedoch beurteilte die gegenseitige Bindung, erst recht nach dem Scheitern von Schumanns Virtuosenkarriere, mit äußerster Skepsis.

Schumanns Schaffen im Reiche der Tonkunst begann bezeichnenderweise über den Umweg einer schriftstellerischen Leistung, der Gründung jener von ihm ins Leben gerufenen »Neuen Zeitschrift für Musik« (1834). Deren Schriftleitung hatte er zehn Jahre inne, bis er sich, auch dieser Tätigkeit überdrüssig, von dem Blatt trennte. Sein musikalisches Werk wuchs nicht etwa in kontinuierlicher Entwicklung, sondern in inkohärenten Sprüngen: Zunächst komponierte er ausschließlich Klavierwerke (bis op. 23), ab 1840 folgten dann Lieder mit Klavierbegleitung (einschließlich der melancholischen Gesänge nach Texten von J. Kerner und F. Rückert, op. 35 und 37), ein Jahr später ist es die Sinfonie, bis Schumann sich schließlich über die Kammermusik immer mehr anderen, neuen Kunstgattungen zuwandte.

Schon die »Papillons« (op. 2) weisen auf Schumanns latentes Doppelwesen hin. Neben vielen durch die Zeit und die äußeren Umstände zum Teil erklärlichen Eigenschaften zeigt Schumann auch Besonderheiten, die man mit der Romantik nicht mehr recht in Zusammenhang bringen kann. In seinen »Davidsbündlertänzen« erscheinen über den einzelnen Sätzen weitschweifige textliche Exegesen, welche schon von den Zeitgenossen mit Kopfschütteln quittiert wurden und etwa lauten: »Hierauf schloß Florestan, und es zuckte ihm schmerzlich um die Lippen«; »Ganz zum Schluß meinte Eusebius noch Folgendes; dabei sprach aber viel Seligkeit aus seinen Augen.« Alle Abschnitte sind mit F. oder E., oft auch mit F. und E. unterzeichnet, Symbole für das vorgenannte Doppelgängertum. Darüber hinaus finden sich in den Handschriften der ersten Werke noch zahlreiche anderweitige graphische Absonderlichkeiten, auf deren Reproduktion sich allerdings die Verleger nicht einließen.

Robert Schumann war von stattlicher, großer Statur, und seine vornehme Körperhaltung hatte in gesunden Tagen etwas Gehobenes, Feierliches. Leise auftretend, daheim mitunter auf den Zehenspitzen gehend, erschien sein Gang verhalten und schleifend. Über der breiten Stirn wölbte sich langes, dunkelbraunes Haar, die breite Nase wurde von graublauen Augen flankiert, deren Ausdruck im Laufe des Lebens viel vom einstigen Glanze der Jugend verloren. Außerdem hielt er sie meist gesenkt oder halb geschlossen, da er auch stark kurzsichtig war. Im Verein mit der schwachen, tonlosen Stimme, die zeitlebens mehr den Eindruck eines Fürsichhinsprechens als Redens vermittelte, schien Schumann bereits im mittleren Alter seiner Umgebung ein introvertierter und »brütender« Mensch zu sein, da er auch die Lippen beim Nachdenken in angedeuteter Pfeifstellung zuzuspitzen pflegte. Bier, Wein, Champagner und starke Zigarren benötigte er schon während der Studentenzeit in reichem Maße, und ihre belebende Wirkung wurde gerade während des späteren inspiratorischen Tiefstandes obligat.

Im Grunde ungesellig und äußerst verschlossen, bedeuteten ihm selbst die besten Freunde nur eine Bereicherung von Heim und Familie, keinesfalls aber einen ersehnten Kontakt mit der Außenwelt, den Schumann stets geschickt vermied.

Unter allen Großen im Reiche der Tonkunst ist das Innenleben von Schumann wahrscheinlich das komplizierteste und am meisten gefährdete gewesen, welches von ständig quälenden seelischen Belastungen heimgesucht wurde, die seine biologische Kraft langsam, aber stetig, zersetzten. Er fühlte sich von dämonischen Kräften beherrscht, die um *ihre* Herrschaft rangen und ihm *seine* Machtlosigkeit zeigten, so daß ihm der Rückzug in das ausgleichende Milieu der Arbeit wie eine Zuflucht erschien. Die Natur hatte ihn von Geburt an gezeichnet; instinktiv ahnte er seinen frühen Tod. Robert Schumann ist ein klassisches Beispiel dafür, wie sehr sich bei überdurchschnittlich Begabten die Differenzierung auf Kosten der Vitalität vollziehen kann.

Bereits vom 15. Lebensjahr an wurde der bisher lustige und gesellige Knabe, nicht zuletzt durch den Verlust von Vater und Schwester (später noch durch den Tod des Bruders Julius und der Schwägerin Rosalie), verschlossen und schweigsam. Im Herbst 1827 vertraute der Gymnasiast seinem Tagebuch an: »Die Lebensgeister sind oft wie verschwunden, und ich war schon oft dem Wahnsinn nahe.« – Gehörshalluzinationen erlebte Schumann bereits im Alter von 18 Jahren: »Ewige Musik während der Nacht und kein Einschlafen«, doch muß man solche Berichte bei einem Tonkünstler mit Vorbehalt bewerten. Neben einer Höhenangst, die sich früh einstellte und ihn nie mehr verließ, überfiel Schumann 1831 in Leipzig eine Choleraphobie, so daß er zur Erhaltung seines Lebens schon nach Rom reisen wollte. 1833 notierte er: »Heftiger Blutandrang, unaussprechliche Angst, Vergehen des Atems, augenblickliche Sinnesohnmacht wechseln rasch.« Er glaubte während einer

Clara Wieck (1819–1896)
Bildnis von einem unbekannten Maler

Oktobernacht seinen Verstand zu verlieren und wollte sich aus dem Fenster stürzen, um durch den Tod dem Wahnsinn zu entgehen. 1834 heißt es in einem Brief: »Ich kann kaum meiner Krankheit Herr werden, die eine recht niederdrükkende Melancholie ist.« Am 4. Oktober 1837 trägt Schumann in sein Tagebuch ein: »Bis zur Pein mich selbst gequält mit fürchterlichen Gedanken.« Am 10. Oktober: »Der Untergang ist nahe oder der Anfang eines neuen Lebens... mir ist genauso, als würde ich Armer von Sinnen kommen.« 1837 spricht er zu Clara über die »ganz dunkle Seite« seines Lebens: er möchte ihr ein »tiefes Geheimnis seines schweren psychischen Leidens« offenbaren, das sich an die Jahre vom Sommer 1833 anschließt. 1838 schreibt er an Clara, er habe ihre Stimme ganz laut neben sich gehört, nachdem er lange an sie dachte. Am 1. August 1838 findet sich der Tagebucheintrag: »Dienstag den ganzen Tag und die Nacht darauf, die fürchterlichste meines Lebens, ich dachte, ich müßte verbrennen vor Unruhe, etwas Schreckliches.« Im gleichen Jahr geriet Schumann vor seiner Reise nach Wien in eine schwere innere Konfliktphase, die ihn bis an den Rand des Selbstmordes brachte.

Nach jahrelanger Trennung, pausenlosen Kämpfen und unvorstellbaren Schwierigkeiten – die Heiratserlaubnis hatten sie durch Gerichtsbeschluß gegen den Schwiegervater erzwingen müssen – schlossen Robert Schumann und Clara Wieck im Jahre 1840 den Bund fürs Leben. Die in den nächsten Jahren entstandenen Werke gehören zum Reifsten und Vollendetsten, was Schumann geschrieben hat. In seiner Frau fand er die geniale Interpretin der eigenen Werke, die treusorgende Mutter und aufopferungsbereite Lebenskameradin – aber diese Ehe zweier Gleichwertiger beschwor auch zahllose problematische Situationen herauf, weil die geltungsbedürftige Gattin ihren Mann zu fortlaufender, übersteigerter musikalischer Produktion trieb, während sich der bescheidene Künstler im Schatten einer gefeierten und immer reiselustigen Virtuosin nicht selten in die unfreiwillige Rolle eines Prinzgemahls gedrängt sah. Außerdem traten auch deshalb bald Spannungen in der Ehe auf, weil das Geld nicht reichte und Clara ihre Karriere nicht aufgeben wollte — Schumann jedoch alles daranzusetzen versuchte, in der Stille lediglich seinen Inspirationen zu leben und ihr Klavierspiel zu korrigieren. Da er als Komponist noch ziemlich unbekannt war, andererseits als Interpret der eigenen Werke kaum in Frage kam, blieb er in seiner weltfremden Hilflosigkeit ständig von ihr abhängig.

1842 sind im Rechnungsbuch wiederholt »Schwindelanfälle« und »große Nervenschwäche« erwähnt, Symptome, die während der Konzertreise des Ehepaares nach Rußland im Sommer 1844 (Schumann war seit 1843 als Musiklehrer am Leipziger Konservatorium tätig) erschreckenden Umfang annahmen. In Dorpat mußte Schumann mehrere Tage wegen »rheumatischer Beschwerden mit Angsterscheinungen« das Bett hüten. Trübste Melancholie und heftige Schwindelanfälle machten ihm den Aufenthalt in Moskau zum Martyrium, darüber hinaus: »Kränkungen kaum zu ertragen, und Claras Benehmen dabei!« — wie in den Tagebuchaufzeichnungen zu lesen steht. Nach der Heimkehr im Juni 1844 trat »ein Zustand völliger nervöser Erschöpfung« ein, unter »Aufopferung der letzten Kräfte« vollendete Schumann einen Teil seiner »Faust«-Musik, aber selbst durch das Zimmer konnte er zuletzt nicht mehr gehen, so daß er sich ins Bett legen mußte. Hinzu kam noch, daß nicht er, sondern Gade als Dirigent der Leipziger Gewandhauskonzerte berufen wurde. »Es vergingen nun schreckliche Tage. Robert schlief keine Nacht, seine Phantasie malte ihm die schrecklichsten Bilder aus, früh fand ich ihn gewöhnlich in Tränen schwimmend, er gab sich gänzlich auf.« Vergiftungsangst und Todesfurcht, ferner eine Scheu vor metallenen Gegenständen werden jetzt ebenfalls erwähnt. Der homöopathische Arzt verordnete Bewegung, Sturzbäder und die Enthaltung von jeder Arbeit. Ende Mai 1845 notierte Schumann: »Finstere Dämonen beherrschen mich.« Eine für August des gleichen Jahres geplante und bereits angetretene Reise an den Rhein mußte infolge schwerer Schwindelzustände schon in Weimar abgebrochen werden, »und andauerndes Übelbefinden, das den Mitteln des Hofrates Carus nicht weichen wollte, veranlaßte im Oktober den Entschluß, in Zukunft nichts Allopathisches mehr einzunehmen.« Nach einer vorübergehenden Besserung im Winter traten dann im Jahre 1846 beängstigende Hörstörungen auf, Schumann vernahm ein beständiges Singen und Brausen im Ohr, so daß ihm jedes Geräusch zu Klang wurde (Tagebuch vom 4. März 1846). Völlige körperliche Ruhe und der Gebrauch von Biliner Wasser schafften allmählich Linderung. Dennoch blieb eine tiefe Hypochondrie neben großer Mattigkeit zurück, die jeden Spaziergang zur Qual machten. Diese Beschwerden und der ständige »Blutandrang nach dem Kopf« schwanden erst während einer Badekur auf Norderney im Juli/August 1846. Das Schachspiel, wobei Schumann zuletzt wiederholt ohnmächtig wurde, mußte er dennoch ganz aufgeben. Die Schwindelanfälle verließen ihn auch in den nächsten Jahren nicht. Trotzdem ist das Jahr 1849 als sein gesundheitlich bestes und mengenmäßig produktivstes seit langer Zeit zu bezeichnen: Er komponierte die »Faust«-Musik und schuf außerdem 30 Werke von wechselnder Qualität.

Im Jahre 1850 wurde Schumann als städtischer Musikdirektor nach Düsseldorf berufen, und zunächst schienen Glück und Erfolg sich noch einmal auf seine Seite schlagen zu wollen. Aber schon bald erwies sich der übernommene Posten als untragbar. Eine zunehmende Schwäche der Sprache erschwerte die Verständigung mit den Orchestermitgliedern. Der noble, introvertierte Mann, welcher während der Proben häufig vor Erschöpfung pausieren mußte, war weder der geborene Stabführer noch im Organisatorischen den zahllosen Kämpfen und heimlichen Intrigen, welche ein großstädtischer Musikbetrieb mit sich zu bringen pflegt, gewachsen. Rheumatische Beschwerden, schwere Depressionen und eine anhaltende Schlaflosigkeit stellten sich im Frühjahr 1852 ein. Rheinbäder und die Erholungsreise des Ehepaares nach Scheveningen im August des gleichen Jahres zeitigten kaum einen Erfolg, Schwindelanfälle und Gehörstäuschungen folgten, auch schienen jetzt Schumann mitunter beim Dirigieren alle Tempi zu schnell. Rückblickend schrieb er: »Ich lag fast die Hälfte des Jahres sehr krank darnieder an einer tiefen Nervenverstimmung.« Die Kälte des Publikums wuchs in zunehmendem Maße. Im Juli 1853 befiel Schumann ein »Nervenschlag«, und der behandelnde Arzt konstatierte: »Das ist ein verlorener Mann, der hat ein unheilbares Gehirnleiden.« Im Spätherbst 1853 wurde Schumann als Konzertleiter völlig ausgebootet. Als er im Oktober von dem Maler Laurens gezeichnet wurde, beobachtete der Künstler die abnorme Erweiterung der Pupillen in einem Antlitz, das seit Jahren an maskenhafter Starre und femininer Weichheit gewann. Immer war es der Ton a, welcher den Meister in stillen Stunden bedrängte, und nur die Konzertreise nach Holland mit ihrem triumphalen Erfolg *auch des Komponisten* Schumann brachte den letzten Lichtblick. Mehr und mehr zog es den enttäuschten und verbitterten Mann in den Bereich des Magisch-Okkulten:

»Als ich im Mai 1853 mich besuchsweise in Düsseldorf aufhielt und eines Nachmittags in Schumanns Zimmer trat, lag er auf dem Sofa und las in einem Buche, welches von dem Mysterium des Tischrückens handelte. Auf mein Befragen, was der Inhalt des letzteren sei, erwiderte er mit gehobener feierlicher Stimme: ›Oh, wissen Sie noch nichts vom Tischrücken?‹ Hierauf öffneten sich weit seine für ge-

wöhnlich halbgeschlossenen, in sich blickenden Augen . . .
und mit eigentümlich geisterhaftem Ausdruck sagte er un-
heimlich langsam: ›Die Tische wissen alles!‹ «

Als Schumann am 30. September 1853 in sein Tagebuch
die Worte »Herr Brahms aus Hamburg« eintrug, war er in
dreifacher Hinsicht an einem Endpunkt angekommen. Seine Stellung als städtischer Musikdirektor hatte er praktisch
verloren; ein neues anderweitiges Engagement nahm noch
keine greifbaren Formen an. Ferner konnte Schumann nicht
verborgen bleiben, daß seine erschlaffende Inspiration seit
Jahren ihren Ausdruck in gesteigerter Quantität auf Kosten
der Qualität fand und sich das Eindringen in große Formen
(Oper »Genoveva«, »Faust«-Musik, Oratorien und Requiem) als unmißverständlicher Fehlschlag erwies. Ganz
unverblümt lehnten Clara und der Geiger Joachim die Aufführung seines letzten Violinkonzertes ab. — Im Vergleich
mit dem sichtlich alternden Schumann schien die Natur
dem juvenilen Brahms, dessen künstlerische Entwicklung
Schumann noch in einem Zeitungsartikel wärmstens förderte, alle Gaben in verschwenderischer Fülle in den Schoß
gelegt zu haben, und diese Tatsache dürfte auch Clara nicht
unbemerkt geblieben sein. Brahms zog bereits Ende Oktober 1853 in die Schumannsche Wohnung und übernahm
unmittelbar nach Schumanns Einlieferung in die Heilanstalt sehr zum Befremden von Verwandten und Bekannten
die Rolle des Oberhauptes der Familie; er wurde auch der
Pate des letzten Sohnes Felix, welcher im Juni 1854 zur Welt
kam. Zu derselben Zeit, da sich Schumann im Januar 1854
mit der Sammlung musikalischer Zitate für seinen »Dich-
tergarten« befaßte, dürfte auch ein latentes Zerwürfnis mit
der Lebensgefährtin hinzugekommen sein. Anfang Februar
1854 begann sich die gesundheitliche Katastrophe bereits
abzuzeichnen, als Schumann an J. Joachim schrieb: »Nun
will ich schließen, es dunkelt schon, mit sympathetischer

Tinte habe ich Euch oft geschrieben, und auch zwischen den Zeilen steht eine Geheimschrift, die später hervorbrechen wird.«

Vom 10. Februar an traten peinliche Gehörsaffektionen in Erscheinung. Freitag, den 17., stand Schumann nachts auf und notierte ein Thema, »welches ihm die Engel vorsangen«. Am Morgen verwandelten sich deren Stimmen in Dämonenstimmen mit gräßlicher Musik. Er schrie vor Schmerzen, denn sie waren in Gestalt von Tigern und Hyänen auf ihn losgestürzt, um ihn zu packen. Die Ärzte brachten den Kranken zu Bett. Die nächsten Tage ließen keine Änderung der Situation erkennen; nur fällt jetzt auf, daß er Clara aufforderte, sich von ihm zu trennen, und er ihr nicht mehr gestattete, nachts bei ihm zu bleiben. Sie suchte bei einer Nachbarin Schutz; Robert drängte auf seine Einlieferung in die Heilanstalt, da auch die Beschäftigung mit der Korrektur seines Cellokonzertes ihn nicht aus diesem peinvollen Zustand befreien konnte. Am Fastnachtsmontag, den 27. Februar 1854, unternahm Schumann einen Suizidversuch, indem er sich in einem unbewachten Augenblick aus dem Haus stahl und in den Rhein stürzte. Er warf zuerst seinen Trauring in die Fluten und sprang dann selbst von der Brücke in den Strom, welcher für ihn — wie der feuerspeiende Berg des Ätna für Empedokles — zum Symbol der Vereinigung des Vergänglichen mit der Urkraft göttlicher Elemente werden sollte.

»Zuletzt sah ich meinen Vater an jenem Tag, als er aus dem Hause ging, um sich das Leben zu nehmen. Ich hatte eine Weile vor der Mutter Schreibtisch gesessen, da öffnete sich die Tür des Nebenzimmers, und mein Vater stand darin in seinem Schlafrock. Sein Gesicht war ganz weiß — als er mich erblickte, schlug er beide Hände vor das Gesicht und sagte: ›Ach Gott!‹ Darauf verschwand er wieder. Ich ging in des Vaters Stube — sie war leer. Als ich nun auf die Straße kam, sah ich von weitem einen großen Troß Menschen mit viel Lärm mir entgegenkommen (Schiffer hatten ihn aus dem Fluß gezogen), und als ich näher hinzukam, erkannte ich meinen Vater, der von zwei Männern unter den Armen gestützt wurde und der die Hände vor sein Gesicht hielt ... Mein Vater bekam nun einen Wärter, und nach einigen Tagen (am 4. März) wurde er eines Morgens in einer Droschke fortgebracht. Wir Kinder standen oben am Fenster und sahen ihn einsteigen. Die Droschke wurde in den Hof gefahren, um Aufsehen zu vermeiden. Dr. Hasenclever und der Wärter stiegen zu ihm ein. Uns Kindern hatte man gesagt, unser Vater würde in kurzer Zeit ganz gesund wieder heimkommen, die Mädchen aber, die bei uns standen und mit zusahen, weinten.«

Ohne Clara auch nur eines Blickes zu würdigen — er hat sich dann nach seiner Einlieferung in die Heilanstalt auch monatelang nicht nach ihr erkundigt und bekam ihr Bild erst ein Jahr später zugestellt —, verließ Schumann seine Wohnung und langte nach achtstündiger Fahrt in der Heilstätte Endenich bei Bonn an, wo er völlig isoliert wurde. Dort besserte sich sein Zustand sehr rasch, so daß Schumann wiederholt Spaziergänge unternahm und auch komponierte, darunter den Choral: »Wenn mein Stündlein vorhanden ist, aus dieser Welt zu scheiden.« Die Halluzinationen verflüchtigten sich, Schumann war nur leicht räumlich desorientiert. Doch kehrten die Beängstigungen noch oft wieder; der Kranke ging dann unruhig im Zimmer auf und ab, kniete zuweilen nieder und rang die Hände. Bereits im Spätsommer 1854 machte er auf seine Besucher einen völlig normalen Eindruck, allerdings erschöpften sich die späteren Briefe an seine Frau mehr in allgemeinen Reminiszenzen als in privaten Gefühlsbezeugungen. Nirgendwo ist darin von der Zukunft die Rede, von einer gemeinsamen Zukunft schon gar nicht. Freunde besuchten den Kranken wiederholt; seine Gattin jedoch, deren Blumenbuch zahlreiche Pflanzen enthält, die sie 1855 auf wiederholten Wanderungen mit Brahms pflückte, reiste erst ganz kurz vor Schumanns Ende nach Endenich. Schumanns Briefe an seinen Verleger Simrock vom März und April 1855 sind klar und stilistisch vollkommen. Die unverkennbare subjektive Besserung von damals ist auch ärztlicherseits belegt. Mitte Mai 1855 besuchte ihn Bettina von Arnim und berichtete darüber an Clara:

»Liebe Freundin! Durch Ihre Vermittlung habe ich Herrn Schumann zu sehen bekommen. Durch einen öden Hof und ein ödes Haus kamen wir in ein leeres Zimmer . . . Hier harrten wir des Arztes. Ich drang darauf, Ihren lieben Mann zu sehen, so führte er uns wieder durch öde Gänge in ein zweites Haus, worin es so stille war, daß man eine Maus hätte laufen hören können . . . ich eilte ihm entgegen, die Freude erglänzte auf seinem Antlitz, uns zu sehen. Er sagte mir mit Worten, die er nur mit Mühe aussprechen konnte, das Sprechen sei ihm immer schwer geworden, und nun er seit länger als einem Jahr mit niemand mehr rede, habe dieses Übel noch zugenommen. Er unterhielt sich über alles, was ihm Interessantes im Leben begegnete . . . er ist einzig angestrengt, sich selbst zu beherrschen, allein wie schwer wird ihm dies, wo er von allem, was ihm heilsam und ermunternd sein könnte, geschieden bleibt? Man erkennt deutlich, daß sein überraschendes Übel nur ein nervöser Anfall war, der sich schneller hätte beenden lasen, hätte man ihn besser verstanden oder auch nur geahnt, was sein Inneres berührt . . . Ich höre mit Freuden, daß Sie ihn recht bald wieder im Kreis seiner Familie erwarten, und diese Rückkehr zu den Seinen erfüllt seine ganze Sehnsucht . . .«

Doch jener letzte Vorschlag stieß in Düsseldorf auf wenig Gegenliebe, auch zu einem Milieuwechsel konnte man sich nicht entschließen, obwohl Schumann brieflich darauf drängte:

»Ganz fort von hier! Über ein Jahr, seit dem 4. März, ganz dieselbe Lebensweise und dieselbe Aussicht auf Bonn.

Woandershin! Überlegt es euch! Benrath ist zu nah, aber Deutz vielleicht oder Mühlheim.« (Brief vom 14 März 1855.)

Als Schumann merkte, daß seinem Anliegen nicht entsprochen wurde, sank er zunehmend in Lethargie. Im Sommer 1855 erblickte ihn sein Freund J. v. Wasielewski durch eine geöffnete Tür am Klavier: »Da war es denn herzzerreißend, den edlen, großen Mann in voller Gebrochenheit seiner geistigen und physischen Kräfte sehen zu müssen...« Schon jetzt traten neben Geruchs- und Geschmacksstörungen stärkere Schwellungen an den Füßen auf, und Schumanns Kräfte gingen mehr und mehr zurück. Da ihm keine andere Möglichkeit der Beschäftigung blieb, befaßte er sich schließlich mit der alphabetischen Zusammenstellung von Städtenamen und Ländern aus einem großen Atlas, welchen ihm Brahms zum Geburtstag geschenkt hatte.

Beim letzten Besuch Claras am 27. Juli 1856 konnte er sich kaum noch bewegen und brachte mühsam die Worte »Meine – ich kenne« hervor. Monate vor seinem Tode schon stieß Schumann nur noch unartikulierte Laute aus. Während des 28. Juli kamen fortgesetzt schwere Krämpfe am ganzen Körper hinzu, welche Brahms und Clara durch das kleine Fenster in der Wand wahrnahmen. Seit Wochen hatte Schumann fast jede Nahrungsaufnahme verweigert, jetzt nahm er aus Claras Hand doch noch etwas Wein und Gelee. Am Dienstag, dem 29. Juli, wurde Schumann von seinem Leiden erlöst. »Seine letzten Stunden waren ruhig, und so schlief er auch ganz unbemerkt ein, niemand war in dem Augenblick bei ihm. Ich selbst sah ihn erst eine halbe Stunde später . . .«, heißt es in den Aufzeichnungen von Schumanns Witwe.

*

Robert Schumanns Krankheit hat im Laufe der letzten hundert Jahre eine sehr unterschiedliche Beurteilung erfahren, und die Wandlung der differentialdiagnostischen Erwägungen birgt zugleich ein Stück Medizingeschichte in sich. Da fast alle Dokumente aus der Endenicher Zeit wie überhaupt die meisten nosologischen Unterlagen mit voller Absicht einbehalten oder vernichtet worden sind, ist eine objektive Diagnose nicht leicht. Wie sehr diese den zeitbedingten Modeströmungen unterworfen war, wird durch die Tatsache erhellt, daß selbst ein so verantwortungsbewußter Autor wie Möbius im Jahre 1906 seine bisherige Diagnose »Progressive Paralyse« in »Schizophrenie« abänderte.

Zu der Annahme einer Paralyse gelangten die Psychiater wohl deswegen, weil der behandelnde Arzt, Dr. Richarz vom Endenicher Sanatorium, der auch ein Sektionsprotokoll verfaßte, dem Biographen Wasielewski eine Abschrift des Gehirnbefundes überließ. Danach sollen eine Hyperämie im Bereich der Hirnbasis, Knochenwucherungen an der Basis, Verdickungen und Verwachsungen der beiden inneren Hirnhäute mit der Rindensubstanz sowie eine Hirnatrophie vorgelegen haben. Leider ist auch die Krankengeschichte verschwunden. Dr. Richarz verfaßte noch einen Artikel, der am 15. August 1873 in der »Kölnischen Zeitung« erschien. Hierin heißt es:

»Schumanns letzte verderbliche Krankheit war nicht eine primär-spezifische Geisteskrankheit. Sie bestand vielmehr in einem langsam, aber unaufhaltsam sich vollziehenden Verfall der Organisation und der Kräfte des Gesamtnervensystems in der Form der unvollständigen Paralyse.«

Wenig später nennt der Verfasser als Ursache »ein ungemessenes geistiges, zumal künstlerisches Produzieren«, was jene »durch Überanstrengung herbeigeführte Krankheit« auslöste. Es ist somit sehr fraglich, ob Richarz mit seiner Nomenklatur jene Form der uns heute geläufigen »Paralyse« im Sinne einer metaluischen Erkrankung gemeint hat; noch in der Mitte des vorigen Jahrhunderts verstand man unter diesem vieldeutigen Begriff »eine Erschlaffung (ein Nachlassen) der Bewegung der inneren Kraft«. Zweifelsohne dachte der behandelnde Arzt an eine intellektuelle Überbeanspruchung nach der damals herrschenden »Erschöpfungstheorie« — eine durch und durch richtige Diagnose, welche erst in unserem Jahrhundert auf Grund fehlender medizinhistorischer Kenntnisse fehlinterpretiert wurde! Es konnten auch bei den zahlreichen Kindern des Komponisten hereditär-syphilitische Symptome nicht nachgewiesen werden; abgesehen von einer Fehlgeburt, verliefen die acht Schwangerschaften der Ehefrau normal. Eine entrundete Pupille, welche auf Paralyse hindeutet, wäre dem sehr gewissenhaften Maler Laurens, welcher Schumann in den letzten Jahren wiederholt porträtierte, sicher aufgefallen. Er berichtet aber nur von den weitgeöffneten Pupillen, vermerkt jedoch nichts, was auf eine Anisokorie oder Miosis hindeuten würde. Die seit 1846 beobachtete zunehmende Schwerfälligkeit der Sprache kann auch durch eine Denkhemmung — und nicht durch eine artikulatorische Sprachstörung — bedingt sein. Was die Handschrift anbetrifft, so wird diese mit zunehmenden Jahren sogar deutlicher, aber gleichzeitig starrer, was wiederum gegen Paralyse spricht. Ferner fehlt in Schumanns Krankengeschichte jeglicher Hinweis auf eine fortschreitende Zerstörung der geistigen Fähigkeiten; ein Zerfall der Persönlichkeit, wie er in den Spätstadien der Paralyse beobachtet wird, ist nie eingetreten. Ausdrücklich hebt Dr. Richarz hervor: »Sein Selbstbewußtsein war geknickt, doch nicht zerstört, sein Ich nicht sich selbst entfremdet, nicht umgewandelt. Bis zuletzt behaupteten sich die geistigen Fähigkeiten... auf einer verhältnismäßig großen Höhe.« Sogar stilistische Eigentümlichkeiten des späten Schumann, wie Silbenverdoppelungen und sprachliche Ungereimtheiten in der Korrespondenz, sind für die Diagnose »Paralyse« nicht zu verwerten, da sie sich schon im Schriftwechsel des juvenilen Komponisten finden!

Später beurteilten namhafte andere Autoren Schumanns Krankheit als *Schizophrenie.* Zweifelsohne bot schon die schizothyme und introvertierte seelische Grundhaltung des sensitiven, hyperästhetischen und reservierten Romantikers mit seinem oft abwegigen Innenleben hierfür nicht wenige Anhaltspunkte. Aber — abgesehen von einer Psychose aus dem schizophrenen Formenkreis, die mit einer deletären Häufung von Konfliktsituationen im Jahre 1854 zusammenfällt (um die Legitimität von Felix Schumann entspann sich später eine nicht unerhebliche Familienkontroverse!) —, bietet die Krankheitsgeschichte Schumanns im übrigen keine schizophrenieverdächtigen Einzelheiten. Wenn Möbius aus den Endenicher Briefen an Clara eine auffallende Affektlosigkeit herausliest, so könnte diese »Verödung des Gefühls« bei Schumann gegenüber Clara durchaus nicht krankhafte, sondern sehr persönliche Ursachen haben! Schumanns Schweigsamkeit, die finale Antriebslahmheit, die Pfeifstellung der Lippen und seine Unfähigkeit bei der Leitung des städtischen Orchesters in Düsseldorf stellen Symptome dar, die man ganz verschieden deuten kann, welche aber ihrerseits noch lange keine Schizophrenie beweisen. Weil aus Schumanns Deszendenz später einige Familienangehörige wegen Schizophrenie in Heilstättenbehandlung kamen (die Nachkommen schöpferischer Persönlichkeiten sind sowieso weit mehr gefährdet als andere Kinder, da das Genie vielfach den Niedergang einer Familie einleitet), so sollte man — auch wenn man die schizothyme Wesensart Schumanns miteinbezieht! — trotzdem bei ihm nicht zwangsläufig auf eine Erkrankung an Schizophrenie schließen. Dasselbe gilt von der Annahme eines *manisch-depressiven Irreseins.* Wenn der behandelnde Arzt aus der Endenicher Heilanstalt berichtet, daß Schumann an »Wahnvorstellungen der Verkürzung seines Rechtes und seines Wertes, des Versagens der ihm gebührenden Anerkennung litt«, so hatte der Kranke dazu nach allem, was ihm in Düsseldorf widerfahren war, genügend Veranlassung. Allzu leicht wird ferner die Tatsache übersehen, daß Schumann schon in seiner Jugend von schweren Schicksals- und Todesfällen innerhalb der eigentlichen Familie heimgesucht war, die sein Leben entscheidend formten. Außerdem muß beachtet werden, daß die Zeit der Romantik mit ihren unbestimmten Sehnsüchten, ihrer destruktiven Seelenanatomie und Werther-ähnlichen Selbstmordepidemien eine ganz andere psychische Ausgangslage aufwies, als wir sie vom Standpunkt der modernen Psychiatrie her gewohnt sind — einer Psychiatrie, deren Diagnosen im Laufe der Zeit ähnlichen Wandlungen unterworfen sind wie die Krankheitsbilder selbst!

Im Hinblick darauf, daß die bisherigen Diagnosen das Rätsel von Robert Schumanns Krankheit nur in unbefriedigendem Maße zu ergründen vermochten, hat H. *Kleinebreil* in einer Dissertation von 1943 die Frage gestellt, ob bei Robert Schumann nicht *ein anderes organisches Leiden* vorlag. Unter Auswertung von Schumanns bisher wenig bekanntem »Rechnungsbuch«, das er seit 1837 führte, ist man nicht wenig überrascht, fortlaufend Krankheitssymptome wie »Schwindelzustände«, »Anfallsweise Atemnot«, »Ohnmachtsanfälle«, »Kopfschmerzen« und »Herzensangst« neben rheumatischen Beschwerden von der Mitte der 4. Lebensdekade an handschriftlich aufgeführt zu finden. In den letzten Lebensjahren hatte Schumann an Gewicht zugenommen, sein schon früher kongestioniertes Gesicht war aufgedunsen; im Juli 1853 kam es sogar zu einem apoplektiformen Zustandsbild (Schlaganfall). Das Sprechen war schon lange erschwert, der gesamte Denkprozeß verlangsamt; schnellen Orchestertempi vermochte Schumann nur mühsam zu folgen. In Anbetracht der Kurzlebigkeit seiner Sippe und des lebenslangen hohen Konsums an Genußmitteln kam Kleinebreil zu dem Ergebnis einer *essentiellen Hypertonie* mit vorzeitigem allgemeinem

Abbau — eine Diagnose, welcher sich kürzlich auch der Berner Arzt Dr. *H. M. Sutermeister* anschloß, da auch autobiographisch die hochrote Gesichtsfarbe Schumanns schon seit 1838 belegt ist. Gestützt wird diese Diagnose durch den ständigen Rückgang der qualitativen schöpferischen Leistungen seit dem Jahre 1850: Ab hier greift der Komponist immer mehr nach höchsten Ideen, für die er musikalisch nichts Äquivalentes bereitzustellen weiß. Eine nosologische Werkanalyse bleibt aber deswegen aussichtslos, weil hier die Ansichten der verschiedenen Musikwissenschaftler nicht einheitlich sind und sich bereits im Jugendwerk Schumanns Stellen von höchster Aussagekraft unmittelbar neben Zweitrangigem finden. Überhaupt gleichen Schumanns Früh- und Spätkompositionen den aus der Tiefe des Erdbodens emporgeschafften Erzen, welche nach dem Durchlaufen aller Reinigungsprozesse einen wesentlich geringeren Ertrag an gediegenem Metall liefern; sie lassen immer wieder die Züge des Autodidakten erkennen. Wasielewski, von welchem dieser Vergleich stammt, meint, daß man die Schöpfungen nach 1850 besser vom Gesamtwerk abstrahiert. Zunehmende Affektstumpfheit und eine hymnische Feierlichkeit neben erschreckender Banalität sind die Hauptkennzeichen dieses »Spätstils«, obwohl es eigentliche »Wahnsinnskompositionen« bei Schumann nie gegeben hat. Selbst die schon in der Krankheitsphase von 1854 komponierten »Geistervariationen« für Klavier sprechen nicht in diesem Sinne. Hand in Hand mit dem Nachlassen der schöpferischen Kraft erscheint die physiognomische Destruktion, welche schon den Zeitgenossen auffiel. Auch abnorm erweiterte Pupillen, Schlaflosigkeit, Störungen der Geruchs- und Geschmacksempfindung (die bei Schumann in der letzten Zeit auftraten) sowie andere paranoische Symptome (Angst vor Vergiftung), ja sogar Hörstörungen, werden jenseits des 40. Lebensjahres im Rahmen der mit dem Hochdruck einhergehenden Zerebralsklerose nicht selten beobachtet. Als Robert Schumann im Februar 1854 in eine schier ausweglose Konfliktsituation geriet, reagierte der vorzeitig verbrauchte Mann auf diese untragbar gewordenen Belastungen mit einer paranoid-halluzinatorischen Involutionspsychose, welche in den Formenkreis der arteriosklerotischen Psychosen gehört und ihn für den Rest des Lebens in die Heilanstalt verbannte. Aus all dem geht zur Genüge hervor, daß die auf eine Schizophrenie hindeutenden Krankheitssymptome nur als Tangenten am Kreis eines übergeordneten klinischen Geschehens aufzufassen sind, auch wenn sie im Jahre 1854 vorübergehend eine dominierende Rolle einzunehmen schienen und — wie die Psychiater heute zum Teil vermuten — selbst das statuarisch-feierliche Kopfthema des Violinkonzerts überschatten. Damit erledigt sich die Frage von selbst, ob Schumanns letzte Krankheit ausschließlich in das Fachgebiet der Inneren Medizin oder der Psychiatrie gehört — die Wahrheit liegt, wie so oft bei einer Diagnosenstellung, in der Mitte! Robert Schumanns Krankheit stellt also eine klassische arteriosklerotische Psychose aus dem schizophrenen Formenkreis dar, und wenn Eugenie Schumann später schrieb, daß ihr Vater an geistiger Überarbeitung zugrunde ging, dann hat sie, so laienhaft das klingt, dennoch das Wesen der Dinge erfaßt und einen Endprozeß beschrieben, welchen bereits der behandelnde Arzt Dr. Richarz klar erkannte. Gerade die Werke aus Schumanns letzten Lebensjahren machen die peinliche Kluft zwischen Wollen und Nichtmehrkönnen deutlich. »Keiner, auch die Nächsten nicht, hatten doch eine deutliche Vorstellung davon, mit welchen Gewalten der oft verdüsterte, unzugängliche, reizbare, launische Mann zu kämpfen hatte, und vor allen Dingen, keiner, daß das, was er . . . schuf, erkauft war mit der langsamen Zerstörung seiner Lebenskraft.« Folglich ist die Frage, ob bei dem hochgradig abgebauten Patienten dann noch eine wesentliche Wandlung im Krankheitsverlauf eingetreten wäre, wenn man ihn — der Empfehlung Bettina von Arnims folgend — zu den Seinen zurückgeholt hätte, nur schwerlich mit Ja zu beantworten. Solche Zustandsbilder münden erfahrungsgemäß zuletzt in jedem Falle in die Monotonie der senilen Demenz ein, wobei die Patienten an allgemeiner Schwäche (Marasmus) zugrunde gehen.

Bei Robert Schumanns Tod war Clara Schumann 36 Jahre alt. Schon um des Broterwerbes willen mußte sie nun ihre pianistische Tätigkeit erneut aufnehmen und auf Konzertreisen gehen, um ihre sieben unmündigen Kinder, die nie ein eigentliches Zuhause kannten, durchzubringen. Erscheinen die Lebensschicksale der Komponisten im Zeitalter der Romantik als mehr oder weniger tragische Einzelschicksale, so erfüllte sich im Dasein der Familie Schumann eine in ihrer Art einmalige Familientragödie. Von Robert Schumanns Töchtern erreichten Marie, Elise und Eugenie hohe Lebensalter von weit über 80 Jahren. Die älteste Tochter, Marie, und die letztgeborene Eugenie blieben unvermählt und waren in der Schweiz als Klavierlehrerinnen tätig. Die Tochter Julie starb im Alter von 32 Jahren an Lungentuberkulose. Derselben Krankheit erlag der jüngste Bruder, Felix, im Alter von 24 Jahren. Ferdinand Schumann, ein gelernter Kaufmann, wurde im Anschluß an eine rheumatische Erkrankung Morphinist und starb, knapp 42 Jahre alt. Ludwig Schumann, welcher ein Alter von 51 Jahren erreichte und an Schizophrenie erkrankte, verbrachte die letzten 25 Jahre seines Lebens in der Heilanstalt. Wie Schumanns Brüder haben auch seine Söhne somit die 5. Lebensdekade kaum überschritten. Clara Schumann starb 76jährig, fast 40 Jahre nach dem Tode ihres Mannes, an den Folgen eines Schlaganfalles — Brahms, der ihr zeitlebens seine Zuneigung bewahrte und ledig blieb, ein Jahr danach (1897).

Im Hinblick auf Robert Schumanns Krankheit steht man

vor einem merkwürdigen Phänomen: Das meiste wurde verändert und retuschiert, so daß man das Gedruckte nicht für bare Münze nehmen darf!

Der Leiter des Robert-Schumann-Hauses in Zwickau, Dr. G. Eismann, schrieb in einem Brief am 16. März 1960:

»Aus solchen Gründen wird aber Clara vieles den Flammen übergeben haben, vermutlich die Krankengeschichte aus Endenich, die wohl gewisses Licht in das Dunkel von Schumanns Krankheit hätte bringen können.«

Sanitätsarzt Dr. Richarz in Endenich arbeitete nach Schumanns Tod ein Gutachten aus, in dem — nach weitschweifiger, ziemlich nichtssagender Einleitung — am Ende folgender Schwerpunkt zu entdecken ist: »Ein nicht unbedeutender Schwund (Atrophie) des Gehirns im Ganzen, indem das Gewicht desselben beinahe 7 Unzen (preuß. Medic. Gewicht) *weniger* betrug, als es nach Schumanns Lebensalter sollte.« Offenbar hat er aber nur den Schädel untersucht.

Vieles aus Schumanns Biographie wird, weil heute noch unbekannt, später einer Überarbeitung bedürfen. So schrieb Brahms am 21. August 1854 an Clara (ihre Teilnahme an der Beerdigung ist bis heute nicht sicher erwiesen!), daß Schumann mit ihm in der Endenicher Anstalt spazierenging, sich mit allen Menschen völlig ungezwungen unterhielt. Unter dem Datum vom 23./24. Februar 1855 heißt es, Schumann habe mit Brahms vierhändig auf dem Flügel gespielt und ihn zum Bahnhof begleitet. Sie besuchten das Münster, besichtigten das Beethoven-Denkmal, sprachen über Bücher und Noten. Die Version vom »unheilbaren Schumann«, der zwangsläufig als Dauerpatient in der Heilanstalt verbleiben mußte und — nach Laienvorstellung — dort »verdämmerte«, ist schwer zu glauben.

Immer mehr bricht sich die Erkenntnis vom aufgezwungenen »Endenicher Exil« Bahn. Daß man alle diesbezüglichen Unterlagen beseitigte, ist besonders makaber. Nichts hätte mehr die Vorstellung vom »Geisteskranken« widerlegt, als die Aufführung des 1853 vollendeten Violinkonzertes d-moll! Es ist dies ein überdurchschnittliches Werk und weist in seinem heroisch-dramatischen ersten Satz, der stellenweise schon an Bruckner erinnert, und im beseelten Adagio ausgesprochene Höhepunkte auf, die gedanklich eine Fortentwicklung, niemals aber eine Rückwärtsentwicklung des Meisters erkennen lassen. Gerade schöpferisch tätige Menschen wie J. Brahms, Clara Schumann und der Geiger J. Joachim — die zeitgenössischen Werken gegenüber eine hohe Instinktsicherheit bewiesen — hätten das wahrnehmen müssen und haben das auch gewiß bemerkt. Daß besagtes Werk erst 1937 erneut »entdeckt« wurde, ist ebenso dubios wie die 1953 erfolgte »Wiederauffindung« der fast gleichzeitig entstandenen 3. Violinsonate in der Bibliothek des Pariser Konservatoriums.

E. Melkus schrieb in der Österreichischen Musikzeitschrift vom April 1960 unter dem Titel »Zur Revision unseres Schumann-Bildes«: »Sonate und Violinkonzert wurden geradezu ängstlich vor der Öffentlichkeit verborgen«, und von Clara, Brahms sowie Joachim mit der unglaubhaften Bemerkung, dies sei »seines Genius unwürdig«, einfach einbehalten. Desgleichen verschwunden sind bis heute die sogenannten »Geistervariationen«, Schumanns letzte Komposition, nämlich 5 Klavierstücke nach dem Adagiothema des Violinkonzertes, die Brahms später in seinem op. 23 verwandte. So schob man sämtliche »Zeichen von Geistesstörung« auf das allen unbekannt gebliebene letzte Werk, blieb aber jeden Beweis dafür schuldig; das Violinkonzert ruhte für bald ein Jahrhundert in der Schublade, bis die begründete Hoffnung bestand, daß sich nun die Wogen geglättet haben würden. Verständlich, daß man die biographischen Angaben über Schumanns Leben nach dem Jahre 1853 durchweg mit großer Skepsis werten muß!

Durch den Untergang des Komponisten Schumann »im

Irrsinn als einem Scheitern am übermenschlichen Auftrag, als prometheischer Opfertod« ist seine Leidensgeschichte stets breiteren Kreisen bekannt geblieben und hat ihm eine hohe persönliche Popularität gesichert. In unermüdlichem Fleiß und mit unglaublicher Willensanstrengung trotzte dieser romantischste aller Musiker dieser Kulturepoche einem jahrzehntelangen körperlichen Verfall und schuf Kompositionen, die ihn in die Nachbarschaft von Schubert und Brahms brachten. Es muß aber auch unterstrichen werden, daß sein Gesamtwerk, gemessen mit den internationalen Maßstäben von Mozart oder Beethoven, in erster Linie ein deutsches Ereignis war. Schumann hinterließ ein Erbe, welches als unsterbliches Vermächtnis verehrt wird und die Erfüllung dessen bedeutet, was er einst von sich selber sagte: »Eine Stimme flüsterte mir manchmal zu, als ich schrieb, dies ist nicht ganz umsonst, was du tust...«

ROBERT SCHUMANN

1. *Bancour, R.:* La maladie de Schumann, Chronique médicale (1910), S. 481.

2. *Boetticher, W.:* Robert Schumann in seinen Schriften und Briefen, Berlin (1942).

3. *Boucourechliev, A.:* Robert Schumann, Hamburg (1958).

4. *Brion, M.:* Robert Schumann und die Welt der Romantik, Stuttgart (1955).

5. *Dahms, W.:* Schumann, Stuttgart–Berlin–Leipzig (1925).

6. *Eismann, G.:* Robert Schumann, Leipzig (1956).

7. *Erler, H.:* Robert Schumanns Leben, aus seinen Büchern geschildert, 2 Bde., Berlin (1887).

8. *Ernest, G.:* Der kranke Schumann, Med. Welt (1929): 1128.

9. *Garrison, F. A.:* The Medical History of Robert Schumann and his Family, Bull. New York Acad. Med. (1934), S. 523.

10. *Gruhle, H.:* Brief über Robert Schumanns Krankheit an P. J. Möbius in »Kritische Bemerkungen über Pathographie«, Halle (1907).

11. Handbuch der Geisteskrankheiten, 4. Teil, Berlin (1930), Kap. Arteriosklerotische Psychosen.

12. *Kleinebreil, H.:* Der kranke Schumann, Diss. Jena (1943).

13. *Kraus, A.:* Kritisch-etymologisches medizinisches Lexikon, Göttingen (1844).

14. *Lindner, M.:* Die Psychose von Robert Schumann und ihr Einfluß auf seine musikalische Komposition, Schweiz. Arch. Neurol. (1959) 2, 83.

15. *Litzmann, B.:* Clara Schumann. 3 Bde., Leipzig (1902).

16. *McMaster:* La folie de Robert Schumann, Paris méd. (1929), S. 462.

17. *Möbius, P. J.:* Über Robert Schumanns Krankheit, Halle (1906).

18. *Nussbaum, F.:* Der Streit um Schumanns Krankheit, Diss. Köln (1923).

19. *Pascal, C.:* Les maladies mentales de Robert Schumann, Amsterdam (1908).

20. *Reinhard, W.:* Die Krankheiten Mozarts und Schumanns, Med. Mschr. (1956), S. 320.

21. *Schumann, E.:* Erinnerungen, Stuttgart (1925).

22. *Schumann, E.:* Ein Lebensbild meines Vaters, Leipzig (1931).

23. *Schumann, F.:* Gedichte, Stuttgart (1947).

24. *Schweisheimer, W.:* War Robert Schumann geisteskrank? Ärztl. Praxis (1959), S. 840.

25. *Slater u. Meyer:* Contribution to a Pathography of the Musicians: R. Schumann, Confinia psych. (1959), 2, S. 65.

26. *Sutermeister, H. M.:* Das Rätsel um Robert Schumanns Krankheit, Praxis, Bern (1959), S. 1177.

27. *Wasielewski, J. v.:* Robert Schumann, Leipzig (1906).

28. *Wörner, K. H.:* Robert Schumann, Zürich (1949).

29. *Müller, E.:* Robert Schumann. Eine Bildnisstudie (mit dem Bericht der Schädelsektion), Olten (Walter) 1950.

202

Frédéric Chopin (1810–1849)

FRÉDÉRIC CHOPIN
(1810—1849)

> »Ich selbst bin immer noch Pole genug,
> um gegen Chopin den Rest der Musik
> hinzugeben.«
>
> F. Nietzsche, »Ecce homo«

Geboren wurde Frédéric Chopin am 22. Februar 1810 in dem bei Warschau gelegenen Dorfe Zelazowa Wola. Dort war sein Vater, ein emigrierter Lothringer, als Hauslehrer der Gräfin Skarbeck tätig, und hier lernte dieser auch seine Lebensgefährtin Justina kennen, die einer verarmten adligen Familie entstammte; von ihr sagte George Sand, sie sei Frédéric Chopins einzige Liebe gewesen. Beide Eltern waren hochmusikalisch, und gemeinsames Musizieren führte sie zueinander. Diese Begabung vererbten sie auf ihren Jungen, der, umgeben von drei Schwestern, später in Warschau eine behütete und sorgenfreie Kindheit erlebte. Sein Vater erkannte früh das außergewöhnliche Talent des Knaben und ließ ihn schon vor dem Abitur nicht nur von hervorragenden Musiklehrern unterrichten, sondern verstand es später auch, ihn in die aristokratischen Kreise der Hauptstadt einzuführen. Frédéric Chopins Vater starb im Alter von etwa 73 Jahren, er war zuletzt herz- und lungenleidend; seine Mutter, die ihren Sohn beträchtlich überlebte, wurde sogar fast 80 Jahre alt. Auch die beiden Schwestern, Luise und Isabella, waren nicht nachweislich krank. Hingegen starb die jüngste von allen, Emilia, mit welcher Chopin als Begleiter noch im Juli 1826 zur Kur in Bad Reinerz weilte, im Alter von 14 Jahren an Lungentuberkulose.

Frédéric Chopin war ein überaus anfälliges, kränkliches Kind. Frühzeitig bekundete er der Musik gegenüber große Empfänglichkeit und Reizbarkeit. Wenn er die Klänge des Klaviers aus einem benachbarten Zimmer hörte, pflegte der Knabe so heftig zu weinen, daß man ihn kaum beruhigen konnte. Mit sieben Jahren erhielt er regelmäßig Klavierunterricht durch Albert Zywny, mit acht Jahren trat er in der Öffentlichkeit auf. Nicht selten schreckte Chopin nachts aus dem Traume und stürzte an sein Lieblingsinstrument, um einen plötzlichen Einfall festzuhalten. »Sanft, gefühlvoll, über die Maßen vornehm, besaß Chopin in seinem 15. Lebensjahr alle Reize der Jugend, die jedoch mit dem Ernst des Alters merkwürdig gepaart waren. Ebenso wie sein Geist war auch sein Körper von außerordentlicher Zartheit. Doch dieser Mangel an physischer Entwicklung bewahrte ihm eine gewisse, sozusagen geschlechts- und alterslose Schönheit.« Bereits im Jahre 1825 schenkte ihm der Zar Alexander einen Ring für sein Spiel. 1829 unterzog er sich als erfolgreichster Schüler seines Lehrers Joseph Elsner der Abschlußprüfung am Warschauer Konservatorium. In Wien, wohin er im Anschluß daran reiste, wurde Chopin als Pianist gefeiert, blieb aber dann noch ein Jahr lang seiner Heimatstadt treu, wo er in verschiedenen Konzerten mitwirkte. Doch auch in dem schwermütigen Polen lebte jener kindliche Optimismus, welcher jeden Künstler beseelt und der ihn mit unwiderstehlicher Macht in die Ferne trieb. So schrieb er: »Mir ahnt immer, daß ich Warschau verlasse, um nie wieder heimzukehren.« Am 1. November 1830 nahm er Abschied von den Seinen; Elsner und die Angehörigen geleiteten ihn hinaus und gaben ihm auf die

206

weite Reise, welche nicht mehr zurückführen sollte, einen Pokal voll polnischer Erde mit. Die letzte Strophe ihres Liedes lautete:

»Obwohl du unser Land verläßt,
Dein Herz bleibt hier bei uns . . .«

Die erste herbe Enttäuschung wurde Chopin anläßlich seines zweiten Wiener Besuches zuteil. Dort empfing man ihn diesmal nicht mit offenen Armen. Von mimosenhafter Empfindlichkeit, allen Kämpfen abhold, hat Chopin während seines achtmonatigen Aufenthaltes künstlerisch kaum etwas erreicht, und auch sein einziges Konzert war keineswegs von Erfolg gekrönt. Er beschreibt die weihnachtliche Stimmung im Stephansdom: »Es herrschte Stille, nur das Schreiten des die Lampen anzündenden Küsters störte meine Lethargie . . . Hinter mir Gräber, unter mir Gräber, nur — über mir kein Grab . . . Eine düstere Harmonie erklang in meinem Innern — ich fühlte mehr denn je mein Verlassensein . . .« Jetzt machte sich ein Umstand geltend, der auch für Chopins späteres Leben richtunggebend wurde: seine Scheu vor dem Publikum und sein Unvermögen, im großen Kreis alle Hörer kraft seines Vortrages mitzureißen! So blieb er, der Geniale, Einmalige, auch später auf die innere Bereitschaft erwählter Zirkel begrenzt, in deren vertrauter Intimität Chopin wirklich suggestiv vorzutragen verstand, während sein zarter, verschwebender Anschlag sonst in der Weite der Konzertsäle versandete und ein großes Auditorium für den feinnervigen Virtuosen folglich ohne die erwünschte Resonanz blieb. Hinzu kam, daß er weder richtig für Orchester zu schreiben noch mit einem solchen vorteilhaft zusammen zu spielen verstand, weshalb sich seine Programme am liebsten auf Einzeldarbietungen gründeten. So reiste Chopin schließlich von Wien über München und Stuttgart nach Paris weiter. Als ihm auch dort zunächst der Erfolg versagt blieb, wollte Chopin nach Amerika auswandern. Da vollzog sich, wie durch eine Fügung, anläßlich einer Soirée beim Baron Rothschild die entscheidende künstlerische Wende! Ohne Intrigen, allein durch den Zauber seiner Kunst und seiner Persönlichkeit, erschloß er sich die höchsten Gesellschaftskreise, obwohl sich seine eigentlichen Virtuosenpläne nie verwirklichten.

Vom Ende des Jahres 1831 an blieb Chopin, von Unterbrechungen abgesehen, in der Seinestadt. Während Wien seit dem Tode von Beethoven und Schubert jetzt die einstige musikalische Priorität vorübergehend abtrat, traf der junge Musiker in Paris auf die Elite der damaligen Kunst, auf Cherubini, Liszt, Bellini, Mendelssohn, Meyerbeer, Delacroix und Heinrich Heine, die ihn, wenn sie ihn erst einmal hatten spielen hören, als Primus inter pares widerspruchslos anerkannten. Sogar ein so kritischer Kopf wie Robert Schumann streckte vor Chopin die Waffen (»Hut ab, ihr Herren, ein Genie!«), wenn auch diese Zuneigung nie auf Gegenseitigkeit beruhte und Chopin im Grunde seines Wesens ein Einsiedler blieb, dem nicht viel daran lag, mit Komponisten oder gar ausübenden Künstlern kollegial zu verkehren. In Paris herrschte die gegebene Atmosphäre, in der Chopin in weiser Selbstbeschränkung seine besten Stücke für Klavier — meist nur für das Klavier! — zu Papier brachte. Dabei entwickelte er einen völlig neuen, eigenen Stil der musikalischen Kurzform (Etüden, Préludes, Nocturnes, Walzer, Mazurkas u. ä.), welche die Gedanken in den Spiegel der musikalischen Miniature bannte, deren Brennpunkt sich nicht selten zu nur wenigen Notenzeilen oder gar Takten verdichtete. Der Umstand, daß man zu seiner Zeit weit mehr Einzelstücke als geschlossene Gesamtwerke im Konzertsaal vortrug, kam Chopin sehr entgegen. Auch seine großen Sonaten sind im Grunde ebenso angelegt, vergleichbar mit den beiden Impromptus-Zyklen von Franz Schubert, deren jeweilige Viersätzigkeit die ursprünglich geplante Sonatenform nicht verleugnen kann.

Bis zum Jahre 1835 war Chopin auch in Paris ganz gesund. Allerdings wohnte er seit 1831 zeitweilig mit seinem Freunde, dem Arzt Dr. Jan Matuszynski, zusammen, der schon 1842 im Alter von 33 Jahren an Tuberkulose starb. Chopin war von mittlerer Größe, schmächtig, hatte kastanienfarbenes Haar und braune Augen. In seinem halbovalen, stets blassen Gesicht fielen eine feingeschnittene Adlernase und eine hervortretende Lippe besonders auf. Chopin lebte in erster Linie vom Komponieren sowie vom Unterrichten — für jede Stunde erhielt er etwa 20 Franken —, und nicht wenige Elevinnen aus ersten Kreisen gingen bei ihm ein und aus, denn seine »Haltung und Manieren trugen ein so vornehmes Gepräge, daß man ihn unwillkürlich wie einen Fürsten behandelte« (F. Liszt).

Im Jahre 1833 schrieb Chopin an seine Angehörigen: »Man findet, daß ich dicker geworden bin und gut aussehe.« Damals unternahm er auch häufige Auslandsreisen. Aber bereits im November 1835 machte Chopin — kurz nach dem Wiedersehen mit den Eltern in Karlsbad — eine heftige Krankheit mit hohem Fieber und Bluthusten durch, welche in Polen das Gerücht aufkommen ließ, Chopin sei nach schwerem Leiden gestorben; ein Gerücht, das dann vom »Warschauer Curier« dementiert werden konnte. Sein erster persönlicher Krankheitshinweis findet sich in einem Brief vom Mai 1837: »Im Winter war ich wieder an Grippe krank. Man schickt mich nach Bad Ems, bisher denke ich nicht daran.« Die schriftliche Bemerkung einer Zeitgenossin lautete: »Chopin ist ein unwiderstehlicher Mann; nur hustet er ständig.« Daraus geht zur Genüge die Progredienz des spezifischen Lungenleidens hervor, für welches rückblickend einzelne Krankheitsgrade oder Stadien nur schwer abzugrenzen sind. Außerdem hatten sich mittlerweile einschneidende Veränderungen seines Privatlebens ergeben. Die Verlobung mit Maria Wodzinska, einer Jugendliebe, die er heiraten und mit welcher er später in die polnische Heimat ziehen wollte, ging im Jahre 1836 nicht zuletzt wegen seiner angegriffenen Gesundheit in die Brüche. Um so mehr schloß er sich jetzt an die skandalumwitterte Dichterin George Sand an. Was man auch immer gegen die Schriftstellerin einwenden mag, deren Geist, Charme und dunkle Augen sogar einen Heinrich Heine begeisterten, Tatsache ist, daß Chopin während der gemeinsam verlebten zehn Jahre bis 1847 die gewaltigsten musikalischen Schöpfungen fertigstellte (op. 25 bis 65) und daß sich sein Leben von dem Zeitpunkt an, da die Liaison zerbrach, im Biologischen wie Schöpferischen jäh dem Ende zuneigte. Eines haben die Biographen nämlich allzuoft übersehen: Ihre selbstlose Rolle als Gefährtin und Pflegerin des todgeweihten Künstlers, wobei sie einerseits die eigene Begabung freiwillig in den Dienst von Chopins Genius stellte und andererseits ihr praktischer Sinn fürs Leben, ihre Energie und Vitalität den idealen Gegenpol zu Chopins Weltfremdheit darstellten. Darüber hinaus wird die Gemeinsamkeit der um mehrere Jahre älteren und zudem nur wenig musikalischen Dichterin mit dem Komponisten, der literarisch ziemlich desinteressiert war, stets zu den eigenartigsten Verbindungen in der Kulturgeschichte zählen!

Durch seinen beunruhigenden Gesundheitszustand veranlaßt, verbrachten Chopin und George Sand mit ihren Kindern den Winter 1838/39 auf der Insel Mallorca. Die landschaftlichen Schönheiten und die »himmlische Luft«, die Chopin »dem Schönsten auf dieser Welt nahe brachten und ihn zum besseren Menschen« werden ließen, versanken bald gegenüber der Monotonie einer kühlen Regenperiode. Chopin erkältete sich; aus der anfänglichen Bronchitis wurde ein hartnäckiger Katarrh, in dessen Gefolge bald Symptome einer hochfieberhaften, exsudativ-kavernösen Phthise beängstigende Formen annahmen. Chopin wurden von den behandelnden Ärzten, die seine Krankheit sehr wohl erkannten, Pflaster aufgelegt, jedoch verweigerte er jeden Aderlaß. Als es ihm etwas besser ging, kündigte der Wirt die nahe der Stadt Palma gelegene Wohnung, weil Chopin das Haus verseuche. Vor seinem Umzug in die weit außerhalb gelegene Kartause von Valdemosa mußte Chopin noch auf eigene Kosten das Haus aufputzen lassen. In der Einsamkeit des Klosters mit seinen dicken Steinmauern geriet Chopin bald in hochnervöse Erregung. Die Einsiedelei war für ihn voll von Schrecken und Gespenstern, selbst wenn er sich verhältnismäßig wohl fühlte. »Zwischen Fels und Meer, in einem gewaltigen verlassenen Kartäuserkloster, kannst Du Dir mich wie in einer Zelle unfrisiert und blaß wie immer vorstellen . . . Eine Stille — man kann schreien -- es bleibt immer still.« Hier, nur umgeben von Felsen, jagenden Wolken, schnarrenden Seevögeln und dem bis ins Unendliche reichenden Meer, hat Chopin eine ganze Reihe seiner Préludes komponiert.

»Für den reizbaren und schwer zu pflegenden Kranken wurde der Aufenthalt in der Kartause daher eine Strafe und für mich eine Qual« (G. Sand), obwohl man eigens für ihn aus Marseille ein Klavier herbeigeschafft hatte. Deshalb drängte Chopin zu Beginn des Jahres 1839 zum Aufbruch. In einem ungefederten Mietwagen mußte derselbe Weg nach Palma zurückgelegt werden, den sie einst heraufgekommen waren. Bei der Ankunft in Palma erlitt Chopin einen schweren Blutsturz. Auf der Weiterreise nach Barcelona, die sie auf einem Frachtschiff mit einer Ladung Ferkel antraten, kam es zu weiteren Lungenblutungen. In Barcelona wurde Chopin zunächst einige Tage lang von einem Marinearzt betreut. Auch der dortige Hotelbesitzer wollte ihn das Bett bezahlen lassen mit dem sehr richtigen Einwand, es müsse verbrannt werden, da er an einer ansteckenden Krankheit leide. Danach setzten sie die Reise auf dem vorgenannten Frachter nach Marseille fort. Dort angekommen begab sich Chopin in die Behandlung des gut renommierten Dr. Cauvière, der ihn nach eingehender Untersuchung — die Technik der Perkussion und Auskultation war damals in Frankreich allgemein bekannt — für gefährlich krank hielt und Bettruhe verordnete. »Das Blutspeien hat aufgehört, er schläft gut, hustet wenig und — vor allem! er ist in Frankreich!«, schrieb G. Sand wie erlöst am 5. März 1839. »Mein Gesundheitszustand bessert sich von Tag zu Tag. Die Zugpflaster, die Diät, die Pillen, die Bäder und, mehr als alles, die unendliche Fürsorge meines Engels haben mich wieder auf die Beine gebracht, auf die etwas mageren Beine«, teilte Chopin am 12. März 1839 aus Marseille mit. Unter Dr. Cauvières Behandlung erholte sich Chopin innerhalb von zwei Monaten so, daß er im Anschluß an einen Abstecher nach Genua die Heimreise antreten konnte und im Juni wohlbehalten auf George Sands Landsitz Nohant anlangte.

Dort begab sich Chopin in weitere Behandlung, wobei ihm die Ärzte — er hat deren über 30 in seinem Leben konsultiert, darunter französische und englische Kapazitäten neben Magnetiseuren und Homöopathen! — den wahren Grund seiner Krankheit zum Teil pietätvoll verschwiegen. Über die nächsten sieben Jahre existieren nur verhältnismäßig wenige Krankheitsdokumente, denn das tuberkulöse Lungenleiden nahm einen ebenso progredienten wie monotonen Verlauf. Spontanbesserungen wechselten mit Rezidiven und Fieberschüben. Auch George Sand beschreibt die regelmäßigen morgendlichen Hustenanfälle, über die Chopin selbst äußerte: »Ehe ich mich in der Frühe aushuste, ist es bereits zehn Uhr.« Er mußte jetzt angesichts der kavernösen Lungenschwindsucht aus gesundheitlichen Gründen die Unterrichtstätigkeit einschränken, und sein öffentliches Auftreten wurde immer seltener. »Schwächlich und bleich war er, hustete viel und nahm häufig Opiumtropfen auf Zucker oder Sirup, rieb sich die Stirn mit Kölnisch Wasser.« Er, der Nichtraucher, der am liebsten leichte Speisen und Kakao zu sich nahm, litt unsäglich unter dem Zigarrenqualm, den George Sand verbreitete.

Ohne den alljährlichen, vielmonatigen Sommerurlaub auf George Sands Landgut, wo Liszt und Chopin häufig miteinander vierhändig spielten, wäre er seinem Lungenleiden sicher noch viel rascher erlegen. Wenn die Wintersaison herannahte, stürzte sich Chopin ohne Rücksicht auf sich selbst in das Pariser Gesellschaftsleben. Des Vaters inständigsten Wunsch, dem Salon im Interesse seiner Gesundheit und seiner Kunst nicht den Schlaf zu opfern, beachtete Chopin keineswegs. Denn er war — geistvoll, witzig und charmant — ein begehrter Gesprächspartner, welcher die Aristokratie zudem noch klug in den Dienst seiner künstlerischen Interessen einzufügen wußte. Nur durch das Treibhausklima der damaligen geistigen Welt des Westens konnten sich die subtilen Inspirationen des anfälligen Komponisten richtig entwickeln. Und Chopin war ein Nachtarbeiter, da in der Dämmerstunde die Ideen wie ungerufen zu erwachen schienen. Unermüdlich tätig, änderte er wegen eines einzigen Taktes seine Manuskripte mitunter dutzendfach ab — und das nur, um schließlich einzusehen, daß die erste Fassung doch die allerbeste war! Gleich Balzac konnte er mit der endgültigen Niederschrift seiner Arbeiten nie zufrieden sein.

Erst nach Mitternacht, wenn die Spitzen der Gesellschaft bereits gegangen waren, setzte sich Chopin, wie sein Freund H. Berlioz berichtet, an den Flügel, um einem kleinen Kreis erwählter Kenner die neuen Gedanken anzuvertrauen. Chopins Anschlag war reich, biegsam, singend — leise und leicht! Und dann klang seine Musik »wie der Gesang von Grasmücken oder wie gebrochenes Porzellan«. »Denn er ist ein Mensch, wie Sie einen solchen noch nie gesehen haben, einer, den Sie nie vergessen werden« (H. Berlioz). Chopin ließ beim Spiel die Melodie sich stets wellenförmig bewegen, wie einen von einer mächtigen Woge getragenen Kahn, und wenn seine ausdrucksvollen, schmalen Hände elfenartig über die Tastatur huschten, vergeistigte er sein Instru-

ment, bis der Ton etwas Unirdisches erhielt, der mit seiner
ursprünglichen Natur nichts Verwandtes mehr hatte (J.
Huneker) — für jeden, der ihm lauschen durfte, ein wahrhaft unerhörtes Erlebnis!

Im Jahre 1844 schien sich Chopins Gesundheitszustand
vorübergehend zu bessern — die Freunde beschreiben das
gute Aussehen des Patienten. Um diese Zeit wurde er von
dem Homöopathen Dr. Molin, einem Kinderarzt, versorgt;
»er weiß mich am besten zu behandeln, denn in mir ist
etwas vom Kinde geblieben«. Chopin zog es nicht zuletzt
deswegen in den Kreis der Hahnemann-Schule, weil deren
Dosierung mild war und man ihm keine sinnlosen Aderlässe aufzureden versuchte. Die Medikation bestand hauptsächlich in der Verabfolgung von Schwefelmixturen, Diät
und Opiaten. In jedem Winter lag Chopin wochenlang zu
Bett, schriftliche Arztbestellungen »Cher docteur, Ayez la
bonté de venir me voir aujourd'hui. Je souffre« aus jenen
Jahren sind uns noch heute mehrfach erhalten. Sein Schüler G. Mathias schreibt über das Aussehen des Lehrers im
Jahre 1847: »Er war das Bild der Erschöpfung — der Rücken
gekrümmt, der Kopf vorwärts gebeugt, aber immer war er
liebenswürdig und von feinstem Benehmen.« Chopin komponierte auch jetzt noch, obwohl die letzten Werke, nach
einer Äußerung F. Liszts, »plus de volonté que d'inspiration« zeigen. Aus diesen Walzern und Mazurken des Todkranken klingt unüberhörbar die Sehnsucht nach der polnischen Heimat. Längst war die »grande passion« zu George Sand einer nüchternen Distanz gewichen. »Seit sieben
Jahren lebe ich mit ihm wie eine Jungfrau. Was nun ihn
betrifft, so beklagt er sich mir gegenüber, ich hätte ihn zugrunde gerichtet, weil ich mich ihm entzog, während ich
die Gewißheit habe, daß ich ihn getötet hätte, wenn ich
anders gehandelt hätte.« Als im Sommer 1847, nicht zuletzt durch Familienintrigen, der Bruch mit George Sand
erfolgte, stand er, dem das Sparen stets fremd blieb, völlig

mittellos da. Er hat dann bis zu seinem Tode auch nichts mehr veröffentlicht. Chopin mußte, da die Not an seine Tür pochte, wieder Konzerte geben und trat in Paris letztmals im Februar 1848 auf. Er trug u. a. den Klavierpart seiner erst kürzlich publizierten Cello-Sonate, die Barkarole sowie weitere Einzelstücke aus dem eigenen Schaffen neben Werken von Mozart vor. Obwohl er sich fast »die Seele aushustete«, unternahm Chopin eine Tournee durch England und Schottland, in deren Verlauf die kühle Zurückhaltung der Presse besonders auffiel. Er reiste von London nach Edinburgh, Manchester und Glasgow. Zeitweise mußte ihn, den infolge zunehmenden Herzversagens eine hartnäckige Atemnot und Ödeme an den Beinen quälten, sein Diener die Treppen hinauftragen, obwohl Chopin nicht mal mehr einen Zentner wog. Neue Lungenblutungen komplizierten das Krankheitsbild. Gerüchte über eine etwaige Vermählung mit seiner Schülerin Jane Stirling, welche die Englandreise arrangiert hatte und ihm später mit einer hochherzigen Spende unter die Arme griff, dementierte er kategorisch. An den Grafen Adalbert Grzymala in Paris schrieb er in diesem Zusammenhang: »Ich kann wohl im Spital krepieren, aber eine Gattin möchte ich nicht in Armut zurücklassen. Die Welt entschwindet mir — ich verliere mich —, ich habe keine Kraft mehr (London, November 1848) . . . und deshalb erkläre ich Dir, daß ich dem Sarge näher bin als dem Ehebett.« Kopfschmerzen und die für das Lungenleiden typischen Interkostalneuralgien, welche der Behandlung des Homöopathen Dr. Mallan hartnäckig trotzten, erwähnt er in seinen Briefen ebenfalls. »Seit 18 Tagen bin ich krank, seit dem Tage meiner Ankunft in London. Ich war so erkältet, mit Kopfschmerzen, Atemnot und allen meinen schlimmen Symptomen, daß ich überhaupt nicht ausgegangen bin.« Chopins letztes Erscheinen in der Öffentlichkeit fiel auf den 16. November 1848, wo er bei einem großen polnischen Ball mit Konzert auftrat. Aber seine Einlagen gingen im allgemeinen Tumult unter, und das Ganze lief auf eine große Enttäuschung hinaus. Endlich Anfang 1849 schwer dyspnoisch nach Paris zurückgekehrt, mußte er mit Schrecken feststellen, daß inzwischen sein ehemaliger Hausarzt verstorben war. »Molin allein besaß das Geheimnis, mich wieder hochzubringen. Jetzt behandelt mich Herr Simon, ein sehr berühmter Homöopath; aber sie raten herum und helfen nicht. Wegen des Klimas, der Schonung und der Ruhe sind sie sich alle einig. Die Ruhe werde ich eines Tages auch ohne sie haben!« (Paris, 30. Januar 1849).

Im Juni und Juli 1849 traten neben neuen Blutstürzen auch noch Durchfälle auf. Selbst das als heilsam bekannte Pyrenäen-Wasser, welches Chopin in einem Brief vom Sommer 1849 erwähnt, vermochte keine Wunder mehr zu wirken. Seine aus Polen herbeigerufene Schwester Luise fand den Bruder in hoffnungslosem Zustand. Anfang Oktober konnte Chopin nicht mehr ohne Stütze im Bett sitzen, und um die Mitte dieses Monats hatte seine Stimme ihren Klang verloren. Im Zustand schwerster Atemnot schrieb Chopin am 16. Oktober auf einen Zettel die Worte: »Da diese Erde mich ersticken wird, beschwöre ich Euch, meinen Körper öffnen zu lassen, damit ich nicht lebendig begraben werde.«

Nachdem ihm der Abbé Jelowicki die letzte Ölung gegeben hatte, sah Chopin seinem Ende gefaßt entgegen. Zu den Freunden, die ihm einzeln die Hand drückten, sagte er: »Vous jouerez du Mozart en mémoire de moi.« Der behandelnde Arzt Dr. Cruveilhier — ein bekannter Kliniker und Pathologe — nahm eine Kerze und bemerkte, indem er sie gegen Chopins Gesicht hielt, daß die Sinne anfingen, den Dienst zu versagen. Als er ihn jedoch fragte, ob er Schmerzen empfinde, hörte man noch ganz deutlich die Antwort »Plus!« Mit dem Ruf »Matka, moia biedna matka!« (Mutter, meine arme Mutter!) starb Chopin in der

Chopins Totenmaske
Lithographie von Kwiatkowski

Frühe des 17. Oktober 1849 kurz vor drei Uhr. Zeitlebens hatte er vor allen Zahlenverbindungen mit einer Sieben panischen Schrecken empfunden. Im Tode wurde er wieder jung und schön, da der Ausdruck der unseligen Ruhelosigkeit seines irdischen Lebens, wie ihn besonders die Züge der letzten Photographie von 1849 widerspiegeln, ausgelöscht war. So ist Chopin — und nicht zuletzt deswegen, weil er so früh von uns genommen wurde — dem Wesen und seiner Erscheinung nach zum Inbegriff des Musensohnes geworden, vor dem sogar die Mittellosigkeit, das Schreckgespenst aller Tonschöpfer, respektvoll zurückwich. Für ihn gilt, daß unser Dasein nicht durch die Zahl der gelebten Jahre, sondern nur durch den Reichtum der Seele erhöht und erfüllt wird. Friedlich ist Chopin nach endlosem Ringen dem schweren und damals noch so gut wie unheilbaren tuberkulösen Lungenleiden, in dessen hektischer Glut seine besten Werke entstanden waren, erlegen. — Das Sektionsprotokoll, wonach das Herz infolge der krankhaften Veränderungen im Kreislauf nicht weniger in Mitleidenschaft gezogen gewesen sein soll als die Atmungsorgane, fiel später einer Feuersbrunst zum Opfer.

Erst am 30. Oktober wurde Chopin beigesetzt, und die Trauerfeierlichkeiten in der Madelaine waren nicht weniger würdevoll als der Trauerakt auf dem Père Lachaise, wo sich sein Grab an einer kaum begangenen Stelle des Friedhofs befindet. Geschmückt wird es von einer weißen Marmorstatue des Bildhauers M. Clésinger, welche einen Jüngling zeigt, der sich im Schlafe über seine zerbrochene Lyra beugt. Auf Chopins Sarg leerte man den Inhalt jenes Pokals mit polnischer Erde, welchen ihm seine Freunde beim Abschied im Jahre 1830 mitgaben. Er selbst hatte ausdrücklich verfügt — und die oben wiedergegebenen Zeilen unterstreichen noch einmal die Erinnerung an diesen Wunsch —, daß sein Herz in der Heilig-Kreuz-Kirche zu Warschau aufbewahrt werde.

218

G. Sand berichtet in »Histoire de ma vie« (Band XIII, Paris 1855):

»Im März 1848 habe ich ihn einen Augenblick wiedergesehen. Ich habe seine eisige, zitternde Hand gedrückt. Ich wollte zu ihm sprechen, er entfloh. Es war nun an mir, zu sagen, er liebe mich nicht mehr. Ich habe ihm diesen Schmerz erspart und alles in die Hände der Zukunft und der Vorsehung gelegt.

Ich gehöre nicht zu denjenigen, die da glauben, daß alle Dinge in dieser Welt schon ihre Lösung finden. Sie fangen hier vielleicht an, aber — und das ist gewiß — sie enden hier nicht. Das Leben hier unten ist ein Schleier, den die Krankheit und das Leiden für manche Menschen noch dichter macht, der sich aber für kräftigere Naturen für Augenblicke hebt. Erst der Tod zerreißt ihn für alle.«

FRÉDÉRIC CHOPIN

1. *Cabanès, A.:* Trois phthisiques célèbres. Chronique médicale 1910: 182.
2. *Chopin, F.:* Briefe und Dokumente, Zürich 1954.
3. *Cortot, A.:* Chopin. Zürich 1954.
4. *Franken, F. H.:* Das Leben großer Musiker im Spiegel der Medizin, Stuttgart 1959.
5. *Huneker, J.:* Chopin. München und Berlin 1917.
6. *Karasowski, M.:* Chopin. Dresden 1877.
7. *Leichtenritt, H.:* Friedrich Chopin, Berlin 1920.
8. *Liszt, F.:* Chopin. Basel 1948.
9. *Martinez Duran, C.:* La tuberculosis de Frédérico Chopin, Médico (Mex.) 1958: 58.
10. *Niecks, F.:* Friedrich Chopin als Mensch und Musiker, 2 Bde., Leipzig 1890.
11. *Redenbacher, E.:* François Frédéric Chopin, Leipzig 1911.
12. *Sand, G.:* Histoire de ma vie, Paris 1855, 20 Bde.
13. *Scharlitt, B.:* Chopin. Leipzig 1919.
14. *Sydow, B. E.:* Correspondance de Frédéric Chopin, Bd. III, Paris 1960.
15. *Weissmann, A.:* Chopin. Stuttgart, Berlin 1923.
16. *Willms, J.:* Chopin und die Ärzte, Med. Welt 1934: 1140.
17. *Guide Chopin illustré.* Chronique de la vie de Chopin Varsovie 1960.

220

Max Reger (1905)
Kohlezeichnung von Siegfried Czerny, Heidelberg

MAX REGER
(1873—1916)

> *»Ach! der Menge gefällt,*
> *Was auf den Marktplatz taugt,*
> *An das Göttliche glauben*
> *Die allein, die es selber sind.«*
>
> Hölderlin, »Menschenbeifall«

Wer die Ahnenliste von Max Reger aufschlägt — seine Vorfahren waren seit Generationen als Kleinbauern und Handwerker in Bayern seßhaft —, dem fällt auf, daß nicht wenige von ihnen einer Herzwassersucht oder plötzlichem Herzversagen erlegen sind. Regers Vater Joseph erreichte ein Alter von 58 Jahren und starb im Jahre 1905 an Herzasthma mit Körperschwellungen, einem Leiden, dessentwegen er bereits seit längerer Zeit pensioniert gewesen war. Ursächlich lag bei ihm ein Bronchialasthma vor, welches etwa drei Dekaden lang das klinische Bild beherrschte und alljährlich monatelang rezidivierte, so daß der sensitive, hochmusikalische Lehrer Nächte hindurch am Fenster stehend nach Luft rang. Regers Mutter kann man ohne Übertreibung als klug, temperamentvoll und ebenfalls sehr musikalisch bezeichnen. Das Leiden des Mannes, der Verlust dreier Kleinkinder und die ständige Sorge um die ungewisse Zukunft ihres Sohnes Max nahmen der vornehmen, gebildeten Philomena Reger später ihre ursprüngliche Frohnatur. Zuletzt litt sie nach mehreren Schlaganfällen sogar an Wahnvorstellungen, die religiöser Art gewesen zu sein scheinen, so daß man die alte Frau mit dem starren Blick schließlich in eine Nervenheilanstalt einliefern mußte. Daselbst starb sie im Juni 1911, fast 59 Jahre alt. Reger hatte noch eine jüngere Schwester mit Namen Emma, 1876 geboren, die ihren Bruder beträchtlich überlebte, zeitlebens ein wunderliches Wesen an den Tag legte und im Jahre 1944 verschied.

Im Schulhaus des einsamen, hochgelegenen oberpfälzischen Dorfes Brand (Fichtelgebirge) kam Max Reger am 19. März 1873 zur Welt. Bald wurde der Vater nach Weiden, einem Landflecken von 5000 Einwohnern, versetzt. Schon vor dem Eintritt in die Schule brachte die Mutter dem erst Fünfjährigen die Anfangsgründe im Rechnen, Schreiben und Lesen bei, weswegen er gleich in die 2. Klasse aufgenommen werden konnte. Vom Vater lernte Max Reger das Orgel-, Violin- und Cellospiel. In der Zeit von 1882–1889 besuchte er die Real- und Präparandenschule, die erste mehrjährige pianistische Ausbildung erhielt er durch Adalbert Lindner. Im Jahre 1890 siedelte die Familie nach Sondershausen über, wo Hugo Riemann als Lehrer am Fürstlichen Konservatorium tätig war. Dieser ermutigte Reger, die Musikerlaufbahn einzuschlagen, ja er verpflichtete ihn sogar an das Fuchssche Konservatorium in Wiesbaden.

Die Wiesbadener Jahre von 1890–1898 hat Reger später scherzhaft als »Sturm- und Trankzeit« bezeichnet. Das Weltbad mit seiner mondänen Eleganz bezauberte, ja blendete den naiven Landjungen durch die glänzende Fassade nur anfänglich. Als er später die Hohlheit des auf äußere Effekte abgestimmten Konzertpublikums mehr und mehr erkannte, wuchs in Reger die stille Ablehnung gegen die sogenannte gute Gesellschaft. Man bewilligte ihm ein paar

Klavier- und Harmoniestunden am Konservatorium, auch erteilte er in begüterten Kreisen Privatunterricht. Als Hugo Riemann im Herbst 1895 nach Leipzig übersiedelte, wurde der Meisterschüler am Konservatorium sein Nachfolger und als Lehrer für Musiktheorie angestellt — allerdings gegen bescheidene Entlohnung. Jedoch als Max Reger zu spüren bekam, daß sich seiner Künstlerindividualität das ziemlich teilnahmslose Publikum weiter Bürgerkreise entgegenstellte, fiel er ins private Extrem. Zusammen mit seiner »Bande« jagte er den Einwohnern dadurch Schrecken und Abscheu ein, daß er und seine Kumpane in sonderbarer Aufmachung und in angeheitertem Zustand die nächtlichen Straßen unsicher machten, wobei sie allen nur erdenklichen Unfug anstellten. Im Jahre 1894 fühlte er sich fast verfemt: »Wiesbaden wird immer kleinstädtischer«, schrieb Reger damals resigniert. Die dortige Resonanz auf seine Erstlingswerke war zudem miserabel. Und Reger verbummelte zusehends. Sein ständiger Zigarrenqualm machte ihn bei den Zimmervermieterinnen zum Enfant terrible, sein Alkoholismus lieferte den Widersachern entsprechenden Gesprächsstoff. Reger selbst gefiel sich in der Rolle des »verkannten Genies«, wurde dabei aber immer verbitterter, fürchtete wahnsinnig zu werden und äußerte Selbstmordgedanken. »Du kannst in Wiesbaden oft einen Gast treffen, der um drei Uhr morgens in der äußersten Ecke des Ratskeller allein sitzt und vor sich hinbrütet. Warum? Ich kann nicht schlafen! Es ist schauderhaft! Aber ich verliere den Mut nicht! Weiter im Werk, ist meine Devise!« Im November 1894 schrieb er an Smolian: »Ich habe die Periode der künstlerischen und inneren Zerrissenheit hinter mich gesetzt — und auch solide bin ich geworden . . . Allein bisher habe ich doch eines übersehen: nämlich die Gefahren des Alkohols . . . Ich habe das Trinken jetzt eingestellt und fühle mich infolgedessen viel freier, ruhiger, zuversichtlicher . . .«

Die eigentliche Krisenzeit begann dennoch erst im Jahre 1895, als sein Freund Riemann die Stadt verließ. Rapid sank nun die schöpferische Leistungsfähigkeit, selbst Brahms, der ihm eine handschriftlich signierte Photographie sandte, konnte nichts daran ändern. Am 1. Oktober 1896 wurde Reger auch noch Soldat beim Kurhessischen Füsilierregiment von Gersdorf Nr. 80. War Reger bereits durch Mißachtung der gesellschaftlichen Form und sein linkisches Gehabe ein Unikum, so steigerte sich diese Wesensart in der Uniform zur Groteske. Bald landete er beim Ausschuß der Kompanie, den man bestenfalls zum Arbeits- und Wachdienst verwenden konnte; doch selbst hier erschien er völlig unbrauchbar, »ließ Wache Wache sein und schlich in die Kneipe«. Wegen ständiger Betrunkenheit tat man Reger schließlich unter der Diagnose »Geisteskrankheit« ins Lazarett, zumal er sich noch eine Sehnenzerrung im Bereich der Sprunggelenke zugezogen hatte.

Nach einjähriger Dienstzeit wieder Zivilist geworden, versumpfte Reger buchstäblich. In ständiger Geldnot und äußerlich verwahrlost, ergab er sich ganz dem »Teufel Alkohol«. Die Eltern machten ihre letzten Spareinlagen flüssig. »Was haben die Welt und seine unselige Leidenschaft aus ihm gemacht«, klagte die Mutter, der Vater steigerte sich in ohnmächtige Wut gegen den gescheiterten Musikus. Wenn auch die Eltern die goldenen Uhren versetzten, so vertat Reger in Wiesbaden das Geld, das man ihm zur Auslösung der Wechsel schickte, auf der Stelle. Anzeichen eines beginnenden Wahnes meldeten sich. In ihrer Verzweiflung sandten Vater und Mutter seine Schwester Emma nach Wiesbaden, um ihn zur Heimkehr zu bewegen. Es folgten gefährliche Tobsuchtsanfälle; eilends suchte die Schwester das Weite. Fieberhaft bemühten sich die Angehörigen um Unterbringungsmöglichkeiten in einer Heilanstalt. Nochmals unternahm die Schwester einen letzten, verzweifelten »Bekehrungsversuch« in Wiesbaden — und entgegen allen

düsteren Erwartungen kehrte der »verlorene Sohn« heim.
Am 19. Juni 1898 verließ Max Reger die Stadt Wiesbaden.

In der Heimat übermannte nun den jungen Komponisten, der einen herrlichen Blüthner-Flügel besaß, ein frenetischer Arbeitswille; wie es überhaupt für sein ganzes Leben bezeichnend ist, daß das künstlerische Schaffen den ständigen Ausgleich für körperliche Exzesse bildete — und umgekehrt. Immerhin hatte Reger bislang schon an die zwanzig Werke fertiggestellt, und es entstanden nun in der häuslichen Geborgenheit der drei nächsten Jahre fast weitere 40 Opera. Dort kam es auch zur raschen Abheilung einer Zahnfistel, welche ihn schon längere Zeit behelligte.

Zeitlebens machte Reger sich die Devise seines Lehrers Lindner zu eigen: »Man muß aus allen Werken das auswählen, was einem dem innersten Wesen nach am meisten zusagt.« Ganz ungetrübt war diese Freude gewiß nicht, denn Regers Vater verharrte nach wie vor in skeptischem Sarkasmus gegenüber den Elaboraten seines Sohnes, den er am liebsten als Beamten bei der Post oder Bahn untergebracht hätte. Er lehnte dessen Musik mit ihrer »Verunklarung« der Tonalität, der überladenen Instrumentation und den scheinbar zusammenhanglosen Akkordfolgen ab. Aber Max Reger kannte keine Verlegenheitslösungen: »Gerade diejenigen meiner Werke, in denen ich absolut keine Konzessionen machte, haben am meisten Anerkennung gefunden! Man sagt, das Leben sei aus Kompromissen zusammengesetzt — gut —, allein in der Musik gibt es keine Kompromisse.« Unermüdlich schrieb der von jeder Verbindung mit dem großstädtischen Musikleben Abgeschnitte, worauf sein Freund und Biograph, der 1961 verstorbene Musikwissenschaftler Fritz Stein hinweist, Werbebriefe an Verleger, Kritiker, Kapellmeister und ausübende Künstler — daneben komponierte Reger wie rasend, als verpflichtete ihn allein schon sein Name zu solchem Eifer! Diese Kontakte zur Umwelt vereinfachten sich von selbst, als Regers Vater im

Jahre 1901 wegen seines Asthmas pensioniert wurde und die Eltern nach München übersiedelten. Dort lebten sie zusammen mit der Schwester Emma, die von fast klösterlicher Frömmigkeit war, was auch in der kapellenartigen Ausgestaltung ihres Zimmers zum Ausdruck kam. In München war Max Reger jetzt nebenbei noch häufig als Konzertleiter und Lehrer tätig, denn Regers Klavierspiel beeindruckte die Hörer. Vom hauchzarten Pianissimo bis zum rauschenden Fortissimo beherrschte er alle Nuancen des Vortrages. Bachs Polyphonie wurde unter seinen Händen am Flügel oder auf der Orgel, der Königin der Instrumente, zum unübertreffbaren, unvergeßlichen Erlebnis des Klanges!

Hingegen war die Haltung der Münchner Fachkollegen gegenüber dem »Vielschreiber« stets polemisch, welche ihn als »reif für das Irrenhaus« bezeichneten. Reger trug mit dem ihm eigenen bissigen Humor solchen Gegebenheiten Rechnung, indem er in der Violinsonate op. 72 seinen geistigen Widersachern durch die Motive A-F-F-E und S-C-H-A-F-E ein Denkmal in Noten setzte. Das eigene Selbstbewußtsein war erheblich gewachsen, seitdem er am 25. Oktober 1902 die Lebensgefährtin Elsa von Bercken geehelicht hatte. Und nun begann sein Aufstieg, ganz entgegen den sonstigen künstlerischen Erfahrungen, nicht etwa von der Stadt aus, sondern von der Provinz her, wo Reger besonders unter der Jugend eine ständig wachsende Anhängerschar fand. Das Zerrissene, Chaotische seiner Tonsprache wich zu diesem Zeitpunkt wachsender Abgeklärtheit! Jetzt bestand sein Dasein nicht nur aus Konzerten und Konzertreisen; 1905 kam er als Lehrer für Orgelspiel und Komposition an die Akademie der Tonkunst. Der ewig Gehetzte spulte ein gigantisches Arbeitsprogramm mit gleichbleibender Gewissenhaftigkeit ab: Komponieren, Unterrichten, Reisen, Korrekturen lesen. Schon damals war er mitunter körperlich am Rande der Erschöpfung angelangt: »Ich bin oft so müde, so müde, daß ich kaum den Schlaf erwehren kann.« Als er am 7. April 1906 in Berlin seine Suite im alten Stil op. 93 aufführte, versagte sein rechter Arm. Eine Nervenlähmung, wohl durch die starke Beanspruchung infolge pausenloser Schreib- und Musiziertätigkeit verursacht, hinderte ihn für Wochen am öffentlichen Auftreten. Seinem Freund Richard Braungart gegenüber hat Reger einmal den Grund für diese hektische Betriebsamkeit anvertraut: Er sei davon überzeugt, daß er nicht alt werde, und er müsse sich deshalb beeilen und jede Minute nützen, um das Pensum, das ihm vom Schicksal auferlegt sei, zu erledigen.

Regers Vorliebe für kulinarische Genüsse ist mehr gewesen als die Befriedigung von Hunger und Durst — diese oft ins Animalische übertriebenen Exzesse waren der Ausdruck seelischer Not und erschreckender innerer Ruhelosigkeit: Das rein somatische Verlangen wurde zum Blitzableiter einer ans Pathologische grenzenden geistigen Hochspannung. Alles, was Reger trieb, das übertrieb er, mithin auch das Essen! Schon der herkulische Körper mit seinen schlanken Extremitäten und zierlichen Händen, dem großen Kopf und dem breiten Mund wies zusammen mit der später immer mehr hervortretenden Fettsucht dysplastische Züge auf, zumal Reger auch, wie die ihn behandelnden Ärzte bezeugen, eine völlig unerotische Natur war. Ebenso fehlt seiner Musik jeder sinnliche Wohlklang, was der Popularität von Regers Werk mit am stärksten im Wege stand. Prof. Dr. F. Lommel, welcher Max Reger von Jena her kannte, bezeichnete ihn als »dyshormonal«. Leider sind auf der einzigen uns bekannten Schädelaufnahme vom 20. Mai 1911 keine feineren Einzelheiten, nicht einmal Halswirbel, geschweige denn die Sella turcica, zu erkennen. Reger war etwa 180 Zentimeter groß, hatte aschblondes Haar, das sich später immer mehr lichtete und dann zu wachsender Kahlheit der Stirnpartie führte, und graublaue, stark kurzsichtige Augen. Sein Körpergewicht dürfte zuletzt etwa 90

229

bis 100 Kilogramm betragen haben. Es war nicht allein durch Regers Appetit verursacht, sondern durch eine Polydipsie, welche nach Ansicht von Professor Dr. H. Schultz, Berlin, den Verdacht auf eine Störung der Drüsen mit innerer Sekretion, sehr wahrscheinlich der Hypophyse, nahelegt. Denn Reger, dieser übernervöse Mann, trank allein nach Konzerten, wenn er gerade Abstinenzler war, oft 10 Liter Zitronenlimonade hintereinander oder dieselbe Menge von Kakao oder, wie er anläßlich von Einladungen scherzend zu bemerken pflegte, »badewannenweise« Kaffee. Selbst dem Arzt scheint die erwiesene Tatsache, daß Reger mehrere Dutzend Weißwürste hintereinander zu verzehren imstande war, kaum glaubhaft. Nach Konzerten sagte er oft zu dem Kellner: »Nun bringen Sie mal zwei Stunden lang Beefsteak!« Früher rauchte Reger am Tag zwanzig schwere Brasilzigarren, und seine Trinkfestigkeit war beispiellos. Regers gewaltiger, aufgeschwemmter Körper strotzte im übrigen von robuster Gesundheit, seine sprühende Vitalität und kindhafte Frohnatur machten ihn zum beliebten Gesellschafter, sein unstillbarer Heißhunger, gepaart mit ebensolchem Durst, sicherte ihm früh die Gunst der breiten Massen und Tageszeitungen!

Aber der wahre Reger war ein anderer als derjenige, wie er in Anekdoten oder Karikaturen fortlebt. Für ihn wurde die Vitalität nur zur Fassade, hinter welcher er sein höchst sensitives und im Grunde lebensängstliches Ich verbarg. Immer über das letzte Wesen der Dinge grübelnd und innerlich höchst einsam, hat Reger viel mehr mit metaphysischen Problemen gerungen, als es seine Zeitgenossen diesem scheinbar »Halbgebildeten« zuzutrauen vermochten. Jenes Kapitel über den vor sich selbst fliehenden Reger, dessen zweites Zuhause das Eisenbahnabteil war, wurde noch nicht geschrieben — ist aber unerläßlich, will man ihn ganz verstehen und seine lebenslange Flucht vor dem unsichtbaren Jäger Tod begreifen. Die Exzitantien, die Stimulantien, seine zur Schau getragene Euphorie und seine berüchtigten Männerwitze offenbaren eigentlich nur einen gewaltigen Sprung, der sich im Seelischen wie Somatischen durch den ganzen Reger zog. Der wahre Reger ist jener Tonmeister, welcher, tiefreligiös und von Jugend an im Katholizismus verwurzelt, im Jahre 1913 zu Arthur Seidl sagte: »Haben Sie noch nicht bemerkt, wie durch alle meine Sachen der Choral hindurchklingt ›Wenn ich einmal soll scheiden‹?« Sein »getreuer Georg«, der Herzog Georg II. von Sachsen-Meiningen, schrieb am 7. August 1912 sehr vorsichtig und schüchtern an Reger: »Wußten die Herrn (von der Kapelle), daß Sie excommunicirt sind?« So wird auch das freiwillig aufgebürdete Arbeitspensum — doppelt intensiv seit seiner Verheiratung mit einer geschiedenen Frau protestantischen Glaubens — zu einem neuen Rausch des Schaffens, welcher in der schöpferischen Ekstase erst die innere Entspannung beschert. Die ungeheure Fülle der Arbeit erklärt sich deshalb als eine Flucht — in die Arbeit! Da Reger weder von Philosophie noch von Malerei oder Dichtung nachhaltig beeindruckt war, blieb ihm als seelisches Ventil allein die Tonkunst. Und mühelos ging ihm das Komponieren von der Hand; denn einmal besaß Reger, wie sein Vater, das absolute Gehör, und zum andern war die Zahl der Einfälle derart unerschöpflich, daß ihre nie versagende Fülle nur in die Form der Takte gefaßt zu werden brauchte.

Im Februar 1907 bestätigte der Leipziger Senat die Berufung von Max Reger, der bereits übergroße Erfolge in Petersburg und Holland für sich hatte verbuchen können, als Universitätsmusikdirektor. Hier entstanden die Hiller-Variationen und das Violinkonzert (op. 101), welches bei der Uraufführung im Gewandhaus nur einen freundlichen Achtungserfolg errang. Im Herbst 1907 ernannte ihn der König von Sachsen zum Professor, hingegen kam es sehr zu seinem Leidwesen zum Bruch mit dem einstigen Lehrer H. Riemann, der ihn weder erkannte noch anerkannte. Im Jahre 1908 wurde Reger Dr. h.c., 1910 erfolgte sogar die Verleihung des medizinischen Ehrendoktors durch die Berliner Universität. In Leipzig konnte sich Reger viel mehr seinem Schaffen widmen als bislang, und die Adoption zweier Kinder klingt bis ins Violinkonzert nach, über dessen zweiten Satz er sagte: »Christa ist immer sehr lieb... Du wirst im Violinkonzert viel den Einfluß dieses kleinen Kindleins spüren.«

Die Nachwelt sieht bei allem Konzertieren nur den Glorienschein des Erfolges – die tatsächlichen Gegebenheiten waren oft anders, wie uns die »Einnahmen« manches Reger-Abends belehren, so zum Beispiel des Konzertes am Mittwoch, dem 17. Februar 1909:

Kosten des Konzertes	300 Mark
Vorverkauf	45 Mark
Abendkasse	4 Mark
Defizit	251 Mark

Auch in Leipzig gelang es Reger ebensowenig wie in München, Fuß zu fassen. Der schlichte, treue, ehrliche Mann gab schon rein vom Ausehen her keine Repräsentationserscheinung ab. Trotz vieler Auslandsreisen und Reger-Feste veranlaßten ihn die ständigen »Anrempeleien« der Leipziger Kritik, auch diese Position aufzugeben und sich in den nächsten Jahren der dankbarsten Aufgabe seiner gesamten Künstlerlaufbahn zu widmen, nämlich derjenigen des Orchesterführers der Meininger Hofkapelle! Unter Hans von Bülow bereits zu Weltruhm gekommen, übernahm hier der im Grunde menschenscheue Mann diesen Posten. Was aber Reger in den Jahren vor dem Ersten Weltkrieg noch einmal aus diesem Klangkörper zu machen verstand, das grenzt ans Unwahrscheinliche. Der grundgütige Herzog Georg von Sachsen-Meiningen war während dieser Zeitspanne Regers väterlicher Freund; denn über das rein Musische hinaus hatte der feinsinnige Aristokrat den Adel von Regers Wesen erkannt, dem das Pekuniäre eigentlich nie viel bedeutete und der einmal von sich sagte: »In Geldangelegenheiten bin ich gar kein Künstler. Ich hasse überhaupt den Ausdruck ›Künstler‹! Anständiger, edler Mensch sein — das ist die Hauptsache!«

Bereits drei Jahre vor dem Tode wirkte Max Reger auf Photographien vorzeitig gealtert; zu Beginn des Jahres 1911 setzte er sein Testament auf. Auch während des Sommerurlaubes in Tegernsee arbeitete Reger weiter, sofern er sich nicht beim Schwimmen erholte. Im Oktober des gleichen Jahres faßte er den Entschluß, »vollständiger Abstinenzler zu werden«, und mit eiserner Energie hat Reger bis kurz vor dem Ende der Meininger Jahre diesen Plan durchgeführt. Am 5. Januar 1912 schrieb der Herzog Georg an ihn: »Binnen Jahresfrist sind Sie ein nerveus kaputer Mann, wenn Sie's so rasend unvernünftig forttreiben . . .« Reger antwortete daraufhin am 6. Januar: ». . . auch lebe ich so vernünftig; ich rauche mäßig, sehr wenig Zigaretten, nur leichte deutsche Zigarren — also keine Importen . . .« Die folgenden Jahre sahen Max Reger auf dem Höhepunkt seines Wirkens, obwohl der physische Abbau sich merklich abzuzeichnen begann. Seine Frau äußerte sich hierzu am 16. November 1913: »Ich muß Ihnen sagen, daß ich Gott täglich danke, daß er mir diesen Mann zu eigen gab. Als Künstler von Gottes Gnaden und solch guter, edler, treuer Mensch ist Reger eine seltene Erscheinung. Seit den zwei Jahren, in denen er keinen Tropfen Alkohol mehr zu sich nahm, fühlt er sich viel gesünder, frischer, leistungsfähiger und ist immer guter Laune. Mit ihm leben, weckt alle guten Eigenschaften in einem selber. Wer Max Reger als Mensch wirklich kennenlernt, muß ihn lieben und verehren.« Wenn Reger vor »seinen« Meiningern stand, hatte er alle gesundheitlichen Sorgen vergessen, und sein Zauberstab beschwor nicht nur die Meister der Klassik, sondern ebenso auch Debussys »Faun« oder die abgründige Mystik von Bruckners 9. Sinfonie zu klingendem Leben. Seitdem im Oktober 1912 ein befreundeter Arzt in Berlin ihn für völlig herzgesund erklärt hatte, glaubte Reger sich noch mehr zumuten zu können. Er suchte ihn auf, weil bereits während des Septembers 1912 erneute Schwindelanfälle auftraten, die sich auf der Reise mit der Kapelle durch Westdeutschland im November wiederum einstellten, so daß Reger ein Konzert in Kolmar nicht zu Ende dirigieren konnte. Diese und die nachfolgend beschriebenen Beschwerden waren sicher durch einen erheblichen Bluthochdruck, eine exzessive Hypertonie, verursacht, die sowohl als eigenes Krankheitsbild wie im Gefolge der innersekretorischen Drüsenstörung aufgetreten sein dürfte, worauf auch Regers Korpulenz und seine sich ständig steigernde Nervosität hinweisen. So befremdend es uns heute vorkommen mag — es gibt keinerlei reelle Werte über Blutdruckmessungen von diesem illustren Patienten, da sich die vorgenannte Untersuchungsmethode nicht vor den zwanziger Jahren auf breiter Ebene durchsetzte. Im November meldeten sich Schwindelanfälle im Zusammenhang mit einem enteralen Infekt von neuem. Aber trotzdem reiste Reger im Winter 1913 wieder von Stadt zu Stadt. Er war jetzt derart schwerfällig, daß er sich beim Dirigieren hinsetzen mußte, und auch dies wieder nicht zuletzt wegen der Schwindelanfälle und Platzangst, die ihn immer häufiger überkamen. »Ich habe erkannt, daß ich alt, sehr alt geworden bin und begebe mich bald in ›Pension‹«, schrieb er im Juni 1913. Die gesamte persönliche Zerfahrenheit und Unsicherheit kennzeichnet ein Schreiben an den Herzog vom 13. Oktober:

»Mein Arm ist nicht kaput; nur die rechte Hand ist durch das Taktstock halten, sehr schwer; man schreibt sich schlecht damit. Das Klavierspielen — besonders Mozart — ist jest (!) eine Qual für mich.«

Am 9. Dezember schrieb Reger:

»... seit einem Jahr hab' ich immer beim Stehen auf dem Podium vorne diese Schwindelanfälle, was die Ärzte auf Nervosität zurückführen. Es ist ganz komisch, dieser ›Platzschwindel‹ ist nur dann da, wenn ich ganz vorne an der Rampe des Podiums bin; es ist eben rein nervöser Art, wie die Ärzte sagen. Auch ist mir eine strenge Diät anbefohlen worden: mein Hunger war zu ausgiebig, so daß ich faktisch hungern muß, um nicht zu dick werden.«

Im Winter 1913/14 wieder ständig auf Reisen — ein Brief an Georg Stern vom 15. Februar trägt die Unterschrift »Ihr alter, abgehetzter Reger« —, trat Ende Februar 1913 nach einem Konzert in Hagen der schon lang befürchtete Zusammenbruch ein. Wenn auch in den einschlägigen Reger-Biographien von einer »Nervenlähmung« die Rede ist, so muß doch festgehalten werden, daß im eigentlichen medizinischen Sinn keinerlei Funktionsausfall im Bereich einer Extremität oder der mimischen Muskulatur vorlag. Subjektiv bestanden nur erhebliche Rückenschmerzen, die möglicherweise auch durch Hämorrhagien im Gebiete sogenannter »stummer Hirnzonen« verursacht waren; denn was hierbei sehr gegen einen gewöhnlichen Gefäßkrampf im Bereich der Hirnarterien spricht, ist die Tatsache, daß Reger seitdem sein inneres Tonvorstellungsvermögen verloren hatte. Dies vertraute er aber nur intimen Freunden an und war der eigentliche Grund für die Bitte um Suspension vom Meininger Dienst. »Durch Massage und Wärme etwas gemildert«, schreibt seine Gattin, »reiste er doch heim, und aus Eisenach bekam ich eine Depesche, ich möchte an die Bahn in Meiningen kommen, meinem Mann ginge es nicht gut. Dr. Holle hatte einen Wagen besorgt, und nun brachten er und Zbiral meinen kranken, ganz zusammengefallen gehenden Mann heim, ihn mit unsäglicher Mühe die Treppe herauf geleitend. Im Lehnstuhl sitzend bat er, ihn in Ruhe sterben zu lassen, so erschöpft war er.« Regers Bett wurde nun im Wohnzimmer aufgeschlagen, wo er tagsüber dann lag. Es dauerte etwa vier Wochen, bis er sich so weit erholt hatte, um am 27. März nach Meran, wohin er von seinem Freunde Fritz Stein und dessen Gattin begleitet wurde, ins Sanatorium Martinsbrunn zu gehen. Der dortige Chefarzt, Sanitätsrat Dr. von Kaan, nahm den Patienten sogleich in eine strenge Behandlung, verordnete Entfettungs- und Terrainkuren, fleischarme Kost, gymnastische Übungen, täglich mehrstündige Spaziergänge und Bestrahlungen mit der Quarzlampe. Endlich einmal frei von der ständigen Hetzjagd der Konzerte, genoß der Rastlose aufatmend die ländliche Stille, die Platzangst wich, er erholte sich zusehends – und schon nach wenigen Tagen begann er wieder mit dem Komponieren! Was sich Anfang 1914 gesundheitlich ereignet haben mag, das erhellt ein Brief aus Meran an Adolf Wach, geschrieben am 2. Mai: »Die Schwindelanfälle, unter denen ich so sehr litt, haben sich – Gott sei Dank – gegeben; mein Blutdruck war unter den Anstrengungen ganz absonderlich geworden – und daher diese Schwindelanfälle. Nachts litt ich unter allem möglichen dummen Zeug: ich sah Gespenster und fürchtete mich allein zu schlafen; ich habe auf den Konzertreisen immer die Nächte durch gelesen, weil ich Angst vor dem zu Bett gehen hatte! Kurzum, ein schauerlicher Zustand! Das ist nun alles weg; durch absolute Ruhe, völliges Ausspannen, schlafe ich wieder nachts, sehe keine Gespenster mehr und habe schon die Courage, nachts allein zu schlafen. Meine Nerven waren eben am Rande des ›Umkippens‹. Ich muß auch eine andere Ernährungsweise mir angewöhnen: viel Gemüse, viel Kompott! Meine Natur ist ja elastisch, und so habe ich den Hieb noch überstanden.«

Bereits in den ersten Martinsbrunner Tagen bat Reger seinen Herzog um Entlassung aus dem Amt des Meininger Hofkapellmeisters. Das ärztliche Attest hat folgenden Wortlaut:

»Herr Generalmusikdirektor ... leidet an einem Erschöpfungszustand des Nervensystems, welcher durch außerordentliche Überanstrengungen und Aufregungen in seiner Berufstätigkeit verursacht wurde. Durch den bisherigen Kurgebrauch hat sich sein Gesundheitszustand gebessert, so daß eine vollständige Wiederherstellung und Genesung in absehbarer Zeit zu gewärtigen ist. Schonung, Enthaltung von Aufregungen und Überanstrengungen etc. vorgeschlagen etc.

Sanatorium Martinsbrunn
Meran, 21. April 1914
Dr. Norbert von Kaan.«

Ergänzend hierzu schrieb Fritz Stein vertraulich an den Herzog Georg am 11. Mai 1914:

»Es ist leider richtig, daß Reger nach zweijähriger absoluter Abstinenz im vergangenen Winter wieder ›Rückfälle‹ gehabt und mehrere Male wieder ›in alcoholicis‹ exzediert hat ... Er pflichtete mir durchaus bei und erklärte jene Rückfälle mit seiner totalen Nervenabspannung. Er habe sich bereits von Ende Oktober an ... in einem derartigen Zustand der Erschöpfung befunden, daß er sich zu Zeiten *nur* noch mit Hilfe von Alkohol hätte aufrecht erhalten können, sonst wäre die Katastrophe schon früher eingetreten. Er machte ja tatsächlich schon im Dezember ... einen derart hinfälligen Eindruck, daß alle hiesigen Mediziner der Universität, die ihn damals sahen, entsetzt waren ... Je mehr die Saison vorschritt, desto widerstandsloser wurde er und desto öfters suchte er durch die unselige Stimulanz der Alcoholica seine versagenden Nerven wieder aufzuputschen.«

Ruhe, Sonnenschein, ausreichender Schlaf, eine sympathische Umgebung und sorgsame Pflege stellten bald Regers alte Spannkraft wieder her. Im Mai weilte er zur Nachkur in Schneewinkel. Hier begann der Meister mit der Komposition der »Mozart-Variationen«, op. 132, die er selbst als sein bestes Werk bezeichnete und deren Uraufführung am 8. Januar 1915 in Wiesbaden — welch triumphale Rückkehr! — unter seiner Stabführung erfolgte. In den letzten Lebensjahren wurde gerade Mozart sein Ideal, denn: »Das größte musikalische Wunder, das die Erde gesehen, war er.« Diesem »Licht- und Liebesgenius« ist das grandiose Orchesterstück gewidmet, entstanden in einer Zeit sichtlichen biologischen Niederganges. Ergreifend die Müdigkeit der 8. Variation — da stand der Tod hinter dem Schreibtisch, über den tief gebückt Reger beim Komponieren saß.

Am 26. Juni 1914 starb Regers Mäzen, der Herzog Georg, in Bad Wildungen. Am 1. Juli schied Reger aus seinem Meininger Amte. Am 1. August begann der Weltkrieg — wenige Tage später wurde den meisten Mitgliedern der Kapelle gekündigt. Eine wahrhaft glorreiche Zeit vorbildlichster Gemeinschaftsarbeit zwischen Klangkörper und Orchesterleiter war unwiederbringlich dahin!

Reger kaufte sich in Jena ein Haus in der Beethovenstraße, wo er gänzlich ungestört seinem Schaffen leben konnte. Den Kontakt mit der Umwelt hat er aber nie aufgegeben und seinen Unterricht in Leipzig ständig fortgesetzt. Reger wählte sich deswegen zum Wohnsitz eine Universitätsstadt, weil er mit Männern verkehren wollte, welche auf ihrem Gebiet so viel leisteten, wie er auf dem seinen. »Ich will nicht immer geben müssen, ich will auch nehmen können«, war seine Devise. Reger war höchst vielseitig interessiert. So ging er sowohl in Göttingen als auch in Jena wiederholt in die Anatomie und besuchte die verschiedensten Irrenanstalten, um die Geisteskrankheiten zu studieren, wobei nicht zuletzt Gedanken über die letzte Erkrankung der eigenen Mutter und über den Gemütszustand der verschrobenen Schwester Emma, deren Lebensunterhalt Reger immer selbstlos aus eigenen Mitteln bestritt, mitgespielt haben dürften. Reger dirigierte jetzt seit langem wieder »stehend« — bald arbeitete er bis tief in die Nacht hinein. Im Herbst 1915 begann Reger mit einem enormen Konzertprogramm. Es fand sich niemand, der diesen Mann in seiner sichtlichen Ermüdung von solchem selbstmörderischen Treiben zurückhielt. Von Stadt zu Stadt hastend, wurde Reger, wie sein Freund Fritz Stein mitteilt, müder und müder, infolge der kriegsbedingten Zugverspätungen lebte er mehr denn je in Wartesälen und immer weniger in den eigenen vier Wänden. Ende November 1915, als er anläßlich eines Konzertabends bei seinem Freunde Hermann Weiler in Kassel wohnte, überfiel Reger ein erneuter Schwächeanfall. Er ließ sich ein Glas Limonade reichen und bemerkte: »Kinder, ihr wißt gar nicht, wie sehr ich manchmal zu leiden habe.« Die Briefunterschriften »Dein alter Reger« wurden jetzt häufiger.

Im März des Jahres 1916 teilte Reger mit, daß er soeben bei der letzten Musterung für dienstuntauglich befunden worden sei, und zwar — wie aus einer Notiz von seiner Frau zu entnehmen ist — wegen des Herzens. Wie Adalbert Lindner in seinem Reger-Buch betont, war der Meister schon längere Zeit stark herzleidend, verbarg aber der Umgebung diese schlimme Tatsache. Die letzte größere Reise führte Max Reger in der zweiten Märzhälfte nach Holland. Von Todesahnungen verfolgt, legte er hier in der Nacht des 23. März vor dem Wiener Geistlichen Rudolf Nowowiejski eine Generalbeichte ab und gelobte die Komposition der »Salve Regina«. Doch dazu kam es bei dem Komponisten, der sich von nun an in einem seltsamen Schwebezustand zwischen letalem Pessimismus und euphorischen Zukunftsplänen befand, nicht mehr — sein letztes vollendetes Werk ist das Klarinettenquintett A-Dur, op. 146, geblieben.

Am 10. Mai gab Reger in Leipzig die üblichen Unterrichtsstunden, am Abend traf er sich, wie vereinbart, mit Straube und einigen anderen Bekannten im Café Hannes.

Reger hatte zuvor Steinpilze verzehrt und kaltes Bier getrunken — da befiel ihn nach 11 Uhr heftiges Unwohlsein, das von Magenschmerzen, Atembeschwerden, Herzbeklemmungen und Schweißausbruch begleitet war. In diesem Zusammenhang sei nicht verschwiegen, was Regers Schülerin Sophie Rohnstock in den Mitteilungen des Max-Reger-Institutes in Bonn über den Verlauf dieses Abends berichtet: »Ernstere Gespräche über Musik und Schaffen erfolgten bei Hannes, dem beliebten Künstler-Restaurant, das vom Konservatoriums-Völkchen stets belebt war. Wie oft hörte ich da Regers Stimme: ›Hannes, geben's ma a Pulverl! Hannes, geben's mir noch a Pulverl!‹ Das waren auch Regers letzte Worte an Hannes am letzten Abend seines Lebens. Hannes gab Opiumpulver und der Arzt darauf Morphiumeinspritzungen . . .« Professor Dr. Jérome Lange, den man rief, konnte außer geringer Vergrößerung der Herzdämpfung und einem recht langsamen und schwachen Puls keine Besonderheiten feststellen. Er verabfolgte eine Morphiuminjektion, worauf Straube mit Reger in das Hotel Hentschel fuhr; dort soll er noch eine weitere Morphiumspritze bekommen haben. Man brachte Reger zu Bett und besorgte ihm die Abendzeitung. Den Vorschlag, die Nacht über bei ihm zu bleiben, lehnte Reger freundlich dankend ab, da er sich wieder ganz wohl fühle. Als der Arzt am folgenden Morgen gegen 9 Uhr das Hotelzimmer betrat, war Reger nicht mehr am Leben. Bei brennender Lampe, anscheinend mit aufgesetzter Brille lesend, ist Reger kampflos dem Bruder Tod in das Schattenreich gefolgt, erst 43 Jahre alt. Auf dem Tisch des Sterbezimmers lag der Korrekturabzug der »8 Geistlichen Gesänge« für gemischten Chor, Werk 138, den er zur Durchsicht auf seine letzte Reise mitgenommen hatte; aufgeschlagen war der erste Chor: »Der Mensch lebt und bestehet nur eine kleine Zeit, und alle Welt vergehet mit ihrer Herrlichkeit!«

Da die Sektion leider verweigert wurde, kann die Diagnose nur rückblickend auf Grund der klinischen Befunde gestellt werden. In der Annahme eines Herzinfarkts waren sich aber alle, die Reger kannten, später einig; auch die im Jahre 1951 verstorbene Witwe, Frau Elsa Reger, neigte dieser Auffassung zu. Ob und inwieweit noch eine toxische Beeinflussung des Atemzentrums auf medikamentöser Basis stattgefunden hatte, läßt sich jetzt nicht mehr entscheiden. Regers plötzlicher Herztod ist eigentlich nur das Endglied in der Kette einer chronischen Abnützung des Gefäßsystems gewesen, welche mit einer jeden Zweifel ausschließenden Sicherheit seit vielen Jahren im Rahmen des Hochdruckleidens bestanden hat und deren klinische Manifestation bereits im Jahre 1914 erfolgte. Schon damals gab der Tod dem Kranken eine Gnadenfrist — und er hat sie zu nutzen gewußt! Für den Arzt ist es im Zusammenhang damit müßig, posthum Betrachtungen darüber anzustellen, ob ein mäßigeres und geregelteres Dasein Regers Leben verlängert haben würde — Regers Leiden war anlagebedingt und nahm seinen schicksalhaften Verlauf. Mit den Mitteln der damaligen Medizin war der Bereich des Möglichen erschöpft. Man hätte Reger vielleicht in ein noch mönchischeres Dasein zwingen können, aber dann wäre Reger sicher nicht mehr Reger gewesen. Er hatte die Tage seines Lebens bis zur Neige ausgeschöpft, und so ging er von uns, wie er es immer ahnte, dem Licht seines Genius vertrauend wie jenem Goethe-Wort, welches in schlichtem Rahmen von der Wand des Arbeitszimmers herabmahnte:

> Diese Richtung ist gewiß
> Immer schreite, schreite!
> Finsternis und Hindernis
> Drängt dich nicht zur Seite.

Die Totenmaske wurde von Prof. Seffner abgenommen; Max Klinger zeichnete den Freund auf dem letzten Ruhelager. »Den Ausdruck seines Gesichtes«, so berichtet Straube, »werde ich nie vergessen. Es ist das Monumentalste,

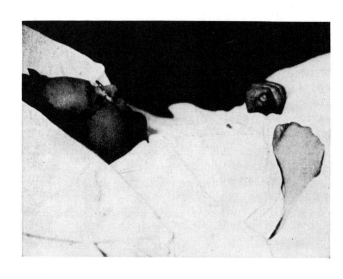

Max Reger auf dem Totenbett
Photographie von E. Hoenisch, Leipzig

was ich je auf einem Menschenantlitz gesehen habe. Auf dem Wege in das unbekannte Land muß er gewaltige Erscheinungen gesehen haben, und vielleicht hat er mit seinem Gotte selber geheimnisvolle Gespräche geführt über Sinn und Ziel des Lebens, und Gott hat ihn erkannt als einen getreuen Knecht. Denn das ist ja das Kennzeichnende an Regers Persönlichkeit und Kunst: Immer sah er das eigentlich Wertvolle in den übersinnlichen, geistigen Dingen. Die großen Werte seines Lebens waren mit den religiösen eng verbunden . . .«

Max Reger hatte seine Einäscherung testamentarisch angeordnet, weil er es wenig schön fand, daß man Bach, Beethoven, Schubert und andere Große später exhumierte und ihnen den Schädelumfang maß. Während draußen die Welt in Flammen stand, versammelte sich eine kleine Trauergemeinde am Sonntag, dem 14. Mai, im Jenaer Krematorium, um dem Toten, dessen Los es gewesen war, zu Lebzeiten als Mensch und Künstler verkannt zu werden, die letzte Ehre zu erweisen. Unter den Klängen von Regers Lieblingschoral »Wenn ich einmal soll scheiden« sank dann der Sarg; die Urne fand am 11. Mai 1930 in einem von der Stadt München zur Verfügung gestellten Ehrengrab ihre Ruhestätte. Gerade in einer Zeit äußerster existentieller Bedrohung spürten diejenigen, die ihn verloren, daß es eine Macht des Geistes gibt, welche stärker ist als Waffen und Revolutionen, und alle, welche ihn wirklich kannten, nahmen etwas von solch unverlierbar gewordenem Besitz in ihr weiteres Leben mit, wie es Richard Braungart in seinem Buche »Freund Reger« zum Ausdruck bringt:

»Denn wer einmal dem Genie, dieser verehrungswürdigen Manifestation des Göttlichen begegnet ist und es hat erleben dürfen, den kann der graue Alltag nie mehr ganz zu sich herabziehen; denn er gehört für immer zu den Begünstigten des Schicksals!«

MAX REGER

1. *Bagier, G.:* Max Reger, Berlin 1923.
2. *Braungart, R.:* Freund Reger, Regensburg 1949.
3. *Brock, Ch.:* Max Reger als Vater, Marburg 1936.
4. *Handbuch der Inneren Medizin,* Bd. IX/5: Hypertonie. Berlin–Göttingen–Heidelberg 1960.
5. *Hase-Köhler, E.:* Max Regers Briefe, Leipzig 1928.
6. *Lindner, A.:* Max Reger. Ein Bild seines Jugendlebens und künstlerischen Werdens, Stuttgart 1922.
7. *Otto, E.:* Max Reger, Sinbild einer Epoche, Wiesbaden 1957.
8. *Poppen, H.:* Max Reger, Leipzig und Wiesbaden 1947.
9. *Reger, M.:* Briefwechsel mit Herzog Georg II. von Sachsen-Meiningen, herausgegeben von Hedwig und Erich H. Müller von Asow, Weimar 1949.
10. *Reger, E.:* Mein Leben mit und für Max Reger, Leipzig 1930.
11. *Reger, M.* Sein Leben in Bildern von Prof. Dr. F. Stein, Leipzig 1941.
12. *Reger, M.* Festschrift aus Anlaß des 80. Geburtstages des Meisters, Leipzig 1953.
13. *Rohnstock, S.:* Erinnerungen an Max Reger, in: Mitteilungen des Max-Reger-Instituts, Bonn, Heft 11/1960.
14. *Schreyer, H.:* Ahnenliste Max Reger. Blätter des Bayerischen Landesvereins für Familienkunde Nr. 2/1959.
15. *Stein, F.:* Max Reger, Potsdam 1939.
16. *Stein, F.:* Eine Max Reger-Erinnerung, in: Festschrift für Vizepräsident Prof. D. Dr. O. Söhngen, Berlin 1960.
17. *Unger, H.:* Max Reger, München 1921.

Briefe an den Verfasser:

18. von Prof. Dr. med. F. Lommel/Jena vom 25. März 1961,
19. von Fr. Sophie Rohnstock/Leipzig vom 29. Dezember 1960,
20. von Prof. Dr. med. H. Schultz/Berlin vom 23. Februar 1961,
21. von Prof. Dr. F. Stein/Berlin am 23. Februar 1961,
22. von Prof. Dr. F. Stein/Berlin am 6. März 1961,
23. von Prof. Dr. F. Stein/Berlin am 23. März 1961.

Claude Debussy im Jahre 1885
Gemälde von M. Baschet

CLAUDE DEBUSSY
(1862—1918)

Materiam superabat opus
Ovid

Claude-Achille *Debussy* kam am 22. August 1862 in
Saint-Germain-en-Laye zur Welt, wo seine Eltern, eine
Geschirrhandlung betreibend, in bescheidenen Verhältnissen lebten. Ob die in letzter Zeit sich verdichtende Ansicht
von einer Kindesunterschiebung zu Recht besteht und Debussy demnach der Sohn des Finanzmannes Achille An-
toine Arosa war, sei dahingestellt. Jedenfalls empfing Debussy, welcher noch vier jüngere Geschwister hatte, die
Taufe erst am 31. Juli 1864, wobei Arosa die Patenschaft
übernahm. Als seine Eltern später nach Paris übersiedelten,
ermöglichte dieser dem verschlossenen und schweigsamen
Knaben die pianistische Ausbildung durch vorzügliche Lehrer, so daß Debussy, erst zehn Jahre alt, in das Konservatorium eintreten konnte. Daselbst absolvierte er ziemlich
mühelos die einzelnen Klassen, unternahm während der
Ferien wiederholt Auslandsreisen, fand in den Kreisen der
vornehmen Gesellschaft nicht wenige Gönner und errang
im Alter von knapp 22 Jahren mit der Kantate »L'enfant
prodigue« den »Prix de Rome«.

247

Aber Debussy fühlte sich in dem Institutsbetrieb der Villa Medici, wo er die nächsten beiden Jahre verbringen mußte, nicht wohl, und wenn er auch sein Leben in einer Kulturatmosphäre und frei von Brotsorgen verbrachte, kehrte er doch Anfang 1887 vor Ablauf der Studienzeit nach Paris zurück. Dort war der grüblerische, in sich gekehrte junge Mann in erster Linie auf die Unterstützung von Eltern und Freunden angewiesen, obwohl er Klavierunterricht erteilte. Beim Komponieren rauchte Debussy ständig selbstgedrehte Zigaretten, arbeitete aber sehr umständlich und »wäre eher Falschmünzer geworden, als daß er drei Takte geschrieben hätte, zu denen er sich nicht gebieterisch gedrängt fühlte«. Bezeichnend ist, daß Debussy am liebsten den Beruf eines Malers ergriffen hätte, und entsprechend formte er in Tönen die Bilder, welche die Natur in ihm wachrief – Klang gewordener Renoir! Wenn man auch Debussys Musik, wie zahlreiche Kenner behaupten, »mit heiterem Gleichmut, ohne Trunkenheit und Tränen anhören kann«, so darf man doch nicht vergessen, daß sie mit ihren tiefsten Wurzeln im kosmischen Naturerlebnis der Spätromanik verankert ist und sich gerade in ihren Steigerungen zu echter Tragik erhebt. Richtungweisend hierfür ist besonders seine Neigung zu R. Wagner, mit welchem ihn stets eine eigenartige Haßliebe verband. Im 5. Takt der »Nuages« erscheint dasselbe Motiv im selben Triolenrhythmus und vom gleichen Instrument (Englischhorn) vorgetragen, welches in Gegenbewegung nach dem Vorspiel des 3. Aktes zu »Tristan und Isolde« auf der Bühne erklingt, und hier wie dort ähneln die szenischen Kommentare – »dunkle Gewitterwolken über der Seine«; Blick auf den »weiten Meereshorizont« – einander verblüffend. So ist auch »Pelléas und Mélisande«, Debussys großes lyrisches Drama vom Jahre 1902, nichts anderes als eine Übertragung der Tristan-Sage in die Sprache seines Volkes und seiner Zeit. Gerade der Umstand, daß Debussys Musik mehr Atmosphäre als Gegenständliches enthält, garantiert dem Hauptwerk jene unwiederbringliche Einzigartigkeit, wie sie daneben vor allem die Orchesterstücke »Der Nachmittag eines Faun« (1894), die drei »Nocturnes« (1899) und die symphonische Dichtung »La Mer« (1905) ausstrahlen. Auffallend ist, daß diese Sublimierung des Ausdrucks mit dem Zenit der biologischen Schaffenskraft zusammentrifft. Denn schon nach 1905 machen sich, wie nicht wenige Biographen feststellten, gewisse Erschöpfungsanzeichen bemerkbar, weicht das Unaussprechliche der Empfindung in seiner »Ibéria«-Suite (1908) der Tonmalerei, verliert sich der immens erweiterte Orchesterapparat in der Klangchemie des Künstlichen.

Debussy heiratete am 10. September 1899 Fräulein Rosalie Texier, doch wurde diese Ehe im Jahre 1905 geschieden; sie selbst soll im Elend gestorben sein. Der Komponist vermählte sich ein zweites Mal mit Frau Sigismond Bardac, die dem jüdischen Glauben angehörte und sich seinetwegen ebenfalls hatte scheiden lassen. Die Eheschließung, welche erst 1908 rechtskräftig wurde, erfolgte nicht zuletzt wegen der Geburt des Töchterchens Claude-Emma, auch Chou-Chou genannt, die im Herbst 1905 zur Welt kam und welcher Debussy seinen Namen geben wollte. Das musikalisch sehr begabte, dunkelhaarige Kind, seinem Vater wie aus dem Gesicht geschnitten, überlebte ihn aber nur um wenige Monate und starb 1919, kaum 14 Jahre alt an Diphtherie. Debussys zweite Gattin verschied im August des Jahres 1934.

Die Eheschließung von 1908 verbesserte Debussys wirtschaftliche Lage wider Erwarten keineswegs, ja die hieraus erwachsenen Prozesse dauerten noch über seinen Tod hinaus an. Mit dem Geld hauszuhalten vermochte der Meister sowieso nie. Er besaß ein exquisites Stilgefühl, hatte eine Vorliebe für Grün — zu jeder Jahreszeit mußten frische Schnittblumen sein Arbeitszimmer schmücken — und lebte ebenso arm wie verschwenderisch, weil er alles, was ihm schön vorkam, möglichst auch zu besitzen wünschte. Der mittelgroße, rundliche Mann mit der bernsteinfarbenen Haut, den hintergründig dunklen Augen, dem langen Haar und dem seidigen Bart verfügte über ein hochfeines Gehör, eignete sich aber kaum für die Dirigentenlaufbahn, weil er sich in der Öffentlichkeit nur schwer durchzusetzen verstand und zudem ganz leise sprach. Dennoch reiste Debussy, nicht zuletzt aus finanziellen Erwägungen, wiederholt ins Ausland, um bei der Interpretation der eigenen Werke den Stab zu führen. Eine nervöse Gereiztheit, oft bedingt durch die Kritiken zahlreicher Widersacher, die aus Debussys Werken vor dem Ersten Weltkrieg »den Herbst seines Talentes« herauszuhören glaubten, bemächtigte sich des Komponisten vor allem dann, wenn ihn die Journalisten interviewten: »Aber nein! . . . es gibt keine Debussy-Schule! Ich habe keine Schüler! Ich bin ich!« Unter erheblichem Zeitdruck mußte er im Jahre 1911 sein Mysteriendrama »Le Martyre de Saint-Sébastian« nach dem Text von Gabriele d'Annunzio beenden. Doch stand die Uraufführung unter einem schlechten Stern, zumal der Erzbischof von Paris vor der Premiere ein Verdammungsurteil über das Werk gesprochen hatte. Da Debussy Pantheist war und dieses fünfteilige Theaterstück mehr eine Wiederbelebung des altheidnischen Adoniskultes als ein christliches Bühnenweihefestspiel darstellte, hatte er nicht nur die Rezensenten, sondern auch die breite Öffentlichkeit gegen sich, deren Gunst seit der von ihm erzwungenen Ehescheidung von seiner ersten Frau merklich zurückging.

Ausgedehnte Konzertreisen führten Debussy Ende 1913 als Gastdirigent nach Moskau und Petersburg; Anfang 1914 weilte er in Rom, den Haag und Amsterdam, im Juni des gleichen Jahres in London. Er fühlte sich leidend, ohne etwas dagegen tun zu können, »hätte am liebsten außerhalb der Musikwelt gelebt und sich in sein Inneres eingesponnen«. Am 14. Juli schrieb er an R. Godet, daß er auf einem Punkt angekommen sei, »wo man nur noch den Selbstmord als Ausflucht vor sich sieht«. »Im wahren Sinn des Wortes: ich bin am Ende meiner Kräfte« (29. Juli 1914). Seit Jahren schwächten mannigfache Beschwerden, worauf der Debussy-Biograph H. Strobel hinweist, unbemerkt die Gesundheit des Meisters. Im Jahre 1905 nahm er während der Komposition von »La Mer« »Chinin und andere chemische Mittel ein«. 1907 wird eine Darmkrise in einem Schreiben an den Verleger Durand erwähnt, und 1909 hört man von »Morphium, Kokain und anderen reizenden Giften«, auf welche übrigens nicht wenige moderne Komponisten zurückgriffen. Eine hartnäckige Zahnfleischentzündung kam im August 1913 hinzu, wie ein Brief an Igor Strawinsky erkennen läßt. Zweifelsohne wollte Debussy den Ausbruch seiner letzten deletären Krankheit vor sich selbst nicht wahrhaben, »er war von Scham verzehrt, wie es nur ein Künstler sein kann, der sein Leiden mit Abneigung, ja fast als Schande empfindet. Man hat sogar behauptet, daß er seine Krankheit wachsen ließ, indem er sie verhehlte.« So enthielt sich Debussy das ganze Jahr 1914 über jeder schöpferischen Tätigkeit, nicht zuletzt auch infolge der Kriegsunruhen.

Als Debussy im Sommer 1915 in Pourville-sur-Mer zur Erholung weilte, fühlte er sich von neuen Kräften beflügelt, glaubte »sich auf dem Weg der Wiedergeburt«. »Endlich, endlich habe ich die Möglichkeit und gleichsam das Recht, in Musik zu denken, wiedergefunden, was mir seit einem Jahr nicht geschehen war . . .« Er komponierte Klavierstükke, ferner 12 Etüden und begann mit dem Zyklus von 6 Sonaten für verschiedene Instrumente. Doch vermochte er nur die ersten drei fertigzustellen. Sie sind alle unterschrieben »Claude Debussy, musicien français« mit der für ihn typisch winzigen, aristokratischen Strichführung. Obwohl er noch zwei Sonaten in diesem Jahr schrieb, nahm die Krankheit ihren schicksalhaften Verlauf. Hierbei handelte

es sich um eine bösartige Neubildung im Bereich des End-
darms, die man wiederholt mit Radiumbestrahlungen anzugehen versuchte. Am 7. Dezember 1915 mußte sich Debussy deswegen einem operativen Eingriff unterziehen.
Wie schrecklich das Leben in den Monaten zuvor war, beweist ein Brief an den Geiger Hartmann:

»Natürlich ist diese Krankheit nach einer guten Arbeits-
zeit gekommen. Ach, mein lieber Alter, ich habe darüber
geweint. Rechnen Sie zu all dem Gräßlichen vier Monate
Morphiumspritzen hinzu, die aus einem eine Art von wan-
delndem Leichnam machen und jede Spur von Willenskraft
unterdrücken. Wenn man nach rechts gehen will, geht man
nach links und andere Scherze der gleichen Art. Wenn ich
Ihnen schließlich meine Nöte im einzelnen aufzählen wollte, würden Sie zu weinen anfangen . . . Ich hätte wie eine
ganze Negerplantage gearbeitet und mich daran gemacht,
diese Sonate für Geige und Klavier zu schreiben, auf die
Sie freundlicherweise gespannt sind . . . Jetzt weiß ich nicht
mehr, wann ich meinen Schwung wiederfinde. Es gibt
Augenblicke, da mir zumute ist, als hätte ich nie etwas
von Musik gewußt.«

Vom Dezember 1915 an ist Debussy nur noch Patient
und wird immer schwächer. Fast das ganze Jahr 1916 vergeht wieder, ohne daß er eine Note aufschreibt. Die in die
Operation gesetzten Erwartungen erweisen sich als trügerisch, man vertröstet ihn nur (». . . et le refrain de tout cela
est toujours le même: ›Ayez de la patience . . .‹«). Er sehnt
sich tieftraurig nach den wenigen ihm noch verbliebenen
Freunden (»Si vous pouvez venir sans rien déranger dans
votre vie, je vous attends tous bras ouverts, vous trouverez
un Claude Debussy assez mal en train . . .«), sieht den Tod
vor Augen (»la maladie, cette vieille servante de la mort«),
erhofft aber trotzdem noch eine vorübergehende Besserung
durch die Radiumbehandlung (»Je vais mieux, pas assez
pour chanter victoire. C'est paraît-il, une affaire de radium,

aussi vais-je reprendre sous peu contact avec cet intéressant minerai . . .«), wie seine Zeilen vom Juni 1916 bezeugen. Doch auch diese Therapie stößt auf Schwierigkeiten: »Da ich ungeheuer sensibel bin — auch das noch! — muß man die Dosen verkleinern, wodurch die Behandlung stark in die Länge gezogen wird . . . die Natur ist mitleidlos gegen ihre Geschöpfe.« Trotzdem teilt er am 3. Juli seinem Verleger mit, daß er arbeiten wolle: »Es geht mir nicht gut genug, um es mit Sicherheit versprechen zu können; aber ich bin entschlossen, dem ein Ende zu machen, zu arbeiten und nicht mehr unter der Botmäßigkeit einer ein bißchen allzu herrischen Krankheit zu bleiben. Man wird schon sehen. Wenn ich demnächst verschwinden soll, will ich zumindest versucht haben, meine Pflicht zu tun.« Und später: »Wenn Claude Debussy keine Musik mehr macht, hat er keinen Grund mehr zum leben. Man lehrte mich nichts anderes als Musik.«

Nur mühsam kommt die Arbeit an der Violinsonate voran. Auch materielle Sorgen bedrücken ihn, als Frau und Tochter im Spätsommer 1916 an Mumps erkranken. Die Trompetensignale auf dem Kasernenhof in der Nähe des Hauses, das Debussy am Bois de Boulogne bewohnt, sind dem Patienten unerträglich. Das Geräusch der Regentropfen bringt ihn zur Verzweiflung; es erscheint ihm wie Tausende von kleinen Trommeln, die von Zwergen geschlagen werden. Immerhin tritt eine Besserung insofern ein, als Debussy im Herbst eine Reise an die baskische Küste unternehmen kann. Dort fängt Debussy am Meer wieder mit dem Komponieren an und schreibt unter dem Datum vom 17. Oktober an seinen Verleger: »Bei einem Spaziergang, den ich kürzlich zum Kap Féret unternahm, habe ich die Kernidee zum Finale der Sonate für Violine und Klavier gefunden«, und zwar, wie es an anderer Stelle heißt, versucht er hier »das einfache Spiel eines Gedankens, der sich um sich selber dreht wie eine Schlange, die sich in den

Schwanz beißt«. Daß er mit diesem Vergleich an das Symbol der Vergänglichkeit, des ewigen Kreislaufes von Leben und Tod, rührte, hat er vielleicht im Unterbewußtsein erahnt, als er dem Spiel der Reptilien an der Küste zusah.

In Paris erwartet Debussy ein harter Winter. Die Kohlen mangeln. Er fleht den Verleger Durand an, ihm doch ein wenig Brennmaterial zu schicken, er »leide wie St. Sébastian«. »Voilà où j'en suis, mon ami! . . . Quelle vie! quelles journées!« Durch den ständigen Gebrauch des Morphiums fühlt er sich so träge wie eine Muschel auf dem Meeresgrund; er ist »le pauvre voyageur qui attend un train, qui ne passera plus jamais« — ein armer Reisender, der vergeblich auf seinen Zug wartet. Endlich sind im Februar 1917 die beiden ersten Sätze des angekündigten Werkes fertig. Die größten Schwierigkeiten verursacht das Finale, in welchem zwei überzählige Takte den Aufbau zu gefährden scheinen. Debussy arbeitet trotz seines schweren Leidens mit äußerster Selbstkritik, sogar in der Stunde des Todes schlummert sein künstlerisches Verantwortungsgefühl nicht ein. Dennoch hat die Musik, wie L. Vallas schreibt, »trotz der Kraftanstrengung des versagenden Schöpfers keinen rechten Atem«. Niemand fühlte den Schlußstrich schmerzlicher als der Komponist selbst: »Das ist eine jener tausend kleinen inneren Tragödien, die im Niederfallen nicht mehr Lärm verursachen als eine Rose, wenn sie ihre Blätter fallen läßt und die Ruhe der Welt nicht stören.« Ein neuer herber Verlust wurde Debussy durch den Tod seiner Mutter am 25. März 1917 zuteil. In einem Schreiben an den Verleger Durand stehen die wenigen ergreifenden Worte »pauvre maman est morte«. Er hing sehr an dieser großen, energischen Frau, die im Alter Zuflucht bei ihm fand, wie er auch die Verbindung zu seiner geschiedenen Gattin bis zum Tode nie abbrach, da die zweite Ehe für ihn eine große Enttäuschung war. — Endlich spielte er das neue Opus am 5. Mai 1917 mit dem Geiger

Gaston Poulet in der Öffentlichkeit. Ein Augenzeuge berichtet: »Ich war betroffen, nicht so sehr über seine Magerkeit und sein verfallenes Aussehen als über seine abwesende Miene und seine schwermütige Erschöpftheit. Er hatte die Farbe von zerronnenem Wachs und von Asche.« Die letzten Photos aus den Jahren 1916—1918 lassen in der Tat eine hochgradige Kachexie, eingefallene Züge und halonierte Augen erkennen; die vor dem Ersten Weltkrieg beobachtete Korpulenz ist verschwunden.

In den ersten Julitagen des Jahres 1917 ließ sich Debussy vorübergehend in Saint-Jean-de-Luz nieder. Eine grauenhafte Müdigkeit und ein unaussprechlicher Ekel vor jeder Tätigkeit bemächtigten sich seiner. »Es gibt Vormittage, wo das Anziehen mir wie eine der zwölf Herkulesarbeiten vorkommt. Und ich warte auf irgend etwas, eine Revolution, ein Erdbeben, das mir die Mühe ersparen soll, sie zu verrichten. Ohne fruchtlosen Pessimismus: es ist ein hartes Leben, das ich führe, da ich gegen die Krankheit und gegen mich selber kämpfen muß . . . Ich fühle, daß ich aller Welt lästig falle. Wenn man glaubt, daß ich mich amüsiere, o Herr! Zu guter Letzt: wenn man einen braucht, um die Sphärenmusik zu dirigieren, halte ich mich zu diesem hohen Amt für ganz geschaffen . . .« Er klagte über seine musikalische Ohnmacht: »Ich kann nicht arbeiten, oder wenn Sie wollen, ich arbeite ins Leere . . . Nie habe ich mich so erschöpft gefühlt bei dieser Jagd nach dem Unerreichbaren . . . Ist es vorbei für mich . . . Dieses Verlangen, immer weiter zu gehen, das für mich soviel wie Leben und tägliches Brot war? . . . Es gibt Ruinen, die man besser verbirgt, und wenn ich schon alt bin, kann ich nicht erwarten, daß man im Angesicht meiner Ruine einen historischen Schauer empfindet.« Immerhin spielte Debussy im September mit dem Geiger Poulet und unter Aufbietung aller Kräfte seine letzte Sonate in Saint-Jean-de-Luz öffentlich, bevor er Mitte Oktober nach Paris zurückkehrte.

Dort angekommen, wurde Debussy von martervollen Schmerzen befallen und bald darauf bettlägerig. Umsonst war die Hoffnung, die angefangene Serie der sechs Sonaten zu vervollständigen, eine Musik für Shakespeares »Wie es euch gefällt« zu schreiben oder die geplante »Ode an Frankreich« zu komponieren. »Die Musik hat mich gänzlich verlassen« (»La musique m'a complètement abandonné«), heißt es in einem seiner letzten Briefe, die wir kennen, und mit bitterer Ironie schließt der Absender: »Wenn die Musik sich bei mir schlecht bedient findet, so möge sie sich woandershin wenden: im Bedarfsfalle werde ich ihr einige nützliche, wenn nicht angenehme Adressen geben.« Unter diese Zeilen haben die Herausgeber der »Lettres à deux amis« im Jahre 1942 den eingerahmten Nachsatz gefügt: »Claude Debussy mourait cinq mois après cette lettre dans sa cinquante sixième année le vingt-cinq mars 1918.« Dennoch hielt Debussy in den letzten Monaten vor seinem Ende die Verbindung zur Kunst aufrecht: Er brachte sein letztes musikalisches Opfer J. S. Bach dar — den er unter allen Komponisten am meisten verehrte —, wobei er eine Ausgabe der Sonaten für Gambe und Cembalo mit bemerkenswerter Werktreue für Cello und Klavier übertrug.

So nahte wieder ein neues Jahr ohne Trost und Hoffnung. Einige Zeilen von Debussys zweiter Gattin, geschrieben um die Zeit der Jahreswende, gehören zu den letzten Nachrichten, die wir besitzen:

»Ich führe ein elendes Leben . . . ganze Wochen weiche ich nicht von der Stelle . . . Claude geht es immerhin viel besser, er steht sogar jeden Morgen ein wenig auf — sehr kurz allerdings. Er schläft nachts ohne Morphium. Sein Aussehen und sein Appetit sind gut — aber es dauert doch sehr lang, bis er wieder zu Kräften kommt . . . Dieses Jahr ist voller Geheimnisse, und für mich möchte ich hinzufügen, voller Ängste.«

Aber die Hoffnung erwies sich als trügerisch. Er, der Musiker des Unaussprechlichen, verbrachte schmerzgepeinigt die Vorfrühlingstage, als Paris 1918 von deutschen Ferngeschützen und Flugzeugen beschossen wurde. Nicht einmal mehr den Keller vermochte der sterbenskranke Patient aufzusuchen. Schließlich kam der Tod. »Er war abgezehrt, der Blick in weite Fernen verloren. Seine Hände zitterten. Er lächelte mir zu, als käme er aus einem Traum und sagte mir ein paar liebevolle Worte. Dann schlugen die Nebel wieder über seinem Geist zusammen ... Mme Debussy und ich waren allein, ihm die Hand zu halten. Mme Debussy entfernte sich, während ich ihm die Augen zudrückte. Am Abend kam André Caplet. Er kniete lange Zeit nieder, und wir verbrachten die Nacht bei ihm, der unsere Jugend bezaubert hatte«, teilte sein Freund Valléry-Radot mit.

»Mein lieber Raoul,
hast Du das Telegramm bekommen? Sobald ich es aufgegeben hatte, wurde Mama zu Papa gerufen. Die Krankenschwester meinte, daß es sehr schlecht um ihn stehe. Es kamen zwei Ärzte, die ihm eine Spritze gaben — damit er nicht leidet. Du kannst Dir denken, daß ich da auf einmal verstand. Als ich ins Zimmer kam, schlief Papa und atmete regelmäßig, aber in sehr kurzen Zügen. Er schlief so weiter bis zehn Uhr abends, und dann schlief er ganz sanft und wie ein Engel für immer ein«, schrieb die dreizehnjährige Chou-Chou am 8. April 1918 an den Stiefbruder Raoul.

Debussy starb in der Nacht vom 25. zum 26. März 1918 kurz vor Mitternacht, und der Ausdruck seiner letzten Züge, welche an die vornehme Verhaltenheit klassischer Ikonen erinnern, läßt auf ein gnädiges Ende schließen. Die Beerdigung fand auf dem Père Lachaise am 28. März statt, am Vorabend des Karfreitags. Es folgten aber nur etwa 20 Menschen dem Sarg, denn der Trauerzug mußte das unter

Feuer liegende Paris von Westen nach Osten in ganzer Breite durchqueren. Ein Jahr später wurden seine sterblichen Überreste auf den Friedhof von Passy überführt.

Wenn auch die Umstände keine Huldigung gestatteten, muß festgehalten werden, daß Debussy bei seinem Tode bereits eine Berühmtheit war und man ihm die internationale Anerkennung nicht versagte. Die späteren Jahrzehnte haben eigentlich erst richtig erwiesen, wie sehr dieses zahlenmäßig relativ begrenzte Werk den Kulminationspunkt des musikalischen Impressionismus verkörpert, dessen Wachsen und Werden mit dem Namen Claude Debussy auf ewig verbunden bleibt. Vom Schicksal in die Reihe jener großen Schaffenden gestellt, die am Wendepunkt einer Epoche stehen, trennte er — nach der Ansicht des Biographen L. Vallas — die Musik des 20. Jahrhunderts von der des 19. Jahrhunderts, wie Beethoven einst die des 19. Jahrhunderts vom 18. Jahrhundert schied. Mit Debussy, den man heute beinahe schon in die Reihe der »Klassiker« einzuordnen geneigt ist, beginnt die eigentliche »Moderne Musik«. So wurde er nicht nur der Musiker Frankreichs, sondern der Lehrmeister einer ganzen Generation!

CLAUDE DEBUSSY

1. *Debussy, C.:* Documents iconographiques par A. Gauthier, Genève 1952.
2. *Debussy, C.:* Musik und Musiker (Titel der französischen Originalausgabe »Monsieur Croche antidilettante«), Potsdam o. J.
3. *Debussy, C.:* Lettres à deux amis (à Robert Godet et G. Jean-Aubry), Paris 1942.
4. *Decsey, E.:* Claude Debussy, Graz 1936.
5. *Liess, A.:* Claude Debussy, Das Werk im Zeitbild, 2 Bde., Straßburg 1936.
6. *Liess, A.:* Claude Debussy, in: Die Musik in Geschichte und Gegenwart (MGG), Kassel 1954.
7. *Strawinsky, I.:* Erinnerungen, Zürich–Berlin 1937.
8. *Strawinsky, I.:* Gespräche mit Robert Craft, Zürich 1961.
9. *Strobel, H.:* Claude Debussy, Zürich 1940.
10. *Vallas, L.:* Debussy und seine Zeit, München 1961.
11. *Vuillermoz, E.:* Claude Debussy, Frankfurt/M. 1957.

Gustav Mahler (1860–1911)
in seinem letzten Lebensjahr

GUSTAV MAHLER
(1860—1911)

> *»Ich glaube fest und unerschütterlich*
> *daran, daß Gustav Mahler einer der*
> *größten Menschen und Künstler war.«*
>
> (Arnold Schönberg)

Gustav Mahlers Krankengeschichte ist ebenso kurz wie dramatisch, so daß für eine medizinische Beurteilung eigentlich nur die allerletzten Lebensjahre in Betracht kommen. Am 7. Juli 1860 als Sohn eines jüdischen Kleinhändlers in Kalischt, einem an der Grenze Böhmens und Mährens gelegenen Dorf, zur Welt gekommen, fiel unter den zwölf Kindern des Ehepaares die hervorragende musikalische Begabung des kleinen Gustav schon bald auf. Sieben Geschwister starben früh, ein Bruder beging im Alter von 23 Jahren Selbstmord. Außergewöhnlich glückliche Umstände ermöglichten Mahler nicht allein die Vorbereitung zum Gymnasialabitur, sondern schon im Alter von fünfzehn Jahren den Eintritt in das Wiener Konservatorium, wo sein Talent entsprechend gefördert wurde.

Das Schicksal wies dann den neunzehnjährigen Jüngling auf den Weg des wandernden Theaterkapellmeisters: Hall, Laibach, Olmütz, Kassel, Prag, Leipzig, Budapest, Hamburg sind die Namen der Städte, welche sich mit Mahlers kometenhaftem Aufstieg untrennbar verbanden. Noch nicht einmal 40 Jahre alt, wurde der in sich gekehrte, asketische und geradezu fanatische Künstler im Jahre 1897 an die Wiener Hofoper berufen. Trotz der unerhörten, sich von Jahr zu Jahr steigernden, gegen ihn planmäßig ins Werk gesetzten Intrigen, trotz einer beispiellosen Hetze von Verleumdung und Tücke, wie sie eine solche Machtstellung zwangsläufig mit sich bringt, hat Gustav Mahler nur durch seine innere Größe und Unbeugsamkeit ein volles Jahrzehnt hindurch in Wien ausgehalten. Diese Tatsache allein spricht für sich.

Daneben noch vorübergehend als Dirigent der Wiener Philharmoniker tätig, zehrte ihn eine solche Verantwortung innerlich weit mehr auf, als er sich dies selbst eingestand, zumal jede freie Minute, namentlich in den Sommerferien, von Mahler zum Komponieren genutzt wurde. »Arbeitsverlust«, das war der Alptraum, der sich für ihn lähmend auf jede Art von Geselligkeit und Freizeitgestaltung legte! Bruno Walter konnte sich auch später noch sehr wohl der Temperamentsausbrüche des »Diktators« erinnern, wenn er schrie, mit den Füßen stampfte und die Menschen wie schädliche Tiere behandelte. 160 cm groß, bisweilen nervös an den Fingernägeln kauend, mit dem rechten Bein ticartig zuckend und häufig mit Migräne behaftet, versprühte der Meister Blitze mit seinen blauen Augen, wenn etwas nicht nach seinen Vorstellungen geriet. Intolerant gegen alle Außenstehenden, war er auch im Alltag ein schwieriger Lebensgefährte. Wenn Mahler daheim auf dem Klavier spielte, dann meist nur, solange er komponierte. Er hatte die Eigenart, daß kein Fleisch- oder Fischgericht auf den Tisch kommen durfte, das die Form des lebenden Tieres verriet; also keine ganzen Fische, das Huhn nicht unzerstückelt. Zudem aß er fettlos, ohne Zwiebel und Gewürze — Krankenkost! Zeitgenossen, die komponierten, beobachtete der lärmempfindliche Mann sehr kritisch. Nur vor Arnold Schönberg hat er sich schützend gestellt. Beispielsweise nach der Musik Claude Debussys

anläßlich der New Yorker Premiere von »Pelléas und Mélisande« im Jahre 1910 befragt, sagte er nur: »Sie stört nicht.«

»Und da stand er nun in Person: Bleich, mager, klein
von Gestalt, länglichen Gesichts, die steile Stirn von tief-
schwarzem Haar umrahmt, Furchen des Schmerzes und des
Humors im Antlitz, das den erstaunlichsten Wechsel des
Ausdrucks zeigte, eine gerade so interessante, dämonische,
einschüchternde Inkarnation des Kapellmeisters Kreisler,
wie sie sich der jugendliche Leser E. Th. A. Hoffmannscher
Phantasie nur vorstellen konnte.« Äußerlich ebenso labil
wie im Innern seines unsteten Wesens und dazu noch im
Anschluß an seinen Übertritt zum Katholizismus weltan-
schaulich weder im Juden- noch im Christentum trotz aller Hinneigung zum Mystizismus fest verwurzelt, hatte
eine fatale Naturanlage Gustav Mahler bereits früh auf die
Seite der Leidsucher gedrängt. Das geht schon aus der einen
Äußerung des Schuljungen hervor, der auf die Frage, was
er einmal werden wolle, nur antwortete: »Märtyrer!«

Gustav Mahler wurde zeitlebens von Anginarezidiven
verfolgt und machte im Anschluß an einen solchen Infekt
bereits Jahrzehnte vor seinem Tod einen Gelenkrheuma-
tismus durch. Im Vorfrühling 1901 erlitt er laut Angabe
seiner Witwe einen Blutsturz, aber es war nichts Ernstes,
es scheint sich um Hämorrhoiden gehandelt zu haben. Bald
war er wiederhergestellt und befand sich, wie meist, in
Feindschaft mit dem Orchester.

Der Meister hatte die Vierzig bereits überschritten, als
er die um zwanzig Jahre jüngere, bildschöne Alma Schindler am 9. März 1902 in Wien ehelichte. Sie selbst begann
zu komponieren, noch bevor Mahler in ihr Leben getreten
war. Der große Komponist, Dirigent, Hofoperndirektor und
mindestens ebenso große Egozentriker hat ihre eigenwüch-
sige Begabung zweifelsohne erkannt, aber keineswegs unterstützt—er wollte sie im Grunde nicht wahrhaben. Durch
Mahlers Eifersucht verlor sie bald die meisten Freunde und

vereinsamte. »Mir graut so vor Gustav, daß ich mich fürchte, wenn er nach Hause kommt. Neckisch, lieblich girrend umhüpfte er die Sängerin Y., die Z., und zu Hause ist er der Abgeklärte, der ermüdete Mann, für den ich unentwegt zu sorgen habe. Wenn er doch nie mehr nach Hause käme . . .«, steht schon im Tagebuch vom Jahre 1903. Der von der Öffentlichkeit Bestaunte ließ sich möglichst nie zu Repräsentationsempfängen mit den hierbei unumgänglichen Redensarten und Geistreicheleien herab, sehr zum Kummer seiner lebenslustigen Gattin. »Gustav steht so einsam, so entfernt, er hat alles zu tief innen, als daß es im Leben ans Licht könnte. Auch seine Liebe — alles, alles verkümmert.« Als im November 1902 das Töchterchen Maria — das den Vornamen von Mahlers Mutter trug! — zur Welt kam, konzentrierte sich bald Mahlers stille Zuneigung auf sie. »Jeden Morgen holte er das Kind in sein Arbeitszimmer, und die beiden sprachen miteinander heftige und leidenschaftliche Dinge, die ich nie erfahren habe, denn ängstlich vermied ich es, ihr Alleinsein zu stören.« Im Juni 1904 wurde die zweite Tochter, Anna, geboren, doch der immer mehr beanspruchte Vater ging ganz in seinem Beruf auf. »Die Stellung eines Direktors der Wiener Hofoper war damals vollkommen totalitär. Der Direktor unterstand nur dem Kaiser und dessen erstem Beamten — beide hatten den größten Respekt vor Gustav Mahler. Diese Position war aber eine ungeheure Belastung. Mahler mußte in zwei Sommermonaten seine Sinfonien erfinden und aufschreiben — in der Stimmung fortwährend unterbrochen durch Alarmnachrichten aus der Oper. Er hatte sich's so einrichten müssen, daß er immer in zwei Sommermonaten ein Werk schuf, das Particell skizzierte und in den nächstjährigen zwei Sommermonaten die Partitur und die Instrumentierung vollendete.« Das ganze Jahr aber saß er jeden Morgen ab sechs Uhr früh an seinem Schreibtisch und feilte, bis er ins »Amt«, das heißt: in die Oper mußte.

Das Jahr 1907 brachte in vielen Punkten eine entscheidende Wende. Während einer Konzertreise nach Berlin, Amsterdam und Frankfurt setzte in Wien ein Pressefeldzug ein, der letztlich auf den Sturz des Direktors abzielte. Damit teilte Mahler das Schicksal nicht weniger illustrer Vorgänger und Nachfolger, doch da sich ihm in den USA ein neues Tätigkeitsfeld eröffnete, ging er sogar ganz gern in jene »geistige Emigration«. Jeder, der seine vollendeten Opernaufführungen in Wien erlebt hatte, wußte, daß sich eine Ära dem Ende zuneigte, die in ihrer Art unwiederbringlich war. Laut allerhöchster Entschließung vom 5. Oktober 1907 erfolgte der Rücktritt, und am 15. Oktober dirigierte er dann noch einmal Beethovens »Fidelio«. Am letzten Tage, den er in seinem Wiener Direktionsbureau verbrachte, tat Mahler zweierlei: Er hinterließ sämtliche Auszeichnungen und Orden in seiner Schublade dem »Nachfolger« und richtete einen Abschiedsbrief an das Personal, in dem es u. a. heißt:

»Ich habe es redlich gemeint, mein Ziel hochgesteckt. Nicht immer konnten meine Bemühungen von Erfolg gekrönt sein. Dem Widerstand der Materie, der Tücke des Objekts ist niemand so überantwortet wie der ausübende Künstler. Aber immer habe ich mein Ganzes daran gesetzt, meine Person der Sache, meine Neigungen der Pflicht untergeordnet. Im Gedränge des Kampfes, in der Hitze des Augenblicks blieben Ihnen und mir nicht Wunden, nicht Irrungen erspart. Aber war ein Werk gelungen, eine Aufgabe gelöst, so vergaßen wir alle Not und Mühe, fühlten uns alle reichlich belohnt — auch ohne äußere Zeichen des Erfolgs. Haben Sie nun herzlichen Dank!«

Ein Unbekannter riß diesen Brief von der Anschlagtafel, und das offizielle Wien ließ dem scheidenden Künstler keine Ehre zuteil werden. Etwa zweihundert Menschen hatten sich auf dem Bahnsteig versammelt, um Mahler ein letztes Mal die Hand zu drücken. Als sich der Zug in Bewegung setzte, sprach Gustav Klimt, der sich in der Menge befand, das Wort, das alle bewegte: »Vorbei.«

Aber die eigentlichen Gründe für den Milieuwechsel lagen doch tiefer: Gustav Mahler erhoffte nicht zuletzt von Amerika eine Änderung seiner privaten Lage. Zum einen starb im Juli 1907 sein liebstes Kind Maria an Scharlach und Diphtherie, als habe er mit seiner Vertonung der Rückertschen »Kindertotenlieder« 1905 einen Ungeist beschworen. Der Arzt-Dichter Arthur Schnitzler sah damals den Komponisten ganz allein und trauernd, den Kopf gesenkt, auf einer Bank in Schönbrunn sitzen. Und Mahler wollte von nun an nach seinem Tode neben diesem Kinde ruhen, wie es später auch geschah. Ferner kam es zu einem brisanten Ereignis: Während der »Lohengrin«-Probe stürzte Mahler auf die Bühne, und plötzlich, die beiden Chorsänger loslassend, blieb er leichenblaß und regungslos, die Hand auf das Herz gedrückt, stehen. Sicherlich hat damals eine plötzliche Verengung der Herzkranzgefäße bei dem Dirigenten, der zudem noch ein starker Zigarrenraucher war, stattgefunden; denn von nun an begab sich Mahler wiederholt in ärztliche Behandlung und nahm bis zu seinem Ende ständig Herzglykoside ein. Bei den elf Geschwistern seiner Familie soll mehrfach ein frühes Herzleiden festgestellt worden sein, und ein jüngerer Bruder verstarb an Herzbeutelwassersucht. Mehrere Ärzte diagnostizierten nun ein Herzleiden und verordneten Mahler, der bislang ebenso gerne schwamm wie tauchte, strikte körperliche Ruhe. Mit der Uhr in der Hand mußte er »sich das Gehen angewöhnen«, was im Grunde ganz unsinnig war und selbst einen unvoreingenommenen Patienten zum Neurotiker gemacht hätte. Jetzt blieb er, der an aktiven Sport gewohnt war, fortlaufend stehen, zählte den Puls und verlor sich in Vermutungen über jenes zischende Geräusch, das die Kollegen »beim zweiten Schlag« feststellten.

Wenn Gustav Mahlers Witwe heute in einem Brief bemerkt: »Mahler war immer krank — ich kannte ihn nicht anders«, dann sind diese Beschwerden bei dem hektischen, unscheinbaren Manne, dessen Augen hinter dicken Brillengläsern ein faszinierendes Feuer verstrahlten, in erster Linie als funktionell, als »neuro-vegetativ« bedingt — wie wir heute sagen würden — aufzufassen, »denn er war durch körperliche Leiden vieler Art ein überheizter Motor oder Amokläufer geworden. Seine schwache Konstitution übertönte er mit rasender Arbeit und ewig lauerndem Ehrgeiz — nie und nirgends hatte er Ruhe.« Wie im Leben von Max Reger standen auch bei Gustav Mahler das eigene Schaffen und die künstlerischen Verpflichtungen des Orchesterdirigenten im Widerspruch zueinander, nicht etwa begründet in musischen Gegensätzen, sondern einzig durch Zeitnot verursacht. Weil Mahler wegen seiner pausenlosen Tätigkeit ein vorzeitig verbrauchter Mann gewesen ist, folgte er später um so lieber einem Engagement an die New Yorker Metropolitan Opera, da er dorthin nur für einige Monate im Jahr zu Gastspielreisen verpflichtet wurde, die Sommermonate hingegen ganz seinem Schaffen im heimatlichen Toblach widmen konnte.

Am 1. Januar 1908 debütierte Mahler an der Metropolitan Opera mit »Tristan«. Er hatte einen Vierjahresvertrag abgeschlossen, doch als H. Conried, der Manager der Met, wenige Monate später aus seinem Amt schied und nun von dem Direktor der Mailänder Scala abgelöst wurde, der A. Toscanini als Dirigent mitbrachte, kam es bald zu Disharmonien. Vom Mai dieses Jahres an widmete sich der Komponist seiner Arbeit in Österreich und schrieb an Bruno Walter:

»Aber ohne daß ich Ihnen etwas zu erklären oder zu schildern versuche, wofür es vielleicht überhaupt keine Worte gibt, will ich Ihnen nur sagen, daß ich einfach mit einem Schlage alles an Klarheit und Beruhigung verloren habe, was ich mir je errungen; und daß ich vis-à-vis de rien stand und nun am Ende meines Lebens wieder gehen und stehen lernen muß.«

Die Uraufführung der 7. Sinfonie erfolgte im September in Prag. Während der Monate Oktober und November fanden Konzerte in München, Berlin, Hamburg, Amsterdam und Paris statt. »Das Lied von der Erde« entsteht, desgleichen die 9. Sinfonie. Wieder in die USA zurückgekehrt, nahm Mahler unter den obwaltenden Umständen gerne die Leitung des »New York Philharmonic Orchestra« an und dirigierte am 31. März 1909 das erste Konzert in der Carnegie Hall, froh darüber, dem Opernbetrieb entronnen zu sein. In diesem Sinne und weil er fühlte, »ein Anderer« geworden zu sein, schrieb er Anfang 1909 an Bruno Walter:

»Ich durchlebe jetzt so viel (seit anderthalb Jahren), kann kaum darüber sprechen. Wie sollte ich die Darstellung einer solchen ungeheuren Krise versuchen! Ich sehe alles in einem so neuen Lichte – bin so in Bewegung; ich würde mich manchmal gar nicht wundern, wenn ich plötzlich einen neuen Körper an mir bemerken würde (wie Faust in der letzten Szene). Ich bin lebensdurstiger als je und finde die ›Gewohnheit des Daseins‹ süßer als je. Diese Lebenstage sind eben wie die Sybillinischen Bücher . . . Merkwürdig! Wenn ich Musik höre, höre ich ganz bestimmte Antworten auf alle meine Fragen – und bin vollständig klar und sicher. Oder eigentlich, ich empfinde ganz deutlich, daß es gar keine Fragen sind.«

Gerade die überirdische Aussagekraft des »Liedes von der Erde« und des ersten Satzes seiner 1909 vollendeten 9. Sinfonie – Mahler fürchtete, das Schicksal mit diesem Werk herauszufordern, da Beethoven, Schubert, Bruckner und Dvořák die Neunzahl in ihrem sinfonischen Schaffen erreichten und dann starben – wären ohne das unmittelbare Erlebnis des Todes, welcher bereits 1907 seine Schatten auf den vereinsamten Künstler warf, wohl kaum zu derartiger Vollendung gereift.

»Es scheint, die Neunte ist eine Grenze. Wer darüber hinaus will, muß fort. Es sieht aus, als ob uns in der Zehnten etwas gesagt werden könnte, was wir noch nicht wissen sollen, wofür wir noch nicht reif sind. Die eine Neunte geschrieben haben, standen dem Jenseits zu nahe. Vielleicht wären die Rätsel dieser Welt gelöst, wenn einer von denen, die sie wissen, die Zehnte schriebe. Und das soll wohl nicht sein« (A. Schönberg).

In einem Brief an seine Frau stellte G. Mahler 1909 fest: »Mir schaudert jetzt bei dem Gedanken an meine verschiedenen Komponierhäuschen; obwohl ich dort die schönsten Stunden meines Lebens verbracht, so habe ich sie wahrscheinlich mit meiner Gesundheit bezahlen müssen.« Er erwähnt nun bis zuletzt immer wieder tachykardische Zustände und pektanginöse Beschwerden, spricht von der strikten Vermeidung jeder körperlichen Tätigkeit: »Nun soll ich jede Anstrengung meiden, mich beständig kontrollieren, nicht viel gehen. Der einzige Moment, in dem man wirklich genußfähig ist, ist nach der Vollendung eines Werkes« (Sommer 1908, an Bruno Walter); kurz danach: »Ich bekomme von einem gewöhnlichen, bescheidenen Marsch eine solche Pulsbeschleunigung und Beängstigung, daß ich den Zweck eines solchen, seinen corpus zu vergessen, nicht erreiche.« Mit Bitterkeit denkt er an Wien zurück: »Aber wäre ich jung und hätte die Tatkraft, die ich in Wien zehn Jahre lang verschwendet . . . Mein Heimweh, das mich die ganze Zeit geplagt hat (leider bin ich ein eingefleischter Wiener), verwandelt sich in jenes gewisse erregte Sehnen, das Sie gewiß kennen . . . Kann ich dafür, daß mich Wien hinausgeschmissen hat?«

Im Herbst 1909 kam Mahler zum dritten Mal nach New York. Sein Ziel ist nicht mehr das Metropolitan Opera House gewesen; dort leitete er nur noch 4 Vorstellungen. Toscanini trat seine Nachfolge an. So wurde die dritte New Yorker Saison im übrigen eine Konzertsaison (K. Blaukopf), die sich auch auf Buffalo, Philadelphia, Springfield und Brooklyn erstreckte. Während des Monats April des Jahres 1910 kehrte Mahler nach Europa zurück. Als in Paris seine 2. Sinfonie aufgeführt wurde, verließen die anwesenden Komponisten C. Debussy und P. Dukas während des langsamen Satzes den Konzertsaal. Aber den Meister beschäftigte innerlich weit mehr die bevorstehende Uraufführung seiner 1906 entstandenen 8. Sinfonie in c-moll, »Sinfonie der Tausend« genannt, weil 1030 Ausführende mitwirkten!

Seitdem Alma Mahler während eines Kuraufenthaltes in Tobelbad — ihr Mann blieb in Toblach zurück, um die 10. Sinfonie zu skizzieren — mit dem Architekten Walter Gropius in Verbindung getreten war, fielen Schatten auf die eheliche Zweisamkeit. Mahler, der gerade wieder eine Angina durchmachte, wirkte verzweifelt und las in der Heiligen Schrift. In seiner ausweglosen Not und Angst, die Lebensgefährtin zu verlieren, fuhr Gustav Mahler zu dem Psychotherapeuten Sigmund Freud. Hierüber teilt E. Jones in seiner mehrbändigen Freud-Biographie mit:

»Ungefähr um diese Zeit hatte der berühmte Komponist Gustav Mahler Schwierigkeiten in der Beziehung zu seiner Frau, und Dr. Nepallek, ein Wiener Psychoanalytiker, der mit Mahlers Frau verwandt war, riet ihm, sich an Freud zu wenden. Er telegraphierte Freud aus Tirol mit der Bitte um eine Konsultation. Freud unterbrach seine Ferien wegen Berufsarbeit immer nur sehr unwillig; aber er konnte einem Manne von Mahlers Bedeutung nicht gut eine abweisende Antwort erteilen. Auf ein Telegramm mit der nötigen Verabredung des Treffpunktes kam ein zweites von Mahler, in dem er absagte. Bald danach folgte wiederum eine Bitte um die Konsultation mit demselben Ergebnis wie das erstemal. Mahler litt an der Zweifelsucht seiner Zwangsneurose, und dies wiederholte sich dreimal. Endlich teilte ihm Freud mit, daß die letzte Möglichkeit, ihn zu sehen, Ende August sei, da er dann plane, nach Sizilien zu reisen. So trafen sie sich in einem Hotel in Leiden und verbrachten vier Stunden damit, durch die Stadt spazieren-zugehen und dabei eine Art Psychoanalyse durchzuführen. Obschon Mahler bis dahin nie mit der Psychoanalyse in Berührung gekommen war, erfaßte er sie, wie Freud sagte, schneller als sonst jemand zuvor. Von einer Bemerkung Freuds war Mahler sehr beeindruckt: ›Ich nehme an, daß Ihre Mutter Marie hieß. Ich möchte es aus verschiedenen Andeutungen in Ihrem Gespräch schließen. Wie kommt es dann, daß Sie jemanden mit einem anderen Namen, Alma, geheiratet haben, wenn doch Ihre Mutter offensichtlich eine dominierende Rolle in Ihrem Leben spielte?‹ Da er-zählte ihm Mahler, daß der Name seiner Frau Alma Maria sei, daß er sie aber Marie nenne! Sie war die Tochter des berühmten Malers Schindler, dessen Standbild im Wiener Stadtpark steht; so spielte wohl auch in ihrem Leben ein Name eine Rolle. Dieses analytische Gespräch übte offen-bar eine Wirkung aus, da Mahler seine Potenz wiederge-wann, und seine Ehe bis zu seinem Tode ein Jahr danach glücklich war.

Im Laufe des Gesprächs sagte Mahler plötzlich, daß er jetzt verstünde, warum seine Musik bei den edelsten Stel-len, gerade bei denen, die von den tiefsten Gefühlen inspi-riert seien, nie die angestrebte Vollkommenheit erreichen könne, weil irgendeine vulgäre Melodie dazwischentrete und alles verderbe. Sein Vater, anscheinend ein brutaler Mensch, hatte seine Frau sehr schlecht behandelt, und als Mahler noch ein kleiner Junge war, hatte sich zwischen ihnen einmal eine besonders peinliche Szene abgespielt. Dem Kleinen war es unerträglich geworden, und er rannte von zu Hause fort. Doch in demselben Augenblick ertönte gerade aus einem Leierkasten das bekannte Wiener Lied ›Ach du lieber Augustin‹. Mahler meinte nun, von dem Moment an hätten sich in seiner Seele tiefe Tragik und oberflächliche Unterhaltung unlösbar verknüpft, und die eine Stimmung zöge unweigerlich die andere mit sich.«

Alma Mahler, die um dieses Gespräch wußte, kommentierte das Ganze wesentlich lakonischer: »Sie suchen in jedem weiblichen Wesen Ihre Mutter, die doch eine arme, leidende, gepeinigte Frau war«, habe der Seelenarzt zu ihrem Mann gesagt, der ja der frühverstorbenen Tochter den Vornamen seiner Mutter gab. Im Sommer dieses Jahres, als er den 50. Geburtstag feierte, hatte ihn, der nie an Zufälle glaubte, ein Ereignis in seinem Toblacher Gartenhaus tief erschreckt: Plötzlich vernahm der mit seinem Werk beschäftigte Komponist ein undefinierbares Geräusch; gleich darauf stürzte etwas »fürchterliches Dunkles« zum Fenster herein. Entsetzt aufspringend, sah sich Mahler einem Adler gegenüber, der den kleinen Raum mit seinem Ungestüm erfüllte. Nachdem der Raubvogel ebenso unerwartet wie er gekommen war das Weite gesucht hatte, flatterte eine Krähe unter dem Sofa hervor und flog fort — alles in allem für den Kranken, der sich geradezu persönlich in den Mittelpunkt des Geschehens versetzt fand, ein Omen von symbolisch-drohender Eindringlichkeit!

In den Skizzen zur 10. Sinfonie dürften handschriftliche Eintragungen wie »Erbarmen! O Gott, Gott, warum hast Du mich verlassen?« nicht zuletzt durch körperliche Krisenzustände bedingt gewesen sein. Über dem 2. Scherzo steht: »Der Teufel tanzt es mit mir«, und darunter »Wahnsinn faßt mich an, Verfluchten! Vernichte mich, daß ich vergesse, daß ich bin.« Am Schluß des 4. Satzes heißt es: »Vollständig gedämpfte Trommel: Du allein weißt, was es bedeutet! Leb wohl, mein Saitenspiel!« Hier gilt auch das, was Alma Mahler über die größten schöpferischen Augenblicke, die Momente tiefster Bedrohung des Individuums Mahler, noch aus der Zeit in Maiernigg am Wörthersee mitteilt: »Die Sommerhitze! Die Stille! Der panische Schrecken! Es hatte ihn gepackt. Entsetzen! Diese Empfindung des brodelnden schrecklichen Auges des großen Pan entsetzte ihn oft, und er kam dann mitten aus seiner Arbeit, aus seiner Einsamkeit, um in menschlicher, warmer Nähe unseres Hauses wieder zu sich zu kommen und weiter zu arbeiten.« Und doch hatte er eine Art Scheu, sich mit der Partitur der 10. Sinfonie zu befassen. —

Denjenigen, welchen Gustav Mahler kurz vor seinem Tode in Europa begegnete, fiel neben der merkwürdig zuckenden Gestik vor allem seine gelbe Gesichtsfarbe auf. Die Proben zur Uraufführung der 8. Sinfonie, die drei Monate dauerten, hatten ihn völlig erschöpft, und von der schwelenden Ehekrise war bereits die Rede. In München, wo die Veranstaltung am 12. September 1910 vonstatten ging, bemerkten die Freunde an Mahler Zeichen der Schwäche und Krankheit. Als er seine Frau von der Bahn abholte, sah er bleich und verfallen aus. Ein erneutes Anginarezidiv stellte bis zuletzt alles in Frage. »Denke Dir, mein fieberisches Gefühl, als ich im Hotel ankam, verstärkte sich gestern Morgen (schon während ich Dir schrieb) so eminent, daß ich mich im Schrecken sofort zu Bett legte, einen Arzt kommen ließ (alles wegen der kommenden Woche). Als er mich untersuchte, constatirte er rechtsseitig einen weißen Belag (eitrig) mit starker Röthung des ganzen Halses. — Ich bekam einen wahnsinnigen Schreck und verlangte sofort zum Schwitzen eingepackt zu werden. (Pinseln wollte er nicht, aber er gab mir ein wunderbares Desinfectionsmittel, alle halbe Stunde eine halbe Tablette eines erst seit einem Jahr in Deutschland in Gebrauch stehenden Präparates.) Ich mußte das ganze Haus erst rebellisch machen, um die nöthigen wollenen Decken etc. zu acquiriren. In stärkstem Schweiß lag ich drei Stunden, ohne mich zu rühren. Bloß G. mußte mir öfters mit einem Handtuch Gesicht und Augen abwischen . . . Abends kam der Arzt wieder, constatirte eine leichte Besserung. Die Nacht verlief ruhig — heute erwachte ich ohne Fieber, aß mit Appetit. Der Arzt kam, constatirte eine große Besserung und erlaubte mir die Probe.« (Aus München, Anfang September 1910.) Nach dem Konzert ließ sich Mahler wegen seiner Halsattacken in Wien untersuchen, weil er jedoch keinen tieferen Eingriff wollte und sehr schmerzempfindlich war, unterblieb leider die Tonsillektomie, die Mandeln wurden lediglich kauterisiert.

»Mahler, dieser göttliche Dämon, bezwang hier ungeheure Massen«, schrieb seine Gattin Alma über das Konzert vom 12. September, welches am nächsten Tag wiederholt wurde. Der Komponist hat den beiden Chorsätzen renommierte Texte (der lateinische Hymnus »Veni, creator spiritus« und die Schlußszene von Goethes »Faust«, II. Teil) zugrunde gelegt, was in Anbetracht des technischen Riesenapparates auch zum Vergleich mit der Inspiration des Komponisten herausforderte. Dennoch war es eine Sternstunde abendländischen Geistes, als über Äonen und Konfessionen hinweg die Vereinung aller aus dem Geiste der Musik Wirklichkeit wurde: Eine Synthese, wie sie eigentlich nur einem Kosmopoliten wie Mahler glücken konnte und von ihm mit Erfolg gewagt werden durfte! »Plötzlich brachen die Viertausend, Hörer wie Ausführende, los, und dieser Sturm währte fast eine halbe Stunde.« Niemand zweifelte unter denen, die dabei gewesen, daran, daß Mahler den Gipfelpunkt seines Lebens und Ruhmes erreicht hatte.

Trotzdem war die Zukunft ungewiß. Nach langen Jahren der Armut und Entsagung, in denen er auch noch für seine Verwandten zu sorgen hatte, konnte der Meister jetzt zwar auf einen gewissen Wohlstand blicken; als Beamter im Ruhestand erhielt er neben seinen anderweitigen Einkünften noch eine Pension aus Wien. Wie sich hingegen die ehelichen Beziehungen in der nächsten Zeit entwickeln würden, konnte niemand voraussehen, die forcierten Liebenswürdigkeiten, mit denen er auch in der Korrespondenz seine Frau bedachte, änderten daran kaum etwas. Hinzu kam, daß sich ähnliche Intrigen, wie sie

276

Mahlers Weggang von der Donaustadt und die Aufgabe aller Bindungen an die Metropolitan Opera begleiteten, nun auch im New Yorker Philharmonic-Orchester und in dessen Komitee breitmachten. Denn Gustav Mahler, am Wendepunkt der klassisch-romantischen Ära stehend und gleichzeitig das Kommen einer neuen Musik ahnend, hatte seinen Kreis ausgeschritten. Er, der am Ende einer alten und am Anfang einer neuen Zeit wirkte, trug schier Untragbares.

Der Komponist, unverkennbar vorgealtert, war rein physisch diesen Problemen nicht mehr gewachsen und wirkte unsicher. Vor Weihnachten 1910 kam es zu einem leichten Rückfall der Angina. Von den für diese Saison geplanten 65 Konzerten, die zum Teil auch außerhalb von New York stattfinden sollten, hat er nur 48 geleitet. Am 20. Februar 1911 stellte sich wieder Fieber ein, Halsschmerzen und Belag traten hinzu. Mahlers Arzt Joseph Fraenkel warnte, aber Mahler behauptete, schon oft mit Fieber dirigiert zu haben. Am 21. Februar verließen ihn während einer Probe die Kräfte. Doch Mahler wollte unbedingt das Konzert nicht absagen aus Rücksicht auf F. Busoni, von dem er in der Carnegie Hall ein Werk zur Erstaufführung brachte, das den bezeichnenden Titel »Wiegenlied am Grabe meiner Mutter« trug. Es war das letzte Konzert. Mahler erhielt wieder Aspirin, in wenigen Tagen verschwand die Halsentzündung, jedoch traten nun in wechselnden Abständen Fieberzacken auf, verbunden mit Kreislaufzusammenbrüchen (Kollapsen).

Später wurde auf Veranlassung Fraenkels eine Blutuntersuchung durchgeführt, die den Verdacht auf Streptokokkensepsis bestätigte. Eine Kontrolle erbrachte denselben Befund. Man versuchte bei dem Patienten, der gefüttert werden mußte, Collargoleinläufe im Sinne der unspezifischen Reizkörpertherapie. Doch gelangte man nach einem Konsilium der ersten Ärzte New Yorks, das auf die Initiative Fraenkels zurückgehen dürfte, zu dem Ergebnis, daß eine Verlegung des Kranken dringend geboten schien, um mit der Weiterbehandlung einen berühmten europäischen Bakteriologen zu betrauen, und im Savoy-Hotel begann Alma Mahler mit dem Packen der 40 Koffer.

Im April verließ Mahler in Begleitung seiner Frau, seines Kindes und seiner ihm eng verbundenen Schwiegermutter Amerika. Am Arm von Fraenkel wankte der Patient, welcher einen kachektischen Eindruck machte, zum Lift, und der Arzt führte ihn noch auf den Dampfer, wohl wissend, daß es ein Abschied für immer war. Untertemperaturen wechselten mit hohen Fieberzacken. Unterwegs stand Mahler fast täglich auf, man geleitete oder trug ihn aufs Sonnendeck, wo sich der mitreisende F. Busoni herzlich um das Wohl des Todkranken kümmerte und die bezeichnenden Worte sprach: »Merkwürdig, wie doch die Deutschen sind! Nie verstehen sie den Lebenden! Mahler zum Beispiel hat noch absolut keine Genieabstempelung. Sie wissen im Grunde nichts von ihm. Aber wenn er einmal nicht mehr sein wird – ja dann!«

Zum letzten Male gelangte der gleich Ahasver Herumgetriebene, fiebernd und todgeweiht, nach Paris, um sich einer Serumbehandlung zu unterziehen. Er wirkte teilnahmslos, verdüstert, ablehnend. Stunden hoffnungsvoller Zuversicht wechselten mit verzweiflungsvoller Resignation. Im Anschluß an eine Stadtrundfahrt vom Hotel Elysée aus, die Mahler selbst gewünscht hatte, trat eine rapide Verschlechterung des Gesundheitszustandes ein, es kam zu Schüttelfrost und Kollaps, welcher eine Kampferinjektion erforderte. Er weinte sehr, er wünschte sich ein einfaches Begräbnis, keinen Pomp, keine Reden, nur der Name »Mahler« solle auf dem Stein stehen. »Die mich suchen, wissen, wer ich war, und die anderen brauchen es nicht zu wissen.« Dann brach es aus ihm heraus: »Wie Spinnen haben sie mich umstrickt! Sie haben mein Leben gestohlen!

278

Gustav Mahler konsultiert während seiner Heimreise in Paris den Bakteriologen A. Chantemesse. Titelseite des »Illustrierten Wiener Extrablattes« vom 28. April 1911

Man hat mich isoliert! Aus Eifersucht und Neid! Aber auch ich bin schuld. Warum habe ich es geschehen lassen? Ach, ich habe Papier gelebt!«, und das sagte er immer wieder vor sich hin: »Ich habe Papier gelebt!«

Der Bakteriologe Professor André Chantemesse ordnete eine baldige Überführung in das Sanatorium von Dr. Duprès in der Rue Dupont an. Erregungszuständen folgte bedrohliche Schwäche. Mahler war so erschöpft, daß er zum Lesen immer ein paar Seiten aus dem Buche »Das Problem des Lebens« von Eduard von Hartmann herausriß, weil er es nicht mehr in seinen kraftlosen Händen halten konnte. »Aber ich habe eigentlich nur noch einen einzigen Wunsch — genug Digitalis nehmen zu dürfen, um mein Herz zu stützen.« Er bangte um die Zukunft Schönbergs: »Wenn ich gehe, hat er niemand mehr.«

Eine Blutkultur wurde angelegt — ganze Schnüre von Streptokokken konnte man unter dem Mikroskop erkennen. Damit war die Diagnose »Sepsis« endgültig bestätigt. Die Serumbehandlung blieb erfolglos, und da sich der Zustand des Kranken rapid verschlechterte, holte man aus Österreich Prof. Franz Chvostek, der Mahler zwar nicht retten konnte, ihn aber immerhin beruhigte und einen Transport nach Wien vorschlug, welchen er selbst von ärztlicher Seite aus überwachte. Mahler faßte neuen Mut. Zu Alma sagte der Kliniker allerdings: »Hoffnungslos! Man kann nur wünschen, daß es schnell geht.« Auf der Eisenbahnfahrt von Paris nach Wien fürchtete man schon das Ableben, so schwach war der Puls. »Vor mir lag der ausgezehrte Kopf mit den Fieberflecken und der arme, ausgemergelte Leib.« Das Sensorium trübte sich. Das Riesenzimmer des Sanatoriums Loew, Wien IX, Mariannengasse 20, verwandelten Freunde in einen Blumenhain, jedoch nahm der bis zum Skelett abgemagerte Patient davon nicht mehr allzuviel wahr. Sein Töchterchen umarmte er und sprach: »Bleib mir brav, mein Kind!«

Zuletzt traten im Rahmen der Herzschwäche auch noch Schwellungen an den Beinen auf, die man mit Radiumkissen anzugehen versuchte. Dann wurde das Sauerstoffgerät benötigt, urämische Symptome beherrschten das finale Krankheitsgeschehen. Die Augen des Sterbenden waren riesengroß, seine Finger dirigierten auf der Bettdecke. Zweimal rief er Mozarts Namen, ehe, nach einer Morphiuminjektion, die Agonie begann. Um Mitternacht des 18. Mai 1911, während draußen ein orkanartiger Sturm tobte, verstummte plötzlich das Röcheln — Mahler war einer tonsillogenen Sepsis erlegen. Im Totenprotokoll findet sich darum auch die Diagnose »septische Herzinnenhautentzündung«. Der Schwiegervater Carl Moll nahm die Totenmaske ab.

»Sein wahrhaftes Ringen um die ewigen Güter, sein Sterben, die Größe seines Antlitzes, das immer schöner wurde nahe dem Tode — ich will und werde es nie vergessen . . . Zum mindesten bleiben alle nicht ganz in Liebe erlebten Momente als Schuld auf dem Herzen liegen«, schrieb Mahlers Witwe später. Aber sie war in Gedanken schon viel weiter: »Sterbetag Gustav Mahlers und zugleich Geburtstag von Walter Gropius (ihres zweiten Mannes). Sind das Zufälle?« Und in der Metropole der Musik war man mit Nekrologen auch nicht großzügig: »Unser Raum ist zu beschränkt«, sagte der Referent, der im Wiener Tagblatt den Nachruf schrieb, »als daß wir uns über die Bedeutung des Komponisten Mahler des näheren verbreiten könnten.« Als der Sarg den schmalen Feldweg zum Grinzinger Friedhof hinaufgetragen wurde und man den toten Meister neben seiner Tochter zur letzten Ruhe bettete, rissen plötzlich die Regenwolken — die Sonne brach durch. Unter denen aber, welchen Gustav Mahler Vorbild und künstlerisches Idol wurde, befand sich auch, am offenen Grabe trauernd, der junge Alban Berg, der den Taktstock Mahlers zeitlebens als Talisman aufbewahrte. Dieser Frühvollendete, der, gleich Mahler, ebenfalls im Alter von 50 Jahren von uns genommen wurde, schrieb später über dessen 9. Sinfonie:

»Ich habe wieder einmal die Neunte Sinfonie Mahlers durchgespielt. Der erste Satz ist das Allerherrlichste, was Mahler geschrieben hat. Es ist der Ausdruck einer unerhörten Liebe zu dieser Erde, die Sehnsucht, im Frieden auf ihr zu leben, sie, die Natur, noch auszugenießen bis in ihre tiefsten Tiefen — bevor der Tod kommt. Denn er kommt unaufhaltsam . . .«

GUSTAV MAHLER

1. *Blaukopf, K.:* Gustav Mahler oder Der Zeitgenosse der Zukunft, Wien–München–Zürich (Molden) 1969.

2. *Jones, E.:* Das Leben und Werk von Sigmund Freud, 3 Bde., Bern, Stuttgart 1960/62 (in Band II: 103 f.).

3. *Mahler, G.:* Briefe, herausgegeben von Alma Mahler, Berlin, Wien, Leipzig 1924.

4. *Mahler, G.:* in: Die Musik in Geschichte und Gegenwart (MGG), Kassel 1960.

5. *Mahler, G.:* Einzelbeiträge über Mensch und Werk von seinen Freunden, Tübingen 1966.

6. *Mahler-Werfel, A.:* Mein Leben, Frankfurt 1960.

7. *Mahler-Werfel, A., G. Mahler:* Erinnerungen an Gustav Mahler/Briefe an Alma Mahler (herausgegeb. von D. Mitchell), Frankfurt, Berlin, Wien (Ullstein-Propyläen) 1971.

8. *Neißer, A.:* Gustav Mahler, Leipzig 1918 (Reclam).

9. *Reich, W.:* Gustav Mahler, Zürich 1958.

10. *Schönberg, A.:* Prager Rede, in 5.

11. *Schreiber, W.:* Gustav Mahler, ro-ro-ro-Monographien, Reinbeck b. Hamburg 1971.

12. *Schumann, K.:* Das kleine Gustav-Mahler-Buch, Salzburg (Residenz) 1972.

13. *Specht, R.:* Gustav Mahler, Berlin und Leipzig 1922.

14. *Stuckenschmidt, H. H.:* Die reinigende Nähe (Gustav Mahler), »Frankfurter Allgemeine Zeitung« (FAZ) vom 9. Juli 1960.

15. *Walter, B.:* Gustav Mahler, Frankfurt 1957.

16. *Worbs, Chr.:* Gustav Mahler, Berlin 1960.

Briefe an den Verfasser von Frau Alma Mahler-Werfel/New York († 1964), die Krankheiten Gustav Mahlers betreffend:

17. vom 6. Dezember 1960,

18. vom 9. Februar 1961,

19. vom 13. März 1961.

Maurice Ravel in seinen letzten Lebensjahren (zeitgen. Foto)

MAURICE RAVEL
(1875—1937)

»Große Musik muß stets aus dem Her-
zen kommen!«

(M. Ravel)

Maurice Ravel (geb. 7. März 1875) wurde zwar 62 Jahre
alt, war aber während der letzten sechzig Lebensmonate
derart schwer krank, daß er nicht mehr komponieren konnte. Er starb wenige Tage nach einer Kopfoperation, ohne
das Bewußtsein für längere Zeit wiedererlangt zu haben.
Siebenundfünfzig Werke und Werkgruppen von ihm sind
auf uns gekommen.

Ravel war der Sohn eines Genfer Bürgers und einer
Baskin. Maurice, der neben seinem drei Jahre jüngeren
Bruder Edouard in gesicherten Verhältnissen aufwuchs und
wirtschaftliche Not nie kennenlernte, hat sich selbst gerne
einen Basken genannt, denn er kam in Ciboure, einem
kleinen Pyrenäenort in der Nähe von Saint-Jean-de-Luz,
zur Welt. Sein Vater Joseph (1832—1908) war Zivilinge-
nieur und der Erfinder eines mit Mineralöl geheizten
Dampfkessels sowie eines Überdruck-Zweitaktmotors; man
kann ihn also unter die Pioniere in der Automobilindustrie
zählen. Er stammte vom Genfer See, ist ein liebenswürdi-
ger, stiller Mensch von umfassender Bildung gewesen, auf-

geschlossen für Malerei und Musik. Nach dem deutsch-französischen Krieg 1870/71 arbeitete er in Spanien am Ausbau des Eisenbahnnetzes. In Neu-Kastilien lernte er Maria Deluarte (1840–1917), eine auffallend hübsche junge Baskin, kennen, die er 1874 heiratete.

Im Juni 1875, bald nach der Geburt des Knaben Maurice, übersiedelte die Familie nach Paris. Beide Eltern liebten die Musik und stellten die gleiche Neigung bei ihren Söhnen fest. Edouard ergriff den Ingenieurberuf des Vaters, Maurice wurde Musiker. Am 31. Mai 1882 vermerkte der Lehrer des siebenjährigen Eleven, Henry Ghys:

»Heute beginne ich mit einem kleinen Schüler Maurice Ravel, der mir intelligent zu sein scheint.«

1889 tritt der Vierzehnjährige ins Pariser Konservatorium ein, das er nun fast sechzehn Jahre lang besucht. Dort ist er aber weder ein Musterschüler noch ein Wunderkind, arbeitet stets bedächtig und erkennt bald, daß seine kleinen Hände mit der kurzen Spannweite jedes künftige Virtuosentum ausschließen, obwohl die Finger ungewöhnlich lang erscheinen. Mit zwanzig Jahren erreichte Ravel bereits eine sichere handwerkliche Meisterschaft. Der Pianist Alfred Cortot sagte von ihm: »Ein gerne heiterer, viel diskutierender und etwas hochmütiger junger Mann, der Mallarmé liest und mit Erik Satie verkehrt.« Sein Glück war eben, daß er neben seinen wertvollen Anlagen kluge Eltern, außergewöhnliche Lehrer und wichtige Freunde besaß. Mit 26 Jahren erhielt Ravel bei der Bewerbung um den »Prix de Rome« den 2. Preis. 1905 verließ er das Konservatorium, um als freier Musiker zu wirken, nachdem er letztmals sein Glück mit dem Rompreis versucht hatte und man ihn ablehnte, was mit einem Skandal endete. Schon jetzt lagen bedeutende Werke aus Ravels Feder vor, 1895 entstand die von spanischen Rhythmen getragene Habanera, 1901 das Klavierstück »Jeux d'Eau«, 1903 der Zyklus von drei Scheherazadeliedern mit Orchesterbegleitung nach dem

Text von Tristan Klingsor. Unter seinen damaligen Bekannten trifft man durchweg nur Männer, keine Frauen, die sich um die Jahrhundertwende im Klub der »Apachen« zusammenschlossen.

Obwohl Ravel als klassischer Vertreter des französischen Impressionismus bezeichnet werden darf, hat seine Harmonik, die nie den Bereich der Tonalität und Tradition verläßt, eine weit lichtere und transparentere Struktur als die Klangpalette von Claude Debussy, bei dem sich die Einzelstimmen mitunter ins Uferlose verlieren. Wenn ihn zwar vorübergehende Freundschaft mit diesem oder mit Igor Strawinsky verband, so ist sich Ravel doch selbst am meisten treu geblieben und hat den höchst sublimen eigenen Stil nie verleugnet. Dieser tritt schon am deutlichsten in dem Klavierzyklus der »Miroirs« von 1905 in Erscheinung, aus welchem die zwei Einzelstücke »Oiseaux tristes« und »La vallée des cloches« Weltgeltung erlangten. Gleich Chopin, hat Ravel keine wesentliche weitere Entwicklung mehr durchgemacht, er stand als fertiges Phänomen da (H. H. Stuckenschmidt).

Im Todesjahr seines Vaters, 1908, fand die Erstaufführung der »Rhapsodie espagnole« für großes Orchester in Paris statt. In der stereotypen Wiederholung des aus vier Noten bestehenden Eingangsthemas zum »Prélude à la nuit« offenbart sich uns ein Charakterzug Ravels, der noch in mehreren späteren Werken und am stärksten in der Verarbeitung des »Boléro« zutage tritt: Seine Vorliebe für Automatenhaftes — wohl ein Teil der väterlichen Erbanlage! —, für Spielzeug, Nippfiguren, Tanz und alles, was irgendwie mit Spanien zusammenhängt. Andererseits gibt es im Leben des Meisters keine intimen Bindungen an Frauen — diese mied er bewußt, besonders bei Festen. Ravel war sehr klein, untergewichtig und ließ Zeichen eines Hydrozephalus erkennen. Der große Kopf stand in seltsamem Verhältnis zu seiner sonstigen körperlichen Untermaßigkeit. Er kleidete sich, gewissermaßen als Ausgleich, stets nach der neuesten Mode, legte überhaupt auf seine äußere Erscheinung ungewöhnlichen Wert. »Rachitismus, Infantilismus und Insuffizienz der Nebenniere« sollen bei einer eingehenden ärztlichen Untersuchung im Jahre 1927 festgestellt worden sein. Wenn er, eigentlich sehr menschenscheu und allen äußeren Ehrungen abhold, auch lange in geborgenen Verhältnissen bei seinen Eltern wohnte und aufs Geldverdienen nicht angewiesen war, umgibt ihn doch »die Tragik eines Künstlers, der stets von neuem versucht, das, was ihm das Leben versagt, in der zweiten Welt seiner Musik zu schaffen«. So gesehen, stellt der künstlerische Werdegang dieses Musikers eine kontinuierliche Linie dar, welche 1912 mit der Erstaufführung des Balletts »Daphnis und Chloë« — von welchem die II. Orchestersuite besondere Beliebtheit erlangte — einen Höhepunkt aufweist.

Seit 1909 war Ravel zudem als Musikschriftsteller tätig. Er arbeitete langsam, ja mitunter mühsam und schloß sich während des Schaffens von aller Welt ab. Fieber, Schlaflosigkeit, Appetitlosigkeit und Pulsirregularitäten begleiteten in der Regel diesen Prozeß. Er war davon überzeugt, daß die Inspiration nichts weiter als die Belohnung der täglichen Arbeit sei. Er schwamm viel, ging regelmäßig spazieren und war ein »Nachtwandler«, weil sich bei ihm seit 1918 die Symptome einer hartnäckigen Schlaflosigkeit einstellten, die ihn mit zunehmenden Jahren immer mehr bedrängte. Zudem Kettenraucher von schwarzen Zigaretten, starker Kaffeetrinker, Kenner schwerer Weine und ein Freund scharfer Gewürze, scheint Ravel, wie einem Brief an Roland-Manuel entnommen werden kann, auch die Wirkung der Opiate nicht fremd gewesen zu sein. Im Ersten Weltkrieg diente Ravel anderthalb Jahre lang als Soldat, nachdem man ihn zunächst wegen seiner schwachen Konstitution nicht zum Heeresdienst heranziehen wollte. Doch erkrankte er, einem Automobilpark zugeteilt und in der Gegend von Verdun eingesetzt, bald und wurde 1917 wieder entlassen. Mit dem Tod der Mutter im gleichen Jahr ereilte ihn ein besonders harter Schicksalsschlag.

1920 lehnte Ravel das Kreuz der Ehrenlegion, das ihm auf Grund seiner Verdienste verliehen werden sollte, ab, was von der Presse übel vermerkt wurde. Am 12. Dezember fand die Erstaufführung von »La Valse«, einer Nachkriegsarbeit mit dem »Charakter eines Totentanzes« (Roland-Manuel), in den Concerts Lamoureux zu Paris mit großem Erfolg statt. Im Jahr davor, das erste Anzeichen einer Unterhöhlung von Ravels Gesundheitszustand erkennen läßt, hatte der Komponist eine Kur in Mégève, einem savoyardischen Badeort, absolviert, wobei die Briefe aus dieser Zeit von Fieberzuständen und beängstigenden Pulsunregelmäßigkeiten berichteten. Ravels Schlaflosigkeit — »meine Neurasthenie« — nahm immer größere Ausmaße an und begleitete ihn nun bis zum Tode. Sein Haar ergraute schon. An Georgette Marnold schrieb er eine Karte vom 31. Januar 1919 mit dem lakonischen Satz: »Muß glauben, daß die Notwendigkeit des Schlafes ein Vorurteil ist, denn es geht mir nicht schlechter.«

Obwohl Ravel frühzeitig Biographen fand, die sich seiner liebevoll annahmen und er zweifelsohne ein Protégé ebenso vermögender wie kunstbeflissener Kreise war, gibt das Sphinxhafte seiner Persönlichkeit noch heute zahllose ungelöste Rätsel auf. Nur schwer konnte man in sein Inneres blicken, das er mit »Vornehmheit in Person« tarnte. So zog er sich seit 1920 am liebsten in sein kleines Landhaus in Montfort-l'Amaury, etwa 50 Kilometer westlich von Paris, zurück, das mit erlesenem Geschmack eingerichtet war.

Ravel war Pantheist, hat nie die Messe besucht und nie ein Werk für die Kirche geschrieben. Ja, der »Amen«-Schluß seines zweiten Chansons »Don Quichotte à Dulcinée« von 1932 legt den Verdacht nahe, daß er konfessionellen Anliegen mit Sarkasmus begegnete. Daran hat er auch in Briefen, die seine antiklerikale Haltung bekunden, keinen Zweifel gelassen. So am 25. März 1920: »Ich denke manchmal an ein wunderbares Kloster in Spanien, aber ohne den Glauben wäre das vollkommen idiotisch. Und würde nur dazu führen, dort Wiener Walzer und andere Foxtrotts zu komponieren.« R. Peyrefitte schreibt: »Es gibt Juden jeglicher Hautfarbe, und in den Vereinigten Staaten war der Komponist Ravel als Jude begrüßt worden, wenn er sich auch dagegen gewehrt hatte. Sonst wäre er in der Rue Cadet (Sitz des Grand Orient de France, größter Freimaurerorden des Kontinents) der einzige jüdische Großmeister gewesen.«

Vorgenannte Notiz nimmt Bezug auf Ravels fünfmonatige Amerikatournee 1927/28, die ihm triumphale Erfolge bescherte, zumal er auch als Dirigent auftrat. Da seine chronische Schlaflosigkeit schon zehn Jahre währte, unternahm er wieder viele nächtliche Spaziergänge, besonders durch New York, wie er das auch mit Vorliebe bei seinen früheren Auslandsreisen (Wien 1920; Niederlande, Venedig und England 1922) tat.

Ravels einziges populär gewordenes Werk ist der weltberühmte »Boléro« von 1928, dessen ursprünglicher Einfall sich über 16 + 16 Takte erstreckt und im Grunde nur die instrumentale Verwandlung des gleichen stereotypen Eingangsthemas, basierend auf einem martialischen Rhythmus, zum Gegenstand hat — bei aller scheinbarer Zufälligkeit des Gebotenen doch eine Art »Musikalisches Opfer«, das in bacchantischem Taumel, dem wüste Posaunenglissandi besondere Akzente verleihen, einmündet. Ravel sagte hierzu: »Der ›Boléro‹ besitzt keine wirkliche Form, keine Entwicklung, keine oder fast keine Modulation . . . nichts als Rhythmus und Orchester.« Die Urmelodie wird erstmals durch die Flöte eingeführt und achtzehnmal in der Weise wiederholt, daß immer ein neues Soloinstrument hinzukommt, mithin besteht lediglich eine Veränderung der Instrumentation.

Es folgen noch zwei Klavierkonzerte, an denen Ravel, der eigentlich gar kein Zeitgefühl besaß, von 1929 bis 1931 gleichzeitig arbeitete und von denen das in D-Dur für die linke Hand allein geschrieben wurde auf Wunsch des einarmigen Pianisten Paul Wittgenstein, der den Solopart selbst am 27. November 1931 bei der Erstaufführung in Wien spielte; dieses einsätzige Konzert, aus einem Sarabandenthema hervorgehend, beeindruckt durch seine melancholische Färbung, es mutet an wie ein Abgesang vom Leben, wie eine Vorwegnahme zukünftiger biographischer Ereignisse!

Das letzte vollendete Werk Ravels sind drei Chansons (Bariton), betitelt »Don Quichotte à Dulcinée«, 1932 komponiert, welche als Musik zu einem Film gedacht waren, der nie entstand.

Abgesehen von einigen Konzertreisen in Frankreich und nach Belgien führte Ravel seit 1930 ein ruhiges Leben. Im Oktober 1932 stieß sein Taxi in Paris mit einem anderen Wagen zusammen. Der Komponist trug leichte Kopfverletzungen davon, verlor ein paar Zähne und litt kurze Zeit an einer unterschwelligen Gehirnerschütterung. Er wurde elektrisiert, »mit Goldnadeln gestochen«, sogar hypnotisiert, aber er hat von da an keine vollendete Komposition mehr hinterlassen. Ravel arbeitete zwar fleißig an Skizzen zu allerlei Werken weiter, eine zusammenhängende Musik brachte er jedoch infolge der nun auftretenden Konzentrationsschwäche nicht mehr zustande. Manche Ravelbiographen erblicken in besagtem Schädeltrauma die Ursache für seine Todeskrankheit, übersehen dabei aber, daß er *bereits vor* diesem Ereignis nicht gesund war. Ehe er Ende 1927 nach Amerika reiste, kam es gelegentlich vor, daß ihm die Finger am Klavier den Dienst versagten, daß ihm plötzlich Worte auf den Lippen erstarben. Schon damals hielten

Freunde nach den Konzerten die aufdringlichen Autogrammjäger ab, weil er fürchtete, er könne seinen Namen nicht mehr schreiben (Tappolet), man würde auf seine Dysphasie aufmerksam werden. Der 53jährige Jubilar macht auf den Photos vom Jahre 1928, die anläßlich der Verleihung der Ehrendoktorwürde der Universität Oxford entstanden, bereits einen stark abgebauten und vorgealterten Eindruck.

1933, als er während des Sommers in Saint-Jean-de-Luz, nahe seiner Geburtsstadt Ciboure, badet, bemerkt er zu seinem Schrecken, daß er gewisse Bewegungen nicht mehr ausführen kann: Statt eines Beines bewegt sich ein Arm, und es mißlingt ihm, einen Stein in die gewünschte Richtung zu werfen. Schreiben und Unterzeichnen bereitet ihm unerklärliche Mühe.

Zur Wintersaison kehrte Ravel nach Paris und in sein Landhaus zurück. Im Januar 1934 schlug der behandelnde Arzt, Prof. Dr. Valléry-Radot, brieflich vor, man solle alle Mittel versuchen, daß sich Ravel zu einer wochenlangen Ruhezeit entschließt: »Er fühlt sich nervös, überfordert. Erstes Anzeichen von Apraxie, was bedeutet: Verwechslung der Bewegungen, eine Geste statt einer anderen auszuführen.« Nicht zuletzt wegen der Depressionen brachte man ihn im März 1934 in die Klinik Monrepos am Mont Pélérin bei Vevey am Genfer See, nahe Lausanne. Dort verfaßte er ein Kondolenzschreiben an seinen Freund M. Delage anläßlich des Todes von dessen Mutter, datiert vom 22. März. Für die wenigen Zeilen benötigte er acht Tage, und dies nicht wegen der Orthographie, sondern »Wort für Wort wegen der Form jedes einzelnen Buchstabens, welche er völlig vergessen hatte« (R. Chalupt) und weshalb er sich beim Schreiben des Larousselexikons bediente. Der behandelnde Arzt, Dr. Michaud, stellte fest: »Schlaflosigkeit, Gedächtnistrübung, Müdigkeit, Mangel an Konzentration, Angstzustände, orthographische Fehler. Weiß nicht mehr, wie man gewisse Buchstaben schreibt. *Er ist starr.* Die Angst spielt eine große Rolle in seinem Unbehagen. Beständige Furchtgefühle . . .«

Dann gab es wieder Tage, an denen Ravel einen vollkommen gesunden Eindruck machte. Wenn ihm Begriffe entfielen, versuchte er sie bildhaft zu umschreiben: »Er heißt . . . es ist der Komponist . . . den Wagen fährt seine Frau . . .«

Die Kur am Genfer See war erfolglos geblieben. Man brachte ihn nach Paris zurück und richtete eine weitere Wohnung ein, wohl um den Milieuwechsel zu intensivieren: Hausbar, eine Vitrine voller Nippsachen, ein Kinderdorf und Stofftiere fehlten nicht. Oder er weilte in Montfort-l'Amaury, durchstreifte die Wälder von Rambouillet, von Freunden begleitet und verwöhnt — und doch: Der Zustand verschlechterte sich eher!

Eine großzügige Spende der russischen Tänzerin Ida Rubinstein brachte jene Geldmittel zusammen, die es ermöglichten, daß Ravel zusammen mit seinem Freunde, dem Bildhauer Léon Leyritz, eine Marokkoreise unternehmen konnte.

Im Februar 1935 fuhren sie ab und reisten nach Madrid, wo Ravel eine von F. Goya ausgemalte Kirche besuchte, die ihm von einem früheren Aufenthalt her bekannt war. Dann schifften sie sich nach dem südspanischen Algeciras ein, setzten über nach Tanger, besichtigten Fes und hielten sich über drei Wochen in der Märchenstadt Marrakesch auf. Dort trank Ravel seinen beruhigenden Pfefferminztee, beobachtete über viele Stunden das Treiben auf dem großen Platz vor dem Hotel, führte lange Zwiegespräche mit Tauben und Katzen — alles mehr oder weniger Symptome seiner Antriebsverminderung und kein Beweis für »Vitalität«, was die Biographen in derlei Ereignisse hineininterpretierten. Jetzt konnte er auch nur noch mühsam lesen. Es folgten Ausflüge in das Gebiet des Atlas, man gab sogar ein großes Fest für ihn, und es sah vorübergehend so aus, als bessere sich der Zustand. »Wenn ich arabische Musik schriebe, dann wäre sie echter als das!« Er trällerte sogar Melodien aus einem geplanten Werk, schrieb einen langen Brief an den Bruder. Dann traten jedoch wieder Symptome von Agraphie auf, als sie über Sevilla, Cordoba, Vitoria und Pamplona zurück kehrten.

Im Mai 1935 meinte Ravel bei der Beerdigung des Komponisten Paul Dukas: »Ich habe ein Thema notiert. Ich kann noch Musik schreiben.« Allein, er brachte nicht einmal mehr Autogramme zuwege. Während des Sommers weilte Ravel nochmals an der Seite von Léon Leyritz in Spanien, war in Saint-Jean-de-Luz sowie während des Herbstes in den Baskenstädten Bilbao und Burgos.

Bei seiner Heimkehr wirkte Ravel dennoch apathisch und schweigsam. All die kostspieligen Mühen, diese einzigartigen Versuche, sein Gehirn zu den Spitzenleistungen von einst zu animieren, waren vergeblich gewesen. Den Verfall konnte man nur verzögern. Wie getrieben, fährt Ravel beständig von Montfort-l'Amaury nach Levallois zu seinem Bruder und von Levallois nach Montfort.

Anfang 1936 verschlimmerte sich die Apraxie. Mager, eingefallen, grauweiß im Gesicht erschien er mitunter bei den Freunden, in Paris, auf dem Lande, im Konzertsaal. Alle nötigen Arbeiten wurden ihm von anderen abgenommen. Er saß auf dem Balkon, den Blick in die Ferne gerichtet und sagte auf die Frage, was er tue: »Ich warte.« Oder er harrte neben dem Telefon auf einen Anruf seines Bruders, brachte es hingegen nicht einmal mehr fertig, selbst das Türschloß zu öffnen.

In dem hageren Antlitz treten nun die Knochen stärker hervor denn je. Vier Jahre erträgt Ravel schon sein Leiden mit stoischer Ergebenheit in das Unabwendbare. Im Herbst 1937 hört er eine vollendete Aufführung von »Daphnis und Chloë«. Plötzlich verschwindet er und wird nach längerem Suchen in einer dunklen Ecke der Kulissen gefunden, Tränen in den Augen: »Ich habe noch so viel Musik in mir.« Man will ihn trösten: »Noch nichts habe ich gesagt! Alles habe ich noch zu sagen!« In Montfort besuchten ihn gelegentlich Freunde, darunter auch Ernesto Hallfter und Gemahlin. Da er bei der Begrüßung vergeblich nach Worten rang, eilte er in den Garten und brachte eine Blume, die das ausdrücken sollte, was er nicht aussprechen konnte.

Ravels Leiden wird heute als »begrenzte symmetrische Schwäche der Großhirnrinde unter besonderer Beteiligung der Zonen, die mit Sprachbildung zu tun haben«, als *Picksche Krankheit*, aufgefaßt. Man beobachtete bei ihm Schlaflosigkeit (seit 1918), vorzeitiges Ergrauen der Haare (seit 1919), apraktische Störungen (seit 1927) mit Aphasie und Agraphie, zuletzt auch Alexie, Konzentrationsschwäche (seit 1932), Antriebslosigkeit im Wechsel mit planloser Unruhe, Depressionen und Angstzuständen. Bei erhaltener Verstandeskraft stand zuletzt die Sprachverarmung im Vordergrund, durch Hydrozephalus ausgelöste Hirndrucksymptome dürften den chirurgischen Eingriff erforderlich gemacht haben. Außerdem lagen innersekretorische Insuffizienzerscheinungen vor, wie 1927 beschrieben. Dem Autounfall von 1932 kommt höchstens der Wert einer richtunggebenden Verschlimmerung des Morbus Pick zu, dessen erste Anzeichen bereits nach dem Ersten Weltkrieg hervortraten.

Die präsenile Rindenatrophie des Gehirns, meist im 6. Lebensjahrzehnt ausgeprägt, führt zu einem Nachlassen der geistigen Funktionen neben plötzlich einsetzenden und meist kurzdauernden apraktischen Symptomen (Aphasie, Agraphie, Alexie). Dabei sind die Ventrikel später *hydrozephal* erweitert, während neurologisch meist kein besonderer Befund erhoben werden kann. Anatomisch beobachtet man bei dieser doch relativ seltenen Krankheit (in

Schweden etwa 0,1 %) eine Verschmälerung der Hirnwindungen im Stirn-, Schläfen- und Parietalbereich, auch mikroskopisch dominiert die Atrophie. Das klinische Bild ist nicht einheitlich, die Krankheitsentwicklung reicht mitunter über Jahre zurück — hier mit der Umkehr des Wach-Schlaf-Rhythmus eigentlich sogar über bald zwei Jahrzehnte. Reizbarkeit, depressive Verstimmung, iterative Beschäftigungsunruhe charakterisieren die Leidensgeschichte Ravels, die ferner von einer Herabsetzung des Sprachverständnisses, Veränderungen der Spontansprache, Schwierigkeiten beim Lesen und zunehmender Verarmung des Wortschatzes gekennzeichnet ist. Einen eigentlichen Abbau der Intelligenz konnte man bei dem Patienten nicht bemerken, sein Geist war bis zuletzt völlig klar. Dabei bleibt offen, inwieweit die vorzeitigen Versagenszustände durch Nikotinabusus, Alkohol oder andere Stimulantien mitverursacht wurden. Weil im modernen Schrifttum (G. Huber) auch chronisch persistierende Endokrinopathien für die Genese der Hirnatrophie verantwortlich gemacht werden (z. B. Myxödem), muß man dieser Frage besondere Aufmerksamkeit schenken: Dann wäre seine Krankengeschichte schon rein anlagemäßig determiniert gewesen, denn der Pickschen Krankheit begegnet man erfahrungsgemäß häufig bei biologisch nicht ganz vollwertigen Menschen (E. Zerbin-Rüdin). Ravels Infantilismus, die biographisch belegten Manieriertheiten und Exzentrizitäten sowie die lebenslange Frauenlosigkeit legen solche Schlüsse jedenfalls nahe. Wahrscheinlich ist die entnervende Stereotypie des »Boléro« von 1928 schon als Frühsymptom zu werten. Und die Ausklänge von »La Valse«, »Boléro« und dem Klavierkonzert D-Dur, deren gequälter, panischer Charakter evident ist, geben gleichfalls zu denken. Dieses Leiden jedenfalls hat den Meister in einen Zustand schrecklicher Isolierung geführt und seine Feder zwangsweise zum Schweigen gebracht, obwohl gerade bei der Pickschen Krankheit Liedertexte und Melodien meist erstaunlich lange beherrscht werden—aber die schöpferische Leistung versiegt trotzdem!

Die Ärzte, unter deren Beobachtung er ständig stand, wußten kein Mittel mehr. Frau Révelot, die den Meister seit fünfzehn Jahren umsorgte, pflegte ihn wie ein eigenes Kind. Immerhin haben die Biographen über diesen »letzten Ravel« von 1937, der, hilflos lächelnd und von Sprachverödung gezeichnet, die meiste Zeit zu Hause verbrachte, den Mantel des Schweigens gebreitet. Die damaligen Fotos lassen hingegen keinen Zweifel an der senilen Involution.

Da der Zustand immer bedrohlicher wirkte, konsultierte man schließlich den berühmten Hirnchirurgen Professor Clovis Vincent, weil die im Rahmen der eingehenden Untersuchung erneut bestätigte Verdachtsdiagnose »Hydrozephalie« zuletzt Hirndrucksymptome im Gefolge gehabt haben dürfte. Der Arzt bestand auf einem eiligen Eingriff, man brachte Ravel in dessen Klinik, Rue Boileau. Am Abend vor der Operation scherzte der Kranke noch über seinen Gazeturban, der ihm eine gewisse Ähnlichkeit mit Thomas Edward Lawrence von Arabien verlieh.

Am 19. Dezember 1937, einem Sonntag, fand die Eröffnung des Schädels statt. Es heißt, das Gehirn sei von normalem Aussehen gewesen. Einige Stunden danach schlug Ravel die Augen auf und rief nach seinem Bruder. Dann schlief er ein — für immer, erst 62 Jahre alt. Am 27. Dezember begann die Agonie, in den frühen Morgenstunden des 28. Dezember verschied jener Mann, der kurz zuvor gegenüber Freunden erneut versicherte: »Ich hätte noch so viel Musik zu schreiben.« Ein Testament fehlt. Ravel ist auch nicht seziert worden, was eine abschließende ärztliche Stellungnahme erschwert.

Am 30. Dezember hat man ihn auf dem Friedhof von Levallois neben dem Grab der Eltern zur letzten Ruhe gebettet. Unter zahlreichen Trauergästen befand sich Igor Strawinsky, es sprach Frankreichs Erziehungsminister Jean

Maurice Ravel auf dem Totenbett, dargestellt von Luc-Albert Moreau

Zay, der später unter der Pétainregierung abgeurteilt und 1944 hingerichtet wurde.

Luc-Albert Moreau hielt das Bild des Toten fest: Unendlich abständig, erhaben, wie im Ordensgewand eines Priesters, als schaue er am Ende dieses dunklen Weges das Licht des jungen Tages, wenn es aus den Noten von »Daphnis und Chloë« erwächst, und die Gegensätze unserer irdischen Welt in ewiger Schönheit ihren Ausgleich finden.

MAURICE RAVEL

1. *van Ackere, J.*: Maurice Ravel, in: »Die Musik in Geschichte und Gegenwart« (MGG), Kassel (Bärenreiter) 1963: 58 ff.

2. *Alayouanine, Th.*: The aphasie and artistic realisation (Brain, London, 1948: 229 ff.).

3. *Bärschneider, M,*: Leitsymptom: Sprachstörungen, MMW Nr. 44/1970: 2001.

4. *Bing, R.*: Lehrbuch der Nervenkrankheiten, Berlin u. Wien (Urban + Schwarzenberg) 1940.

5. *Chalupt, R.*: Ravel au miroir de ses lettres, Paris (R. Laffont) 1956.

6. *de Fragny, R.*: Maurice Ravel, Lyon 1960.

7. *Grosch, H.*: Picksche Atrophie. Medizinische Welt Nr. 19/1972: 737.

8. Hommage à M .Ravel (Numéro special à l'occasion du Ier Anniversaire de sa mort, 28. Décembre 1938), Paris (Edition de la Revue Musicale, Nr. 187) 1938.

9. *Huber, G.*: Picksche Atrophie, in: Klinik und Psychopathologie der organischen Psychosen (»Klinische Psychiatrie«, Bd. II/2, Berlin, Heidelberg, New York), (Springer) 1972.

10. *Huber, G.*: Hirnatrophische Prozesse im mittleren Lebensalter, MMW 10/1972: 429.

11. *Jankélévitch, V.*: Maurice Ravel in Selbstzeugnissen und Bilddokumenten, ro-ro-ro-Monographien Nr. 13, Hamburg 1958.

12. *Mallison, R.*: Senile und präsenile Hirnkrankheiten (Picksche Atrophie), in: Handb. d. Inn. Med. V/III (Neurologie), Berlin. Göttingen, Heidelberg (Springer) 1953.

13. *Peyrefitte, R.*: Die Juden, Karlsruhe (Stahlberg) 1966.

14. *Roland-Manuel*: Ravel, Potsdam (Akad. Verlagsgesellsch. Athenaion) 1951.

15. *Stuckenschmidt, H. H.*: Maurice Ravel, Variationen über Person und Werk, Frankfurt (Suhrkamp) 1966, sowie Brief an den Verf. vom 21. 10. 1970.

16. *Tappolet, W.*: Maurice Ravel, Olten (O. Walter) 1950.

17. *Wörner, K. H.*: Geschichte der Musik, Göttingen (Vandenhoeck + Ruprecht) 1972.

18. *Zerbin-Rüdin*, E.: Genetische Aspekte der psychiatrischen Erkrankungen, in: »Klinische Psychiatrie« II/2, Berlin, Heidelberg, New York (Springer) 1972.

Arnold Schönberg
Foto aus den letzten Lebensjahren

ARNOLD SCHÖNBERG
(1874—1951)

> »Der Künstler tut nichts, was andere für
> schön halten, sondern nur, was ihm
> notwendig ist.«
>
> A. Schönberg, Harmonielehre

In Wien vollzogen sich seit Jahrhunderten nach einem
unerforschlichen Naturgesetz die eigenartigsten Entwick-
lungen von der Klassik und Romantik bis hin zur modernen Musik. Dort erblickte auch Arnold Schönberg als Kind
nicht sehr vermögender — aber hochmusikalischer — Eltern
jüdischen Glaubens am 13. September 1874 das Licht der
Welt.

Sein Vater, der an Asthma, Emphysem und Körperschwellungen litt, starb im Jahre 1890 während der dortigen Influenza-Epidemie im Alter von rund 50 Jahren. Arnold Schönberg hatte zwei Geschwister, einen jüngeren
Bruder, der früh an den Folgen einer Blutvergiftung zugrunde ging, und eine ältere Schwester, welche ein hohes
Alter erreichte.

Arnold Schönberg heiratete im Jahre 1901 Mathilde von
Zemlinsky; eine Tochter aus dieser Ehe starb 1947, 45jäh-
rig, in New York. Der Ehe mit seiner ersten Frau, die 1923
einer bösartigen Neubildung zum Opfer fiel, entstammt

auch der im Jahre 1906 geborene Sohn Georg. 1924 vermählte sich der Fünfzigjährige nochmals mit Gertrud Kolisch, Tochter eines Wiener Primarius und Schwester des Geigers Rudolf Kolisch. Bei Schönbergs Tod waren seine beiden Söhne aus dieser Ehe 10 und 14, seine älteste Tochter 19 Jahre alt.

Arnold Schönbergs untersetzte Gestalt neigte vor allem in der Jugend zur Adipositas. Die Bilder aus dieser Zeit lassen ein leichtes Hervortreten der Augäpfel infolge einer nicht sehr hochgradigen Schwellung der Schilddrüse erkennen, die sich aber im Laufe des Lebens mehr und mehr zurückbildete. Mit 7 Jahren lernte er Geige spielen, später widmete er sich dem Cellospiel, vernachlässigte hingegen ziemlich eine pianistische Ausbildung. In allem blieb er durchweg Autodidakt, hatte eine ungeheure Vitalität und konnte durch nichts in seiner künstlerischen Auffassung beirrt werden. »Alles, was Schönberg sprach, war neu und seltsam. Mein Besuch schien ihn und seine Frau zu erfreuen. Seine Wohnung hatte Schönberg mit den billigsten Mitteln zu etwas sehr Rarem und Besonderem gemacht. Er bastelt gern so herum, bindet Bücher und Noten selbst ein, hat sich große Zimmer mit Holzwänden geteilt, die er mit Rupfenstoff überzogen hatte, Bücherkasten dagegengestellt und eigene, sehr interessante Bilder aufgehängt — jedes Zimmer in individueller Farbe und mit eigener Atmosphäre«, teilte Frau A. Mahler-Werfel später im Anschluß an einen Besuch mit.

1891 trat Arnold Schönberg als Angestellter in eine Wiener Privatbank ein, doch schon im Jahre 1895 vertauschte er die Banknoten für immer mit den Noten der Musik. Damit begann die Laufbahn eines der faszinierendsten und rätselhaftesten Geister unseres Jahrhunderts.

Eine genaue Krankengeschichte bereitet bei Schönberg durch den Umstand, daß er am 2. August des Jahres 1950 eine Autopathographie verfaßte, keine Schwierigkeiten.

308

Aus dieser geht hervor, daß er schon früh zu Katarrhen der oberen Luftwege neigte und seit seinem 16. Lebensjahr im Frühling wie Herbst grippale Infekte durchmachte, in deren Gefolge sich Atembeschwerden einstellten.

»1915, als ich in der Österreichischen Armee diente, wurde ich wegen Asthma vom Frontdienst befreit, dessen Symptome schwerer Husten und Atemlosigkeit waren. Ich war auch ein sehr starker Trinker und Raucher. Nach dem ersten Weltkrieg zog ich mir wieder eine Grippe zu, die damals weltweit epidemisch verbreitet war und Spanische Grippe genannt wurde. Eine Folge dieser Erkrankung war wahrscheinlich, daß ich nun oft nachts durch Atemnot und Husten erwachte. Ich wurde dann untersucht von Herrn Professor Chvostek, der keine konstitutionelle Erkrankung feststellen konnte und es ebenso ablehnte, daß Rauchen und Alkoholgenuß meine Beschwerden verursachen könnten.

Ich gab Rauchen und Trinken auf, und das half mir wirklich bedeutend. Einige Tage, nachdem ich enthaltsam geworden war, hustete ich nicht mehr und war nicht mehr atemlos. Unglücklicherweise verfiel ich nach weniger als zwei Jahren meinen beiden Lastern wieder mit dem Erfolg, daß alle bösen Symptome wiederkehrten.

Während dieser ganzen Zeit hatte ich keine Medikamente eingenommen. Mein einziger Versuch, mein Asthma zu bekämpfen, bestand darin, daß ich den Dampf eines französischen Asthma-Pulvers einatmete, das mir half. — Aber in diesen Jahren trainierte ich meinen Körper laufend durch Schwimmen, Rudern, Springen sowie Tennis-, Ping-Pong und andere Spiele.«

Im Vergleich mit Mozarts schlichter Weltoffenheit oder mit den Briefen Beethovens, in welchen er stets mit Stilistik oder Orthographie zu kämpfen hat, weist die große Schönbergsche Korrespondenz eine kristallene Klarheit der Gedanken auf, ist ständig von geistvollen Aperçus durchsetzt und läßt eine eminente Allgemeinbildung deutlich werden, so daß man bei ihm ohne Übertreibung von einer Universalbegabung sprechen kann. Schönberg malte; auch dichtete er als eigener Librettist seine Bühnentexte. Nicht nur im Bereich der Musik beschritt er neue Wege, es gibt von ihm auch ein Selbstporträt in Dorsalansicht. Charakteristisch sind darüber hinaus seine Worte, die im »Requiem« stehen: »Wenn man sterben kann, was schwer ist, kann man auch leben.« Außerdem besaß Schönberg die Gabe, Schüler und Anbeter um sich zu versammeln, denn es war eine absolut gruppenbildende Macht in ihm.

Etwa gleichzeitig mit dem Verlust der perspektivischen Tiefenwirkung in der Malerei gegen Ende des 19. Jahrhunderts verschleierte sich seit Wagners »Tristan«, um nur ein Beispiel zu nennen, die Tonalität. Wenn Schönberg in seinen Klavierstücken op. 19 (1911) deren Grenzen gänzlich durchbrach und der Dissonanz dieselben Rechte zugestand wie der Konsonanz, so beschritt er nur einen Weg, der in seiner Art schon von F. Liszt und R. Strauß u. a. stellenweise vorgezeichnet war. Ihn jedoch in dieser Form konsequent zu verfolgen, dazu hatte vor ihm noch keiner den Mut aufgebracht. Dabei wirkt Schönbergs Musik, obwohl ihr die Fähigkeit der Homophonie abgeht, durchaus dreidimensional, denn ihr Gewebe ist stimmig durchdacht. Sie appelliert unablässig an die verborgensten Schichten des Unterbewußtseins, und auch die von ihm verwandten Ton-»Reihen« (kein Ton soll wiederholt werden, bevor die elf anderen Halbtöne erklungen sind) scheinen nicht schwerer verständlich zu sein als etwa für den Laien das Schachspiel, dessen Varianten zu studieren Schönberg selbst nie müde wurde. »Ich habe eine Entdeckung gemacht, durch welche die Vorherrschaft der deutschen Musik für die nächsten hundert Jahre gesichert ist.« Doch macht die Konstruktion allein noch keine Zwölftonmusik. Wenn es ihr an Inspiration fehlt, so ist sie nur »eine tönende Schelle«, und mit voller Absicht hat Schönberg selbst einmal zugegeben:

»Wer Reines kann, wird es tonal oder atonal können.« Daß die Zeitgenossen jenem Wagnis des Klanges sehr kritisch gegenüberstanden, darf nicht verwundern. Vor dem Ersten Weltkrieg schrieb Richard Strauß in einem Brief an Frau Mahler: »Dem armen Schönberg kann heute nur der Irrenarzt helfen. Ich glaube, er täte besser Schnee zu schaufeln, als Notenpapier zu bekritzeln.« Maurice Ravel sagte zu Schönbergs Werk: »Non, ce n'est pas de la musique . . . c'est du laboratoire!« Aber der Meister, für den selbst Gustav Mahler nur ein Achselzucken hatte, ließ sich durch nichts von seinem Weg abbringen. Als er beim Proben seiner »Serenade« in Venedig 1925 die Zeit längst überschritten hatte und ihn der Vorsitzende höflich daran erinnerte, daß er nicht der einzige Komponist hier sei, entgegnete Schönberg selbstbewußt und bestimmt: »Ich denke doch . . . !«

Arnold Schönberg hat es sich niemals leicht zu machen versucht; denn er war, wie aus einem Briefe hervorgeht, immer der Auffassung, daß ein Komponist, wenn er von seinen Problemen spricht, zugleich die Probleme der gesamten Menschheit behandelt. Er hatte das Gefühl, als ob er »in ein Meer von siedendem Wasser gefallen wäre«. Ruhelos reiste er auf dieser Erde von einem Land zum anderen: verfolgt, mißverstanden und ausgewiesen. Selbst in der Religion fand Schönberg erst in der zweiten Hälfte seines Lebens zu sich selbst; denn vor seiner Rückkehr zum jüdischen Glauben (1933) gehörte er seit der Kindheit zunächst der katholischen und nach dem 18. Lebensjahr der evangelischen Konfession an.

»Daß ein Künstler von solcher Art, der noch dazu übergroßen Verfolgungen ausgesetzt war, hie und da an nervösen Depressionen und auch Angstvorstellungen, andere Male an großer Reizbarkeit und Unruhe litt, ist selbstverständlich, doch blieben auch diese leicht manisch-depressiven Zustände im Rahmen einer nervösen Labilität und der Ansprechbarkeit eines überempfindlichen und immer hochgespannten Nervensystems, und sie waren nie wirklich bedrohlich oder krankhaft. Auch mein Mann, der ein guter Internist war, hat ihn (nach 1918) einigemale untersucht, aber niemals eine organische Erkrankung gefunden«, schreibt die ihn seinerzeit behandelnde Ärztin Dr. Maria Frischauf.

Im Dezember 1901 übersiedelte Schönberg nach Berlin, wo er zunächst kurze Zeit Kapellmeister war und dann als Lehrer für Komposition am Konservatorium wirkte. Im Jahre 1903 kehrte er nach Wien zurück und entfaltete dort sehr bald eine überaus reiche Tätigkeit als Lehrer zahlreicher Schüler. 1910 wurde es ihm ermöglicht, an der k.u.k. Akademie für Musik und Kunst in Wien als außerordentlicher Lehrer Kurse für Komposition abzuhalten. Im Herbst 1911 übersiedelte er erneut nach Berlin, weil seine materielle Lage äußerst schwierig geworden war und er in Wien in Wort und Schrift heftig angegriffen wurde. 1912 führten ihn Auslandsreisen in mehrere europäische Städte. 1913 brachte die Uraufführung der »Gurre-Lieder« in Wien durch Franz Schreker seinen ersten großen Erfolg. Anläßlich einer Wiederholung derselben im Jahre 1920 notierte Frau Alma Mahler-Werfel später: »In einer anderen Loge saßen Schönberg, seine Frau, seine Tochter und sein Sohn. Ich ging zum Schluß zu Frau Schönberg und sagte: ›Viel hast du gelitten für diese Stunde.‹ Sie weinte...« Nicht wenige von Schönbergs Erstaufführungen sind übrigens mit Theaterskandalen verbunden.

Im Ersten Weltkrieg war Schönberg dann zweimal Soldat; 1917 entließ man ihn aus Gesundheitsgründen endgültig vom Wehrdienst. 1923 war das Jahr, in dem Schönbergs Methode der »Komposition mit 12 Tönen« zur Reife kam. 1925 wurde er an die Preußische Akademie zu Berlin berufen, mit dem Auftrag, eine Meisterklasse für Komposition zu übernehmen.

In seiner Krankengeschichte fährt Schönberg fort:

»1923/24, bevor ich meine zweite Frau heiratete, trank ich wieder und inhalierte 60 Zigaretten pro Tag. Um die Folgen dieses Übels zu bezwingen, handelte ich sehr töricht. Ich trank außer Likör jeden Tag drei Liter starken Kaffee und nahm Codein und Pantopon. Dies half mir ein wenig, obwohl es im Grunde schlimmer wurde. Aber während meiner Flitterwochen in Venedig besaß ich die Willenskraft, alle meine vorher erwähnten Laster aufzugeben; als Folge dessen gewann ich wieder eine etwa zwei Jahre dauernde ›Atempause‹.

1926 hatte ich eine Blinddarm-Operation, die auf meine Gesundheit keinen Einfluß nahm. In all den folgenden Jahren machte ich immer zwei Jahre lange Perioden durch, in denen ich nicht rauchte oder trank, aber erst 1944 gab ich glücklicherweise das Rauchen auf, das Trinken jedoch nicht, das ich aber nur auf ein gelegentliches Glas Whisky oder Cognak beschränke.

Ich möchte noch erwähnen, daß ich Tennis spielte bis 1942, also bis zu einem Alter von 68 Jahren. Ich fühle, ich hätte es auch jetzt nicht aufgeben sollen. Der Notwendigkeit, sehr tief zu atmen, wenn ich hinter einem Ball herrennen oder ihn stark zurückschlagen mußte, schiebe ich den besseren Zustand meines Asthmas zu. In diesen Jahren hatte ich nur wenige Beschwerden davon.«

In einem Brief vom 7. Juli 1926 an Prof. G. Singer heißt es: »Meine Frau besteht darauf, heute mit mir in einen Kurort zu gehen, in welchem etwas gegen mein Asthma getan werden kann. Die Atembeschwerden beim Einschlafen habe ich jetzt seltener als früher; auch komme ich nicht mehr so oft mit Atemnot auf. Der Husten ist seltener und nicht so krampfartig und erschütternd. Dagegen bin ich morgens, nach der waagerechten Lage, etwas erschöpft und atemlos und gerate auch sonst noch etwas leichter außer Atem als früher. In der letzten Zeit habe ich seltener Fieber gehabt . . .« Seine angegriffene Gesundheit zwang Schönberg im Jahre 1931 — nach Monaten des Erfolges und vieler Auslandsreisen — ein wärmeres Klima aufzusuchen. Erst ging er in die Südschweiz (Teritet), dann nach Barcelona. Die von dort abgesandten Briefe werfen ein bezeichnendes Licht auf die nun klinisch mehr und mehr in den Vordergrund tretenden Beschwerden:

»In diesem Winter hat mich mein Übel, das mir bei kaltem, feuchtem Wetter das Ausgehen am Vormittag fast zur Unmöglichkeit machte, verhindert . . .« (1.10.1931). »Ich glaube bestimmt nicht, daß ich es während der kalten Jahreszeit riskieren kann, nach dem Norden zu kommen . . .« (19.1.1932). »Hier ist seit drei Tagen Schneewetter, und automatisch geht es mir wieder schlechter: Husten, Temperaturerhöhung, Atemnot . . .« (13.2.1932).

Am 10. März 1932 hat Schönberg den zweiten Akt von »Moses und Aaron« in Barcelona beendet. Die Oper, welche erstmals konzertant 1954 in Hamburg und erstmals szenisch 1957 in Zürich aufgeführt wurde, ist ein gigantischer Torso, weil nur der erste und zweite Akt vollendet sind. — In Schönbergs Schaffen fällt überhaupt eine nicht geringe Zahl angefangener und infolge Zeitmangels oder Krankheit, beziehungsweise fortgesetzter Unterrichtstätigkeit nie beendeter Werke auf. Die Zahl der von ihm abgeschlossenen Stücke beläuft sich auf rund 50 Opera und Werkgruppen. Unter den unvollendeten befinden sich die Oratorien »Die Jakobsleiter«, die vorgenannte Musik zu »Moses und Aaron« und schließlich sein letztes schöpferisches Wagnis, die »Modernen Psalmen« (für Sprecher, Chor, Orchester).

Anfang 1932 kehrte Schönberg von Barcelona nach Berlin zurück und verbrachte hier, trotz schlechter Gesundheit, den Winter. — Am 17. Mai 1933 reiste er von dort ab, nachdem Max von Schillings bekanntgegeben hatte, daß der jüdische Einfluß an der Akademie gebrochen werden müsse.

Die Ereignisse des Jahres 1933 verletzten und empörten Schönberg zutiefst, weil er, dessen Schaffen tief in der deutschen Musikgeschichte verwurzelt war, durch sie aus dem Lande vertrieben wurde, zu dem er gehörte. Sofort meldeten sich die alten Atembeschwerden aufs neue, wie aus einem Pariser Brief vom 26. Mai zu entnehmen ist: »Denn mein Asthma plagt mich wieder sehr, und ich muß nach dem Süden, um wieder ein bißchen gesünder zu werden.« Aussichten boten sich ihm zu dieser Zeit kaum (»Sehr groß ist das Geriß um mich nicht«, 23. 9. 1933). So nahm er schließlich ein Engagement an ein Konservatorium in Boston an. Die großen Temperaturschwankungen des dortigen Klimas bekamen ihm aber nicht, und er erkrankte. Die Situation des Flüchtlings hat sein Freund Alban Berg in einem Schreiben vom 6. Juli 1933 treffend umrissen: »Anbei . . . Schönbergs Brief, den ich mit Heißhunger verschlungen habe. Ja, das ist allerdings furchtbar. Was für ein Schicksal! Jetzt mit fast 60 Jahren, vertrieben von dem Land, wo er seine Muttersprache sprechen konnte, ohne Heim, ohne Gewißheit: wo und wovon zu leben, in einem Hotelzimmer.« Später suchte Schönberg im Herbst 1934 das warme Klima von Los Angeles auf, wo er ein Haus in Hollywood mietete. Er gab zunächst (1935) in Hollywood Privatunterricht und hielt Vorträge an der Universität von Südkalifornien. Seine Gesundheit und seine wirtschaftlichen Verhältnisse besserten sich zusehends, und 1936 begann dann seine Lehrtätigkeit als Professor für Musik an der Universität von Kalifornien, Los Angeles. Am 19. 7. 1938 heißt es in einem Brief: »Ich bin gesundheitlich viel besser dran, aber keineswegs frei von Störungen. Komponiert habe ich seit zwei Jahren nicht. Ich hatte zuviel anderes zu arbeiten. Außerdem: für wen soll man schreiben? Die Nichtjuden sind ›konservativ‹, und die Juden haben nie Interesse für meine Musik gezeigt.« 1941 wurde Schönberg amerikanischer Staatsbürger. Auffallend ist auch, daß Schönberg seit seiner Übersiedlung nach den Vereinigten Staaten tonal komponierte.

Im Jahre 1944 feierte man Schönbergs 70. Geburtstag. Sein Gesundheitszustand, den er schon 1938 als sehr labil bezeichnet hatte, verschlechterte sich jetzt. In einem späteren Schreiben an Josef Rufer (vom 6. 1. 1947) steht: »Ich kann seit Februar 1944 nicht mehr ganz gesunden. Erst hatte ich Diabetes, dann litt ich immer mehr an Asthma. Dazu kamen später Ohnmachts- und Schwindelanfälle und Sehstörungen. – All das angeblich ›nur‹ Nerven.« Mit vollendetem 70. Lebensjahr wurde Schönberg von der Universität in den Ruhestand versetzt. Er hoffte, nach seiner Pensionierung Muße zur Vollendung der längst begonnenen Werke zu finden. Doch fiel die Pension, die er nach achtjähriger Tätigkeit an der Universität von Kalifornien bezog, derart niedrig aus, daß er weiterhin gezwungen war, Privatunterricht zu erteilen. Auch sein Gesuch um ein Stipendium der Guggenheim-Stiftung (damit er sich ganz seinem Schaffen widmen könne) wurde abgelehnt.

Über die Zeit von 1944 bis 1946 teilte sein Hausarzt mit: »Er litt an chronischer Bronchitis mit gelegentlich schwersten Asthmaanfällen, sowie fortgeschrittener Atherosklerose. Im Vordergrund standen seit 1945 Dekompensationserscheinungen des Herzens mit Ödemen und Arrhythmien. Der Blutdruck betrug 1944 180/80, 1945 150/65 mm Hg. Überdies bestand ein etwa walnußgroßes Adenom der Schilddrüse und leichter Diabetes, der mit Insulin und Diät kontrolliert werden konnte.«

Am 2. August 1946 erlitt Schönberg einen Herzinfarkt.

»Ich muß nun die besondere Sache beschreiben, die ich meinen ›Todesfall‹ nenne. Am 2. August versuchte unser Hausarzt ein neues Mittel gegen mein Asthma, Benzedrin. Ein oder zwei Stunden später während des Mittagessens wurde ich plötzlich schläfrig und ging zu Bett, was für mich sehr ungewöhnlich war. Ungefähr um 10 Uhr abends erwachte ich, sprang aus dem Bett und lief noch zu einem Sessel, der während der Asthma-Anfälle benutzt wurde. In meinem ganzen Körper begann ein starker Schmerz, besonders in der Brust und um das Herz herum. Nach einem halbstündigen Versuch, einen Arzt zu bekommen, sandte ein Freund Dr. Lloyd-Jones, unseren gegenwärtigen Hausarzt, der dann mein Leben rettete. Er gab mir eine Dilaudid-Spritze, um meine Schmerzen zu lindern. Das half sofort; aber nach zehn Minuten verlor ich das Bewußtsein, hatte keinen Herzschlag oder Puls mehr und hörte zu atmen auf. Mit anderen Worten: ich war praktisch tot. Es wurde mir nie berichtet, wie lange das dauerte. Das einzige, was mir erzählt wurde, ist, daß Dr. Jones mir eine Spritze direkt ins Herz gab.

Es dauerte drei Wochen bis ich mich erholte. Ich bekam etwa 160 Penicillin-Injektionen; Herz und Lungen wurden untersucht, Röntgenbilder angefertigt, und manchmal waren drei oder vier Ärzte anwesend, die sich berieten und meinen Fall diskutierten. Aber am meisten bin ich Dr. Lloyd-Jones seiner großen Sorgfalt und tiefen Erkenntnis wegen verpflichtet.«

Bei der rettenden Spritze »ins Herz« handelte es sich um eine intrakardiale Adrenalin-Injektion. Aus der damaligen Fieberkurve geht hervor, daß die Behandlung in der Verabfolgung von Penicillin (auch als Aerosol) sowie in der Medikation von Kreislaufmitteln, Thrombin und Sedativa bestand. Antibiotica hat man wohl wegen der Gefahr einer drohenden Lungenkomplikation gegeben, zumal anfangs auch die Körpertemperatur erhöht war. Von Herzglykosiden ist hingegen im Krankenbericht keine Rede.

Im Jahre 1947 besserte sich Schönbergs Gesundheitszustand sichtlich. Er komponierte und arbeitete an einem Lehrbuch. Damals schrieb er: »Ich bin mir der Tatsache bewußt, daß volles Verstehen meiner Werke für einige Jahrzehnte nicht erwartet werden kann. Der Verstand der Musiker und der Hörer muß reifen, ehe sie meine Musik begreifen können. Ich weiß dies und habe persönlich auf baldigen Erfolg verzichtet, und ich weiß, daß — Erfolg oder nicht — es meine historische Pflicht ist, zu schreiben, was mir mein Schicksal zu schreiben befiehlt.« (15. Nov. 1947); etwas später (25. Mai 1948): »Komponieren ist ja: einem inneren Drang gehorchen.« Am 10. Februar 1949: »Lieber Freund, meine Musik ist in Amerika und auch im gegenwärtigen Europa nahezu gänzlich unbekannt.« Aber — und das hatte Schönberg instinktiv erkannt: »Die Anerkennung muß meinen Gegnern gezollt werden. Sie waren es, die mir wirklich halfen.«

Trotz der Spontanbesserung gab sich Schönberg keinen allzu großen Erwartungen bezüglich seines Gesundheitszustandes hin: In der Korrespondenz von 1949 finden sich fortgesetzt Hinweise auf vorübergehende Verschlechterungen und zwangsläufige Arbeitspausen: »Leider ist meine Gesundheit, wenigstens augenblicklich, nicht so, daß ich mich sehr viel freuen kann. Viele Tage, wo ich eigentlich nicht arbeitsfähig bin und lieber ausruhen sollte« (2. Juli 1949). Sein Dankschreiben an die Gratulanten zum 75. Geburtstag ist besonders bemerkenswert und soll hier im Wortlaut folgen. Es trägt das Datum vom 16. September 1949:

»Erst nach dem Tode anerkannt werden . . .!

Ich habe in diesen Tagen viel persönliche Anerkennung gefunden, worüber ich mich sehr gefreut habe, weil sie mir die Achtung meiner Freunde und anderer Wohlgesinnter bezeugt.

Andererseits aber habe ich mich seit vielen Jahren damit abgefunden, daß ich auf volles und liebevolles Verständnis für mein Werk, für das also, was ich musikalisch zu sagen habe, bei meinen Lebzeiten nicht rechnen darf. Wohl weiß ich, daß mancher meiner Freunde sich in meine Ausdrucksweise bereits eingelebt hat und mit meinen Gedanken vertraut geworden ist. Solche mögen es dann sein, die erfüllen, was ich vor genau siebenunddreißig Jahren in einem Aphorismus voraussagte: ›Die zweite Hälfte dieses Jahrhunderts wird durch Überschätzung schlecht machen, was die erste Hälfte durch Unterschätzung gut gelassen hat an mir.‹

Ich bin etwas beschämt über all diese Lobpreisungen. Aber ich sehe dennoch auch etwas Ermutigendes darin. Nämlich: Ist es denn so selbstverständlich, daß man trotz dem Widerstand der ganzen Welt nicht aufgibt, sondern fortfährt aufzuschreiben, was man produziert? Ich weiß nicht, wie Große darüber gedacht haben. Mozart und Schubert waren jung genug, dieser Frage nicht näher treten zu müssen. Aber Beethoven, wenn Grillparzer die Neunte konfus nannte, oder Wagner, wenn der Bayreuther Plan zu versagen drohte, oder Mahler, wenn alle ihn trivial fanden — wie konnten diese weiterschreiben?

Ich weiß nur eine Antwort: sie hatten Dinge zu sagen, die gesagt werden mußten. Ich wurde einmal beim Militär gefragt, ob ich wirklich dieser Komponist A. S. bin. ›Einer hat es sein müssen‹, sagte ich, ›keiner hat es sein wollen, so habe ich mich dazu hergegeben.‹ Vielleicht mußte auch ich Dinge sagen, unpopulär anscheinend, die gesagt werden mußten.

Und nun bitte ich Sie alle, die Sie mir mit Ihren Glückwünschen und Ehrungen wirkliche Freude bereitet haben, dies anzunehmen als einen Versuch, meine Dankbarkeit auszudrücken.

Vielen, herzlichen Dank!
Arnold Schönberg.«

Mit besonderer Genugtuung erfüllte dann Schönberg die Verleihung des Bürgerrechtes der Stadt Wien, und in seinem Dankschreiben vom 5. Oktober 1949 an den Bürgermeister von Wien heißt es:

»Mit Stolz und Freude empfing ich die Nachricht von der Verleihung des Bürgerrechtes der Stadt Wien an mich. Es ist dies ein neues, oder eigentlich ein erneutes Band, das mich dem Platz, der Natur, dem Wesen wieder nähert, wo die Musik geschaffen wurde, die ich immer so geliebt habe, und an die anzuschließen — nach Maßgabe meines Talents — mein größter Ehrgeiz immer war. Ich darf wohl die Hoffnung nähren, diese Ehrung, die mir Bürgermeister und Senat der Stadt Wien erwiesen haben, beruhe auf der Anerkennung solch heißen Wunsches und der Intensität, mit der ich gestrebt habe — wie wenig das auch sein möge — immer mein Bestes zu geben.«

Die letzten Eintragungen in Schönbergs Autopathographie stehen unter dem Datum vom 2. August 1950:

»Mein Asthma hat sich etwas gewandelt: Ich habe selten schwere Anfälle, aber der Zustand der Atemnot ist mehr oder weniger chronisch. Nur 4 oder 5 Stunden am Tag fühle ich mich frei, und fast jede Nacht erwache ich mit Atemnot. Ich huste dann oft 3 oder 4 Stunden, und nur, wenn ich erschöpft genug bin, kann ich wieder einschlafen — nur, um am Morgen die gleiche Reihenfolge wieder durchzumachen.

Seit einigen Monaten wage ich nicht mehr, in meinem Bett zu schlafen, sondern nur in einem Stuhl. Verschiedene Behandlungen wurden mit mir durchgeführt. Ich wurde auf Diabetes, Pneumonie, Niere, Bruch und Wassersucht behandelt. Ich leide an Kraftlosigkeit und Schwindel, und meine Augen, früher außerordentlich gut, erschweren mir das Lesen . . .«

Das klinische Bild wurde in steigendem Maße von dem Symptom der Herzschwäche, verbunden mit absoluter Arrhythmie (Pulsunregelmäßigkeit), beherrscht:

»Seine Beine waren durch die fortwährende Sitzweise geschwollen, und es bildeten sich im letzten Jahr auch Ödeme. Die offenen Stellen heilten aber oft wieder. In der letzten Zeit hatte er Angst zu essen und magerte zusehends ab. Das einzige, was lebend an ihm war, war sein Geist,

Arnold Schönberg
Totenmaske von A. Mahler

und wenn er nicht schlief, arbeitete er unausgesetzt«, teilte seine Frau hierzu mit.

Seit dem Jahre 1949 war Schönberg praktisch ans Bett gefesselt. Dennoch hat der Meister eine Reihe von Texten religiösen Charakters, »Moderne Psalmen«, zu vertonen versucht, aber nicht mehr vollenden können, obwohl er fast bis zu seinem Ende daran schrieb. Sie stellen keine endgültige Fassung dar, sondern sind nur Entwürfe, die noch ausgearbeitet werden sollten. Am Ziel seines Weges zog es Schönberg wieder zur geistigen Welt des Alten Testamentes, dessen Gehalt er von einer höheren konfessionellen Warte her musikalisch und inhaltlich zu gestalten versuchte. Zur Komposition gelangte aber weitgehend nur der Text des ersten Psalmes. Bei den Worten »Und trotzdem bete ich . . .« bricht die Handschrift ab.

Arnold Schönberg starb am 13. Juli 1951 kurz vor Mitternacht im Alter von 77 Jahren. Von jeher hatte er die 13 als seine Schicksalszahl gefürchtet. »Ich fuhr mit Anna hin. Es war ein tragischer Anblick. Man hatte der Leiche, ich weiß nicht warum, das Kinn hochgebunden. Trude Schönberg saß ganz gebrochen daneben und streichelte ihren toten Mann. Sie war in der Zwischenzeit furchtbar alt geworden. Die Kinder starrten den Toten verständnislos an. Die schöne Tochter Nuria hatte Schuhe und Strümpfe abgelegt, um kein Geräusch zu machen«, teilte Frau Alma Mahler-Werfel mit. Die Totenmaske selbst zeigt ein gänzlich in sich gesammeltes Antlitz. Not und Schrecken dieses Erdenlebens haben bloß andeutungsweise Spuren zurückgelassen. Den Todeskampf, der sich schließlich nach einer Salyrgan-Injektion einstellte, kann man nur ahnen. Schönbergs letzte Züge, von der Bildhauerin Anna Mahler der Nachwelt erhalten, atmen den Geist jenes Wortes, das er in der Todesnacht, schon auf der Schwelle in eine Welt außerhalb der Polarität irdischer Maßstäbe, zu seiner Lebensgefährtin sprach: »*Harmonie!*«

Und um dieser ewigen Harmonie zu dienen, die seit Menschengedenken immer wieder in der Musik zum Ausdruck kommt, hat er überhaupt gelebt. Eine solche Feststellung verliert durch die Tatsache, daß Schönbergs Musik heute noch verhältnismäßig unbekannt ist, nicht ihre Gültigkeit. Die Erfahrung lehrt, daß in der Regel erst einige Dekaden nach dem Tode eines Tonschöpfers dessen künstlerisches Vermächtnis Weltgeltung erlangt. So werden die Werke von Max Reger und Gustav Mahler in unseren Tagen allmählich Allgemeingut der Konzertsäle auf der ganzen Erde.

Aus dem Repertoire der modernen Musik ist der Name Alban Berg nicht mehr wegzudenken; auch Arnold Schönbergs Stunde wird kommen!

ARNOLD SCHÖNBERG

1. *Mahler-Werfel, A.:* Mein Leben, Frankfurt 1960.
2. *Schönberg, A.:* Beiträge seiner Freunde, München 1912.
3. *Schönberg, A.:* Texte, Wien — New York 1926.
4. *Schönberg, A.:* Festschrift zu seinem 60. Geburtstag, Wien 1934.
5. *Schönberg, A.:* Medizinische Autopathographie vom 2. 8. 1950, im Manuskript.
6. *Schönberg, A.:* Moderne Psalmen, Mainz 1956.
7. *Schönberg, A.:* Ausgewählte Briefe, Mainz 1958.
8. *Stuckenschmidt, H. H.:* Arnold Schönberg. Zürich und Freiburg 1957.

Briefe (an den Verfasser):

9. von Frau Gertrud Schönberg am 9. 9. 1957,
10. von Frau Gertrud Schönberg am 20. 11. 1957,
11. von Dr. J. Bauer/Hollywood am 22. 9. 1958,
12. von Dr. M. Frischauf/Wien am 17. 10. 1958,
13. Persönliche Mitteilung von Frau G. Schönberg am 18. Januar 1958.

Vincenzo Bellini, Stich nach dem Porträt
von Natale Schiavoni 1830

VINCENZO BELLINI
(1801–1835)

> *»Genies sind Unglückliche, sind Meteore,*
> *die verbrennen müssen, um ihr Jahrhun-*
> *dert zu erleuchten.«* (Napoleon)

In Catania, am Fuße des schneebedeckten Ätna, kam Bellini in der Nacht vom 2. zum 3. November 1801 auf die Welt. Er, erstgeborener Sohn von Rosario Bellini und dessen Ehefrau Agata, war Kind und Enkel sizilianischer Kathedralkapellmeister und ist noch Schüler seines aus den Abruzzen stammenden Großvaters gewesen. Die angeborene musikalische Begabung – ohne Übertreibung ein frühes Genie – hat seine Familie rechtzeitig wahrgenommen, der kleine Vincenzo erhielt zudem eine humanistische Ausbildung. Zwei seiner Brüder wurden ebenfalls Berufsmusiker. Mit fünf Jahren spielte der Junge Klavier und komponierte mit sechs (A. Pougin).

Der vorerwähnte Autor nennt mit Recht Bellini einen von der Morgenröte seines Künstlerlebens an vom Glück Begünstigten, er besaß zudem einen gesunden Instinkt für Geld und die Spielregeln der Gesellschaft, welche er bald in seinen Dienst zu stellen wußte, weil er sich diplomatisch ihren Gegebenheiten anpaßte. Bellini avancierte nicht nur zum erklärten Liebling der Aristokratie, sondern hatte von frühester Jugend an auch Erfolg bei Frauen, die sich voll mütterlicher Zuneigung oder später als mitunter häufig gewechselte Ge-

liebte seiner annahmen und vielleicht – was bis heute unge-
klärt ist – dessen jähen Untergang verursachten.

Bald wurde die Herzogin von Sammartino auf ihn aufmerksam, durch ihre Initiative nahm man Bellini, gerade
18 Jahre alt, ins Konservatorium S. Sebastiano von Neapel
auf, wo der fast 70jährige Rektor der Anstalt Nicolò Zingarelli das junge Talent unterwies. Aus der Gemeindekasse von
Neapel bekam er ein jährliches Stipendium und bald – nachdem er erfolgreich Haydn, Mozart, Paisiello und Pergolesi
studiert hatte – den ersten Opernauftrag (»Bianca e Fer-
nando«) für das San-Carlo-Theater. Trotz mancher Schwächen erfuhr das Werk 1826 die günstigste Aufnahme; nun
war es kein weiter Schritt mehr zur Mailänder Scala, wo er
1827 mit dem »Pirat« debütierte und einen ungeheuren Erfolg errang. Das lag nicht zuletzt auch an dem genialen Textbuch des Librettisten Felice Romani, eines Genueser Dichters,
welcher in Bellini das ebenbürtige Genie der Epoche erkannte
und an seiner Seite von Erfolg zu Erfolg schritt. Als dann
die Oper »La Straniera« am 14. Februar 1829 in der Scala
ihre Uraufführung erlebte, war Bellinis Karriere unwiderruflich gesichert: Dreißigmal rief man ihn hervor.

Bellini arbeitete langsam und sehr gewissenhaft, und weil
er sich in Wesen und Welt der musikalisch gestalteten Persönlichkeiten einlebte, gelangen ihm Opernpartien von ungeahnter Eindringlichkeit. Dabei schloß er sich in sein Zimmer
ein, deklamierte die Rolle mit der ganzen Wärme und Leidenschaft seiner Jugend und komponierte so lange, bis das
Ziel erreicht war. Jede Oper forderte ihm ein Maximum an
Kraft ab, danach folgte meist eine Periode der Ermüdung.
Zumal er viele Stunden am Tag komponierte und sehr unregelmäßig lebte, war der »nervöse Kollaps« unvermeidlich.
So hat er allein die Cavatine »Casta diva« aus der »Norma«
achtmal umgeschrieben. »Er wollte so gerne leben«, sagt
H. Heine, »er hatte eine fast leidenschaftliche Abneigung gegen
den Tod, er wollte nichts vom Sterben hören, er hatte Angst

davor wie ein Kind, das sich fürchtet, im Dunkeln zu schlafen«. Und dennoch zog es gerade ihn, wie von einer geheimen Kraft getrieben, unwiderstehlich in diesen Nachtbereich.

Seine neue Oper »Zaira« fiel am 16. Mai 1829 durch; einige Nummern davon rettete er in das nächste Werk »Romeo und Julia« hinüber, die bei ihrer Venetianer Premiere (Teatro Fenice) 1830 großes Aufsehen erregte, obwohl die Oper nur mittelmäßig ist (A. Pougin). Zuvor schon lernte er Giuditta Turina, eine seiner drei schicksalhaften »Giuditte«, kennen. 1803 als Tochter des reichen Mailänder Seidenhändlers Giuseppe Cantù geboren, wurde sie im Alter von 17 Jahren mit dem Grafen F. Turina verheiratet. Als sie Bellini traf, war ihre Ehe bereits zerrüttet, in Mailand und am Comer See, wo sie umfangreichen Landbesitz hatte, fühlte sich Bellini geborgen und verstanden, besonders in Casalbuttano bei Cremona. Die vornehme Mailänderin beherrschte den Musiker durch viele Jahre und bewegte ihn zur Oper »La Straniera«, die ihr auch gewidmet wurde.

Bei einer Reise nach Venedig 1830, wo er den Karneval mitmachte, unterhielt Bellini Liebesbeziehungen zu zwei Sängerinnen (Giuditta Grisi und Brigida Lorenzani). In diese Zeit seines Erfolges von »Romeo und Julia«, als die Enthusiasten sogar Brieftauben auf die Bühne fliegen ließen, fällt die bislang einzige bekanntgewordene Erkrankung des Meisters. In einem Brief vom Mai/Juni teilte er im Anschluß an seine Rückkehr nach Casalbuttano mit, daß er bis zum 21. Mai keinen Appetit hatte, »da mich ein furchtbares entzündliches Magen-Gallenfieber befiel«, ein Aderlaß durchgeführt wurde und man ihm Brechmittel verabfolgt habe. Nur unter Aufbietung aller Kräfte gelang es ihm, nach Mailand zu kommen, wo er bei der Musiker-Familie Pollini, die ihn wie einen Sohn pflegte, als Patient liegenblieb. Andere Autoren, wie z. B. A. Pougin, berichten von einem ersten heftigen Anfall eines Darmleidens, der ihn in wenigen Tagen in einen Zustand äußerster Lebensgefahr gebracht hätte. Doch sind die

Angaben derart vage und – der damaligen medizinischen Terminologie entsprechend – vieldeutig (an anderer Stelle liest man von einem »Unterleibsleiden«), daß man sie auf alle möglichen anderen Erkrankungen, ja sogar eine venerische Infektion beziehen könnte, zumal ihm im Anschluß daran längere Spaziergänge verboten gewesen sein sollen. Der große Irrtum fast aller Bellini-Biographen besteht darin, daß man seine Todeskrankheit hiermit später in Verbindung brachte, was völlig ungerechtfertigt ist (W. Oehlmann), weil es sich zuletzt um ein völlig anderes klinisches Zustandsbild handelte.

Anfang Januar 1831 begann Bellini mit der Oper »La Sonnambula«, welche er in knapp zwei Monaten am Comer See beendete und seinen Ruhm weit über die Mailänder Scala hinaustrug. Nicht zuletzt deswegen, weil die zweite Giuditta seines Lebens, die Sopranistin Pasta, die Hauptrolle übernahm; deren Landgut befand sich in unmittelbarer Nähe des Anwesens von Giuditta Turina. »La Sonnambula« hat man erstmals am 6. März 1831 gegeben, sie versetzte die Mailänder in einen Rausch des Entzückens und war überhaupt der größte Erfolg Bellinis zur damaligen Zeit: Denn kein Instrument beherrschte der junge Maestro so vollkommen wie die menschliche Stimme.

Von September bis Dezember 1831 komponierte Bellini am Comer See und in Mailand seine weltbekannt gewordene Oper »Norma«. Die »Norma« ist Bellinis vollkommenstes Werk, das musikalische Europa war einig in der Schätzung dieser Bühnenschöpfung, welche dem »Don Giovanni« Mozarts kaum nachgestellt wurde (W. Oehlmann). Richard Wagner bewunderte Bellini, und Schopenhauer hielt das Textbuch für ein »Beispiel eines höchst vollkommenen Trauerspieles«. Das mag mit daran liegen, daß über das rein Gegenständliche hinaus ein esoterischer Symbolgehalt, basierend auf der Fünfzahl (Pentagramm, Quintenschritte!) Libretto und Partitur der »Norma« (schon 5 Akkorde zu Beginn der

Ouvertüre!) zugrunde liegt. Bellini selbst nahm Korrekturen am Buch seines Freundes Romani vor, welcher der Librettist sämtlicher Bellini-Opern war, »Die Puritaner« zuletzt ausgenommen. In der »Norma«, dieser schwermütig-elegischen Komposition, sind »die Worte so in die Noten eingefügt wie diese in die Worte«, so daß sie zusammen ein völliges und vollendetes Ganzes bilden« (G. Rossini).

Das tragische Schicksal der druidischen Priesterin, welche von dem römischen Besatzer als Unterpfand ihrer Zuneigung zwei Kinder ihr eigen nennt und mit ihm zusammen schließlich auf dem Scheiterhaufen den Sühnetod erleidet, hat die Gemüter der Hörer, insbesondere der Frauen, stets eigenartig erregt. Fühlte man doch in den schier im Unendlichen verklingenden Melodienbögen, die echoartig aus einer anderen Welt herüberzudringen schienen, das eigene Schicksal, selbst ein unbedeutendes, angesprochen und wie von höherer Warte in seinen Grundproblemen bestätigt, ja sogar bejaht: »Moriamo insieme, ah sì, moriamo!« Dem Jüngling mit der Leier vergleichbar, welcher, über sein Instrument gebeugt, selbst im Tode nur zu schlafen scheint, wird der Meister zum Propheten nächtlicher Verkündigung, wird Nähe in Weite, Weite in Nähe verwandelt, vereinigen sich, jäh wechselnd, Dur und Moll zu kosmischer Ganzheit, in der das Nichtmehr-Sein rauschhafte Erfüllung findet. Während sich noch der Intellekt gegen solche Deutung aufzulehnen scheint, hat das Unterbewußtsein längst sein Ja zu dieser Weltordnung gesprochen, sobald Norma mit ihrem Geliebten, flammenumzuckt, in das Wunderreich der Nacht hinabtaucht und über den Tod hinaus nicht bloß von ihrem Vater, sondern auch von einem Weltpublikum geliebt wird. Und als Bellini, von einer Freundin befragt, welche er von seinen Partituren mitnehmen würde, wenn er bei einem Schiffbruch nur eine einzige retten könnte, antwortete spontan: »Ah, meine geliebte ›Norma‹!«

Am zweiten Weihnachtsfeiertag des Jahres 1831 war die

Erstaufführung in der Mailänder Scala – und die Reaktion der Hörer kühl. Die Oper fiel zunächst durch. Einem Freund schrieb Bellini: »Wirst du es glauben? Fiasco! Fiasco! Glanzvolles Fiasco! Ja, das Publikum war streng! es schien eigens gekommen zu sein, mich zu verurteilen, und es schien, als wollte es meine arme Norma das Los der Druidin leiden lassen ... ich habe mich betrogen, habe geirrt; meine Berechnungen sind fehlgeschlagen und meine Hoffnungen enttäuscht.« Er vergoß wirklich bittere Tränen, nicht ahnend, daß sich diese rasch in Freude und die Oper – obwohl auch die beiden nächsten Aufführungen keineswegs den entscheidenden Durchbruch brachten – in einen globalen Erfolg verwandeln würden.

Bellini, das Sonnenkind des Glückes, war nun der überall gefeierte Held; er hatte sogar Donizetti übertrumpft (P. Voß). An der Seite von Giuditta Turina unternahm der Künstler eine glanzvolle Reise nach Italien; am 31. Januar 1832 erreichten sie Neapel. Dort schloß er seinen alten Lehrer Zingarelli in die Arme und widmete ihm die Partitur der »Norma«. Im Konservatorium bewohnte er seine alte Studienzelle, über der Tür fand er einen Kranz mit dem Text »Liebe, Ehre, Tugend, Ruhm und Wissen, alles ist in Dir, Bellini, vereinigt«. Am 25. Februar erfolgte die Weiterfahrt mit dem Freund F. Florimo nach Sizilien, während Giuditta zurückblieb. In einer mit vier Schimmeln bespannten Karosse geleitete man ihn von Messina nach Catania, wo er seine vor Erstaunen sprachlose und wachsbleiche Mutter begrüßte. Er lebte damals 40 Tage im Elternhaus und war der Abgott der Stadt; der Terminkalender der zahllosen Bankette konnte nur mit Mühe eingehalten werden. Im Theater nach der Gala-Vorstellung des »Pirat« an die Rampe gerufen, erschien er mit seinem Vater, welcher vor Freude »halb närrisch« war. Mönche kamen zu ihm, um ihn einzuladen. Er fuhr sogar in ihr Kloster, wo man Bellini mit seinem Leibgericht, einer Pastete, bewirtete – aber plötzlich kam ihm der Gedanke, daß er die Heimat nie mehr wiedersehen würde. Den Ausbruch des Ätna am 10. April bei der Abreise deutete er als weiteres düsteres Vorzeichen. Breite Feuergarben schossen aus dem Berg, und Bellini rief betrübt aus: »Auch du, Ätna, willst mir deinen letzten Gruß senden!« In Neapel blieb sein Freund Florimo zurück, er selbst floh vor der Sommerhitze an die vertrauten Gestade des Comer Sees.

Obwohl Bellinis Ruhm in den letzten sechs Jahren jedes vorstellbare Maß übertroffen hatte, häuften sich von nun an die negativen Aspekte, als habe in seiner Biographie eine Sonnenwende eingesetzt: Entzweiung mit Giuditta Turina, Trennung, Streit mit der Pasta. Mißerfolg seiner nächsten Oper »Beatrice di Tenda« in Venedig, wo das Publikum bei der Aufführung spottete: »Das ist aus Norma, das ist aus Norma, man spiele doch lieber Norma!« Entzweiung mit dem Librettisten Romani, sie gehen auseinander. Nicht zuletzt wegen seines Verhältnisses mit der Turina, welche ihm auch seine Seitensprünge nicht verzeihen konnte, gerät der junge Komponist nun in den Kulissenklatsch. Unsichtbare Kräfte, die im einzelnen noch einer Analyse harren, scheinen sich gegen ihn verschworen zu haben. Anfang Mai 1833 floh er mit der Pasta aus Italien, nachdem die Scheidungsaffäre von Giuditta Turina auch im Kreis ihrer Familie viel Staub aufgewirbelt hatte. An seiner Seite wollte er sie jedenfalls nicht mehr wissen – sie starb zurückgezogen in Mailand 1871.

Die Leipziger Allgemeine Musikalische Zeitung von 1833 teilte in Nr. 22 mit: »Mad. Pasta und Hr. Bellini reisen dieser Tage nach London, wo benannter Maestro seine beyden Opera Norma und Beatrice Tenda, in welchen die Pasta singt, in die Scene setzt und 120 000 Franken dafür erhält ... Man sagt ferner – relata refero – Hr. Bellini heirathe die eine halbe Million Franken reiche Tochter der Pasta« (Sp. 366).

Während er noch beide Opern einstudierte und dirigierte, eröffnete sich ihm die Möglichkeit, für Paris ein neues Werk fertigzustellen. Bis in den August 1833 hinein blieb er in London, auch hier umjubelt, verwöhnt, ein Liebling der Gesellschaft. Den wiederholten, impulsiv vorgebrachten Ankündigungen Giudittas, ihm nach London oder Paris zu folgen, begegnete Bellini mit einer Gleichgültigkeit, die diese Ausführung vereitelte (W. Oehlmann). Denn seine früheren Erfolge setzten sich auch in London ungeschmälert fort, und Giuditta Pasta, die unter seiner Leitung sang, wurde geradezu vergöttert. Bellini verfügte über viel Freizeit und bewegte sich fast nur in aristokratischen Kreisen. Dazu trug allerdings seine äußere Erscheinung nicht wenig bei: Bellini war mittelgroß, von einnehmendem Wesen, war »hübsch«, hatte blaue Augen und blonde Haare, was bei Sizilianern selten ist. Er kleidete sich nach der letzten Mode, trug gerne eine schwarze, seidene Halsbinde mit einer prächtigen Nadel. Eine gute Haltung unterstützte seine noble Erscheinung, er trat elegant und vornehm auf (P. Voß). Vor allem die Frauen lauschten hingebungsvoll seinem Klavierspiel. So konnte er es sich leisten, nur für ein hervorragendes Libretto, ein ausreichendes Honorar und eine tadellose Besetzung zu arbeiten, denn es standen ihm die erlesensten Kräfte Italiens zur Verfügung. Er erhielt von seinen Verehrern einen kostbaren Teppich, in welchen die Figuren des »Piraten«, der »Straniera«, der »Nachtwandlerin« und der »Norma« eingewebt waren. Entbehrung, Leid, Ablehnung und Unterdrückung durch die Kritiker, wie wir sie von anderen großen Meistern in der Regel kennen – bei Bellini war gerade das Gegenteil der Fall!

Im Oktober 1833 – nach anderen schon Ende August – traf Bellini in Paris ein, der letzten Station seines kurzen Lebens. In dieser Stadt wagte er gewissermaßen noch einmal einen Neubeginn, vielleicht mit dem heimlichen Wunsch, für immer dort zu bleiben, seitdem ihm Italien irgendwie verwehrt schien. »Hier war ein Kampfplatz politischer und sozialer Mächte, eine erregende geistige Atmosphäre unter dem

Bürgerkönig Louis Philippe« (W. Oehlmann). Unter Ebenbürtigen wie Berlioz, Paganini, Liszt, Chopin und Meyerbeer
wollte Bellini den Sieg davontragen, nicht zuletzt mit einem
Seitenblick auf Rossini, den Leiter des Théâtre Italien, wo
sich die ersten Sänger aus Neapel, Venedig und Mailand trafen. Trotzdem betrat Bellini ein Terrain, dessen untergrün-
dige Schichten und Gewalten ihm durchaus unerfaßbar blieben, schon in Anbetracht seiner Jugend, was ihm besonders
klargeworden sein muß, als man an dieses Theater im Winter 1834 seinen gefährlichsten Rivalen G. Donizetti mitenga-
gierte. Während sich Bellini über Donizetti meist abfällig
äußerte, versuchte er, durch den Zauber seiner Persönlichkeit, welchem bereits die große Gesellschaft zu erliegen begann, Rossinis Gunst zu erlangen (»er möge mich beraten
wie ein Bruder einen Bruder«), doch blieb gerade dessen
Gunstbezeugung undurchsichtig, selbst wenn er jemand umarmte.

Der einzige Fehler, den Bellini wahrscheinlich beging, war,
daß er sich Mr. Lewys, einem Geschäftsmann jüdischen Glaubens und englischer Staatsangehörigkeit, näher anschloß. Das
sollte für ihn fatale Folgen haben. Er logierte in dessen
Landhaus zu Puteaux, einem Vorort von Paris. Auch Lewys
hatte das Haus nur von einem Musikprofessor namens Legi-
gan gemietet, welcher der Eigentümer war. In Paris unterhielt Bellini bloß eine kleine Zweitwohnung. Ferner wollte
sich der Meister verehelichen, wobei finanzielle Erwägungen
keine unerhebliche Rolle spielten und ihm die Wahl unter
fünf ebenbürtigen Bewerberinnen – darunter auch die Tochter der Pasta – schwerfiel. Mit deren Mutter hatte er sich inzwischen wieder zerstritten, seitdem er ihrer Nebenbuhlerin,
der Sängerin Maria Malibran, den Hof machte. So blieb er
ledig. Bis zum Frühjahr 1834 arbeitete Bellini wenig, von der
Umgebung wie ein Kind verwöhnt. Dann kam ein Opern-
vertrag mit dem italienischen Theater zustande. »Die Puritaner« nach dem Textbuch des Grafen Carlo Pepoli wurden

unzählige Male verbessert und umgearbeitet. Aber wenn er auch Rossini um Rat fragte, kam es zu keiner inneren Einheit des Dramas, selbst die schwächsten Libretti von Romani waren besser als dieses. Kenner bezeugen hingegen einen tiefgreifenden Stilwandel in Bellinis Musik und ein Streben nach neuen Ufern: Arthurs Abschiedsgesang am Ende des 3. Aktes soll dem »Norma«-Finale ebenbürtig sein. Mehrere anderweitige Bühnenverpflichtungen zerschlugen sich, wohl auch wegen seiner extrem hohen Honorarforderungen. Im Juli 1834 versöhnte er sich wieder mit Romani, welcher sich seinerzeit von ihm getrennt hatte, weil er der Ansicht war, Bellini habe den rechten Weg des Künstlers verlassen.

Bis Ende 1834 arbeitete Bellini an den »Puritanern« und instrumentierte das Werk zu Puteaux. Gleichsam als Vorspann zu der geplanten Premiere gab man die »Straniera« und die »Sonnambula« mit riesigem Erfolg. Als dann die »Puritaner« am 25. Januar 1835 über die Bretter gingen, gerieten die Hörer fast in Ekstase, nicht zuletzt durch die gesangliche Meisterleistung von Giulia Grisi, welche Lorbeer in Empfang nahm. Bellini wurde auf die Bühne gerufen, was selbst Spontini nie gelungen war: »O mein lieber Florimo, wie glücklich bin ich! Welche Stufe haben wir genommen und mit welchem Erfolg! Ich bin noch wie im Fieber . . .«

W. Oehlmann schreibt: »Bellini hatte erreicht, was er wollte, es war ein totaler Sieg auf fremdem Boden.« Er verdrängte die anderen Opernkomponisten mit ihren saisonalen Aufträgen vollständig, er erhielt das Kreuz der Ehrenlegion aus der Hand der Königin von Frankreich, die eine geborene Sizilianerin war. Bronce-Büsten, Hymnen und Dauereinladungen (»es vergeht keine Woche, daß ich nicht bei irgend einem Minister zu Tische bin«) zeugen von dem immer greller werdenden Glanz des Ruhms, welcher schon fast die Schwelle des Unheimlichen erkennen ließ.

Auch aus dem Umstand, daß Bellini eine Mailänder Familie beauftragte, ihm sein dortiges Kapital von 40 000 Franken nach Paris zu senden, kann geschlossen werden, daß er dort mehr suchte als vorübergehende Erfolge, daß er seßhaft werden und seine Karriere mit einer Lebensstellung – wobei er wohl an hochdotierte staatliche Dauereinkünfte dachte – krönen wollte. Jedenfalls liefen die Verhandlungen mit der Grand Opera, von Rossini angeblich unterstützt, in günstiger Richtung. Was er sonst noch schuf, ist nicht bekanntgeworden, die Spuren verlieren sich im Dunkel. Er soll, laut Antonio Amore, noch am 2. September von einer dreiaktigen Oper im Stile der »Vestalin« gesprochen haben, mit welcher er sich befaßte. Als er im Frühsommer 1835 die Nachricht vom Tode seiner Jugendliebe Maddalena Fumaroli erhielt, sah er darin ein böses Omen: »Ich glaube und ich sage es dir, lieber Florimo, mit Schaudern, daß ich in kurzer Zeit der Armen, die nicht mehr ist, ins Grab werde nachfolgen müssen« (Brief vom 7. Juni).

Solche düsteren Voraussagen kamen nicht von ungefähr, sie gehen Hand in Hand mit einer merkwürdigen Verschlechterung von Bellinis Gesundheitszustand. H. Weinstock beschreibt seltsame wesensmäßige Wandlungen, welche bei Bellini nun zu beobachten waren: Er erscheint, entgegen sonstiger Gewohnheit, ganz inaktiv, spricht von »teuflischer Konspiration, ihn zu ruinieren.« Der Vertrag mit der Großen Oper auf zukünftige Arbeit verzögert sich, schließlich wurde aus der ganzen Angelegenheit, während er noch lebte, nichts Konkretes. Als der Sommer kam, begann sich sein körperliches und auch psychisches Befinden fraglos zu verändern. Sein Sinn für Realitäten geht verloren, viele fragmentarische Projekte tauchen in den Briefen auf. F. Pastura berichtet von seiner »immer düsteren Stimmung«, er wurde »faul«, seine Handschrift, sonst schon schwer lesbar, wurde kleiner, nervöser, oft nicht mehr zu entziffern; mitunter schreibt er der Länge nach *über* die bereits geschriebenen Zeilen weitere mit roter Tinte. »Briefe, Briefinhalte, Pläne und Ideen lassen auf einen psychisch wie physisch zerstörten Menschen schließen.«

Mehrere Schreiben, moniert Florimo, seien nicht angekommen. Sind sie abgefangen und vernichtet worden? Weshalb? Die Cholera, antwortet Bellini, sei in Toulon ausgebrochen, jedoch nicht in Paris. Heinrich Heines Bellini-Beschreibung in den »Reisebildern«, wenn sie wirklich aus dieser Zeit stammt, kann nur einen erheblich alterierten Menschen betreffen: »... und in diesen Zügen quirlte manchmal süßsäuerlich ein Ausdruck von Schmerz ... er flimmerte poesielos in den Augen, er zuckte leidenschaftslos um die Lippen des Mannes. Diesen flachen, matten Schmerz schien der Maestro in seiner ganzen Gestalt veranschaulichen zu wollen. So schwärmerisch wehmütig waren seine Haare frisiert, die Kleider saßen ihm so schmachtend an dem zarten Leib ... Er sah aus wie ein Seufzen.«

Madame C. Jaubert berichtete, daß während eines Nachtessens, als die Gäste okkulte Versuche angestellt hatten, Heine zu ihm sagte: »Sie sind ein Genius, Bellini, aber Sie werden für die große Begabung mit einem vorzeitigen Tod zahlen. Alle großen Genies sterben sehr jung, wie Raffael und wie Mozart.« Bellini, der abergläubisch war, unterbrach ihn: »Um Gotteswillen, sage das nicht, sprich nicht in dieser Weise.« Heine wandte ein: »Lass' uns hoffen, mein Freund, daß sich die Welt in bezug auf Dich getäuscht hat und daß Du wirklich kein Genie bist!« Dann meinte er, die Feen hätten ihm das Antlitz eines Cherubs verliehen, die Aufrichtigkeit eines Knaben und den Magen eines Storches ... Und nun beginnt eine der dunkelsten und mysteriösesten Musiker-Krankengeschichten, von der wir nur wissen, daß wir nichts Genaues wissen. Im Juli schon war Bellini vorübergehend krank, im August arbeitete er wieder zu Puteaux. Ende August meldeten sich erneute Beschwerden. Am 16. August richtete er den letzten Brief an F. Santocanale als »Dein Dich liebender ...«, an F. Florimo unter dem Datum vom 2. oder 4. September folgende Nachricht:

»Ich bin bereits 3 Tage unwohl infolge eines leichten Durchfalles. Jetzt geht es mir besser, und ich glaube, daß alles vorüber ist. Noch verspüre ich geringes Kopfweh. Sonst nichts Neues. Addio

herzlichst Dein Bellini.«

Was uns sonst noch über »die geheimnisvolle Geschichte seines Sterbens« (W. Oehlmann) bekannt wurde, ist, daß eine Fürstin den Doktor Luigi Montallegri nach Puteaux schickte. Aus der Sammlung Succi in Bologna wurde erst 1888 der Text von fünf Notizen bekannt, welche Montallegri an Carlo Severini vom Italienischen Theater sandte und 1894 A. Amore publizierte. Diese sind bis zum vorletzten Tag – offensichtlich mit Absicht – optimistisch gehalten und geben an, daß sich die Behandlung auf das Auflegen von Zugpflastern beschränkte. Montallegri stammte aus Faenza, wirkte als Arzt bei der Napoleonischen Armee in Italien, war Freund von Carlo Pepoli und soll Bellini vom 11. September an betreut haben. Seine Nachrichten lauten:

Erste: »Es gab keine merkliche Besserung bei unserem Bellini. Sein Befinden ist noch immer beunruhigend. Dessen ungeachtet hatte er heute nacht 5 mal fiebrige Entleerungen mit Schleim und Blut und schlief nur wenig. Die Blasenpflaster (Vesikatorien) versprechen zu wirken, und ich erwarte davon eine vorteilhafte Krise« (20. September).

Zweite: »Die Vesikatorien haben eine Krise mit Schweißausbruch herbeigeführt. Während der vergangenen Nacht war unser Bellini weniger ruhelos und erregt. Die etwas weniger häufigen Durchfälle haben ihm ausreichend Ruhe gewährt« (21. September).

Dritte: »Bellinis wohltuende Krise setzt sich fort. Die Angelegenheit hat sich enorm vermindert. Wir hoffen, daß er morgen außer Gefahr ist« (22. September).

Vierte: »Der 13. Tag ist gekommen und war beunruhigend. Bellini verbrachte eine sehr unruhige Nacht, weil die Schweißkrise nicht wie an den vorhergehenden Tagen auftrat. Ich verbrachte den ganzen Tag und die ganze Nacht bei ihm« (23. September).

Diese ersten vier Mitteilungen waren in Italienisch abgefaßt. Dann habe sich das Befinden »bei extremer Erregung zu einem schrecklichen Krampf gesteigert«, und Montallegri schrieb seine fünfte Mitteilung in sehr schlechtem Französisch an Herrn Bonnevin, einen Apotheker in der Rue Favart (in der Nähe des Italienischen Theaters) mit der Bitte, diese Notiz an Herrn Bianchi (einen Theaterangestellten) weiterzugeben:

»Herr Bonnevin, geben Sie diese Notiz sofort Herrn Bianchi und informieren Sie Herrn Severini über das bevorstehende Ende des unglücklichen Bellini! Ein Krampfanfall ließ ihn bewußtlos werden, und er wird nicht mehr bis morgen leben.

Montallegri, Puteaux, 23. September.«

In eine Ecke hatte er auf Italienisch gekritzelt: »Unser Freund ist verloren; ein Krampfanfall hat sein Leben in Gefahr gebracht.«

Eine weitere Quelle, das Tagebuch des Ministers Aymé d'Aquino, eines Abgeordneten des Königreiches der beiden Sizilien, welcher Bellini in Freundschaft verbunden war, ist noch romanhafter, gibt dafür aber eine gewisse Milieuschilderung, die F. Florimo erst 1882 publizierte. Sie besagt, etwas zusammengefaßt, folgendes:

Paris, September 1835.

Am 11. Das Gerücht geht um, daß Bellini zu Puteaux krank liegt, wo ich ihn dieser Tage gesehen habe. Ich finde ihn zu Bett. Er hat, so sagt er, eine *leichte Dysenterie*, die ihn nicht aufhalten solle, nach Paris zurückzukommen. In diesem Augenblick erscheint Madame Lewys, sie schilt den Kranken, daß er absoluter Ruhe bedürfe, mit ärgerlichen Worten.

Am 12. Er erhält keinen Einlaß, der Gärtner Jos. Hubert verweigert den Eintritt, ebenso am 13. September, als der Besucher in Begleitung von F. S. Mercadante (Komponist und Freund Bellinis) – der auch etwa viermal abgewiesen wurde – erscheint.

Am 14. M. Carafa (Oheim des Tagebuchverfassers) bei Bellini (als Arzt des Hofes verkleidet) kurz zu Besuch.

Am 22. ist der Unwille der Freunde (darunter auch der Bassist L. Lablache) offenkundig.

Am 23. gelangt der Verfasser während eines Unwetters in die Wohnung der Lewys, nachdem der Gärtner ihn zuvor unnachgiebig abgewiesen hatte. Jetzt scheint das Haus völlig verlassen. Bellini liegt tot im Bett. Der Gärtner erklärt ihm, beide Lewys seien nach Paris gereist und hätten ihn angewiesen, jemand zu holen und Zeugen zu besorgen. Bellini sei um 5 Uhr nachmittags gestorben.

Noch eine Notiz findet sich in dem Tagebuch von Henry W. Greville, Bellini-Freund und Diplomat bei der Britischen Gesandtschaft in Paris, auch wieder erst 1883 ediert:

»Ein trauriges Ereignis ist eingetreten. Der arme Bellini ist tot nach einer dreiwöchigen Erkrankung ... Ich hatte geschrieben (sie wollten sich in der Stadt treffen, aber Bellini erschien nicht) und, nachdem ich keine Antwort erhalten hatte, wieder geschrieben. Geantwortet wurde mir nur durch eine Notiz von Mr. Levy, in dessen Haus er sich aufhielt, daß er krank und nicht fähig sei, zu schreiben. Ich schrieb wieder, und Levy antwortete, daß er noch immer krank sei. Ich fuhr nach Puteaux, um mich zu erkundigen, aber sie versicherten mir, es bestände keine Gefahr, erlaubten mir jedoch nicht, hinaufzugehen, da ihm verboten worden sei, jemand zu sehen. Ich schrieb dann wieder an Levy, um mich zu erkundigen, und er antwortete, daß, nachdem es am vorhergehenden Tag besser gewesen sei, die Nacht für ihn nicht gut gewesen wäre und er sich weniger gut fühle, er hoffe jedoch, mir in Kürze bessere Nachrichten zukommen lassen zu können. In dem Moment, da ich diesen Brief empfing, hatte er aufgehört zu leben, und aus der Zeitung vom Donnerstag, 24. September, erfuhr ich, daß er um 4 Uhr am vorhergehenden Tag gestorben war. Der Ärmste! Diese Levys sind für vieles verantwortlich, da sie nicht nur seine besten Freunde von ihm fern und in Unwissenheit hielten, sondern es auch versäumten, einen neuen Rat einzuholen« (26. September 1835).

Der Waldarbeiter J. L. Huché und der Gärtner J. Hubert bezeugten am 24. September auf dem Bezirksamt von Puteaux, daß am gestrigen Nachmittag, dem 23. September (Mittwoch) um 5 Uhr der Musikmeister Bellini im Hause des Mr. Legian starb. Die beiden gaben sich »als Freunde« des Toten aus. Die Beamten bestätigten das Ende Bellinis in besagtem Hause, »wo der Körper des Verstorbenen gefunden worden war.«

Anders als bei Mozarts Tod, wo die Möglichkeit einer Vergiftung erst etwa dreißig Jahre danach in der Öffentlichkeit diskutiert wurde, kamen diesbezügliche Gerüchte gleich im Anschluß an Bellinis Verscheiden in Umlauf. Man argwöhnte, daß er zu Puteaux in einen Hinterhalt gelockt und heimlich beseitigt wurde. Die biographischen Umstände waren merkwürdig genug, die Formalitäten scheinen von zwei Gartenarbeitern ohne Vorlage eines von ärztlicher Hand unterzeichneten Leichenscheines abgewickelt worden zu sein. Eine Diagnose ist offenbar nicht gestellt worden, Kollegen hat man ebensowenig zur Behandlung des illustren Patienten hinzugezogen, selbst dann nicht, als Montallegri der Situation in keiner Weise mehr gewachsen war. Nirgends ist die Rede von Pflegepersonal, die Bulletins sind in ihrer Oberflächlichkeit kaum zu überbieten. Die auffällige Isolierung des Kranken trotz des Fehlens einer Epidemie in Paris, das Besuchsverbot in einem zuletzt während der Sterbestunde fast menschenleeren Haus, das seltsame Aussehen des Toten, dem offenbar niemand mehr die Lider schloß, das Auftauchen wichtiger

Dokumente erst ein halbes Jahrhundert nach dem Begräbnis, dies alles weckte in dem mit solchen Umständen Vertrauten doch starken Verdacht, zumal man Bellini auch keinen geistlichen Beistand gewährt zu haben scheint. Krankheitsbild und Verlauf schließen eine erst subakute (Wesens- und Schriftveränderungen, Inaktivität, Depressionen, intestinale Beschwerden), dann akute *Arsenvergiftung* (extremer Wasserverlust durch Diarrhoen, Verwirrtheit und Krampfanfälle) nicht aus. Auch die im Sektionsbericht erwähnten Darmulzerationen könnte man hiermit in Zusammenhang bringen.

Die Autopsie erfolgte gewissermaßen durch »Volksbegehren«, sie kam auf Veranlassung vom Louis Philippe zustande. Der langatmige Bericht, also ein Protokoll auf Bestellung, datiert vom 26. September 1835, enthält neben einigen sachlichen Details vage klinische Zukunftsprognostiken. Während der vorbakteriellen und vormikroskopischen Ära rein aufgrund makroskopischer Untersuchung erstellt und von A. Dalmas unterschrieben, werden darin multiple, oberflächliche, linsengroße Darmgeschwüre, eine fortgeschrittene Entzündung der Eingeweide und ein faustgroßer Abszeß im Bereich des rechten Leberlappens erwähnt, »die Darmentzündung führte während des Lebens zu heftigen Dysenterie-Symptomen. Der Lokalisation nach verursachte der Leberabszeß keinerlei Beschwerden«.

Diese Passage dürfte in erster Linie Dr. Victor de Sabata, Mailand, als er 1969 einen Kommentar für seinen Freund, den Bellini-Publizisten H. Weinstock, schrieb, veranlaßt haben, die Diagnose »Amöbenruhr« ernsthaft zu erwägen. Aber: In unseren Breiten war auch während des vorigen Jahrhunderts die endemische Ruhr relativ selten. Die Durchfälle bei Amöbenruhr sind nicht so massiv wie diejenigen im Gefolge einer Cholera oder bazillären Ruhr. Im Rahmen des etwa dreiwöchigen Krankheitsverlaufes wäre ferner die Zeit für die Entstehung eines Leberabszesses viel zu kurz gewesen. Eine chronische Amöbiasis hingegen, welche nur in ganz wenigen

Fällen zu einem Leberabszeß führt, hätte niemals einen derart foudroyanten Verlauf gezeitigt: Ihre Rezidive lassen erfahrungsgemäß nur *die Neigung* zu Diarrhoen bei wenig gestörtem Allgemeinbefinden erkennen. Mit anderen Worten: Akute Ruhr mit Leberabszeß sowie chronische Amöbenruhr mit letaler Dysenterie schließen sich praktisch gegenseitig aus und kommen für unseren Patienten, dessen vorheriges Wohlbefinden belegt ist (»Magen eines Storches«), bezüglich der Todeskrankheit überhaupt nicht in Frage. Die Symptome des etwa 24tägigen Krankheitsverlaufes (G. Rossini gab in seinem Brief vom 27. September 1835 an den Bellini-Freund F. Santocanale ein 18tägiges Krankenlager an) passen auch nicht auf eine akute bazilläre Ruhr oder eine schwere Cholera-Erkrankung, welche, wenn sie mit derartigen Diarrhoen auftreten, viel rascher zum Tode führen.

Den im Sektionsbericht genannten »Leberabszeß«, welcher zudem noch abgekapselt war, kann man makroskopisch sehr leicht mit einem Leber-Gumma verwechseln, auch besteht die Möglichkeit, daß er als Folge einer chronischen Appendizitis bzw. im Anschluß an eine eitrige Entzündung der Genitalien als eigenständiges Krankheitsbild auftrat. Nur in 5–6% der Fälle (Beckmann) findet man ihn bei Amöbenruhr. Eine solche Infektionskrankheit ist bei Bellini, wie gesagt, völlig unerwiesen, ja wird von Sachkennern (z. B. L. Orrey) energisch bestritten. Auf einen Hauptnenner gebracht: Für einen Leberabszeß mit wallartigen Rändern war die zuletzt beschriebene akute Darmerkrankung viel zu kurz – für eine chronische Ruhr mit Leberabszeß die finale Erkrankung viel zu akut, ganz abgesehen von der Seltenheit der Amöbenruhr und der Seltenheit von Leberabszessen bei Ruhr überhaupt! Die offenbar gezielte Verunklarung hinsichtlich Bellinis Todeskrankheit wurde durch den romanhaften und erst auf Bestellung erfolgten Sektionsbefund nicht aufgehellt, sie hat sich bis heute wie eine Wolke auf die gesamte Bellini-Forschung gesenkt. Ratlosigkeit findet ihren Niederschlag im

Bellini-Schrifttum bei der Beurteilung seiner Todeskrankheit: »Leber- und Darmleiden« (Barblan), »dann fällte den Vergötterten rasch ein Leberleiden« (Moser), »Unterleibskrankheit« (Pougin), »er starb an einer Dysenterie im Hause eines Hebräers, ein Umstand, der viele befremdete« (Leipziger Allgemeine Musikalische Zeitung, Bd. 38, 1836, Sp. 81 ff.), »Darmleiden« (Oehlmann), »Verdacht auf Vergiftung« (Florimo und auch Voß), »Amöbenruhr« (Weinstock).

»Unverständlich ist die Teilnahmslosigkeit, in der die große Zahl der Freunde während der wochenlangen Krankheit verharrte. Indessen mag zu einem Teil die frühe Jahreszeit bezüglich der Pariser Konzertsaison der Grund sein; viele Mitglieder der Kunstwelt und der Gesellschaft weilten noch fern – Rossini kam erst einen Tag nach Bellinis Tod an. Vielleicht verkannte man auch den Ernst der Krankheit und überhörte die Klagen des Leidenden, der ohnehin schon als Melancholiker bekannt war. *Immerhin aber bleibt ein Rest von Geheimnis.* Und es bleibt die dunkle und grausame Tatsache dieses *jähen* Endes, das unendlich traurige Bild des jungen, von einer Welt angebeteten Meisters, der in trostloser Einsamkeit, fern seiner Heimat, *abgeschlossen von der Hilfe seiner Freunde*, starb« (W. Oehlmann). Denn es war ein Ende in Verzweiflung. In seinen Phantasien tauchten, wie Florimo aus unbekannter Quelle berichtet, die Erinnerungen an die Kindheit und die von ihm schwärmerisch verehrte Mutter auf. Er stöhnte: »O Mutter, madre mia, wo bist du?« Immer wieder rief er ihren Namen, wollte umarmt und getröstet sein. Denn wenn für einen Italiener an und für sich schon der Aufenthalt in der Fremde etwas Schreckliches ist, so ist der Tod dort das Allerschlimmste, besonders dann, wenn Umstände vorlagen, welche F. Giugni »L'Immatura Fine di Vincenzo Bellini« nannte. Trotzdem kommt man nicht an folgenden Tatsachen vorbei: Bereits während der letzten Lebensjahre schien Bellini auf den zeitgenössischen Bildern gegen vorher erheblich gealtert. Hand in Hand damit geht ein sichtliches Nachlassen der schöpferischen Kraft, in den »Puritanern« strömt die Eingebung ungleich bescheidener als in der »Norma« (H. H. Stuckenschmidt), wobei man allerdings in Rechnung stellen muß, daß ihn hier ein mangelhaftes Textbuch ebenso ungünstig beeinflußte wie etwa Carl Maria von Weber bei der Vertonung des »Oberon«. Der im Sektionsbericht genannte »faustgroße Leberabszeß, angefüllt mit dickem, gelbem Eiter«, hätte den Gesundheitszustand des Komponisten früher oder später irgendwie behelligt, und sei es nur durch Resistenzminderung.

Drei sogenannte »letzte Antlitze« gibt es von Bellini. Am bekanntesten ist die Totenmaske von J. P. Dantan d. J., angeblich am 24. September abgenommen, also einen Tag nach dem offiziell bekanntgegebenen Tod, sie läßt jedoch bereits derart starke Auflösungserscheinungen erkennen, daß damit gerechnet werden darf, Bellini sei bereits früher verschieden. Eine weitere Darstellung stammt aus dem Jahre 1876, als der einbalsamierte Leichnam von Paris nach Catania geschafft wurde; dieses Photo zeigt beträchtliche Spuren der Zerstörung. Dann gibt es noch eine Photographie nach der erneuten Exhumierung vom Jahre 1959.

Es regnete in Strömen, als am Freitag, dem 2. Oktober, mithin 9 Tage nach Bellinis Verscheiden, die Einsegnung im Invalidendom erfolgte. Mit einem Riesenaufwand hat man die Totenfeierlichkeiten inszeniert, als wenn sich hinter solchem Pomp das schlechte Gewissen verbergen wolle. Was unter Künstlern Rang und Namen hatte, begleitete den Sarg nach dem Père Lachaise. Die Zipfel des Leichentuches hielten die vier Italiener Cherubini, Rossini, Carafa und Paër. Eine Kapelle von 120 Musikern ging dem Kondukt voran, dumpfe Gongschläge begleiteten seinen Weg, die Künstler Frankreichs und Italiens folgten in unzähligen Karossen. Am Grab segnete der fünfundsiebzigjährige Cherubini weinend den Sarg. Jetzt, da er kein Konkurrent mehr war, liebten sie ihn gleichermaßen, und man bettete ihn in der Nähe von Chopin

346

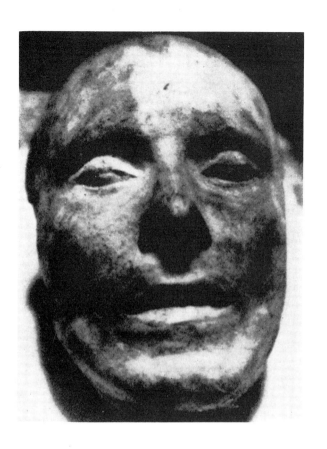

Bellinis Totenmaske vom 24. September 1835,
abgenommen durch Jean-Pierre Dantan d. J.

zur vorläufigen Ruhe. Das Denkmal auf dem Friedhof hatten König Philipp und dessen Gattin Amalie mitgestiftet.

Italien ehrte seinen großen Sohn mit gebührenden Trauerfeiern. In Neapel dirigierte der greise Zingarelli eine Kantate eigener Komposition, im Teatro San Carlo hörte das Publikum in ernstem Schweigen eine Aufführung der »Norma«. Hätte man die wahren Umstände von Bellinis Tod gewußt, wäre die Andacht möglicherweise in helle Wut umgeschlagen.

Rossini ordnete den Nachlaß, er schrieb der Familie, den Eltern und dem Großvater, die noch lebten, und schickte einige Andenken wie Ringe und ein kleines Kreuz, das Vincenzo stets getragen hatte. Aus dem Nachlaß erhielt die Familie etwa 40 000 Franken.

Am 15. September 1876 wurde Bellini dem Schoße der Erde entnommen. Es regnete wieder ununterbrochen, als der Sarg auf eine Bahre geladen und von acht schwarzen Pferden zum Bahnhof gezogen wurde. Dank der unermüdlichen Bemühungen des Freundes F. Florimo, welcher ihn lange überlebte, konnte der bereits 11 Jahre zuvor angeregte Plan, den Toten heimzuholen, verwirklicht werden. An der Grenze Italiens und dann in jeder größeren Stadt wurde der »cigno dell'Etna« mit Feierlichkeiten, Reden und Musik geehrt. Hundert schwarze Barken begleiteten den Dampfer, welcher den Sarg von Reggio nach Sizilien überführte und in Catania unter Salutschüssen vor Anker ging. Selbst eine Goldmedaille hatte man dort geprägt, sie zeigt sein Bild sowie die Umschrift »Schöpfer der italienischen Melodie«.

Als das schönste Schiff der sizilianischen Flotte in Sicht kam, läuteten sämtliche Glocken. Von den Angehörigen der Familie, die das Schicksal in alle Winde zerstreut hatte, war nur ein Bruder, Carmelo Bellini, erschienen. Ergreifend die Trauerfeierlichkeiten im Dom, wo acht junge Mädchen aus ersten Patrizierfamilien den Sarg auf eine reich dekorierte Tribüne hoben, 41 Jahre nach seinem Tode, am 23. September 1876. Dort haben Bellinis sterbliche Überreste ihr letztes

Zuhause gefunden in unmittelbarer Nähe des Grabes der heiligen Agathe, deren Namen Bellinis Mutter trug. 1959 wurde der Leichnam noch einmal exhumiert, weil der alte Sarg in Verfall geriet. Nun ruht er auf einem Monument aus Marmor und Bronze, welches G. Tassara entwarf, mit folgendem Vers aus dem Textbuch der »Nachtwandlerin« als Umschrift, gleichnishaft für sein kurzes Leben, das 6 Wochen vor dem 34. Geburtstag endete: »Ah! non credea mirarti si presto estinto, o fiore . . .« –

Heute, da zwischen Bellinis Geburt und der Gegenwart bald 180 Jahre liegen, sei es erlaubt, Bilanz zu ziehen, ein Versuch, das Ephemere vom Unvergänglichen zu trennen. Und dabei fällt auf, daß die seinerzeitige Überschätzung gewiß ebenso ungerechtfertigt gewesen sein dürfte wie das derzeitige Vergessensein nördlich der Alpen. Bellini war ein selten Begnadeter, welcher bereits in früher Jugend die Stufe der Meisterschaft erklommen hatte, ein Mensch mit Vorzügen, Wunderlichkeiten und Schwächen (P. Voß). Diese Entwicklung verlief auf vorgezeichneter Bahn zur Pyramidenspitze seines Könnens, der »Norma«, über welche Richard Wagner, der sie unstreitig für seine gelungenste Komposition hielt, später schrieb:

»Hier, wo sich selbst die Dichtung zur tragischen Höhe der alten Griechen aufschwingt, erhöht diese Form, die Bellini dabei entschieden auch veredelt, nur den feierlichen und grandiosen Charakter des Ganzen. Norma ist von allen Schöpfungen Bellinis diejenige, welche neben der reichsten Melodienfülle die innerste Glut mit tiefer Wahrheit verbindet.«

Bellinis Musik lebt auf der Bühne Italiens weiter, wo der melancholische »Pirat«, die zarte »Sonnambula«, die heroische »Norma« und die elegischen »Puritaner« in regelmäßigem Wechsel wiederkehren, Beweis dafür, daß Bellinis Musik nicht dem Gestern angehört, sondern nur als unterirdischer Strom die Gegenwart durchzieht.

In einem Künstlerleben lösen sich Höhen und Tiefen ab,

dies ist Naturgesetz, und wäre Mozart *vor* der »Zauberflöte« gestorben, hätte die Nachwelt vermuten können, er habe sich seinerzeit mit dem »Don Giovanni« gänzlich »ausgeschrieben«. Weil bei Bellini die Kulminationspunkte schöpferischer Leistung meist keine kontinuierliche Fortsetzung fanden, hätte man unzweifelhaft mit weiteren Spitzenwerken rechnen können, wäre sein Leben nicht jäh geendet wie das einer Sonnenblume, welcher jemand im Vorübergehen den Kopf abschlägt.

Es mag von mangelndem Einfall zeugen, wenn man am Ende eines langen Lebensbildes ein Lexikon sprechen läßt. Doch dieses aus dem Jahre 1840 hat trotz mancher Fehldeutungen Worte gefunden, die in ihrer ursprünglichen Farbigkeit überzeitliche Geltung beanspruchen dürfen, vielleicht oder weil sie nur kurz nach Bellinis Verscheiden gedruckt wurden:

»Es ist den Weisen des jungen, schwärmerischen Sizilianers ein so eigentümlicher Reiz inne, besonders in dem, was Goethe ›die holde Schwermut, das reizende Leid‹ nennt, daß eine große Gewalt über das Gemüt dadurch ausgelöst wird. Ich kann mir diesen Bellini nur als einen schönen Jüngling mit unendlich schwärmerischen Augen und edlem Profil denken... Es ist jene trübe, schmachtende Sehnsucht, welche überall in seinen Werken hervordringt und keinen anderen Charakter in ungetrübter Frische aufkommen läßt.

War das der frühe Tod...?«

VINCENZO BELLINI

1. Allgemeine Musikalische Zeitung. Verlag Breitkopf & Härtel, Leipzig, Jahrg. 1833, Spalte 366 und Jahrg. 1836, Spalte 81–84.

2. *Amore, A.,* Vincenzo Bellini (Arte, Vita Studi e Ricerche), 2 Bde., Catania (N. Gianotta) 1892 und 1894.

3. *Barblan, G.,* Vincenzo Bellini. In: MGG (Die Musik in Geschichte und Gegenwart), Bd. I., Spalte 1611–1616. Bärenreiter, Kassel 1949–1951.

4. *Beckmann, H.,* Krankheiten der Leber. In: Handbuch d. Inn. Med., Verdauungsorgane II. Teil. Springer, Berlin, Göttingen, Heidelberg 1953.

5. *Florimo, F.,* Bellini, Memorie e lettere. G. Barbèra, Firenze 1882.

6. *Gathy, A.,* Musikalisches Conversations-Lexikon. G. W. Niemeyer, Hamburg 1840.

7. *Giugni, F.,* L'Immatura fine di Vincenzo Bellini, Lugo 1930.

8. *Gross, R.* und *Jahn, D.,* Lehrbuch der Inneren Medizin, Schattauer, Stuttgart 1966.

9. *Heine, H.,* Florentinische Nächte, 1. Nacht. In: H. Heine, Sämtliche Schriften, 1. Band, S. 570 ff. C. Hanser, München 1968.

10. *Lewin, L.,* Die Gifte in der Weltgeschichte, Springer, Berlin 1920.

11. *Moeschlin, S.,* Klinik und Therapie der Vergiftungen. Thieme, Stuttgart 1956.

12. *Moser, H. J.,* Musikgeschichte in 100 Lebensbildern. Reclam, Stuttgart 1964.

13. *Oehlmann, W.,* Vincenzo Bellini. Atlantis, Zürich u. Freiburg i. Br. 1974.

14. *Orrey, L.,* Bellini, London–New York 1969.

15. *Pougin, A.,* Bellini. Hachette, Paris 1868.

16. *Reuter, F.,* Giftmord und Giftmordversuch. Notring, Wien 1958.

17. *Schmidt, L.,* Vincenzo Bellini. In: Meister der Tonkunst im 19. Jahrhundert. J. Bard, Berlin 1908.

18. *Steinitz, H.,* Cholera. Med. Welt 27 (N. F.): 566 (1976).

19. *Stuckenschmidt, H. H.,* »Die Puritaner« in New York (Metropolitan Opera), Feuilleton der Frankfurter Allgemeinen Zeitung vom 31. März 1976.

20. *Voß, P.,* Vincenzo Bellini, Musiker-Biographien (23. Band), Leipzig (Reclam) o. J.

21. *Wagner, R.,* Gesammelte Schriften und Dichtungen, 16 Bde. (1912–1914).
22. *Weinstock, H.,* Vincenzo Bellini. His Life and His Operas. A. A. Knopf, New York 1971.
23. *Wittmann, C. F.,* Vorwort zum Textbuch der »Norma«, Reclams Universal-Bibliothek Nr. 4019, Leipzig o. J. 1899.

Franz Liszt in seinem letzten Lebensjahr.
Unbekanntes Foto von H. Le Lieure, Rom

FRANZ LISZT
(1811–1886)

»Du kannst frei nach Ludwig XIV. sagen:
Das Orchester bin ich! Der Chor bin ich!
Der Dirigent bin wiederum ich!«
(H. Berlioz in einem Brief an
F. Liszt)

Von Paris her, wo sein Oratorium »Die Legende der heiligen Elisabeth« vor 7000 Zuhörern aufgeführt wurde, traf F. Liszt krank und fiebernd in Weimar ein. »Wie will ich mein Entsetzen schildern, als ich den Meister wiedersah!«, schrieb A. Stradal, der ihn zusammen mit A. Göllerich am Zuge abholte, in seinen Erinnerungen. »Wir mußten ihn förmlich aus dem Coupé heben, so schwach war er. Und nun kommt das Bitterste: Liszt war fast ganz blind geworden; der Star hatte enorme Fortschritte gemacht, nur eine Operation konnte vielleicht noch etwas helfen. Die Füße und Beine waren ihm bis zu den Knien angeschwollen.«

Aus der Weimarer Hofgärtnerei, seinem dortigen Wohnsitz, teilte er der Budapester Schülerin Lina Schmalhausen unter dem Datum vom 18. Mai 1886 mit:

»Gestern abend hier angekommen, werde ich noch ein paar Tage das Bett hüten müssen. Ich kann nur mühsam einige Worte schreiben...« Und wenig später: »Meine Augenschwäche verschlimmert sich. Ich kann jetzt nicht mehr lesen und schreibe nur mit Anstrengung selbst meine überflüssigen Noten, wovon ich doch eine ziemliche Anzahl von Seiten vor meinem Ableben fertigbringen möchte. Schreiben Sie mit großen Lettern und starker roter Tinte. Wenn möglich kommen Sie auf ein paar Wochen nach Bayreuth ... Mehr als halb erblindet schreibt Ihnen diese Zeilen F. L.«.

Die letzten Worte beziehen sich auf einen Besuch von Cosima Wagner bei ihrem Vater. Sie bat ihn, an den diesjährigen Festspielen teilzunehmen, welche durch den Tod ihres Mannes Richard Wagner finanziell in eine Krise geraten waren. Seine Gegenwart in Bayreuth sollte dem Unternehmen ein neues Glanzlicht aufstecken, und da Liszt es gewohnt war, seit Jahrzehnten als Repräsentationsfigur erwählt zu werden, garantierte er ihr sein Erscheinen für die diesjährigen »Tristan«- und »Parsifal«-Aufführungen, schon weil er glaubte, er schulde dies seinem toten Freunde. Vorher aber konsultierte er einen Arzt in Halle, der Wassersucht sowie grauen Star konstatierte und eine Kur in Bad Kissingen empfahl. Herzglykoside hat Liszt offenbar keine erhalten.

Seitdem er, 5 Jahre zuvor, am 2. Juli 1881 auf der Treppe seiner Weimarer Wohnung gestürzt war, alterte der Meister sichtlich. Damals erlitt er Quetschungen am ganzen Körper, kränkelte lange und reiste mit seiner Enkelin Daniela von Bülow als Begleitperson nach Rom, wo man seinen 70. Geburtstag festlich beging. Die ärztlichen Berichte deuten darauf hin, daß ein leichter Schlaganfall die Ursache des Unfalles war: Es zeigten sich nämlich vorübergehende Sprachstörungen und Lähmungserscheinungen im Bereich der rechten Körperhälfte, auch die Füße schwollen bereits an. Der Dirigent Hans von Bülow – Cosimas erster Ehemann – schrieb besorgt: »Seine Unbehilflichkeit und körperliche (wie leider auch geistige) Schwäche ist in so hohem Grad Tag für Tag zunehmend, daß ihm ein wirkliches Malheur zustoßen könnte, wenn er sich selbst überlassen bliebe.« Er war nun sehr müde, schlief oft über den Arbeiten ein, fror ständig und wirkte recht teilnahmslos. Doch war der Meister durchaus gleichgültig gegen seine Gesundheit und antwortete auf die Frage, wie es ihm gehe, stets: »Immer gut! Ich beschäftige mich nicht mit Franz Liszt.« Nach dem Sturz hingegen wurde er schwerfälliger und wesensverwandelt, nahm zu an Gewicht und konsumierte täglich bis zu einem Liter Cognac. Allein »noch im Greisenalter verfügte er über eine kolossale Klaviertechnik«, schrieb sein Schüler A. Stradal.

Dabei war Liszt von äußerst stabiler Konstitution, obwohl er bald nach seiner Geburt (22. Oktober 1811), als ein großer Komet am Himmel stand, häufig kränkelte, ja man ihn in seinem dritten Lebensjahr einmal für tot hielt, so daß ein Kindersarg angefertigt wurde. Von allem Anfang an schien Liszt wesensgespalten. Seine Vorfahren waren deutsch-österreichischer Abstammung, er selbst bezeichnete aber stets Ungarn als sein Vaterland. Der ungewöhnlich musikalisch begabte Junge erhielt bald den ersten geregelten Musikunterricht in Wien, wohin seine Mutter und sein Vater, Rentmeister der Esterházyschen Schäfereien, ihr einziges Kind begleiteten. Als Schüler von C. Czerny und A. Salieri zeitigte er derart rasche Fortschritte auf dem Klavier, daß bereits wenige Jahre später »le petit Liszt«, erst 12 Jahre alt, Paris in seinen Bann schlug. Denn er verwandelte das Klavier in ein Orchester, beim Anhören dieses Hexenmeisters sanken die Hörer in Trance. Man glaubte, keine Konzertstücke mehr zu vernehmen, sondern »die Musik« schlechthin. Neben dem musikalischen Talent ließ Liszt einen Hang zur Mystik und Theologie erkennen, oft trug er sich mit dem Plan, Geistlicher zu werden. Denn er hatte Perioden starker religiöser Erlebnisse schon als Kind und – mit Unterbrechungen – sein ganzes Leben lang. Im Anschluß an eine unglückliche Liebe erfolgte in jungen Jahren ein physischer Zusammenbruch, so daß man im »Etoile« unter den Todesnachrichten lesen konnte: »Franz Liszt, geboren 1811 in Raiding, gestorben 1828 in Paris.«

Liszt litt an Magenverstimmungen, Fieberanfällen, Nervosität und Koliken, wenn er ungelöste private Probleme

Abbé Liszt spielt vor Papst Pius IX.,
Zeichnung von O. Günther

hatte. Mit 22 Jahren lernte er die Gräfin Marie d'Agoult kennen, welche später drei Kinder, darunter auch die Tochter Cosima, von Liszt bekam; die beiden anderen Geschwister verstarben früh. Trotz lebenslanger zahlloser Frauenbekanntschaften, die ein Buch für sich füllen würden und oft übertrieben worden sind, hat Liszt selten echte Zuneigung gekannt und blieb einsam bis zum Tode; selbst die Kontakte zu seiner Mutter, die 1866 starb, gingen nicht sehr tief.

Dem reisenden Künstler lag bald ganz Europa zu Füßen. Es gab zwischen Gibraltar und Moskau, zwischen Edinburgh und Konstantinopel kaum einen berühmteren Mann. Trotzdem beendete der größte Klaviervirtuose der Welt mit 37 Jahren diese Karriere und konnte unbesiegt die Arena verlassen. Seiner zahllosen Triumphe müde, trat Liszt 1848 eine schlecht bezahlte Kapellmeisterstelle in der kleinen thüringischen Residenz Weimar an, wohin ihm seine neue Begleiterin, die Fürstin Caroline von Sayn-Wittgenstein, nachfolgte.

Genau besehen, begann hiermit bereits Liszts Abstieg. Denn trotz glorreicher Orchester-Aufführungen – auch von Wagner-Opern – schied er nach rund 10jähriger Tätigkeit mit Groll im Herzen von Weimar und verzog mit der Fürstin nach Rom, wohl wissend, daß seine Autorität als Dirigent umstritten war. Zu der geplanten Vermählung mit der Fürstin kam es auch in der Ewigen Stadt nicht, statt dessen wurde Liszt 1865 als Mittfünfziger Priester, erhielt aber nur die niederen Weihen – er durfte keine Beichte abnehmen und keine Messe lesen –, da er auch dem Freimaurer-Orden angehörte und innerhalb der Loge einen hohen Rang bekleidete.

Trotz aller guten Kontakte zu Papst und Vatikan erhielt Liszt jedoch keine führende kirchenmusikalische Position, und auch seine Oratorien (u. a. »Christus«, »Die Legende von der heiligen Elisabeth«) waren teilweise Mißerfolge. Allmählich spürte er, daß sich seine Werke, darunter zahlreiche sinfonische Dichtungen, nicht im erwünschten Maße durchsetzen würden. Selbst die Bemühungen um die Verleihung eines Adelstitels blieben ergebnislos.

Die letzten 20 Jahre seines Lebens verbrachte Liszt ruhelos. Er war wenig befriedigt und fühlte sich verlassen. Durchweg kostenlos bildete er eine Generation von Musikern aus; er hatte etwa 184 Schülerinnen und 225 Schüler, die ihn in seinem Altruismus davor bewahrten, in »santa indifferenza« zu versinken. Sogar im Alter noch war er der Magier, der etwas Satanisches und Scharlataneskes zugleich an sich hatte. Laut Sitwell erwarb Liszt seine Technik, ähnlich wie der Geiger Paganini, mittels schwarzmagischer Praktiken; darum, zwischen extremen Polen hin- und hergerissen, verbrachte er einen großen Teil seines Lebens in Buße. Bildhübsch und charmant zugleich, trieben ihn die Lebensumstände häufig in Extremsituationen. Er benötigte stets starke alkoholische Getränke, rauchte schwere Brasil-Zigarren und hat wahrscheinlich auch um die Wirkung des Opiums gewußt. Weil die Nachtseite seines Wesens bislang nur aus manchen Werken (z. B. »Mephisto-Walzer«, »Totentanz«) erschlossen werden kann, fehlt auch hier bis heute *die* umfassende Liszt-Biographie, obwohl das um und über ihn erstellte Schrifttum bei weitem die Beethoven-Literatur übersteigt.

»Drei Bücher hatte Liszt stets in seiner Nähe: sein Brevier, Dante und Goethes ›Faust‹. Sie waren an jedem Ort zu finden, den er bewohnte: am Ufer des Comer Sees, in Weimar und bei den Springbrunnen der Villa d'Este; in früheren Zeiten hatte er sie in der Postkutsche bei sich gehabt. Und später, als er die Nächte in den Zügen von Rom nach Budapest verbrachte, in den verrauchten Tunnels zwischen Florenz und Bologna und auf der noch längeren Reise von Rom nach Weimar – wenn der Zug sich durchs Gebirge wand und der von Gaslicht erhellte Waggon mit Dampf erfüllt war, dann pflegte der alte schlaflose Abbé bis zum Morgengrauen im einen oder anderen jener Bücher zu lesen. Dante und ›Faust‹ bildeten ebenso einen Teil seines Lebens, wie es Vergil und

Shakespeare bei Berlioz taten. Seine Persönlichkeit und sein ganzes Denken wurden durch sie geprägt. Je älter er wurde, desto mehr verschmolz er geistig wie körperlich mit den Gestalten Dantes und Goethes (S. Sitwell).«

Aber das eigentliche schöpferische Geheimnis besaß er nie. Er führte ein Stummklavier mit sich, das vier Oktaven umfaßte, damit seine Fingerfertigkeit nicht verlorenging. Dies alles hat die Nachwelt schnell vergessen; sein Ruhm schrumpfte rasch. Den Wagnerianern erschien er nur als Gefolgsmann des Bayreuther Titanen erwähnenswert, den Vertretern der klassischen Schule blieb er wegen seiner Orchestertricks suspekt (K. Schumann). Dabei hat er Überragendes geschrieben, einige sinfonische Dichtungen (z. B. »Les Préludes«), die Klaviersonate h-moll und mehrere »Ungarische Rhapsodien« trugen seinen Namen in alle Lande, er brachte zudem zukunftweisende Werke zu Papier (Klavierstücke wie »Die Wasserspiele der Villa d'Este«, »Unstern«), welche großenteils unbekannt sind (es gibt noch keine Liszt-Gesamtausgabe), erst allmählich in ihrem wahren Wert erkannt werden, aber die Garantie dafür bilden, daß sein Name über das reine Virtuosentum hinaus in den Sternen geschrieben steht. Denn er hinterließ an die 700 Werke und Werkgruppen, von dem schier immensen literarischen Nachlaß erst gar nicht zu sprechen!

Liszt war – trotz aller »Show« – einer der edelsten Menschen, großzügig und stets hilfsbereit. Als Klavierspieler gründete der Meister eine neue Ära der Virtuosität, auch den Orchesterklang hat er revolutionär beeinflußt, die »von Nacht zum Licht« strebenden Programme sind zahlreich. Ungeheuer groß waren dessen reformatorische Taten zur Stellung des Künstlers, sie brauchten jetzt nicht mehr via Hintertreppe in die Häuser zu gelangen. Liszts Weltruhm, seine vornehme Erscheinung, seine Großzügigkeit und Spendenfreudigkeit, seine überlegene Sicherheit im Verkehr mit Höfen und Adel, nicht zuletzt durch die ihm verbundenen

Frauen, haben die Position des Musikers grundlegend gefestigt. Auf allen Ebenen erlangte Liszt eine Bedeutung, die in ihrer Gesamtheit wohl die sämtlicher Zeitgenossen, Wagner ausgenommen, in den Schatten stellte. Aus der Musikgeschichte des 19. Jahrhunderts ist die Gestalt des reisenden Abbé nicht wegzudenken (H. Engel). Er hat, heute noch unerschlossen, Zukunftweisendes geschrieben und gewußt, daß das Ende der Allmacht des Dreiklanges gekommen war. Wenn sich die Vertreter der Zwölftonmusik auf ihn berufen, tun sie es mit gutem Recht.

Liszt hatte im Grunde kein inneres Verhältnis zum Geld und wurde, weil er es oft offen herumliegen ließ, vom Personal oder gar von seinen Schülern bestohlen. Zuletzt ist Liszt kein reicher Mann mehr gewesen und vermachte die irdischen Güter nicht der Tochter Cosima, sondern seiner Vertrauten, der Fürstin von Sayn-Wittgenstein in Rom. Überhaupt bestand zwischen der Tochter und ihm eine seltsame Haß-Liebe, nicht zuletzt bedingt durch Wagners ständige Eifersüchteleien, wie die Tagebücher Cosimas bezeugen; sie hat ihren Vater auch nach Richards Tod 1883 jahrelang nicht empfangen.

Der greise Ahasver nahm im Juli 1886 noch an der Hochzeitsfeier von Enkelin Daniela in Bayreuth teil. Danach besuchte er seinen Landsmann, den Maler M. Munkácsy auf Schloß Colpach, nahe Luxemburg, welcher ein Ölgemälde von Franz Liszt begonnen hatte. Zum letzten Male spielte er öffentlich am 19. Juli in einem Konzert der Luxemburgischen Musikgesellschaft, wobei er den ersten seiner »Liebesträume«, die »6. Soirée de Vienne« und einen »Chant Polonais« nach F. Chopin vortrug – endgültige Verbeugung vor jenem Meister, dem er sich zeitlebens in Dankbarkeit verbunden fühlte. Wieder war eine hartnäckige Bronchitis, durch einen Infekt und Herzversagen bedingt, aufgetreten, denn am 13. Juli schrieb er an Lina Schmalhausen:

»Meine elenden Augen versagen mir ihre Dienste, und ein elender, gewaltiger Husten leistet mir seit mehr als acht Tagen seine widerwärtige Gesellschaft.« Und am 20. folgte die telegraphische Mitteilung: »Morgen Mittwoch nachmittag trifft in Bayreuth ein und erwartet Sie ergebenst Liszt.«

Am 21. Juli kam Liszt »total marode« an, sein Zustand war sehr schlecht, er fieberte und hustete unaufhörlich. Man geleitete ihn gleich in sein altes Logis bei Frau Forstrat von Fröhlig mit zwei auf den Garten gehenden Zimmern und einem Vorraum für den Diener Mischka. Er legte sich sofort zu Bett, stand aber am Abend wieder auf, als seine Enkelin Eva und Siegfried Wagner kamen, um ihn zu einer Soiree nach der nahegelegenen Villa Wahnfried abzuholen. Er überstand den Empfang verhältnismäßig gut, am nächsten Morgen war es ihm aber physisch nicht möglich, zur Frühmesse zu gehen. Cosima kam gleich nach 6 Uhr, um mit ihm gemeinsam das aus der Villa Wahnfried herübergebrachte Frühstück einzunehmen. Schmerzhafte Hustenanfälle begleiteten ihn während des 22. Juli, er wirkte sehr matt und nickte, während ihm A. Göllerich vorlas, wiederholt ein. Nachmittags spielte Liszt Whist, seine Hände zitterten aber derart, daß es ihm nicht möglich war, die Karten richtig zu unterscheiden, und schlief schließlich ein.

Am Freitag, dem 23. Juli, hatte sich Liszts Befinden nicht gebessert. Dennoch empfing er mehrere Besucher sowie Schüler und wohnte um 4 Uhr in der Wagnerschen Loge des Festspielhauses der ersten »Parsifal«-Aufführung bei trotz quälendem Husten und Fieber. Er hatte Mühe, sich aufrecht zu halten, schlummerte zwischendurch immer wieder ein, harrte aber aus, weil er im »Parsifal« das »Wunderwerk des Jahrhunderts« erblickte. Den nächsten Tag verbrachte Liszt bei unverändert schlechtem Befinden in seiner Wohnung, wo zwei Schüler eintrafen und sich über seinen Zustand betroffen äußerten. Abends schleppte er sich wieder zu einem festlichen Empfang nach Wahnfried, er »griff dauernd in die Leere, als suche er einen Halt; er leerte ein Champagnerglas nach dem anderen«.

Am Sonntag, dem 25. Juli, war es ihm zunächst unmöglich, aufzustehen. Er ließ sich von A. Göllerich aus Dantes »Göttlicher Komödie« vorlesen, nickte aber dazwischen immer wieder ein. Hernach war es H. P. v. Wolzogens Schrift »Tristan und Parsifal«, aus der er zu hören wünschte. Dann schlief er fest, erwachte aber rechtzeitig, um die »Tristan«-Vorstellung, welche diesmal dem Bayreuther Plan erstmals eingefügt war, zu erleben. Da er stark fieberte, flehten ihn einige Schüler an, daheim zu bleiben, doch er erwiderte: »Cosima wünscht es, ich habe es versprochen, zu erscheinen und gehe«, worauf er sich unter der Assistenz des Dieners ankleidete.

Im Festspielhaus konzentrierte sich aller Aufmerksamkeit auf den greisen Mentor, dem Bayreuth seine Entstehung mitverdankte. Da stand er nun, immer noch eine ungebeugte, stattliche Erscheinung im Priestergewand, weithin leuchtete das silberne Haar, und Liszt applaudierte jedesmal zu Beginn der Pause aufs lebhafteste, wobei er auf diese Weise die Zuhörer zum Beifall animierte. Doch als es dann dunkel wurde und das Orchester-Vorspiel zum 3. Akt in meerartiger Weite erklang, verzog er sich in den Hintergrund der Loge, den Todeskeim nicht wie Tristan in seiner Wunde, sondern in der eigenen Brust tragend, hustete unaufhörlich, das Taschentuch vor die Lippen gepreßt und kauerte hinter einer Säule. In einer verdeckten Kalesche brachte man ihn später zurück.

Am nächsten Tag fühlte sich Liszt viel schlechter. Der Bayreuther Arzt Dr. Landgraf, welcher die Wagner-Familie schon seit längerer Zeit betreute, verordnete Hustentropfen sowie Morphium, dazu striktes Alkoholverbot, was in dieser Situation wegen der dann drohenden Entziehungserscheinungen besonders unpassend war. Auch das Essen schmeckte dem Patienten nicht, er nahm außer Mineralwasser kaum etwas zu sich. »Ich glaube nicht, daß ich von hier wieder aufstehe«, sagte Liszt zu Lina Schmalhausen, die sich am Abend zu ihm geschlichen hatte und von Cosima nicht gern gesehen

*Einer der letzten Briefe von Franz Liszt, worin er von der
geplanten Kur in Bad Kissingen spricht, zu welcher es aber infolge
seines Todes nicht mehr kam*

ward, »ich habe gar kein Zutrauen zu dem Doktor und den vielen Medizinen. Der findet immer, es gehe mir wieder besser, und dabei fühle ich mich täglich schwächer und schwächer.«

Als sie am Dienstag, dem 27. Juli, zu ihm kam, sah Liszt todtraurig aus und äußerte: »Nicht besser.« Er klagte, die Nacht wäre für ihn furchtbar lang gewesen, da er sich selbst überlassen blieb und nicht schlafen konnte. Gegen 8 Uhr erschien Cosima, sie gab strenge Anweisung, niemand einzulassen – nur ihre Töchter waren von dem Verbot ausgenommen – und ließ Dr. Fleischer aus Erlangen kommen, da sie sich offenbar erst jetzt der Schwere seiner Erkrankung bewußt wurde. Liszt stand für kurze Zeit auf, doch fühlte er sich allzu matt und legte sich bald hin. Die ganze Nacht lag er wieder allein, da in Wahnfried eine große Soiree stattfand und niemand Zeit für ihn erübrigte.

Am Mittwoch, dem 28. Juli, konstatierte Dr. Fleischer eine schwere Lungenentzündung und verordnete größte Ruhe. Cosima schlief von jetzt an im Vorzimmer ihres Vaters, tagsüber wurde dort der Liszt-Schüler B. Stavenhagen postiert, seine Verehrerinnen wies man unerbittlich ab. Da Cosima unter Tag die Leitung der Festspiele und Repräsentationspflichten in Wahnfried wahrnehmen mußte, lag Liszt meist in trüben Gedanken oder Fieberphantasien. Der Leidende sah niemand mehr von jenen, die er stets gern um sich gehabt und an sein Krankenlager gerufen hätte und welche ihm vertrauter waren als die nächsten Angehörigen.

Am Freitag, dem 30. Juli, befand sich Liszt fast ununterbrochen im Delirium. Er erkannte oft Bekannte nicht mehr. Er wirkte sehr abgemagert, der Atem ging röchelnd, Schüttelfrost trat wieder auf. Plötzlich kam er zu sich und fragte leise: »Wieviel Uhr ist es?« »Neun Uhr, Euer Gnaden«, antwortete der Diener Mischka. »Heute geht es mir aber sehr, sehr schlecht; ist heute Donnerstag?« Mischka antwortete unbedachterweise: »Nein, Freitag.« Liszt sank in die Kissen zurück und sagte traurig: »Oh, Freitag!« Er war nämlich sehr abergläubisch, freitags unternahm er nie etwas, stets behauptete er, dieser sei sein Unglückstag. Schon zu Beginn von 1886 hatte er gesagt: »Dieses Jahr ist mein Todesjahr, es fängt mit Freitag an, und auch mein Geburtstag fällt auf einen Freitag.« Dabei fürchtete Liszt den Tod nicht, sah er darin doch die einzige Möglichkeit, von der Erbsünde befreit zu werden, und sterben erschien ihm einfacher als leben. Irgendwie aber muß er um seine eigentliche Bestimmung gewußt haben, denn den Satz von F. Chateaubriand «Un instinct secret me tourmente» (= »ein verborgener Trieb martert mich«) schrieb er schon in frühester Jugend auf alle seine Arbeitsbücher.

Vom Spätnachmittag an war dem Diener Mischka die Krankenwache allein übertragen worden. Gegen Mitternacht kam Dr. Landgraf, den Cosima begleitete, vom Festspielhügel, um nach dem Patienten zu sehen. Da er, wenn auch unruhig und schwer atmend, schlief und der Arzt keine Verschlimmerung befürchtete, wurde die Nachtwache weiter Mischka überlassen. Um 2 Uhr nachts sprang er jedoch wie ein Rasender aus dem Bett, tobte und schrie »Luft, Luft!«, daß man ihn in der ganzen Umgebung hörte, als wären es »Laute eines Stiers«. Offenbar war es zuletzt noch zu einem Infarkt gekommen, denn er faßte sich immer wieder ans Herz. Der Meister hatte Riesenkräfte und stieß Mischka, der ihn ins Bett zurückbringen wollte, heftig von sich. Als endlich der Arzt nach ungefähr 3/4 Stunden erschien, lag Liszt schräg über seinem Lager, kalt wie ein Toter. Der Doktor meinte anfangs, er sei schon gestorben, denn Liszt war vor Schmerzen zusammengebrochen. Erst nach längeren Einreibungen kam wieder etwas Leben in ihn; er erlangte das Bewußtsein jedoch nicht mehr.

Am Vormittag des 31. Juli wurde noch einmal Dr. Fleischer aus Erlangen telegraphisch herbeigerufen. Er verordnete jetzt die schwersten Weine und ließ Champagner einflößen, worum Liszt vergeblich gebeten hatte, und erklärte, die Krise stehe unmittelbar bevor. Cosima wich nicht mehr von seiner Seite. Oben in der Wohnung hatten sich Freunde wie Schüler, darunter auch A. Stradal, versammelt und, als es dunkel geworden, in den Garten begeben, von wo aus sie an den verhängten Fenstern des Zimmers die Schatten von Frau Wagner und den beiden Ärzten wahrnahmen. Dr. Fleischer stand am Bett und fühlte beständig den Puls, daneben Dr. Landgraf. Obwohl Liszt Kleriker war, hat er die Letzte Ölung nicht erhalten. Bis $^1/_2$ 11 Uhr stöhnte Liszt laut. Einmal sagte er noch deutlich »Tristan!«, den man an diesem Abend im Festspielhaus gab. Dann wurde er ganz still, doch sein Atem ging fliegend. Die beiden Ärzte beugten sich mit silbernen Leuchtern über das Bett und lauschten ängstlich den schwächer werdenden Atemzügen. Der Moribunde soll noch zwei Injektionen – wahrscheinlich Kampfer – erhalten haben. Sein ganzer Leib erzitterte darauf heftig. Dreimal hob und senkte sich der Oberkörper, dann fiel seine Hand am Bett herab. Auf der Schwelle zum 1. August, einem Sonntag, erschien gegen Mitternacht der Diener Mischka mit Tränen in den Augen und erklärte, daß der geliebte Meister ausgelitten habe. Die Ärzte beugten sich ein letztes Mal über ihn und verließen, leise einige Worte zu Frau Cosima sprechend, das Zimmer. Diese kniete am Bett ihres toten Vaters nieder ...

In einem kleinen Mausoleum auf dem städtischen Friedhof von Bayreuth erhielt der ruhelose Weltbürger Franz Liszt sein endgültiges Zuhause, im Sterben wie im Leben eigentlich ein ewig Heimatloser, wobei sein Tod in freiwilliger Selbstaufopferung für ein Ideal ganz im Einklang steht mit dessen unwandelbaren Vorstellungen von Liebe und Freundschaft.

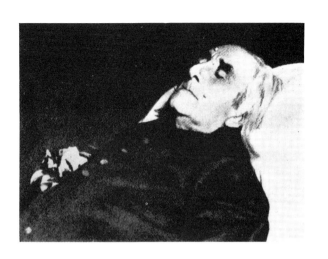

Franz Liszt auf dem Totenbett,
zeitgen. Photographie

FRANZ LISZT

1. *Engel, H.,* Franz Liszt. »Die Musik in Geschichte und Gegenwart« (MGG), Bd. 8, Spalte 964–988. Bärenreiter, Kassel–Basel–London–New York 1960.
2. *Gathy, A.,* Musikalisches Conversations-Lexikon. G. W. Niemeyer, Hamburg 1840.
3. *Göllerich, A.,* Franz Liszt, Berlin 1908.
4. *Helm, E.,* Liszt in Selbstzeugnissen und Bilddokumenten, »rowohlts monographien«, Reinbeck b. Hamburg 1972.
5. *Kapp, J.,* Franz Liszt, 2. Aufl. Schuster & Loeffler, Berlin 1911.
6. *Kusche, L.,* Franz Liszt. Porträt eines Übermenschen. Südd. Verlag, München 1961.
7. *Raabe, P.,* Liszts Leben und Schaffen, 2 Bde., Stuttgart 1931. Nachdruck H. Schneider, Tutzing 1968.
8. *Rehberg, P.* und *Nestler, G.,* Franz Liszt. Die Geschichte seines Schaffens und Wirkens. Artemis, Zürich 1961.
9. *Sitwell, S.,* Franz Liszt. Atlantis, Zürich 1958.
10. *Schumann, K.,* Das kleine Lisztbuch, Salzburg (Residenz) 1974.
11. *Wagner, C.,* Die Tagebücher, Bd. I (1869–1877). Piper & Co., München–Zürich 1976.
12. *Wessling, B.,* Franz Liszt – ein virtuoses Leben. Piper & Co., München 1973.

Carl Maria von Weber (1786–1826),
zeitgenössische Darstellung

CARL MARIA VON WEBER
(1786–1826)

»Nie hat ein deutscherer Musiker gelebt als Du!«
R. *Wagner, Nekrolog auf C. M. v. Weber*

Carl Maria von Weber war das neunte von insgesamt zehn Kindern, die seinem Vater in zwei Ehen geschenkt wurden, und bereits in frühester Jugend anders als die Geschwister: in sich gekehrt, nachdenklich, hochgradig kurzsichtig und – wohl durch eine angeborene rechtsseitige Hüftgelenksluxation, möglicherweise auch Knochentuberkulose – zeitlebens gehbehindert. »Das Gefühl des Entbürdetseins vom Körper, den man nicht empfindet, weil man gesund ist, hat Weber nie gekannt«, schreibt sein Sohn Max.

Carl Maria von Webers Taufe findet man unter dem Datum vom 20. November im Eutiner Kirchenbuch vermerkt – was schwerlich mit dem immer wieder angegebenen Geburtstermin (18. Dezember 1786) in Einklang zu bringen ist. Auch das Prädikat »von«, das der unstete Vater nicht nur sich selbst, sondern auch seiner zweiten Frau eigenmächtig beilegte, scheint ebenso »geborgt« zu sein wie das Wappen – es zeigt die Mondsichel und einen Stern –, das einer ausgestorbenen österreichischen Familie gehörte. Doch dies alles ereignete sich im Grunde schon »vor seiner Zeit« und muß ebenso als schicksalhaft hingenommen werden wie die Tatsache, daß er der Vetter von Mozarts Frau Constanze war.

Da Carl Maria im Alter von knapp zwölf Jahren seine Mutter verlor und mit der Wandertruppe des Vaters von Ort zu Ort zog, ist er zeitlebens mehr in Bühnenkulissen zu Hause gewesen, und das mag der Grund dafür sein, daß er innerlich stets einsam blieb und ihn der Trieb in die Ferne oft nicht minder stark übermannte wie die Sehnsucht nach Seßhaftigkeit. Die Musikalität hatte der Knabe vom Vater ererbt, der 1778 Musikdirektor in Lübeck und 1779 Kapellmeister des Fürstbischofs von Eutin war und bei jedem Kind hoffte, einem jungen Mozart zu begegnen, was er als das »summum bonum« des Menschenlebens ansah. Aber erst als er sich 1785, bereits in der sechsten Lebensdekade stehend, mit der blutjungen Genoveva (von) Brenner wiederverheiratete, geschah in seinen Augen dieses Wunder. Doch weil die musikalische Resonanz bei dem Sohn zunächst nur zaghaft zutage trat, bekam er Unterricht im Malen, Zeichnen und Kupferstechen. Der Vater zog 1797 nach Salzburg, um das dortige Theater zu übernehmen. Er brachte bei dieser Gelegenheit den Knaben, der wie durch höhere Fügung meist auf qualifizierte Musiklehrer stieß, im fürsterzbischöflichen Kapellmeister-Institut unter, dessen Leitung Michael Haydn innehatte. Etwa dreißig Jahre alt, starb die Mutter an einem »Lungen- und Herzübel«; sie ruht in demselben Grab wie Constanze Mozart und Mozarts Vater Leopold.

Die folgenden Jahre bescherten der Familie unter der Regie des väterlichen Prinzipals ein ständiges Wanderdasein, das die »von Webersche Schauspielergesellschaft« quer durch Deutschland und Österreich führte. Im Alter von achtzehn Jahren war Carl Maria, nachdem er in Wien hervorragenden Musikunterricht bei Abbé Vogler genossen hatte, vorübergehend Orchesterdirigent in Breslau. In diese mit Kämpfen angefüllte Zeit, kurz vor seiner 1806 erfolgten Entlassung aus der Breslauer Stelle, fällt ein Ereignis, das man als Suizidversuch werten kann: Angeblich irrtümlicherweise trank Weber eines Abends Salpetersäure. Es kam zu schweren Verätzungen im Bereich der Mundhöhle und des Schlundes; erst nach mehrwöchigem Krankenlager konnte er wieder leise sprechen, aber »die schöne Singstimme war für immer auf den dritten Teil ihrer Ausgiebigkeit reduziert«.

1813 wurde Weber Operndirektor in Prag. Um neue Kräfte für das Theater zu gewinnen, reiste der Künstler nach Wien, wo er auch die Sängerin Caroline Brandt, seine spätere Frau, unter Vertrag nahm. Für die Lauterkeit von Webers Gesinnung, die stets sein hervorstechendster Charakterzug war, mag folgende Episode in der Donau-Stadt sprechen: »Dagegen schlugen die Bestrebungen, ihn mit dem greisen (Komponisten) A. Salieri zu befreunden, gänzlich fehl. Die Gerüchte, bei denen der Volksmund des alten Meisters Namen mit Mozarts Tod in Verbindung brachte (man sagte, er habe ihm Gift gegeben, um den Rivalen zu beseitigen!), waren damals noch sehr gang und gäbe, und wenn Weber vielleicht auch nicht an dieselben glaubte, so hielt ihn doch ein Gefühl, das fast eine Idiosynkrasie war, von dem Manne fern, von dem er wußte, daß er den Cherub der Tonkunst, den von ihm über alles geliebten und verehrten Mozart gehaßt hatte. Er erklärte rund, daß er mit ihm nichts zu tun haben wolle« (Max Maria von Weber).

Weber komponierte im Anschluß an die Schlacht bei Waterloo die Kantate »Kampf und Sieg« und hatte damit in Berlin großen Erfolg. Jedoch erst seine Ende 1816 erfolgte Berufung als königlich-sächsischer Kapellmeister nach Dresden setzte seinem an Irrungen und Wirrungen reichen Wanderleben ein vorläufiges Ende. Mit Caroline verlobte er sich unmittelbar nach einer totalen Sonnenfinsternis; sie heirateten 1817.

Neben der starken beruflichen Inanspruchnahme vergällten Intrigen und Mißhelligkeiten in Dresden Webers Leben; der Hof war gleichgültig, das ganze Personal der italienischen Oper kehrte sich gegen ihn, besonders dann, als er der deutschen Oper zum Durchbruch zu verhelfen trachtete. Dies alles

Das Wappen der Familie (von) Weber

trug zweifellos zu seinem frühen Ende bei (H. J. Moser). Auch begegnete man seinen »Reformen« (Einführung des Taktstockes, neue Sitzordnung für die Orchestermitglieder) voller Skepsis. Wollte er dabei noch komponieren und Zeitloses schaffen, so hatte er seine Hände an zwei Pflügen, denn Weber war, was oft vergessen wird, nebenher intensiv publizistisch tätig. Und die Lebensspanne, die ihm zum schöpferischen Wirken blieb, ist begrenzt gewesen; die Fertigstellung seines bedeutendsten Werkes, des »Freischütz«, fällt bereits mit der Manifestierung einer unheilbaren kavernösen Phthise zusammen. Weber wußte von der Unheilbarkeit dieses Leidens; so werden die letzten zehn Jahre zum Wettlauf mit dem Tode. Vieles von dem, was er sonst noch schuf, hat er eilig und in Nachtarbeit in seine Scheuern gesammelt ohne die letzte künstlerische Vollendung – mit einem Seitenblick auf das Stundenglas.

Wenn man einem Gedanken von H. Pfitzner folgen will, dann lebte Carl Maria von Weber eigentlich nur, um die Oper »Der Freischütz« zu komponieren. Aufgerüttelt durch die Napoleonischen Kriege, befand sich das deutsche Volk damals in einem Stadium nationaler Selbstbesinnung; so waren die Gegebenheiten einzig, um das Terrain für Weber und seine deutsche Oper vorzubereiten. Mit diesem Tonwerk, dessen Erfolg er nie überbieten konnte, ist Weber in die Unsterblichkeit eingegangen. Während L. van Beethoven »mehr Ausdruck der Empfindung als Malerei« in seine »Pastoralsinfonie« legte, während F. Schubert und andere Tonmeister nach neuen Formen und Wegen suchten, war es Weber vergönnt, von der Bühne her in eben jenes Neuland vorzustoßen, dessen geheimnisvolle Kräfte sich aus dem Erlebnis der Natur mit all ihren Ängsten, Sehnsüchten, Geheimnissen und tausenderlei Farben herleiten. Allein schon die ersten Takte der »Freischütz«-Ouvertüre sind mit dem Raunen des Waldes gewissermaßen ein Exlibris der Romantik!

Doch jenes Licht der Gnade, das selbst noch die Wolfsschlucht zu verklären schien, verwandelte sich nur allzu oft, wie Weber selbst sagte, in seinen »Unstern«, der viele Enttäuschungen mit sich brachte und sein Leben bedrohte. So hat ein seltsam widriges Schicksal dem Komponisten anderweitige dauerhafte Erfolge versagt: Die Musik zum Bühnenwerk »Preciosa« ist so gut wie verschollen, und zwar durch ein hoffnungsloses Textbuch. Dasselbe gilt, mit anderen Vorzeichen, auch für die Oper »Euryanthe«, und zur Umarbeitung des »Oberon«, der in erster Linie auf englischen Geschmack zugeschnitten war, ist Weber durch seinen frühen Tod nicht mehr gekommen. Ungehobene Schätze ruhen in diesen Partituren und harren eines ingeniösen Bearbeiters, der sie wieder zu klingendem Leben erwecken könnte.

Weber bezog nicht zuletzt deswegen im Jahre 1818 ein Sommerhäuschen in Hosterwitz bei Dresden, weil seine Gesundheit stark angegriffen war. »Die Brustbeklemmungen, an denen er schon früher gelitten, mehrten sich, die Heiserkeiten wurden häufiger und seine Singstimme schwand fast ganz. Alle Symptome der Krankheit, die ihn genau acht Jahre später dem Grabe zuführen sollte, klopften, wenn auch noch leise, an . . .« (Max Maria von Weber). Allerdings erwähnte er bereits im April 1815 in einem Brief an seinen Freund H. Lichtenstein den »fortwährenden Husten«. Da Weber ein wunderbares Vertrauen zum Wissen der Ärzte hegte, störte es ihn nicht, daß der eine Kollege ihn auf »Unterleibsübel« und der andere wegen »Atembeklemmungen« behandelte. Schon jetzt, während der Vorarbeiten zum »Freischütz«, ist die Schwungkraft gelähmt. Anfang 1819 kam es zu einem neuen »Schub«, den der Doktor mit Fastenkuren und Geilnauer Wasser zu beherrschen versuchte. Doch Weber arbeitete nach seinem Motto »Beharrlichkeit führt zum Ziel« ständig weiter, beendete im Mai 1820 die »Freischütz«-Ouvertüre, ebenso den Klavierauszug und begann sofort danach mit der Musik zu »Preciosa«. Es folgten

Reisen nach Hamburg und Dänemark; zur Berliner »Frei-schütz«-Premiere fuhr er an der Seite seiner Frau sogar in einem neugekauften »komfortablen Coupé«. Mit einem lächelnden »Wie Gott will! Es wird schon gehen!« wußte er alle Bedenken seiner ängstlichen Gattin zu zerstreuen, denn die Aufführung der »Preciosa« Mitte März hatte dort schon den Boden für ihn zur Genüge vorbereitet. Die triumphale Erstaufführung des »Freischütz« am 18. Juni 1821 brachte Weber den ersehnten Sieg über seinen »Rivalen« Spontini. Schon die Ouvertüre unter Webers Stabführung mußte wie-derholt werden, und der Erfolg war so überwältigend, daß Caroline still weinte – ihr Mann »hatte die Via sacra zum Kapitol des Ruhmes beschritten«. Denn zusammen mit dem Textbuch-Autor F. Kind war hier etwas Einmaliges geschaf-fen worden, das noch heute vielen als künstlerisches Wunder erscheint. Diese glückhaften Wochen in Berlin bildeten den Höhepunkt in Webers Künstlerlaufbahn, als hätte sich hier aller Glanz seines Lebens wie unter einem Brennglas ge-sammelt.

Weber übernahm trotz der »sich täglich steigernden Leiden an Brust und Hals« auch die Dresdener Abonnementskon-zerte, aus Wien kam der Auftrag zu »Euryanthe«. Nur am eigentlichen Ort seines Wirkens konnte man sich für ein solches Unternehmen nicht begeistern; man spielte lieber den »Freischütz«, der sich schon »durchgesetzt« hatte. Anfang 1822 mehrten sich die Atembeschwerden, der Husten wurde immer unerträglicher, das Fieber wich oft nicht mehr, Blut-auswurf trat hinzu. Eine schwere Halsentzündung warf ihn während der nachfolgenden Wienreise aufs Krankenlager. Man behandelte ihn mit Gurgeln, heißen und kalten Um-schlägen, die er gefaßt und mit viel Fatalismus über sich er-gehen ließ. Aber seine »gar zu schwankende Gesundheit und mein Alleinstehen hier in Dresden« betrübten ihn. Dazu kamen die ständige berufliche Überbeanspruchung durch Er-krankung von Kollegen und zeitraubende Gelegenheitsarbeiten anläßlich höfischer Familienfeierlichkeiten, ferner der lästige Musikunterricht. »O Hosterwitz, o Ruhe! Ruhe!« Dennoch traf man den mittelgroßen, quecksilbrigen Künstler mit den ausdrucksvollen blauen Augen immer im Kreise seiner Freunde; er liebte das Kegelspiel und tanzte leidenschaftlich gern, badete sogar im eiskalten Fluß und war ein begeisterter Rosselenker.

Mitte September 1823 reiste Weber zur Aufführung der »Euryanthe« wieder nach Wien. »Er hatte das Gefühl, als betrete er ein Feld, wo es eine Schlacht auf Leben und Tod zu schlagen gelte« (Max Maria von Weber). Würde ihm auch hier der Triumph über »die Italiener«, allen voran Rossini, gelingen? Ludwig van Beethoven empfing ihn herzlich, am »Freischütz« hatte er schon früher Gefallen gefunden: »Das sonst weiche Männel, ich hätt's ihm nimmermehr zugetraut! Nun muß der Weber Opern schreiben, gerade Opern, eine über die andere.« Am 25. Oktober 1823 erlebte die »Euryanthe« im Kärntnertor-Theater ihre Premiere. Aber obwohl Kaiser Franz die Widmung der Partitur annahm und ihm eine prachtvolle, mit Diamanten besetzte Dose übereignete, war es nur ein halber Sieg; man tadelte das bizarre Textbuch, die Überlänge des ganzen Stückes, und Franz Schubert sagte: »Das ist keine Musik . . .« Nach dem Erfolg des »Freischütz« wollte Weber zuviel, suchte nach immer neuen Steigerungen und verfehlte das Wesentlichste (J. Kapp). Immerhin sind die Einnahmen aus diesem Bühnenwerk, das mehrere Theater erwarben, reich gewesen.

Als Folge solcher Kraftproben verschlechterte sich Webers Gesundheitszustand, der Atem wurde kürzer, der Husten anhaltender, der Auswurf nahm zu, die Nachtschweiße erschöpften ihn, und wenn die Post kam, zitterten seine Hände. Ob die »Euryanthe« nicht doch ein Fehlschlag war? »Ich bin recht zerstört und aufgeregt bis zum Fieberhaften. Gott gebe, daß das Marienbad mich wieder mir selbst gibt, so bin ich mir fatal, und wie muß ich erst andern sein?« (an F. Rochlitz, 20. Juni 1824). Im Juli reiste er wegen eines hinzugetretenen »Unterleibsübels« nach Marienbad; die schöpferische Pause im Anschluß an die Fertigstellung der »Euryanthe« betrug vierzehn Monate. Zweifel und Enttäuschung hatten ihn übermannt. »Ich habe keine Sehnsucht nach Notenpapier und Pianoforte und könnte mich, glaube ich, ganz leicht überreden, einst ein Schneider gewesen zu sein und kein Componist.«

Als das Londoner Covent-Garden-Theater mit der Bitte um Vertonung eines passenden Opern-Librettos an ihn herantrat, griff Weber sofort zu und begann mit der Niederschrift von »Oberon«. Hierbei handelte es sich wieder um eine Gelegenheitsarbeit, wobei der Komponist auf das Textbuch selbst keinen Einfluß nehmen konnte, was dem Gesamtwerk sehr schadete – aber allein vom Literarischen her wäre es auch nicht zu retten gewesen. Der Künstler wollte am Ende seines kurzen Lebens die Familie wenigstens wirtschaftlich sichern, denn mittlerweile war er Vater von zwei Söhnen geworden, von denen nur der eine, Max Maria, der Ingenieur wurde, ein höheres Alter erreichte. Dieser schreibt: »Webers Talent trat in sein letztes Entwicklungsstadium, ohne das Ziel zu erreichen.« Spuren der Todeshast und nachlassenden Inspiration charakterisieren dieses finale Opus, an die Stelle exakter Ausarbeitung tritt die Flüchtigkeit. Weber altert sichtlich, die Haare ergrauen schon. Im Juli und August 1825 führt der Komponist eine Kur in Bad Ems durch, in deren Verlauf er plötzlich aphonisch wird; am ganzen Körper tritt ein Ausschlag auf. Immer hustend, selbst während der Sommermonate in Pelze gehüllt, sitzt Weber am Schreibtisch, starrt vor sich hin und zwingt die Musen herbei. Anfang Dezember ruft ihn die »Euryanthe«-Aufführung wieder nach Berlin. Die Stimme ist bereits derart schwach, daß er nur durch einen Dolmetscher mit dem Orchester verkehren kann. »Wie es mir geht? Sehr gut! Nur daß ich die Halsschwindsucht habe; aber das macht weiter nichts...« Und über

»Oberon«: »Lieber Freund, ich erwerbe in England ein gut Stück Geld, das bin ich meiner Familie schuldig, aber ich weiß sehr gut – ich gehe nach London, um da – zu sterben. Still, ich weiß es –.« Immerhin wurde die Berliner Premiere ein voller Erfolg für ihn, bei der anschließenden Feier saß er fiebrig und lispelnd auf dem Ehrenplatz und schwamm noch einmal auf einer Woge von Seligkeit.

Am 7. Februar 1826, vor Tagesanbruch, hielt der bepackte Reisewagen vor Webers Dresdener Wohnung. Das, was am »Oberon« noch nicht vollendet war, würde er unterwegs fertigstellen. »Noch eine Träne auf die Stirn der schlummernden Kinder, noch ein Kuß – der Meister stieg, die geschwollenen Füße in dicken Sammetstiefeln, den Körper in Pelze gehüllt, in den Wagen – die Tür ward geschlossen«. Caroline brach in ihrem Zimmer zusammen: »Ich habe seinen Sarg zuschlagen hören!«

Weber wandte sich zuerst nach Paris. In Calais überfiel ihn ein derart heftiger Hustenanfall, daß er zu ersticken drohte. Als Weber das Meer sah, wird er gefühlt haben, wie sehr dies eine Reise ohne Wiederkehr war. Dann aber ging die Überfahrt doch verhältnismäßig glatt vonstatten. In London wohnte Weber bei dem Hofkapellmeister G. Smart, den er von Bad Ems her kannte.

Im Hinblick darauf, daß Weber zwölf Aufführungen des »Oberon« und sechzehn Proben selbst dirigieren sollte, kann man seine Englandfahrt nur als Tollkühnheit bezeichnen. Und der Unermüdliche hätte dort noch viel mehr erreichen können, wäre er nicht mit dem Stigma des Todes gelandet. Jene Energie, die erforderlich war, um durch persönliche Hausbesuche die »High Society« Londons für sein Unternehmen zu begeistern, konnte der Moribunde nicht mehr aufbringen, und da er schon rein aspektmäßig »nichts aus sich zu machen verstand«, blieb organisatorisch alles Stückwerk. Immerhin war er durch die »Freischütz«-Aufführung schon lange vor seinem Erscheinen in England bekannt geworden, und als er jetzt selbst kam, wurde gleich die Ouvertüre zu dieser Oper gespielt, so daß er an Caroline schrieb: ». . . sage, daß mich die ganze Welt ehrt – nur mein König nicht.« Die endlos langen Proben, die der »Oberon«-Premiere vorausgingen, ermüdeten ihn sehr, einmal trat in seinem Wagen ein langer Krampfhusten mit Blutauswurf auf. Dr. Kind verordnete große Blasenpflaster und das Einatmen von Blausäure-Dämpfen. Durchfälle, die er mit Kakao und Reisschleim zu dämpfen versuchte, kamen hinzu, er fühlte sich unendlich abgespannt; die Briefe an daheim unterschrieb er mitunter: ». . . Euer alter Vater Carl.« Seine Hände zitterten so stark, daß er ein Glas nur zur Hälfte füllen konnte, die Schwellungen an den Beinen nahmen derart zu, daß er nur in seltenen Fällen noch im Gesellschaftsanzug erschien. Am 9. April war die Ouvertüre beendet, Weber schrieb »Soli deo gloria« darunter, am 12. April folgte die Uraufführung. Das ganze Auditorium erhob sich und huldigte ihm fast eine Viertelstunde lang. Die Ouvertüre mußte wiederholt werden, ebenso zahlreiche Musiknummern. Am Ende geschah das Unerwartete: Man rief so lange nach ihm, bis Weber vor den Vorhang trat – was in England einem Komponisten noch nie widerfahren war!

Im Tagebuch steht:

27. April: Um 10 Uhr so unwohl, solcher Krampf!! O Gott!!
28. April: Ohne Appetit. Abends (Blausäure-)Dämpfe eingeathmet.
 1. Mai: Auf einmal Fieber.
 2. Mai: Sehr krank.
 6. Mai: Zweimal Krämpfe, sehr unwohl.
 8. Mai: Sehr schlechte Nacht. Husten. Bruststechen.
 9. Mai: Sehr unwohl, entsetzlich asthmatisch. O Gott!

Alle Sorge galt seinem Benefiz-Konzert, das für den 26. Mai anberaumt war. Aber auf diesen Tag – sein »Unstern« verließ ihn also auch hier nicht! – fiel das Rennen in Epsom, es regnete stark, und der Saal blieb halb leer. »Als er, auf den Arm Smart's gestützt, hereinwankte und alles überblickte, verzog ein tief schmerzliches, bitteres Lächeln seine Züge ... Später sank er im Foyer wie zerknickt, atemlos und außer sich auf ein Sofa. ›Was sagen Sie dazu? Das ist Weber in London!‹« »Sehr angegriffen, sehr unwohl, so erschüttert. Ich hielt es im Concert mit der größten Noth aus. Senfpflaster auf die Brust, entsetzliche Beängstigung.«

30. Mai: Sehr unwohl, gar kein Athem; früh entsetzliche Hitze, 4–5 Uhr Kälte. Abweichen (= Durchfälle).

1. Juni: Sehr krank, gar kein Athem.

2. Juni: Gute, sanfte Nacht. Im Bett bis 12 Uhr. Sehr matt (Tagebuch).

»Es lebt eine Ungeduld in mir«, schreibt er an Caroline, »Du wirst nicht viele Briefe mehr von mir sehen.« Jeglichen unnötigen Umweg wollte er auf der Heimreise vermeiden. Auch von weiteren künstlerischen Verpflichtungen nahm er Abstand. Das Letzte, was er in England dirigierte, war die »Freischütz«-Ouvertüre bei einem Wohltätigkeitskonzert.

Am 1. Juni steigerten sich seine Atembeschwerden dermaßen, daß jedes Luftholen von einem Hochaufwogen des Thorax begleitet war. »Seit gestern habe ich ein handgroßes Vesicator auf der Brust, das soll die entsetzliche Kurzatmigkeit bannen ... Gott segne Euch Alle ††† und erhalte Euch gesund. Wäre ich nur schon in Eurer Mitte! Guter Gott, nur erst im Wagen sitzen«, heißt es im letzten Brief vom 2. Juni.

Doch der Tod war schneller. Am Abend des 4. Juni 1826 versuchten die um Weber versammelten Freunde vergeblich, ihn von dem Plan seiner baldigen Reise abzubringen. Um 10 Uhr gab er ihnen die Hand mit den Worten: »Gott lohne Euch allen Eure Liebe!« Man half ihm beim Auskleiden, das ihn offenbar sehr anstrengte, dann sagte er: »Nun laßt mich schlafen!« Später muß er noch einmal aufgestanden sein, denn die Tür ist von innen verriegelt gewesen.

384

Webers Totenmaske

Am anderen Morgen klopfte der Diener leise an, und als es still blieb – Weber hatte sonst einen sehr leichten Schlaf –, verschaffte man sich gewaltsam Eintritt. »Die Bettgardinen wurden zurückgeschlagen – da lag der geliebte Meister entseelt im Bett. Friedlich auf der rechten Hand eingeschlafen, kein Schmerz hatte die teuren Züge entstellt« (Max Maria von Weber). Denn die Totenmaske zeigt das Antlitz Webers in überirdischer Verklärung, als habe der Abgeschiedene den Weg in seine eigentliche Heimat gefunden. »Man holte noch einen Arzt, der eine Ader schlagen sollte. Kopfschüttelnd ließ er die Hand zurücksinken: ›Hier ist alles vergebens, dieser Mann ist schon seit fünf bis sechs Stunden tot!‹« – Wahrscheinlich rechnete Weber mit seinem Ende, denn die persönlichen Dinge waren von ihm genau geregelt und sogar die Trinkgelder für das Personal in adressierten Umschlägen verwahrt worden. Nur neununddreißig Jahre weilte Weber auf dieser Erde, mindestens zwölf Jahre davon war er stets krank!

Der bis zum Gerippe abgemagerte Leichnam wurde sofort in Gegenwart von vier Ärzten seziert. Man fand ein walnußgroßes Geschwür an der linken Seite des Kehlkopfes und in der überall von Tuberkeln durchsetzten Lunge zwei hühnereigroße Kavernen. Da anscheinend keine weitere Untersuchung vorgenommen wurde, blieb die massive Darmtuberkulose, in deren Gefolge wiederholt stärkste Diarrhoen aufgetreten waren, unerwähnt.

Die Presse nahm an Webers Tod großen Anteil, zumal er auch sein letztes Werk, das der Familie immerhin 1100 Pfund Sterling einspielte, für England geschaffen hatte. Am 21. Juni wurde der bleierne Sarg in einen zweiten aus Eichenholz gesenkt, am Fußende war eine Kupferplatte mit folgender Inschrift angebracht:

Carolus Maria Freiherr von Weber nuper
Praefectus musicarum Sacelli regii apud Regem Saxonum
Natus oppido Eutin inter Saxones

die 18 Decembris 1786
Mortuus Londoni
die 5 Junii 1826
anno quadragesimo aetatis suae.

Den schwarzen Leichenwagen, auf dem nur in glänzenden Farben das Familienwappen sowie in Goldschrift das Wort »Resurgam« leuchtete, zogen sechs Rappen, unter den Klängen des Mozartschen Requiems geleitete man den Sarg zur Moorfields-Kapelle, wo zweitausend Menschen in stiller Andacht verharrten. Achtzehn Jahre später sind die sterblichen Überreste – nicht zuletzt dank der Initiative seines Amtsnachfolgers Richard Wagner – von dort nach Dresden überführt worden. Und so ruht der Tote, dessen übrige an die hundert Tonschöpfungen in der Folgezeit leider mehr und mehr der Vergessenheit anheimfielen, in der Weberschen Familiengruft zwischen der Gattin Caroline und dem 1844 verstorbenen Sohn Alexander.

Mozart starb früh – Weber *zu früh*. Doch er schied mit Ruhm von der Welt, die er so sehr liebte und die im »Freischütz« sein klingendes Erbe bewahrt, gemäß dem Dichterwort:

> »Was vergangen, kehrt nicht wieder;
> Aber ging es leuchtend nieder,
> Leuchtet's lange noch zurück!«
>
> (Karl Förster)

CARL MARIA VON WEBER

1. *Berg, G.*, Tuberkulose und Magen-Darm-Erkrankungen. Med. Welt 1967: 993.
2. *Braun, A.*, Krankheit und Tod im Schicksal bedeutender Menschen, Stuttgart 1940.
3. *Dünnebeil, H.*, Schriften über Carl Maria von Weber, Berlin (Selbstverlag Dünnebeil) 1947.
4. *Jähns, F. W.*, Carl Maria von Weber. Eine Lebensskizze nach authentischen Quellen, Leipzig 1873.
5. *Kapp, J.*, Carl Maria von Weber. Eine Biographie, Berlin 1931.
6. *Kroll, E.*, Carl Maria von Weber, Potsdam 1934.
7. *Moser, H. J.*, Musikgeschichte in hundert Lebensbildern, Stuttgart 1958.
8. *Raabe, P.*, Wege zu Weber, Regensburg 1942.
9. *Reissmann, A.*, Carl Maria von Weber, sein Leben und seine Werke, Berlin 1883.
10. *Schnoor, H.*, Weber auf dem Welttheater. Ein Freischützbuch, Dresden 1943.
11. *Wagner, R.*, »Le Freischutz«, Bericht nach Deutschland (über die Pariser Aufführung), aus der Schriftenreihe der Pariser Epoche (1839–1842).
12. *v. Weber, C. M.*, Briefe an H. Lichtenstein, herausgegeben von E. Rudorff, Braunschweig 1900.
13. *v. Weber, C. M.*, Reise-Briefe an seine Gattin Carolina, herausgegeben von seinem Enkel Carl v. Weber, Leipzig 1886.
14. *v. Weber, Max Maria,* Carl Maria von Weber. Ein Lebensbild, 3 Bde., Leipzig 1864–1866.
15. *Zentner, W.*, Carl Maria von Weber, Olten und Freiburg i. Br. 1952.
16. *Zentner, W.*, Einleitung zum Textbuch zur Oper »Der Freischütz«, Stuttgart 1959.

Felix Mendelssohn-Bartholdy (1809–1847)
während seiner letzten Lebenszeit

FELIX MENDELSSOHN-BARTHOLDY
(1809–1847)

> »Ich klage nicht um Dich, Du hast gelebt,
> An Jahren jung, an Werken wie ein Greis,
> Als Knabe Meister, hast das Lorbeerreis
> In ungebleichte Locken Du verwebt.
> Kurz war Dein Pfad, doch trug er Blum' an Blume,
> Und wie Achill sankst Du in Deinem Ruhme . . .«
> E. Geibel, »Auf Felix Mendelssohn-Bartholdys Tod«

Mendelssohns Tod ist rätselhaft. Da sein Vater Abraham
mit 59 Jahren und die Mutter Lea mit 65 Jahren nach kurzem
Unwohlsein in bewußtlosem Zustand verstarben und auch
die Schwester Fanny im Alter von 42 Jahren den Tod erlitt,
haben die meisten Mendelssohn-Biographen die damalige
verschwommene Terminologie »Nervenschlag« in »Schlaganfall« abgewandelt und auch für Felix Mendelssohn diese
Todesursache angegeben, ja sogar hin und wieder von einem
»Erbleiden« gesprochen. Unterzieht man die Anamnese des
Letztgenannten einer kritischen Prüfung, dann finden sich
wenige Voraussetzungen für die Annahme zerebrovaskulär
bedingter Ausfallserscheinungen. Denn Mendelssohn war
weder bewußtlos noch gelähmt; er konnte schreiben und
sprechen und nahm bis kurz vor dem Ende alle Ereignisse,
die sich in seiner Umgebung abspielten, genau wahr. Viele
Betrachter haben außerdem die übrigen Mitglieder der Familie Mendelssohn nicht auf ihr Alter hin überprüft. Eine
solche Untersuchung zeigt, daß die zahlreichen Geschwister

der Eltern durchweg lange lebten, ebenso Mendelssohns Bruder Paul und die meisten seiner Kinder. Die namentlich im Sekundärschrifttum immer wieder auftauchende Behauptung vom »frühen Tod der Mendelssohns infolge Schlaganfall« bedarf also einer Revision! Daran ändert auch die Tatsache nichts, daß Felix selbst an ein solches Erbübel glaubte.

Felix Mendelssohn war der berühmte Enkel des berühmten jüdischen Universalgelehrten Moses Mendelssohn, der G. E. Lessing zu der Gestalt von »Nathan dem Weisen« inspirierte. Sein Sohn Abraham, zunächst Kassierer bei einer Pariser Bank, heiratete später die vermögende Lea Salomon, machte sich in Hamburg selbständig, wurde durch Heereslieferungen während der Befreiungskriege reich und hatte außer Felix (* 3. Februar 1809) noch zwei Töchter, Fanny und Rebekka, sowie den Sohn Paul. Der Bruder von Mutter Lea legte nach seinem Übertritt zur christlichen Religion den jüdischen Namen Salomon ab und nannte sich »Bartholdy«. Diesem Beispiel folgte die Familie. Felix' Vater bestritt jeglichen Offenbarungsglauben des Alten wie des Neuen Bundes, seine beiden Schwestern wurden katholisch, er ließ später seine Kinder protestantisch taufen und wandte selbst dem Judentum 1822 offiziell den Rücken. Es kam zu schweren Auseinandersetzungen, ja sogar zu Verwünschungen innerhalb der Familie, und es gab nicht wenige Menschen, die den Nachkommen deswegen ein böses Ende prophezeiten, um so mehr, als sich Felix später mit seinem Oratorium »Paulus« und dem zuletzt geplanten, aber unvollendet gebliebenen Oratorium »Christus« ganz offen als Christ auswies.

Seine Jugendzeit verbrachte Felix, bei dem sich schon im Alter von sechs Jahren Zeichen eines Wunderkindes bemerkbar machten, nach dem Umzug aus Hamburg in das Haus Leipziger Straße Nr. 3 in Berlin ohne jegliche materielle Sorgen. Die Umgebung war luxuriös, ein großer Park grenzte an die Wohnung, seine Erziehung war ganz aufs Geistige hin ausgerichtet. So wurde Felix, wie schon der Name besagt, zu einem Schoßkind des Glückes, wobei die regelmäßigen »Sonntagsmusiken« im Gartensaal die Entwicklung dieser Begabung nachhaltig beeinflußten. Ausgezeichnete Lehrer begleiteten ihn, und zwar der Pianist L. Berger und der Goethe-Freund K. F. Zelter, Direktor der Berliner Singakademie, welcher ihm Kompositionsunterricht erteilte und auch die Bekanntschaft mit Goethe vermittelte, in dessen Weimarer Wohnung Mendelssohn 1821 zwei Wochen lang als Gast lebte. Hierüber teilt L. Rellstab am 8. November mit:

»Goethe ging hinaus, kam nach einigen Minuten wieder ins Zimmer und hatte mehrere Blätter geschriebener Noten mitgebracht. ›Da habe ich einiges aus meiner Manuskriptensammlung geholt; nun wollen wir dich prüfen. Wirst du das hier spielen können?‹ Er legte ein Blatt mit klar, aber klein geschriebenen Noten auf das Pult; es war Mozarts Handschrift. Der junge Künstler spielte mit vollster Sicherheit, ohne nur den kleinsten Fehler zu machen, das nicht leicht zu lesende Manuskript vom Blatt; das Stück klang, als wisse es der Spieler seit Jahr und Tag auswendig, so sicher, so klar, so abgewogen im Vortrag ...«

Der Dichtergreis weissagte dem Wunderknaben die größte Zukunft; entschieden war er sein Liebling geworden. Und gegenüber Mendelssohns Mutter bemerkte er: »Es ist ein himmlischer, kostbarer Knabe! Schicken Sie ihn mir recht bald wieder, daß ich mich an ihm erquicke!«

Im Alter von siebzehn Jahren, als er noch Primaner war, ließ Mendelssohn 1826 mit seiner Ouvertüre zu Shakespeares »Sommernachtstraum« die Zeitgenossen aufhorchen. Im März 1829 führte er erstmals in Berlin Bachs »Matthäuspassion« öffentlich auf – eine unerhörte Kulturtat! Während der nachfolgenden Englandreise konzipierte er das Orchesterwerk »Die Hebriden« und in ihren ersten Anfängen die »Schottische Sinfonie«, welche er aber erst viele Jahre später beendete. Fast schien es, als wäre Mendelssohns kompositorisches Talent gerade in diesen Jugendwerken zur höchsten

Entfaltung gelangt, denn er vermochte diese seine Schöpfungen – einschließlich der wenige Jahre später in ihrer ersten Fassung vollendeten »Italienischen Sinfonie« – im Grunde nie mehr zu überbieten, weshalb manche Musikwissenschaftler der Auffassung zuneigen, »daß er sich im ganzen Leben wenig verändert hat« (W. G. Whittaker).

Ehe der junge Künstler aber nach dem Süden fuhr, besuchte er noch einmal Goethe und schrieb seinen Eltern am 25. Mai 1830, daß er ihm wieder vorgespielt und der Greis »wie ein Jupiter tonans« in einer dunklen Ecke gelauscht habe, als der erste Satz der 5. Sinfonie von Beethoven erklang. »Dem lieben jungen Freunde Felix Mendelssohn-Bartholdy, kräftig zartem Beherrscher des Pianos zur freundlichen Erinnerung froher Maitage 1830« eignete er beim Abschied einen Manuskript-Bogen vom »Faust« zu und entnahm später einer großen Mappe die »Betende Bauernfamilie« des Malers Adriaen van Ostade: »Ja, ja, da geht man nun fort! Wollen sehen, daß wir uns aufrecht erhalten bis zur Rückkunft, aber ohne Frömmigkeit wollen wir hier nicht auseinandergehen, und da müssen wir uns denn das Gebet noch einige Male zusammen ansehen. Dann sagte er mir, ich solle ihm zuweilen schreiben, und dann küßte er mich, und da fuhren wir weg.« Es sollte die letzte Begegnung sein. Doch der Nachhall war derart stark, daß Goethe am 3. Juni an Zelter schrieb: »Mir war seine Gegenwart besonders wohltätig, da ich fand, mein Verhältnis zur Musik sei noch immer dasselbe ... ist daher auch mit meinen besten Segnungen geschieden ...«

Nach zahlreichen weiteren Reisen, die sein Ansehen festigten, folgte Mendelssohn 1833 einem Ruf als städtischer Musikdirektor nach Düsseldorf, 1835 übernahm er die Leipziger Gewandhauskonzerte; er führte das Orchester zur Vollendung. R. Schumann urteilte über sein Klavierspiel: »... man wußte nur, daß man an einigen griechischen Götterinseln vorbeigeflogen war. – Ich denke mir oft, Mozart

Cécile Mendelssohn, geb. Jeanrenaud (1817–1853)

müßte so gespielt haben.« Und die Leipziger Universität ehrte ihn im Alter von 27 Jahren mit dem Dr. phil. h. c. – Am 28. März 1837 wurde F. Mendelssohn in der französisch reformierten Kirche in Frankfurt mit Cécile Jeanrenaud, der Tochter eines protestantischen Predigers, getraut. Es war eine Liebe auf den ersten Blick, und die Ehe an der Seite dieser kultivierten, adlig gesinnten Frau, deren ebenmäßige Schönheit an den Elfenbeinton erlesener Spielkarten erinnerte, wurde mit fünf Kindern gesegnet; eines davon, der Knabe Felix, lebte nicht lange.

Immer mehr verteilte Mendelssohn seine Kräfte auf die Tätigkeiten eines Virtuosen, eines Komponisten und eines reisenden Orchesterdirigenten. Das ersehnte berufliche Fernziel – Berlin – hat er trotz jahrelanger Verhandlungen, zwischenzeitlicher Gastspiele und Ernennung zum Generalmusikdirektor nie erreicht. Dort stießen seine Kirchenkompositionen auf geteilte Sympathie, und die erhoffte Akademieklasse für Musik, welche ihm König Friedrich Wilhelm IV. anvertrauen wollte, kam über die Planung nicht hinaus. »In diesem Augenblick fühlte er tief den schrecklichen Kummer seiner Mutter, der er am Nachmittag eröffnet hatte, er ginge (wieder) nach Leipzig. Sie waren zu Zweit im Garten geschritten, und Mutter Lea, die lange geschwiegen, in Verzweiflung ausgebrochen; Fanny kam hinzu und hatte Mutter und Bruder getröstet, die beide weinten« (S. Hensel). Nur in der Fortsetzungsmusik zum »Sommernachtstraum«, die im Herbst 1843 im Neuen Potsdamer Palais erstmals erklang, lebt die Park-Atmosphäre des elterlichen Anwesens, die schon siebzehn Jahre zuvor die Inspiration des Jünglings richtunggebend beeinflußt hatte, noch einmal auf. Ein Jahr später verließ Mendelssohn für immer Preußens Metropole. Selbst die 1843 erfolgte Gründung des Leipziger Konservatoriums, an welchem er als Lehrer wirkte, konnte den Lauf der Dinge nicht mehr ändern; an der Spree schlug Mendelssohn keine Wurzeln. Mit der Aufgabe der Berliner Heimat jedoch war der Meister erst recht heimatlos geworden. Und der »Musik-Betrieb« widerte ihn allmählich an. Folglich sind viele sub-jektive Beschwerden (gesteigerte Reizbarkeit, Jähzorn, »Erdenmüdigkeit«, Kopfschmerzen, Neigung zur Berufsauf-gabe und zum Privatisieren), welche die Biographen so gern zur Begründung des »Abbaus« heranziehen, nichts anderes als das Ergebnis psychosomatischer Krisenzustände. »... so habe ich die Überzeugung gewonnen, daß ein Bogen voll Noten, selbst wenn sie nichts taugen, mir mehr nützt (wenig-stens mehr Freude macht) als 250 Proben, die excellent gehen.«

Bis wenige Monate vor seinem Tode zeigte Mendelssohn keinerlei Krankheitszeichen, die man mit einiger Sicherheit auf ein organisches Leiden beziehen könnte; selbst die ganze frühere Anamnese ist im Grunde uncharakteristisch.

Während der England-Fahrt im Jahre 1829 stürzte Mitte September sein Wagen um, wobei er sich wohl einen Knie-gelenkserguß zuzog. Mendelssohn mußte lange das Bett hüten, konnte etwa drei Monate lang nicht gehen und er-wähnte in einem – noch unpublizierten – Brief vom 13. No-vember sein »ziemlich steifes Knie«, das er durch einen Aus-flug nach Norwood zu kurieren hoffte, »um mich im Gehen auf der Straße zu üben ...«

Vor seiner Italienreise 1830 machte Mendelssohn die Masern durch, 1832 soll er in Paris einen »leichten Anfall von Cholera« überstanden haben, ab 1833 klagte er oft über Kopfweh, 1840 überkam ihn in Bingen beim Baden im kal-ten Rhein eine Ohnmacht, er wurde von einem Fährmann gerettet und war viele Stunden lang bewußtlos. Bis zum Jahre 1840 erkrankte Mendelssohn öfter an grippalen In-fekten, in deren Gefolge Tubenkatarrhe (z. B. »mein linkes Ohr ist wie zugestopft und ich höre das Orchester nur ganz gedämpft und leise«) beobachtet wurden.

Man sollte in dem dunkelgelockten, untersetzten und dun-keläugigen Komponisten, der trotz seiner Kurzsichtigkeit hervorragend malte und zeichnete, aber nicht nur jenen Günstling des Schicksals sehen, dessen Via regia triumphalis mit den Goldstücken aus dem väterlichen Vermögen gepflastert war. Seine eigentlichen Probleme lagen tiefer; sie entziehen sich dem Betrachter, wenn man sein Dasein nur von außen her sieht. Mendelssohn ist ein in sich gekehrter Mann gewesen, der seine Anregungen zu Oratorien durch Lesen in der Bibel gewann. Auf der einen Seite konnte er spielend leicht sich den Menschen anpassen und sie in seinen Dienst zwingen, auf der anderen war er leicht verwundbar, sehr empfindlich und zog sich überall dort in sich selbst zurück, wo er echten Widerstand spürte – vielleicht eine Folge seiner Privaterziehung, wobei man ihn hermetisch von der Umwelt abgeschlossen hatte, so daß er den Kampf ums Dasein erst zu einer Zeit kennenlernte, da andere Gleichaltrige bereits wesentlich weniger »dünnhäutig« sind.

Was die Kompositionen anbetrifft, so brachten sie ihm zu Lebzeiten keine Nieten ein; die eigentlichen Mißerfolge zeichnen sich mehr im persönlichen Prestigeverlust ab, sie sind nicht zuletzt in rassischen Gegebenheiten verankert. Seine Jugendoper »Die Hochzeit des Camacho« hatte in Berlin nur einen Achtungserfolg gezeitigt, und als Zelter starb, wählte man einen anderen als Nachfolger in der Singakademie, was Mendelssohn zutiefst kränkte. Seine zehn England-Reisen, jedesmal gekrönt von triumphalen Erfolgen, bilden darum auch einen Ersatz für das, was ihm das Leben vorenthielt, und eine heimliche Selbstbestätigung.

Im Monat März des Jahres 1847 dirigierte Mendelssohn sein letztes Konzert in Leipzig. Er trug sich mit dem Gedanken, diesen Wirkungskreis gänzlich aufzugeben, ein Haus in Frankfurt zu bauen, dort im Sommer zu leben und den Winter mit den Geschwistern in Berlin zu verbringen. Robert Schumann notierte damals: »Vormittag den 25sten März 1847. Sein Aussehen fiel mir sehr auf.« Zunächst jedoch reiste er letztmals nach England, wo er mehrere Aufführungen des

»Elias« leiten wollte, und absolvierte ein riesiges Programm. Am 13. April erlitt er in London auf der Themse-Brücke einen Schwindelanfall. Die zweite Monatshälfte war mit Dirigieren und Proben voll ausgefüllt; neben dem »Elias« führte er noch seine Musik zum »Sommernachtstraum« und die »Schottische Sinfonie« auf, spielte nicht weniger hingebungsvoll Beethovens G-Dur-Klavierkonzert und verlor sich während der Kadenz in lange Phantasien, »weil zwei so wunderbare Frauen im Zuschauerraum waren: Königin Victoria und die Sängerin Jenny Lind« –, so daß er, als der Dirigent schon den Taktstock hob, die Hand ausstreckte und – weiterspielend – »Not yet! Not yet!« rief. Mendelssohn schlief in dieser Zeit nur wenig, mußte zudem vielen gesellschaftlichen Verpflichtungen Rechnung tragen und kam auch öfter mit Jenny Lind zusammen, die er bereits früher, im Dezember 1845, dem Leipziger Publikum präsentiert hatte. Ihr hatte er seine geplante Oper »Loreley« zugedacht. Anfang Mai verließ Mendelssohn London und fuhr über Calais, Ostende und Köln nach Frankfurt. Dort ereilte ihn die Nachricht vom jähen Tode seiner Schwester Fanny, welche, erst 42 Jahre alt, plötzlich in Berlin gestorben war. Als Felix die Kunde erhielt, brach er mit einem Aufschrei zusammen und blieb längere Zeit regungs- und empfindungslos liegen. Denn Fanny Cäcilie (»Zippora«), die denselben Vornamen trug wie seine Frau, war seine Lieblingsschwester, deren Urteil er in künstlerischen Dingen besonders hoch schätzte, und er erblickte in ihrem Schicksal einen Hinweis auf die eigene Zukunft. Von Krankheiten ist bei ihr nichts bekannt gewesen, außer daß sie »Mitte Mai 1847 wieder einen Anfall ihres Nasenblutens gehabt hatte, der aber diesmal durch ein Mittel, ich erinnere mich nicht mehr, welches, gestillt wurde«. Später schrieb er an den Freund K. Klingemann (London) hierüber am 3. Juni 1847 aus Baden-Baden:

»Fanny war nicht krank und nicht leidend. Sie war nie so wohl wie in der letzten Zeit und den letzten Tagen ihres

Lebens. In einer Probe zu ihrer Sonntagsmusik, während sie den Chor ›Es lacht der Mai‹ singen ließ und begleitete, fühlte sie sich unwohl, ging aus dem Zimmer, und als Paul dreiviertel Stunden darauf kam, fand er sie schon ganz ohne Bewußtsein, und vier Stunden später lebte sie nicht mehr. Am letzten Morgen hatte sie noch ein Lied von Eichendorff komponiert, dessen Worte schließen: ›Gedanken geh'n und Lieder bis in das Himmelreich.‹ Da sind sie nun hingegangen ...«

In Baden-Baden suchte Mendelssohn mit seiner Familie Ablenkung von den trüben Ahnungen, die ihn bedrängten. Er ging »halb wie im Traum« umher. »Ich muß die Frist benutzen, die mir noch gegeben ist; ich weiß nicht, wie lange sie noch dauert« (W. A. Lampadius). Ruhe fand er nirgends, und so fuhr er mit den Angehörigen in die Schweiz, wo er an der Oper »Loreley« weiterarbeitete und als Requiem für Fanny das Streichquartett f-Moll, op. 80, komponierte. Aber eine ungewöhnliche innere Anspannung, verbunden mit Schlaflosigkeit, trieb ihn von Ort zu Ort, nach Schaffhausen, Luzern, Thun, Interlaken. Ferdinand David, der bedeutende Geiger, besuchte ihn dort und nahm einen traurigen Eindruck mit: »Nachdem er sich einigermaßen von dem ersten Schreck (Tod der Schwester Fanny) erholt hatte, fing er an zu arbeiten, und zwar, wie seine Frau mir erzählte und die vielen nachgelassenen, zum größten Teil in diesem Sommer angefangenen Sachen beweisen, mit beinahe krankhaftem Eifer; wenn er tagelang komponiert hatte, lief er wieder mehrere Tage unausgesetzt auf den Bergen herum und kam ganz sonnverbrannt und erschöpft nach Hause, fing gleich wieder zu komponieren an, kurz, er war im höchsten Grade aufgeregt. Nach seiner Rückkehr hier nach Leipzig war er noch sehr ernst gestimmt, doch gab es auch Tage, wo er sehr heiter war ...«

»Schon in Interlaken zog er sich von jedem Verkehr zurück, fremde Menschen waren ihm unerträglich ... Die Rückkehr nach Leipzig – Mitte September – regte ihn über alle

Maßen auf: ›Die leipziger Luft drückt mich! Es ist so eng überall!‹ « (E. Polko). Die Direktion der Gewandhauskonzerte hatte er endgültig aufgegeben und sich nur einige Unterrichtsstunden am Konservatorium vorbehalten. Aber den »Elias« wollte er unter allen Umständen in Berlin und Wien zur Aufführung bringen. Wenn er jetzt Musik hörte oder spielte, dann veränderte sich sein Gesicht, und er wurde sehr blaß. »Geistig ist der herrliche Freund ganz derselbe treue, körperlich scheint er verändert; er hat gealtert, ist matt und sein Gang weniger rasch als früher« (I. Moscheles). Bei einem kurzen Besuch von Preußens Hauptstadt brachen die alten Wunden wieder auf, als er Fannys Sterbezimmer sah. Gealtert, abgespannt, menschenscheu und reizbar kommt er den Freunden vor, das Haar ist stark gelichtet und grau.

Am 8. Oktober nahm Mendelssohn noch an den Prüfungen im Leipziger Konservatorium teil und skizzierte dabei – wohl weil ihn das Examen selbst wenig fesselte – Landschaften. Abends spielte er Cello-Sonaten. Am 9. Oktober unternahm er mit I. Moscheles und seiner Frau einen Spaziergang durchs Rosental. Matt und langsam kam er durch den Garten ins Haus. »Wie es mir geht? Grau in grau geht es mir.« Abends erschien er bei der kunstsinnigen Frau Frege, er sah sehr angegriffen aus und sagte: »Eigentlich ist mir aber miserabel zumute – ja so, daß ich neulich bei meinem Trio geweint habe.« Nachdem sie das schwermütige Nachtlied von Eichendorff wiederholt gesungen hatte – Mendelssohns letzte Komposition op. 71,6 –, äußerte er: »Hu! Das klingt traurig! Aber es ist mir noch so zu Mute!« Frau Frege ging aus dem Zimmer, um Lampen zu bestellen; als sie zurückkam, »saß er im andern Zimmer in der Sofaecke und meinte, er habe ganz kalte steife Hände bekommen, er wolle noch einmal um die Stadt laufen. Ich wollte einen Wagen holen lassen, aber er litt es nicht und ging, nachdem ich ihm Zuckerwasser und Brausepulver gegeben, etwa um $1/2$ 6 Uhr. Als er in die Luft kam, fühlte er, es sei besser, gleich nach Hause zu gehen« – was er auch wirklich tat –, »setzte sich dort in die Sofaecke, ward aber von Cécile um 7 Uhr wieder mit einem solchen Anfall abgestorbener Hände gefunden. – Das arge Kopfweh, an dem er den folgenden Tag litt, wurde vom Arzt mit Blutegeln behandelt. Er hielt es zunächst für ein Magenleiden und erst viel später für einen überreizten Nervenzustand« (I. Moscheles).

»Eiskalte Hände und Füße, ausbleibender Puls, mehrstündiges Delirieren« (F. David) bildeten die Hauptsymptome. Immerhin scheint sich Mendelssohn von allem verhältnismäßig rasch wieder erholt zu haben, denn er soll nur etwa neun Tage im Bett gewesen sein. Angst und Mißtrauen überfielen ihn: »Es ist mir so, als ob mir jemand auflauerte, der sagte: Halt! Nicht weiter!« Auch war er später durchaus nicht zu bewegen, die Arznei aus der Hand eines Wärters, den man eigens für ihn angestellt hatte, entgegenzunehmen. Dann über sich selbst: »Es ist mir so als ob die einzelnen Teile meines Körpers Schach spielten; jetzt rückt eines vor und sagt zum anderen: Du bleibst zurück. Dann sagt das andere: Nun komme ich dran und so fort.« Zeitweise schien der Meister sich recht wohl gefühlt zu haben, »er selbst hat nichts Bedenkliches über seinen Zustand geäußert, hatte guten Appetit und ging spazieren, war auch lustig manchmal, obgleich *doch ganz verändert*, schon seit dem Tod seiner Schwester Fanny« (K. Klingemann). Am 15. Oktober führte er lange Gespräche mit dem Musiker I. Moscheles, wollte in den nächsten Tagen nach Wien reisen, um den »Elias« zu dirigieren, aber die Freunde rieten ab. Zu Frau Frege, die ihn besuchte, sagte er: »Na, Sie mögen über mich schön erschrocken sein, denn ich muß munter ausgesehen haben.« Dahinter aber verbarg sich die Angst, als fühlte er sich von unsichtbaren Mächten bedroht, denn den Brief an den Bruder Paul unter dem Datum vom 25. Oktober 1847 hat er mit der flehentlichen Bitte beschlossen, er möge schnellstens zu ihm kommen, seine Gegenwart wirke schon heilend:

»Liebster Bruder! Habe tausend Dank für Deinen heutigen Brief und für das Wort von Herkommen, das Du drin schreibst und das ich freilich mit aller Begier meines Herzens auffange. – Was ich über meine Pläne sagen kann, weiß ich selbst nicht bis heut'; zwar geht es mir Gott Lob jeden Tag besser, und die Kräfte kommen mehr und mehr wieder, aber die Idee, heut' über acht Tage nach Wien zu reisen (und das wäre der späteste Termin, wo ich noch zu einer Probe ihres Musikfestes kommen könnte), diese Idee will mir noch gar nicht denkbar scheinen. Es ist freilich sehr fatal, daß sie alle die vielen Vorbereitungen gemacht haben, und daß sich mein Kommen nun zum zweiten Male zerschlagen sollte; auch ist's wahr, daß meine Fortschritte von einem Tag zum andern größer und sicherer werden, – auch habe ich schon hingeschrieben und gefragt, ob sie's nicht um acht Tage aufschieben können, aber, wie gesagt, ich glaube nicht recht an die Möglichkeit der ganzen Sache, und wie mir's scheint, so werde ich hier bleiben. In keinem Falle könnte ich vor Ablauf von acht Tagen an Reisen denken, und wie es mit meiner Berliner Reise steht, hat Dir das denn Herr von Arnim nicht ordentlich und ausführlich wiederberichtet? Kann ich nämlich nicht nach Wien, so muß ich aus denselben Gründen, die mich von dort abhalten, auch wenigstens noch vierzehn Tage bis drei Wochen hier bleiben und die Aufführung in Berlin bis spätestens Ende November verschieben, und gehe ich noch nach Wien, so muß das ohnedies sein. Daß ich aber nach diesen einmal eingebrockten Aufführungen, die nun ausgegessen werden müssen, fürs Erste nicht eine neue vornehmen werde, das ist wohl ausgemacht, und wenn man nicht Versprechen halten müßte! – Das muß man aber, und nun wäre nur noch die Frage, ob ich Dich am Sonnabend wiedersehen könnte? *Sag' doch Ja dazu, ich glaube, Du tätest mir wohler, als meine ganze bittere Medizin!* – Und schreibe mir bald wieder zwei Zeilen und sieh', daß Du eine Zusage geben kannst! Und grüße sie alle! Und bleibe gut

Deinem Felix.«

Am 28. Oktober unternahm der Komponist einen Spaziergang mit seiner Frau Cécile, er spürte nach der Heimkehr sogar Lust, noch einmal auszugehen, aß auch mit gutem Appetit zu Mittag; »da kam nachmittags der zweite Anfall, auch von dem erholte er sich wieder . . .« (F. David). Lähmungen scheinen auch jetzt nicht bestanden zu haben, doch sprach Felix in großer Erregung englisch. Der herbeigerufene Arzt führte alles auf einen »Nervenschlag« zurück. Der Kranke lag eine Zeitlang bewußtlos. Als er wieder zur Besinnung kam, klagte er über heftigen Kopfschmerz; er erkannte noch die Umstehenden, antwortete auch zuweilen auf an ihn gerichtete Fragen. Am 30. Oktober kam Bruder Paul aus Berlin angereist. Felix hatte noch bis zum 3. November auf Stunden heiter mit ihm gesprochen, dann war er unruhiger geworden. Gegen 2 Uhr kam Cécile in Angst, um Paul zu rufen, weil sie den Kranken nicht zu beruhigen vermöge. Paul ging hinein, schalt ihn scherzhaft, und Felix ging noch darauf ein. Plötzlich wurde er, augenscheinlich durch einen furchtbaren Schmerz im Kopf, emporgerissen, er stieß mit angstvoll aufgerissenem Munde einen scharfen Schrei aus und sank ins Kissen zurück (nach E. Devrient). »Er war ohne Bewußtsein (dies war Mittwochabend), schrie entsetzlich bis gegen 10 Uhr, dann fing er an, mit dem Munde zu brausen und zu trommeln, als ob ihm Musik durch den Kopf gehe; wenn er davon erschöpft war, gab er wieder ein angstvolles Geschrei von sich und blieb so die ganze Nacht hindurch. Im Laufe des (folgenden) Tages scheinen die Schmerzen nachgelassen zu haben, aber sein Gesicht war schon das eines Sterbenden« (F. David). »Cécile verließ sein Bett beinahe nie . . . Wenn man sie manchmal zur Ruhe zwang, konnte sie sie nirgends finden, denn das Klagen und Schreien des armen Kranken hat man durch alle Zimmer gehört. Er litt die ärgsten Schmerzen im Kopf, und seine Adern klopften darin wie Hämmer . . . In der vorletzten Nacht, sagt Cécile, habe er gesungen, daß ihnen das Herz brechen wollte. Der Arzt sagte zu ihm: ›Musizieren Sie nicht so viel, das regt Sie auf!‹ Da hörte er ein wenig auf und lächelte; dann fing er wieder an« (K. Klingemann). »Wenn er nicht noch einen neuen Anfall von Nerven- oder Lungenschlag bekommt«, meinten die behandelnden Ärzte, welche zu dritt das Krankenlager umstanden, »könnte die scheinbare Ruhe zu einer glücklichen Wendung, zu seiner Rettung führen« (W. Dahms). Aber Mendelssohn lag »im Taumelschlaf«, antwortete noch mit Ja oder Nein und einmal – auf die Frage, wie es ihm sei? – »Müde, sehr müde...« (E. Devrient). Seine nächsten Freunde und Angehörigen hat er aber genau erkannt »und mit einem freundlich schmerzlichen Blick angesehen« (K. Klingemann). Am 4. November war der Zustand hoffnungslos, »von 2 Uhr nachmittags an kam Mendelssohn nicht mehr zu Bewußtsein« (I. Moscheles). Er lag ruhig, laut und schwer atmend, in den Kissen. Am Abend des 4. November, zwischen 9 und 10 Uhr, hauchte er sein Leben aus... Die Kinder schliefen schon lange...

»Ja, Leipzig und London hatten wohl nur das Einzige gemein: Die größte Trauer um Mendelssohn« (F. David). »Man flüsterte auf den Straßen, als sei ein Mitglied des Königshauses gestorben«, schrieb ein englischer Student nach Hause. »Im kostbaren Sarge, auf Atlaskissen... lag mein lieber Freund da. Altgeworden sah er aus« (E. Devrient). »... Der Mund etwas geöffnet, als ob er lächeln wollte... Ich fühlte seine kalte Stirn« (K. Klingemann). Und Clara Schumann notierte: »Um 3 1/2 Uhr (am 6. November, an der Seite von Robert) Ankunft in Leipzig – in Mendelssohns Haus – seine Kinder unten mit Puppen spielend... das Publikum – der edle Tote – wie ein glorreicher Kämpfer sah er aus, wie ein Sieger – gegen den Lebenden wie etwa um 20 Jahre älter – zwei hoch geschwollene Adern am Kopf...«

Am 7. November fand die Trauerfeier nachmittags in der Leipziger Paulinerkirche unter ungeheurer Beteiligung der Bevölkerung statt; mit einem Extrazug wurde die Leiche dann während der Nacht nach Berlin verbracht und in der Familiengruft auf dem Dreifaltigkeitsfriedhof an der Seite von Fanny bestattet.

In Wien führte man den »Elias« nun ohne den Meister auf. Das Oratorium »Christus« hat er nicht mehr vollenden können. Seine Frau Cécile zog sich nach Frankfurt zurück, widmete sich der Erziehung der Kinder und starb dort, erst 36 Jahre alt, an Lungentuberkulose.

Als Mendelssohn von der Welt schied, war er der berühmteste lebende Komponist Mitteleuropas. Man hat seinen Verlust wie den eines Mozart beklagt und ihn den Klassikern – weit über Schumann hinaus – gleichgerechnet (H. J. Moser). Aber: »Die Musik Mendelssohns ist keines natürlichen Todes gestorben; sie wurde ermordet« (H. E. Jacob). Der dies schrieb, dachte dabei weniger an biographische Zusammenhänge als an das Werk selbst und an R. Wagners Streitschrift über das Judentum in der Musik, die Mendelssohn sehr geschadet hat. Da in seinem Werk vollkommene Kunstschöpfungen mit schwächeren Leistungen sonderbar abwechseln, da man ihn als Komponisten zunächst über- und später allzusehr unterschätzte, ja während des Dritten Reiches in Deutschland mit voller Absicht totschwieg, ist eine endgültige Beurteilung des Gesamtwerkes auch heute nicht leicht. Doch schon vor dem Jahr 1933 waren die meisten Kompositionen Mendelssohns aus den Konzertsälen verschwunden, und zu einer umfassenden Würdigung Mendelssohns ist die musikwissenschaftliche Forschung noch immer nicht gekommen (K. H. Wörner). Denn Felix Mendelssohn-Bartholdy war *mehr* als ein Komponist, ein ausübender Künstler oder ein Musikorganisator: Er war von dem Gedanken beseelt, im Rahmen seiner geradezu missionarisch musikalischen Tätigkeit Deutschland zu internationaler Weltgeltung zu bringen! Die Wiedererweckung von Bachs »Matthäuspassion«, sein Eintreten für Schubert und Schumann, seine vielen Gastspiele im Ausland und die Gründung des Leipziger Konservatoriums sind der Beweis dafür, daß er dieses hohe Ziel erreicht hat. So wird Mendelssohn zu einem universalen Musikgenie, dessen Vermächtnis keineswegs nur in Noten beschlossen liegt.

Mendelssohn starb ohne sichtbare Zeichen des Siechtums, der Tod traf ihn völlig unerwartet. Auffallend ist, daß die Zahl der über ihn erstellten Pathographien im umgekehrten Verhältnis steht zu der gewaltigen Menge an biographischem Material; die Exegeten haben um dieses komplizierte Lebensbild einen weiten Bogen beschrieben. Das liegt daran, daß die Krankheitsdiagnose auch heute noch erhebliche Schwierigkeiten bereitet und die verschiedensten Deutungen gestattet. H. Franken wies bereits in einer früheren Arbeit darauf hin, daß es schon in Anbetracht des jugendlichen Alters von Mendelssohn unhaltbar ist, die »Erblichkeit der Schlaganfälle in der Familie Mendelssohn« kritiklos auch für seinen jähen Tod verantwortlich zu machen. Für ein derartiges Ende waren er und seine Schwester Fanny noch nicht alt genug. Der vorerwähnte Autor nimmt neben der Möglichkeit einer juvenilen Hypertonie – was noch am wahrscheinlichsten wäre – ein Aneurysma der Gehirnarterie als Todesursache an, so daß dann beide Geschwister infolge einer Subarachnoidalblutung verschieden wären. Aber einer solchen etwas gewaltsamen Diagnose haftet das Manko an, daß schon eine »Duplizität der Ereignisse« vorgelegen haben müßte, will man die beiden Geschwister Mendelssohn eines natürlichen Todes sterben lassen. Hätte sich ähnliches in den übrigen, meist sehr kinderreichen Familien in irgendeiner Form wiederholt – es wäre alles längst bekanntgeworden, und die Biographen hätten diese Gelegenheit kaum ungenützt verstreichen lassen; aber das ist nicht der Fall, vielmehr umgibt ein Schleier der Ungewißheit den Tod von Fanny und Felix! Wer an einen »Abbau« infolge juveniler Hypertonie denkt, dem scheinen sich auf den ersten Blick die Symptome eines »biologischen Verfalls« massenhaft aus den Quellen zu erschließen. Bei genauerer Betrachtung wird hingegen jeder rasch erkennen, *wie* vorsichtig man die diesbezüglichen Fundstellen in der Literatur der Romantik verwerten muß. Mitunter sagten die Verfasser in gefühlsmäßiger Übersteigerung der Fakten Ungenaues, oder ihr damaliges Denken kongruiert überhaupt nicht mehr mit exakten naturwissenschaftlichen Vorstellungen. Die meisten Berichte gründen sich zudem – wie auch in der Mozart-Literatur! – auf Abgeschriebenes und weniger auf Selbsterarbeitetes. Wesentliche Fingerzeige finden sich auch hier oft am Rande, so wenn z. B. F. David mitteilt, daß sein Freund »eiskalte Hände und Füße, ausbleibenden Puls sowie Delirien« habe erkennen lassen. Da man vom Dogma der »erblichen Schlaganfälle« befangen war, wurden alle Mendelssohn-Lebensbilder a priori auf ein zerebrales Geschehen wie Magnetnadeln ausgerichtet. Wenn Felix im September 1840 seinem Freund K. Klingemann in London schrieb, daß er im Anschluß an das Baden im Rhein »viele Stunden bewußtlos und krampfhaft dalag«, wird dieser damals für Gemütsaffektionen typische terminus technicus »krampfhaft« in ein organisches Leiden nach unseren Vorstellungen »umprojiziert«. Oder es heißt, ebenfalls unter Bezugnahme auf sein späteres Ende, bei W. Dahms: »Bei der heftigen Erschütterung (Nachricht vom Tod der Schwester Fanny) platzte ihm ein Blutgefäß im Gehirn.« Solche Fehlinterpretationen ziehen wie ein roter Faden selbst durch die modernen Musiklexika, wo man Dinge lesen kann, die sich in Wahrheit nie ereigneten: Am 28. Oktober kam es zu einem »Gehirnschlag, der ihn teilweise lähmte und ihm nach furchtbaren Schmerzen das Bewußtsein raubte« (E. Werner).

Die Tatsache, daß Mendelssohn bis zum letzten Nachmittag meist bei Bewußtsein war, keinerlei manifeste Lähmungserscheinungen aufwies und mit den Angehörigen sprach – noch am Tage vor dem Tode freute er sich an seinen spielenden Kindern! –, dürfte H. Franken veranlaßt haben, die vielzitierte Diagnose »Schlaganfall«, an die z. B. noch

A. Braun glaubte, ernstlich anzuzweifeln. Die meisten Be-
arbeiter von Mendelssohns Lebensbild sahen sich förmlich gedrängt, nun nach einem Zusammenhang zwischen »Schlaganfall« und »vorzeitigem Abbau« zu fahnden. Zieht man
einzig den *letzten* Lebensabschnitt Mendelssohns hierfür
heran, so scheint sich diese Vermutung sogar zu bestätigen;
jedoch schon 1836 führte er wegen »reizbarer Nerven« eine
Kur in Scheveningen durch. Im Sommer 1843 gönnte er sich
Ruhe – Mendelssohn war weder in England noch bei den
rheinischen Musikfesten zugegen –, im Winter 1843/44 ließ
er sich in Leipzig vertreten, er selbst weilte meist in Frankfurt. Nur zur Aufführung geistlicher Werke hielt er sich öfter
in Berlin auf. Nach seiner strapaziösen Englandfahrt von
1844 erholte sich Mendelssohn in Bad Soden, »da er kränkelte« (Chr. Worbs). Er empfindet jetzt die Konzerttätigkeit
nur als eine »unfruchtbare Belastung«, den ganzen Winter
1844/45 verbringt er wieder in Frankfurt (A. Reissmann).
Wäre Mendelssohn damals gestorben – seine Biographen
könnten den biologischen Verschleiß exakt begründen! Dasselbe gilt für das Jahr 1845: Mendelssohn sagt die New-
York-Reise ab, er schreibt am 10. Januar an seine Schwester
Rebekka aus Frankfurt: »... Daß ich seit einiger Zeit das
Bedürfnis nach äußerer Ruhe (nach Nicht-Reisen, Nicht-
Dirigieren, Nicht-Aufführen) so lebhaft empfinde, daß ich
ihm nachgeben muß ... Daher ist mein Wunsch, Winter,
Frühjahr und Sommer hindurch hier ruhig zu bleiben.« Selbst
zur Uraufführung seines Violinkonzertes, das er »trotz
Schwäche« im September 1844 beendet hatte, kam er nicht
nach Leipzig, sondern zog erst Anfang August 1845 wieder
dorthin, als fürchte er sich vor dieser Stadt und ihren Menschen.

Für das Jahr 1846 haben die Biographen gleich einen ganzen Katalog an Nosologie parat! Verbot des öffentlichen
Spielens »wegen seiner Reizbarkeit« (E. Wolff), »Erdenmüdigkeit«, reichliche Hinweise darauf, daß ihn das Diri-

gieren mehr anstrengt als früher, generelles Ruhebedürfnis (A. Reissmann), ferner heftiges Kopfweh (W. A. Lampadius). Und an den Freund G. Droysen schrieb er am 18. März 1846 aus Leipzig: »... Als ich vorigen Winter in Frankfurt krank lag...« Allzu leicht vergessen werden in diesem Zusammenhang die sommerlichen Musikfeste in Aachen, Lüttich, Köln und Birmingham, seine Umarbeitung des monströsen Oratoriums »Elias« und die Tatsache, daß er im Frühjahr 1847 als Dirigent und Pianist wieder mit ungebrochener Kraft an der Seite von Jenny Lind bei den britischen Musikfesten erschien!

»Meine Gesundheit war gar nicht recht fest in den letzten Monaten, ich fühlte mich angegriffen und ermüdet, und der Arzt riet mir entschieden von der englischen Reise ab.« Diese Zeilen könnten aus dem letzten Lebensjahr stammen, sie wurden aber am 21. Juli 1840 zu Papier gebracht!

Mendelssohn war eben ein übersensibler Mann, dem jedes Engagement von Dauer und jeder Zwang bald Überdruß bereitete und der sich eigentlich nur als reisender Künstler bei Musikfesten wohl fühlte. Hinzu kommt, daß er durch sein väterliches Erbe sehr reich und wirtschaftlich im wahrsten Sinn des Wortes unabhängig war, so daß er seine Kunst als »Hobby« betreiben konnte. Wo er sich an die Kette monotoner Pflichterfüllung gelegt sah, war ihm die Tätigkeit bald vergällt, in Düsseldorf, in Leipzig, in Berlin. Daß ihn mit zunehmenden Jahren auch die Sterilität der internationalen Festivals anzuöden begann — angehimmelt wurde er von seinem Publikum ja schon seit zwei Dekaden! —, ist eher ein Zeichen menschlicher Reife als des somatischen Abstiegs. Ein Mendelssohn, der kürzlich den »Elias« umgearbeitet hatte und wiederholt aufführte, der die ersten Musiknummern zur »Loreley« konzipierte, das Oratorium »Christus« plante und das Streichquartett f-Moll nach dem Tode seiner Schwester Fanny schrieb — dieser Tonmeister soll »am Ende« gewesen sein?

410

Etwa vom Frühjahr 1847 an kränkelte Mendelssohn, ungefähr der gleichen Zeit, da seine Schwester Fanny unter mysteriösen Umständen verschied. Die Prodromi bestanden in Kopfweh, Schwindel, Reizbarkeit, Wesensveränderungen, Nachlassen der Spannkraft, Gangstörungen, Ergrauen und Ausfallen der Haare, Blässe und angeblich auch Nasenbluten. Die eigentliche Krankheit begann am 9. Oktober mit dem Gefühl abgestorbener Hände und Füße, Pulsunregelmäßigkeiten sowie Delirien. Aber er ging noch spazieren, empfing Freunde, führte Diskussionen und verschickte Briefe; bettlägerig scheint er nur einige Tage gewesen zu sein. Vom 28. Oktober an dramatisierte sich sein Zustand mit dem Einsetzen eines unklaren »Nervenschlages«, ohne daß es aber zu irgendwelchen Lähmungen, längerdauernder Bewußtlosigkeit oder Sprachstörungen kam. Am 3. November stieß Mendelssohn einen schrillen Schrei aus, schien extrem starke Kopfschmerzen zu verspüren, delirierte während der ganzen Nacht, verlor am nächsten Nachmittag das Bewußtsein und starb am Abend des 4. November. Doch nahm er bis fast zuletzt Anteil an den Ereignissen, die sich in seiner Umgebung abspielten, verstand die an ihn gerichteten Fragen und erkannte die Freunde. Fortgesetzt bettlägerig war Mendelssohn vor seinem Tode nur sieben Tage.

Eine solche vieldeutige Symptomatik im Geiste der Schulmedizin auf den Hauptnenner einer befriedigenden Diagnose zu bringen, bereitet Schwierigkeiten. Richtig ist, daß man das vorbeschriebene, mehr pseudoapoplektiforme Krankheitsbild bei Hämorrhagien in »stumme« Hirnzonen ebenso beobachten kann wie nach Subarachnoidalblutungen oder etwa im Rahmen einer Schwermetallintoxikation. Was *gegen* eine Subarachnoidalblutung spricht, ist das stets fehlende Erbrechen sowie die rasche Wiederherstellung des Patienten, sogar nach dem »Anfall« vom 28. Oktober – Schwerbesinnlichkeit, Auffassungserschwerungen, Orientierungsstörungen und Antriebsmangel sind nirgendwo verzeichnet; aus dem

Mendelssohn-Brief vom 25. Oktober spricht noch der alte Elan. Und auch die Diagnose »Hypertonische Massenblutung«, also der sogenannte typische »Schlaganfall«, kommt kaum in Betracht, weil *an keiner Stelle* im Mendelssohn-Schrifttum *Lähmungen* erwähnt sind. Rund 125 Jahre lang begegnet man im Zusammenhang mit seiner Krankheit der Fehldeutung des damaligen Begriffes »Nervenschlag«. Das, was die Ärzte von einst hierunter verstanden – einen Sammelbegriff wie etwa »Wassersucht« –, deckt sich nur sehr wenig oder gar nicht mit unseren heutigen neurologischen Detailkenntnissen. Ein »Schlaganfall«, eine »Lähmung« wurde später in den klinisch vieldeutigen Begriff »Nervenschlag« hineininterpretiert und somit Verwirrung gestiftet. Es läßt sich aber die Vorstellung vom *»gelähmten Mendelssohn«* weder biographisch *noch medizinisch irgendwie objektivieren.* Romantisch eingefärbt sind zudem alle diese Berichte aus Laienmund. Man muß bei ihrer Beurteilung große Zurückhaltung üben. Ohne weiteres zusätzliches Quellenmaterial, das vielleicht eines Tages irgendwo auftaucht, kann Mendelssohns Krankheit kaum befriedigend geklärt werden, reichen doch die bislang vorliegenden Dokumente trotz ihrer Vielzahl für eine einigermaßen exakte Diagnose nicht aus.

Das Ende Mendelssohns erscheint darum ähnlich rätselhaft wie seine vielschichtige Begabung; »er war ein Wunderkind gleich Mozart und wurde mit 38 Jahren nur wenig älter als dieser, seine Lebenskurve war ebenfalls mit rastloser schöpferischer Tätigkeit erfüllt. Er komponierte mit einer fast mühelos erscheinenden konzentrierten Leichtigkeit« (W. K. Niemöller). Tragik umgibt auch die letzten Monate von Mendelssohns Leben, und Robert Schumann, für welchen er der »Mozart des 19. Jahrhunderts« gewesen ist, beschloß seine Eintragungen über ihn mit folgenden Worten:

»Sein Grundsatz: ›man müsse alle Tage etwas componiren.‹ Die letzten Wochen seines Lebens. Seine letzten Composi-

tionen ... Daß er England noch einmal sah. Daß er die Berg-
luft in der Schweiz noch einmal athmen müßte.

Herr, nun laß deinen Diener in Frieden fahren.

Vergangen ist der lichte Tag ...«

Ob Felix ahnte, daß der Tod seiner harrte, ob er in Fannys
Ende ein Doppelgängerschicksal vermutete und Unausweich-
liches befürchtete? Manches deutet darauf hin, vielleicht auch
die Textwahl bei der Vertonung jenes Gedichtes von Eichendorff, dessen Verse zum Finale seines Daseins wurden:

> »Vergangen ist der lichte Tag,
> Von ferne kommt der Glocken Schlag,
> So reist die Zeit die ganze Nacht,
> Nimmt manchen mit, der's nicht gedacht ...«

FELIX MENDELSSOHN-BARTHOLDY

1. *Alberti, M.*, Vorwort zur Partitur der »Schottischen Sinfonie« und der »Italienischen Sinfonie« von F. Mendelssohn-Bartholdy. Edition Eulenburg, London–Zürich–New York, Nr. 406 und 420.

2. *Braun, A.*, Krankheit und Tod im Schicksal bedeutender Menschen, Stuttgart 1940.

3. *Dahms, W.*, Mendelssohn, Berlin o. J.

4. *Devrient, E.*, Meine Erinnerungen an Felix Mendelssohn-Bartholdy und seine Briefe an mich, Leipzig 1869.

5. *Eckardt, J.*, Ferdinand David und die Familie Mendelssohn-Bartholdy, Leipzig 1888 (enthaltend alle mit F. David gezeichneten Quellen).

6. *Eismann, G.*, Erinnerungen an Felix Mendelssohn-Bartholdy. Nachgelassene Aufzeichnungen von Robert Schumann, Zwickau 1947.

7. *Franken, F. H.*, Das Leben großer Musiker im Spiegel der Medizin, Stuttgart 1959.

8. *Goethe, J. W. v.*, Briefe, Weimar (H. Böhlau) 1887–1912, Bd. 47.

9. *Goethe, J. W. v.*, Gespräche (ohne die Gespräche mit Eckermann), Wiesbaden 1949.

10. *Hensel, S.*, Die Familie Mendelssohn (nach Briefen und Tagebüchern), 3 Bde., Berlin 1879.

11. *Hiller, F.*, Felix Mendelssohn-Bartholdy, Briefe und Erinnerungen, Köln 1874.

12. *Jacob, H. E.*, Felix Mendelssohn und seine Zeit, Bildnis und Schicksal eines Meisters, Frankfurt a. M. 1959.

13. *Klingemann, K.*, Felix Mendelssohn-Bartholdys Briefwechsel mit Legationsrat K. Klingemann in London, Essen 1909.

14. *Lampadius, W. A.*, Felix-Mendelssohn-Bartholdy. Ein Denkmal für seine Freunde, Leipzig 1848.

15. *Lampadius, W. A.*, Felix Mendelssohn-Bartholdy. Ein Gesamtbild seines Lebens und Wirkens, Leipzig 1886.

16. *London-Times*, March 1861, nach Quelle 12.

17. *Mendelssohn-Bartholdy, P.*, Briefe Felix Mendelssohn-Bartholdys aus den Jahren 1830–1847, Leipzig 1878.

18. *Moeschlin, S.*, Klinik und Therapie der Vergiftungen, Stuttgart 1966.

19. *Moscheles, F.*, Briefe von Felix Mendelssohn-Bartholdy an Ignaz und Charlotte Moscheles, Leipzig 1888.

20. *Moscheles, I.*, Aus Moscheles Leben. Nach Briefen und Tagebüchern herausgegeben von seiner Frau, Leipzig 1872/73.

21. *Moser, H. J.*, Musikgeschichte in hundert Lebensbildern, Stuttgart 1958.

22. *Musikantiquariat H. Schneider/Tutzing*, Katalog-Nr. 125/1967; Brief vom 13. November 1829.

23. *Niemöller, W. K.*, Einleitung zur Mendelssohn-Langspielplatte Nr. 1 aus »Die großen Musiker«, Bergisch-Gladbach (Bastei) 1967.

24. *Polko, E.*, Erinnerungen an Felix Mendelssohn-Bartholdy, Leipzig 1868.

25. *Range, H. P.*, Von Beethoven bis Brahms (Kap. 3: Felix Mendelssohn-Bartholdy). Einführung in die konzertanten Klavierwerke, Lahr (Schwarzwald) 1968.

26. *Reissmann, A.*, Felix Mendelssohn-Bartholdy. Sein Leben und seine Werke, Berlin 1872.

27. *Schneider, F.* und *Reich, W.*, Felix Mendelssohn-Bartholdy. Denkmal in Wort und Bild, Basel 1947.

28. *Wagner, R.*, Das Judentum in der Musik. In: Die Hauptschriften, Leipzig 1937.

29. *Wehmer, C.*, »Ein tief gegründet Herz.« Der Briefwechsel F. Mendelssohn-Bartholdys mit J. G. Droysen, Heidelberg 1959.

30. *Werner, E.*, Felix Mendelssohn. In: Die Musik in Geschichte und Gegenwart, Bd. 9, Kassel 1961.

31. *Whittaker, W. G.*, Vorwort zur Partitur der Musik zu »Ein Sommernachtstraum« von F. Mendelssohn-Bartholdy. Edition Eulenburg, London–Zürich–New York Nr. 613 und 804.

32. *Wörner, K. H.*, F. Mendelssohn-Bartholdy, Wiesbaden 1947.

33. *Wolff, E.*, F. Mendelssohn-Bartholdy, Berlin 1901.

34. *Worbs, Chr.*, F. Mendelssohn-Bartholdy, Leipzig 1957.

*Niccolo Paganini (1782–1840), zeitgenössisches Porträt
mit Geige (nach Begas, gest. von Röller)*

NICCOLO PAGANINI
(1782–1840)

*»Er war groß. Jede Größe trägt ihre eigene
Schuldentlastung in sich selbst. Wissen wir
denn, um welchen Preis der Mensch seine
Größe erkauft?«*

F. Liszt, Nekrolog auf Paganini

»Niccolo Paganini, der aus seiner Violine göttliche Harmonien zog, rührte – ein unübertrefflicher Genius – ganz
Europa und schmückte Italien mit einer neuen glänzenden
Krone. Sein Sohn Achille von Parma errichtete dieses Denkmal zu seinem unvergänglichen Gedächtnis.«

So steht es geschrieben auf dem imposanten Monument,
welches den neuen Friedhof von Parma schmückt. Aber
damit sind die Rätsel, welche Paganini umgeben, nicht aus
der Welt geschafft. Wenn er, der Sohn eines Lastträgers vom
Genueser Hafen, wirklich am 27. Oktober 1782 zur Welt
kam, warum gab er dann selbst mit Vorliebe den
18. Februar 1784 als seinen Geburtstag an? War er während
der Zeit von 1800 bis 1805 wegen eines Totschlages inhaftiert
oder gar auf der Galeere – ? Paganinis diesbezügliche Angaben
und Verteidigungen sind weder eindeutig noch überzeugend.
Er erklärte, er habe die fünf Jahre nur als Kapellmeister in
Lucca gewirkt, aber diese Behauptung ist widerlegt. Eines
scheint jedenfalls sicher: Mysteriös und abenteuerlich wie
dieses ganze Leben ist auch die Odyssee seines Leichnams ge-

wesen; wer weiß, ob es wirklich Paganini ist, der auf dem Friedhof von Parma ruht?

Niccolo Paganini war ein Wunderkind, ausgestattet mit einem unwahrscheinlich scharfen Gehör, und er rettete sein Talent, was andere selten erreichen, ins spätere Leben hinüber. Das Haus der Eltern stand in der Gasse zur Schwarzen Katze inmitten des Armenviertels von Genua, wo er zusammen mit drei Geschwistern aufwuchs. Schon im Alter von sieben Jahren spielte der kleine Niccolo dank der Mithilfe seines musikalischen Vaters Geige, und auch der ältere Bruder Carlo hat es auf diesem Instrument zu etwas gebracht. In dem blassen Bubengesicht brannten dunkle Augen, die ein verzehrendes Feuer ausstrahlten. Noch nicht vier Jahre alt, machte er eine schwere Masern-Erkrankung durch, welcher die Schwester Angela zum Opfer fiel; der Junge war beinahe wieder gesund, als sich Symptome eines »Starrkrampfes« einstellten, in dem er zwei Tage lang unbeweglich und steif wie ein Toter dalag. Die untröstliche Mutter bereitete schon das Grabtuch vor, als er plötzlich aus seiner Bewußtlosigkeit erwachte (W. G. Armando). Gewiß handelte es sich hierbei um eine Spätenzephalitis durch den Erreger, und hierdurch sind viele Absonderlichkeiten des Maestros, sein asoziales Verhalten, sein Antriebsüberschuß, seine mimische Starre, seine sexuellen Entgleisungen, seine Verschrobenheit und seine Exzentrizität im Privatleben hinlänglich erklärt – vielleicht auch jene nie wieder erreichte Virtuosität, welche allein vom Technischen her nicht zu erklären ist und deren Vollendung ins Geistig-Metaphysische weist!

Niccolos geradezu manische Leidenschaft für die Tonkunst beherrschte ein Leben lang alle seine Gedanken und Gefühle, war doch die Musik wohl die einzige Geliebte, welcher er die Treue hielt. Merkwürdig, daß Paganinis Mutter einen Traum hatte, worin sie ihren Sohn als den größten Geiger der Welt schaute, und zwar in demselben Gewand, das er später als

Erwachsener immer trug, dazu mit demselben fanatischen Ausdruck in dem steinernen Gesicht, der ihm das Odium der Teufelsbündnerschaft eintrug. Denn Paganini erntete beim Publikum bereits als Dreizehnjähriger die ersten Lorbeeren. Als ihn sein Vater 1795 zu dem Künstler A. Rolla nach Parma begleitete, erklärte dieser, sobald er den jungen Virtuosen ein unbekanntes Werk vom Blatt hatte spielen hören, er könne ihn nichts mehr lehren. Aber das Studium des Kontrapunktes empfahl er Niccolo, und dies trug dazu bei, daß Paganini später auch ein sehr guter Komponist wurde.

1796 machte er eine schwere Lungenentzündung durch. Ein Enthusiast schenkte ihm seine eigene Stradivari-Geige. 1797 erfolgte die erste Konzertreise durch Norditalien. Als Paganini wieder in Genua weilte, wo er Nacht für Nacht übte, lief er eines Tages unerwartet seinem Vater davon. Die Republik Lucca ernannte ihn zum ersten Virtuosen am Theater, ein Kunstmäzen verehrte dem Künstler eine Guarneri-Geige, gerade als Paganini am Spieltisch sein anderes Instrument verloren hatte. Bei den nun folgenden Konzertreisen wechselten Phasen von ungeheuren Anstrengungen und hemmungslosen Ausschweifungen mit Wochen der Niedergeschlagenheit und völligen Erschöpfung. Zwischen 1800 und 1805 tritt eine mehrjährige dokumentarische Lücke auf, und niemand weiß, wo er wirklich gewesen ist. Erst 1805 sah man ihn wieder – erneut in Lucca; 1804 hatte man ihn schon einmal in Genua erkannt. Favorit von Fürstinnen, Gräfinnen, Großherzoginnen und anderen Frauen, viel verehrt und noch mehr beneidet, manchmal von seiner fünfzehnjährigen »Schülerin« Catarina Carcagno begleitet, spielte sich Paganini bald zu unerreichter Höhe empor. Noch keine 33 Jahre alt, machte Paganini einen vorzeitig gealterten Eindruck; tiefe Falten durchzogen sein Gesicht. Schwere nervöse Störungen warfen ihn schon jetzt wochenlang aufs Krankenlager, böse Zungen sprachen von einem Unterleibsleiden, das in Schüben rezidiviere.

Paganinis Erscheinen hatte immer etwas Gruseliges an sich. Vor jedem Konzert befand er sich in seltsamer innerer Erregung, als beherrsche ihn eine fremde Macht. Dann schnupfte er ununterbrochen Tabak, um sein inneres Gleichgewicht zu finden. »Wenn ich das Podium betrete, bin ich ein ganz anderer Mensch. Es überfällt mich ein Ernst, den ich nicht zu bemeistern vermag, bis die Töne mich endlich fortziehen, denen ich willenlos folgen möchte.« In ihm schien der Kapellmeister Kreisler E. T. A. Hoffmannscher Prägung leibhaftig erstanden zu sein. Von erschreckend dürrer Gestalt, schritt dieser Mann, nachdem er sein Publikum meist über Gebühr lange hatte warten lassen, langsam, schleppend vor die Rampe. Alle seine Bewegungen waren seltsam eckig. Beim Spiel setzte Paganini den rechten Fuß vor und gab damit den Takt an. Doch sobald die ersten Töne erklangen, verfiel das Auditorium in Trance – nie hatte man ähnliches gehört. Die stechenden Augen versprühten Blitze, lange, tief herabhängende Locken umrahmten die gelblichen Wangen, heftige Zuckungen schüttelten gleich Fieberschauern den schmächtigen Körper. Der Gesamteindruck war – nicht zuletzt durch die große Adlernase – furchterregend.

Goethe schrieb am 9. November 1829 an K. F. Zelter, er habe eine »Flammen- und Wolkensäule« gesehen. Heinrich Heine erkannte in seiner Physiognomie »unauslöschliche Zeichen von Kummer, Genie und Hölle«. Frauen fielen in Ohnmacht, selbst nüchterne Kritiker glaubten, sie hätten den Satan hinter ihm stehen gesehen. Kein Zweifel, Paganini war sich seines Wertes bewußt und gängelte eine ganze Generation von Kunstfreunden, wobei er sich seinen Auftritt mit horrend hohen Eintrittspreisen honorieren ließ. Seine eigenen Werke, besonders die fünf Violinkonzerte (vom letzten ist nur die Solostimme erhalten geblieben), erschienen in apokalyptischem Licht, weil mit Paganinis Spiel ein Feuer abbrannte, welches in den Notenköpfen an sich nicht steckt (J. Kapp). Denn »wo unser Denken aufhört, da fängt Paganini an« (G. Meyerbeer). Daß er ein Besessener war, werden alle diejenigen bezeugen können, die seine Imitation eines Sturmes auf der Geige vernahmen. Auf einer einzigen Saite brachte er mehr zuwege als andere Virtuosen auf vieren, und niemand gelang es je, ihn mit einem unbekannten Tonwerk beim Vom-Blatt-Spielen hereinzulegen. Neben zahllosen technischen Raffinements, welche er inaugurierte, wie Doppelflageoletts, Mischung von Pizzicati der linken Hand mit Springbögen, Umstimmung oder Entfernung einzelner Saiten, ist gerade seine Kantilene von bezaubernder Wirkung gewesen; das zitternde Vibrato einer Saite klang wie eine Menschenstimme. Sein Geheimnis aber nahm er mit ins Grab. Die oftmals angekündigte »Violinschule« verfaßte er nie; eigentliche Schüler besaß er kaum, schon deswegen nicht, weil er sein Wissen für sich behalten wollte. Um ein Beispiel zu geben, hatte er einen ganz mittelmäßigen Cellisten aus Neapel innerhalb von drei Tagen zum Virtuosen ausgebildet. Wahrscheinlich ist Paganinis künstlerische Veranlagung eine mehr mediale gewesen (von ihm selbst mit »la magia« bezeichnet), die das rein Technische, mit dem sich selbst große Instrumentalisten ein Leben lang herumquälen müssen, zur Farce abwertet. Denn dem Prager Professor J. M. Schottky gegenüber gab er selbst zu, daß er im Besitz eines unbekannten musikalischen Geheimnisses sei: »Ich schwöre es Ihnen zu, daß ich die Wahrheit sage, und berechtige Sie, dies in meiner Biographie ausdrücklich zu erwähnen.«

Der Kritiker Ludwig Rellstab schrieb: »Ich habe es gehört, aber ich glaube es nicht ... Paganini aber ist nicht er selbst, er ist Lust, Hohn, Wahnsinn und glühender Schmerz, bald dies und bald jenes ... In der Tat, Paganini leistet das Unglaubliche ... Er überwindet die Schwierigkeiten nicht, sie existieren einfach nicht für ihn ... Als er endlich im Flüsterton die Melodie wieder brachte, war es, als wenn er allein im Saale wäre; jeder hielt den Atem an aus Furcht, dem Geiger könnte die Luft ausgehen ... Wie nun endlich der Schlußtriller kam, brauste der Jubel auf ... Man brachte ihm einen Mantel, er hüllte sich, blaß wie der Tod, hinein, trocknete sich den Schweiß von der Stirn, sank förmlich in einen Stuhl«, geistesabwesend starrten die Augen ins Leere, als lebe er nicht mehr.

Paganini benötigte keinen Komfort, aß mäßig und stieg, da er ungern Geld ausgab, meist in einem ganz billigen Gasthof ab. In Geigenkästen transportierte er nicht nur die vereinnahmten Goldmünzen, welche sich nach jedem Konzert zu wahren Stangen türmten, sondern auch seine äußerst raren Utensilien für den Alltag, darunter das berüchtigte »Rote Notizbuch« mit chiffreartigen Eintragungen. Die Sorge, er könne eines Tages auf Grund seiner Leiden invalide werden und niemand würde dann für seinen Sohn sorgen, verfolgte ihn stets. Achille, geboren Ende Juli 1825, begleitete ihn auf seinen Reisen. Dessen Mutter, die Sängerin Antonia Bianchi, welche Paganini nie ehelichte, trennte sich 1828 in Wien von ihm; er zahlte ihr 2000 Scudi für die Abtretung des Jungen. Einer Heirat wich Paganini immer aus; einmal war er kontaktschwach, und ferner stieß er überall auf das Gerücht, er habe seine erste Frau umgebracht. Daß sogar Stendhal in seinem »Leben Rossinis« diese Anschuldigungen wiederholte, wog schwer. Darum ist der große Geiger trotz triumphaler Erfolge immer allein geblieben, und wenn er, selbst im Hochsommer in dicke Pelze gehüllt, mit seinem Sohn in der Postkutsche durch die Lande reiste, blickte er, ständig hustend und fiebernd, auf den kleinen Jungen als das einzige Lebewesen, das ihn an diese Welt band. Denn im Grunde erwartete kaum jemand den Geiger, und er schied auch von niemand mit innerer Anteilnahme, sobald er eine Stadt verließ. Wahrscheinlich waren ihm die Menschen im Grunde gleichgültig.

Paganini ist in seinem Leben viel krank gewesen. Wann sich die Lungentuberkulose bei ihm manifestierte, dürfte schwer zu ermitteln sein. Bereits 1819/1820, als er in Süditalien erkrankte, sprach man davon. Daß daneben noch eine spezifisch-venerische Krankheit vorlag, wurde verschiedentlich behauptet (z. B. G. I. de Courcy), wahrscheinlich nicht mit Unrecht! Die Kehlkopfaffektion, welche schließlich zur Aphonie und Inanition führte, kann man sowohl dem Tertiärstadium einer Syphilis als auch dem Endstadium einer Lungentuberkulose zuordnen. Die genaue klinische Definition ist postmortal unmöglich, und selbst Paganinis Ärzte waren bezüglich der Krankheitsursache geteilter Meinung. Die Lues der Lungen führt mitunter zu den gleichen Blutungen wie die Lungentuberkulose. Oft traten früher beide Krankheiten kombiniert im Respirationstraktus auf, sie münden auch beide in die nämlichen Zustandsbilder. Drei Dinge rücken jedoch die Wahrscheinlichkeit der Dominanz eines syphilitischen Leidens in den Vordergrund: Einmal war Paganinis Sohn Achille, der immer in seiner Umgebung weilte, kerngesund; ferner ist das anfängliche »chronische Halsleiden«, welches schon mit etwa 40 Jahren beobachtet wurde, verdächtig für das Vorliegen einer Lues, ebenso eine großflächige Knochennekrose im Unterkiefer während des Prager Aufenthaltes 1828.

Ab 1820, also etwa von der Vollendung der vierten Lebensdekade an, war Paganini mit unregelmäßigen Pausen fast stets Patient. Er erkrankte im Januar 1822 derart ernstlich in Mailand, daß man seine Mutter und einen Freund aus Genua ans Krankenlager rief. Pausenlose Hustenanfälle peinigten ihn Tag und Nacht, der Hals war dauernd entzündet. Paganini ließ sich in Pavia eingehend untersuchen; dann holte man Dr. Borda aus Mailand herbei, welcher eine Kur mit Eselsmilch verordnete. Was den Namen der Krankheit anbetraf, so legte man sich nicht genau fest. Nach einjähriger Behandlung fühlte sich Paganini ungemein schwach, es kamen Rezidive mit Fieber. Da die Eselsmilch keine Besserung bewirkte, verabfolgte ihm nun Dr. Borda, wohl um die vermutete Lues zu therapieren, starke Dosen von Quecksilber, »gerade als wenn er meinen Körper gekauft hätte, um seine Experimente damit zu machen. Ich denke, das ist Unmoral, Unwissenheit und Humbug. Letzthin gab er mir Opium, das den Husten etwas linderte, aber ich fühlte mich aller Kräfte beraubt, unfähig, mich aufrecht zu halten oder ein wenig Schokolade innerhalb von 24 Stunden zu verdauen. Ein leichtes Asthma stellte sich ein, mein Leib schwoll an, und was mein Aussehen betrifft...« Im September 1823 floh Paganini aus seinem Krankenzimmer in Pavia nach Mailand, wo er in einem Kaffeehaus zusammenbrach. Dr. Maximilian Spitzer leistete ihm Erste Hilfe; er empfahl Kalbskoteletts und Wein, gab seinem berühmten Patienten Pillen und einen eigens für ihn zusammengestellten Tee und empfahl ihm dringend Ruhe und Schonung. Darum verbrachte Paganini die Wintermonate am Comer See, doch der Husten wollte nicht weichen.

Fortan lebte Paganini weiter, als gäbe es keine Krankheit; ab 1828 wagte er den Sprung ins Ausland. Die Wiener, welche ihm trotz seiner angeblichen Verbindung zur Schwarzen Magie wie einem höheren Wesen huldigten, erlebten in vier Wochen etwa zwanzig große Konzerte. Im Anschluß an eine Kur in Karlsbad reiste er dann während des Monats Oktober nach Prag. Paganini war wieder an einer schweren Halsentzündung erkrankt, der ein Unterkiefer-Abszeß folgte, möglicherweise gummöser Genese. Während zweier Sitzungen wurden ihm sämtliche Zähne aus dem Unterkiefer extrahiert, und da er gesundheitlich schlecht disponiert zu sein schien, war auch der Erfolg nicht gerade überwältigend. Erst Anfang Januar 1829 konnte Paganini seine Reise fortsetzen, die ihn nach Dresden und Berlin führte, wo er wieder erkrankte und man ihn mit Aderlässen, Abführmitteln und Diät behandelte. Im Mai spielte er in Warschau anläßlich der Krönung des Zaren, der ihm einen wertvollen Brillantring übereignete. Paganini, »der seit mehr als zwei Jahren keine Frau berührt hatte«, trat seine Fahrt durch Deutschland an.

Die Kritiker lagen vor ihm auf den Knien, die großen Musiker seiner Zeit – wie F. Chopin, R. Schumann, F. Liszt, G. Meyerbeer – huldigten diesem Genius. In Frankfurt am Main, wo er sein 1. und 4. Violinkonzert fertigstellte und Teile des 5. Konzertes komponierte, weilte er besonders gern und ließ bei seinem Abschied sogar eine »Proklamation« publizieren; in der Folgezeit ist er dann öfter wieder dort gewesen. Im Juli 1830 führte Paganini eine Kur in Bad Ems durch, später wohnte er in Baden-Baden.

»Furchtbarer Husten« überfiel ihn 1831 in Paris, aber nichts vermochte seine legendären Erfolge, die sich anschließend auch in England einstellten, zu verringern. Eine ganz spartanische Lebensführung (vormittags oft nur eine Tasse Kakao, zum frugalen Abendessen Kamillentee!) und ein unersättliches Streben nach künstlerischer Vollendung waren die treibenden Kräfte auf diesem Weg nach oben. Letztlich ist Paganini dem Dämon der Musik gefolgt, nicht dem des Geldes! Die Universität Oxford ernannte ihn zum Ehrendoktor. Erschöpft kehrte er im März 1832 nach Paris zurück. »Die Elektrizität, die ich fühle, wenn ich meine magischen Harmonien produziere, schadet mir sehr. Aus meinem Spiel flammt eine gewisse Magie auf, die ich nicht beschreiben kann.« In der Seine-Stadt wütete eine Cholera-Epidemie, aber Paganinis Spiel ließ die Einwohner die Seuche vergessen. Da ihn nach dem Tod der Mutter jetzt nichts nach Italien zog, pendelte er zwischen England und Frankreich hin und her. Er zeigte sich aber zu oft, allmählich schwand der Nimbus. »Wenn ich an meinem schrecklichen Husten leide, wacht das liebe Kind (Achille) auf, kommt mir zu Hilfe und tröstet mich mit unaussprechlichem Gefühl. Möge der Himmel ihm beistehen!« Ende November 1833 erlitt Paganini in Paris eine schwere Lungenblutung. »Ich kann nicht mehr!« Der Magier wirkte nun ganz undämonisch, als sei eine geheimnisvolle Kraft von ihm gewichen; sogar das Publikum schien das zu merken. 1834 machte er wieder einmal durch die Entführung einer Minderjährigen von sich reden, nachdem die letzte England-Tournee ein offenkundiger Mißerfolg gewesen war. Wegen seines Egoismus und mangelnder Hilfsbereitschaft von dem Kritiker J. Janin im »Journal des Débats« scharf angegriffen, schob Paganini seine schlechte Gesundheit vor und fuhr nach einer Abwesenheit von mehreren Jahren im September 1834 zurück in die Heimat. Dort feierte man ihn stürmisch; er erwarb den Landsitz Villa Gajone bei Parma, wollte nur noch komponieren und sich dem Hofleben in der Nähe seiner Gönnerin, der Großherzogin Marie-Louise von Parma, hingeben. Dieses Wunschdenken ließ sich jedoch nicht mit seiner Natur in Einklang bringen; 1837 war er schon wieder auf Konzertreise durch Italien, bald erschien er erneut in Paris. Das Befinden hingegen blieb schlecht; er nahm sein altes Mittel, das Elixier »Le Roy«, ein. Die Stimme hörte man nur noch mit Mühe, an manchen Tagen brachte der Kranke kein verständliches Wort heraus. Die letzten zweieinhalb Jahre seines Lebens war er praktisch aphonisch.

Durch die Gründung des »Casino Paganini« in Paris, das kulturellen Zwecken dienen sollte, sich aber rasch als Spielhölle entpuppte, verlor der Geiger viel Geld und Ansehen. Bald war das Unternehmen außerdem bankrott. Die Eröffnungsrede hatte er schon nicht mehr selbst halten können, sie wurde verlesen: »Ich leide seit anderthalb Monaten an einer Kehlkopf-Paralysis, die mich meiner Stimme beraubt hat. Der bekannte Dr. Magendi tröstet mich damit, daß sie mit der Zeit wiederkommen werde. Da ich nicht sprechen kann, bin ich gezwungen, auf viele Fragen mit der Feder in der Hand zu antworten...« Husten, Fieber und rheumatische Beschwerden traten jetzt auf. Dr. Beneck in Bordeaux empfahl ihm Kräutertee und vier Fleischgerichte am Tag; ansonsten: »Sie sind gerettet, ich werde alle Ihre Leiden kurieren. Es ist nicht wahr, daß Ihre Lunge angegriffen ist. Ich versichere Ihnen, Sie an Europa zurückzugeben, gesund wie ein Fisch, dick und robust...«

mio caro amico

Beethoven spento, non c'era che Berlioz che potesse farlo rivivere; ed io che ho gustato le vostre divine composizioni degne di un genio qual siete, credo mio dovere di pregarvi a voler accettare, in segno del mio omaggio, ventimila franchi i quali vi saranno rimessi dal Sig.r Baron de Rothschild dopo che gli avrete presentato l'acclusa.
Credetemi sempre

Il Vostro aff.= amico
Nicolò Paganini

Parigi Li 18 Decembre 1838

18 Décembre
1838

Ô Digne et grand artiste

Comment vous exprimer ma reconnaissance!! Je ne suis pas riche, mais croyez moi, le suffrage d'un homme de Génie tel que vous me touche mille fois plus que la générosité royale de votre présent.
Les paroles me manquent, je courrai vous embrasser dès que je pourrai quitter mon lit où je suis encore retenu aujourd'hui.
H. Berlioz

Brief N. Paganinis an H. Berlioz und dessen Danksagung für die ihm gespendeten 20 000 Franken

Hector Berlioz, dem er nach dem Mißerfolg von dessen Oper »Benvenuto Cellini« insgesamt 20 000 Franken schenkte, schildert, wie sich Paganini im Herbst 1838 nur durch Eintragungen in Konversationshefte verständigen konnte. Im Januar 1839 reiste Paganini nach Marseille, wo er sein Quartier aufschlug und in privaten Zirkeln zusammen mit Quartettspielern die letzten Werke Beethovens vortrug. Die Schlammbäder von Balaruc – gegen »Rheumatismus und Paralyse« – zeitigten keinen Erfolg. Diarrhoen kamen hinzu. Dr. Guillaume in Montpellier war ebenfalls ratlos: »Das Syphilis-Gift hat den Gaumen und das Gaumensegel angegriffen.« Hingegen garantierte sein Kollege Dr. Claude Lallemand in Vernet baldige Gesundung. Eine Badekur in der Elisen-Quelle von Vernet-les-Bains fruchtete nichts. Selbst ständiger Ortswechsel konnte Paganini nicht darüber hinwegtäuschen, daß die Lebensuhr abgelaufen, sein Leiden unheilbar war. Bei der Rückkehr nach Marseille fand er in seinem Zimmer eine geradezu museale Vielzahl an Medikamenten, Salben, Pflastern, Kraftpillen und Zaubertränken vor, die aber alle eines gemeinsam hatten: absolute Wirkungslosigkeit!

Mitte September 1839 bestieg Paganini mit Achille ein Schiff und reiste bis Genua. Spindeldürr, nur den Geigenkasten in der Hand, wirkte er in der Heimatstadt schon wie ein Bote aus dem Jenseits und mußte infolge seiner Schwäche meist aus dem Wagen gehoben werden. Im Hotel de Londres, umgeben von Quacksalbern und Ärzten, fristete der bettlägerige Virtuose ein trostloses Dasein. Schließlich machte er dem allen ein Ende und brach im November nach Nizza auf. »Ich fühle mich hier noch leidender«, klagte er seiner Schwester, die ihm einen neuen Balsam geschickt hatte, »aber trotzdem habe ich beschlossen, einstweilen hier zu bleiben. Später will ich nach der Toskana gehen, um dort unter dem azurblauen Himmel meine letzte Stunde zu erwarten, und gern will ich sterben, darf ich zuvor noch die Luft eines Dante und

Petrarca atmen.« Prozesse wegen des Casinos verfolgten ihn und sein sauer erworbenes Vermögen. »Ich kann kaum die Feder in der Hand halten, so mitgenommen bin ich von Zuckungen, Schwindelanfällen und dem Husten, der mir auch nachts keine Ruhe gönnt.«

Das Frühjahr 1840 war kalt. Die Beine schwollen an, Paganini konnte so gut wie nicht mehr gehen. Hustend und ächzend lag er, das Endstadium erlebend, im Bett. Das Schlucken war so erschwert, daß er mitunter stundenlang an dem kleinsten Bissen würgte. »Ich zerfalle buchstäblich in Stücke und bin erschrocken über die Qantitäten, die ich bei Tag und Nacht aushuste. Nahrung nützt mir nichts, mein Appetit ist vergangen, und meine Schwäche nimmt zu. Ich habe keine Kraft mehr.« In einem elenden Zimmer ohne Licht und Sonne lag Paganini zu Bett und hielt die Hand des Sohnes in der seinen. Am 27. Mai 1840, an einem Mittwoch um 5 Uhr nachmittags, ist Niccolo Paganini in den Armen von Achille, der mit ihm allein im Raume war, gestorben. Kraft seiner hervorragenden Konstitution und einer geradezu diabolischen Beharrlichkeit erreichte ihn der Tod erst im 58. Lebensjahr; über zwei Jahrzehnte trug er neben der hohen Begabung das Kreuz chronischer, unheilbarer Leiden, und er hat aus seinem Dasein das Bestmögliche gemacht. Paganini war eine unvergleichbare Erscheinung und der größte Violinvirtuose, den die Welt je gesehen hat. Dem einzigen Sohn hinterließ der »Teufelsgeiger« ein Millionenvermögen.

Da Paganini den Empfang der Sterbesakramente verweigerte – mündlich mitteilen konnte er sich seiner Umgebung schon lange nicht mehr –, kam es nicht zur Beisetzung auf dem katholischen Friedhof von Nizza. Das Läuten der Totenglocke unterblieb. Auf dem Verstorbenen lastete der Fluch, daß er fast ebenso lang, wie er über die Erde ging, von einem Grab ins andere geworfen wurde. Das Urteil des Erzbischofs von Genua, ausgesprochen am 18. August 1841, versagte ihm ein christliches Begräbnis in der Heimatstadt. Die Gerüchte, wonach Paganini Satanist und in die Geheimnisse der Schwarzen Magie eingeweiht war, verdichteten sich wieder. Nomen erat omen, denn Paganini heißt »Kleiner Heide«.

So balsamierte man den Leichnam in Nizza rasch ein und stellte den Sarg im Keller des dortigen Krankenhauses ab. Später brachte man ihn in eine unterirdische Vorratskammer des Hospitals von Villefranche. Unbekannte Täter, wahrscheinlich Freunde der Familie, entführten im Herbst 1840 den Sarg von dort heimlich nach der nahegelegenen kleinen Felseninsel Saint-Ferréol, wo Paganini im Bereich von Abwässern einer Ölraffinerie in einem Bottich ohne besondere Markierung der Stelle verscharrt worden sein soll. Da niemand diese Angaben nachprüfen kann, nimmt man sie besser mit Vorbehalt auf. Bei genauerem Hinsehen verliert sich die Spur der sterblichen Überreste Paganinis im Namenlosen; alles übrige dürfte Kultlegende sein.

Dreieinhalb Jahre später transportierte man den Sarg nach Nizza, von dort nach Genua, wo er im Garten von Paganinis Familienbesitz Ramajone bei Polcevera vorläufig beigesetzt wurde; schließlich fand er im Anwesen von Paganinis Villa Gajone bei Parma eine endgültige Ruhestatt – ohne Stein, ohne Kreuz.

Paganinis Sohn Achille, der den Vater über das Grab hinaus liebte, heiratete 1843 und hatte sechs Söhne. 1876 erhielt er aus Rom die Nachricht, daß der Tote nun ein Recht auf ein christliches Begräbnis habe, und zwar auf dem Friedhof von Parma. Als der böhmische Geiger F. Ondriček im April 1893 ein Konzert in Parma gab und Achille besuchte, ließ dieser Grab und Sarg öffnen; aber der Künstler sah nur einen Haufen zerknüllter Kleider mit vielen Orden und Medaillen. 1896, ein Jahr nach Achilles Tod, wurde der Sarg auf den neuen Friedhof von Parma umgebettet, und die Erben errichteten jenes Denkmal – dessen Inschrift wir diesem Lebensbild vorangestellt haben – zur Erinnerung an Paganini. Seine

Wundergeige aber hatte er der Heimatstadt Genua vermacht. Mit ihr eroberte er sich die Welt, gemäß dem Wort der Johannes-Apokalypse: »Und er zog aus sieghaft, und daß er siegte.«

Jedoch – es scheint, als habe der Tote noch nicht alle Trümpfe ausgespielt, als geistere die ruhelose Seele des Verewigten durch die Musikgeschichte unserer Zeit. Erst im Jahre 1936 fand sich in einem Bündel mit Altpapier bei einem Trödler in Parma jene signierte

> »Partitur des vierten Konzertes von Niccolo Paganini
> – eigenhändig geschriebenes Originalmanuskript –
> gezeichnet: Achille Paganini, Sohn«,

und die »zweite Weltpremiere« erfolgte 1954 in Paris, wobei sich die Hörer, welche die Irrlichter Paganinischer Technik in den Ecksätzen erlebten, wieder neue Fragen gestellt haben dürften über ihn, seine Welt, seine Sendung.

Wer aber ein Paganinisches Adagio erlebt, lernt ihn von jener Seite kennen, die er vor allen eifersüchtig verbarg – denn dann spricht Paganini nicht mehr mit Menschenzungen. Und die Tatsache, daß er ins Werksverzeichnis bei dem »Adagio flebile con sentimento« dieses Konzertes ein kleines Herz malte, offenbart uns letzten Endes mehr über jenes sagenhafte Wesen als all die vielen Beschreibungen, in denen er uns »bewundert viel und viel gescholten« vor Augen tritt!

NICCOLO PAGANINI

1. *Armando, W. G.*, Paganini, Hamburg 1960.
2. *Codignola, A.*, Paganini intimo, Genua 1936.
3. *de Courcy, G. I.*, Chronology of Nicolo Paganini's life, Wiesbaden 1961.
4. *de Courcy, G. I.*, Paganini. In: Die Musik in Geschichte und Gegenwart (MGG), Bd. 10, Kassel 1962.
5. *Dennig, H.*, Lehrbuch der inneren Medizin, Stuttgart 1950.
6. *Feis, O.*, Studien über die Genealogie und Psychologie der Musiker. In: Grenzfr. Nervenleb., H. 71, Wiesbaden 1910.
7. *Fetis, F. J.*, Biographical Notice of Nicolo Paganini, London o. J.
8. *Gélineau*, Les épileptiques célèbres, Chron. méd. 1900: 545.
9. *Kapp, J.*, Paganini, Berlin 1922.
10. *Lange-Eichbaum, W.* und *Kurth, W.*, Genie, Irrsinn und Ruhm, München–Basel 1956 und 1967.
11. *Schottky, J. M.*, Paganini's Leben und Treiben als Künstler und Mensch; mit unpartheiischer Berücksichtigung der Meinungen seiner Anhänger und Gegner, Prag 1830 (Nachdruck 1909).
12. *Thannhauser, S. J.*, Krankheiten der Atmungsorgane, Lehrb. Inn. Med., Bd. 1, Berlin 1931.

Peter Tschaikowsky (1840–1893)

PETER TSCHAIKOWSKY
(1840–1893)

»Die Vergangenheit bedauern, auf die Zu-
kunft hoffen und nie mit der Gegenwart
zufrieden sein, das ist mein Leben.«
                    Tschaikowsky (aus einem Brief)

Peter Iljitsch Tschaikowsky, der bedeutendste Komponist
Rußlands, entstammte einer achtköpfigen Familie und kam
am 7. Mai 1840 in Wotkinsk (Gouvernement Wjatka, Ural)
zur Welt. Eltern wie Geschwister zeigten übrigens keine Begabung für die Tonkunst, auch bei Peter meldete sich das
Talent erst, als er über zwanzig Jahre alt war. Jedoch wurde
er durch Musik schon in frühester Jugend irritiert: »Sie sitzt
hier«, sagte er zu seiner Gouvernante, indem er auf die
Schläfen wies, »sie quält mich furchtbar!« Peter hegte eine
tiefe Verehrung für seine Mutter, die zweite Frau des Ober-
bergmeisters Ilja Petrowitsch, und als sie 1854, nachdem die
Familie ziemlich mittellos geworden war, in Petersburg an
der Cholera starb, wäre ihr der kleine Knabe – so wie es ihm
tatsächlich neununddreißig Jahre später am gleichen Ort er-
gehen sollte – am liebsten nachgefolgt. Dies alles ist wichtig
zu wissen, da Tschaikowsky während seines ganzen Lebens
ein Einzelgänger war, der sich aus Frauen, sofern es sich nicht
um geistige Gemeinsamkeit handelte, gar nichts machte. Körperlich war ihm das andere Geschlecht eher zuwider, und
auch seine spätere Eheschließung muß nur als Tarnung ge-

wertet werden, denn es zog ihn mehr in die Nähe seines jüngeren Bruders Modest und des Neffen Bob. So leidenschaftlich und sinnlich er in seiner Musik erscheint, mit Frauen kam es nur zum seelischen Kontakt. Bezeichnend hierfür ist die Zuneigung zu der Sängerin Désirée Artôt, worüber sein Freund Kaschkin berichtet: »Als 1869 die Artôt wieder auf der Bühne des großen Theaters auftrat, saß ich im Parterre neben Tschaikowsky, der sehr aufgeregt war. Beim Erscheinen der Künstlerin hob Peter Iljitsch das Opernglas an die Augen und setzte es während der ganzen Vorstellung nicht wieder ab; er konnte aber schwerlich sehen, denn Träne über Träne rollte seine Wangen herab.«

Nach dem Abitur und dem anfänglichen Besuch der Rechtsschule entschied sich Tschaikowsky 1862 fürs Petersburger Konservatorium. Nicht übermäßig fleißig und keineswegs ein Magier des Taktstockes, erlebte Tschaikowsky in den nächsten Jahren bis zur Neige alle Bitterkeiten, denen sich ein junges Talent in dieser nüchternen Welt ausgesetzt fühlt. Der Unterricht am Konservatorium, den er später selbst erteilte, langweilte ihn; oft floh er vor sich selbst ins Ausland. Seine ersten Opern waren zudem Mißerfolge; nebenher arbeitete er für Zeitungen. 1876 legte er die Feder und bald darauf das Lehramt nieder – kein Wunder, denn nun war ihm durch die Vermittlung des Freundes N. Rubinstein in der Mäzenin Nadeshda von Meck, der vermögenden Witwe des soeben verstorbenen Ritters Karl Georg Otto von Meck, eine Gefährtin erwachsen, die dreizehn Jahre lang ihr Leben in den Dienst von Tschaikowskys Talent stellte und ihm fürstliche Honorare neben der jährlichen Dauerrente von sechstausend Rubeln zukommen ließ.

Tschaikowsky war nun unabhängig und frei. Sein Stern ging innerhalb kurzer Zeit strahlend am Himmel der Tonkunst auf, um ebenso rasch zu versinken, als die Freundschaft plötzlich zerbrach. Frau Nadeshdas seelischer Beistand wurde besonders deutlich, als der Komponist im Juli 1877 die achtundzwanzigjährige Konservatoriumsschülerin Antonina Miljukowa ehelichte. Schwere Depressionen und eine Periode völliger schöpferischer Unfruchtbarkeit (»Ich sitze manchmal stundenlang, nage am Federhalter und weiß nicht, wie ich die Arbeit anfangen soll«) waren diesem Entschluß vorausgegangen. Zweifellos wollte Tschaikowsky einerseits dem Klatsch ein Ende bereiten (»kurz, ich möchte durch eine Heirat oder sonst ein öffentliches Verhältnis mit einer Frau jenem niederträchtigen Gesindel den Mund stopfen...«, an Frau von Meck, 4. Oktober 1876), andererseits auf Biegen und Brechen noch einmal seinem Leben eine Wende zu geben versuchen:

»Die fürchterlichen Qualen, die ich seit jenem Abend durchgemacht habe, sind gar nicht in Worte zu fassen. Ist auch sehr natürlich. Siebenunddreißig Jahre lang in angeborener Antipathie gegen das Eheleben zu verharren und dann plötzlich durch die Macht der Verhältnisse in den Bräutigamsstand hineingezwängt zu werden, ist schrecklich...« (an Frau von Meck, 15. Juli 1877).

Die Neuvermählten reisten erst zur Schwiegermutter, dann lebten sie eine Weile in Moskau zusammen; Peter begann zu trinken. Nur die vorübergehende Flucht zu seiner Schwester Alexandra auf deren Gut Kamenka bei Kiew rettete ihn aus seiner peinlichen privaten Sphäre. Einige Wochen später wieder daheim, verließ Peter oft fluchtartig Zimmer und Haus und irrte stundenlang durch die Straßen Moskaus. Seinem Freund Kaschkin hat er dann anvertraut, wie es zu jenem klassischen Selbstmordversuch kam:

»Tagsüber versuchte ich zu Hause zu arbeiten, aber die Abende wurden bald unerträglich. Ich wagte nicht, meine Freunde aufzusuchen oder ins Theater zu gehen. Jeden Abend unternahm ich Spaziergänge und wanderte ziellos stundenlang durch die einsamen Straßen Moskaus. Das Wetter war düster und kalt, nachts gab es leichten Frost. In einer solchen Nacht näherte ich mich dem Ufer des Moskwa-Flusses, als in

Frau Nadeshda von Meck (1831–1894)

mir plötzlich der Gedanke aufblitzte, mir eine tödliche Erkältung zuzuziehen. Im Schutze der Dunkelheit, von niemandem bemerkt, watete ich bis zum Gürtel ins Wasser. Dort blieb ich so lange, wie ich die Kälte ertragen konnte. Dann entstieg ich dem Wasser in der Gewißheit, mir eine tödliche Erkältung zugezogen zu haben. Zu Hause aber erzählte ich meiner Frau, ich hätte mich am Fischfang beteiligt und wäre dabei ins Wasser gefallen. Doch erwies sich meine Gesundheit als so kräftig, daß das eisige Wasser mir nichts anhaben konnte. Da ich mich außerstande fühlte, ein Leben dieser Art weiter zu führen, schrieb ich meinem Bruder Anatol, er möge mir im Namen des Kapellmeisters Naprawnik telegrafieren, daß meine sofortige Anwesenheit in Petersburg erforderlich wäre. Anatol tat das auch ...«

Dort brachte man Tschaikowsky ins Hotel, wo er einen schweren »Nervenzusammenbruch« erlitt. Später reiste er mit dem Berliner Zug nach Genf, wo er langsam sein inneres Gleichgewicht wiederfand. Geschieden worden ist er von Antonina nie. Er sorgte bis an sein Lebensende für sie, traf sie auch gelegentlich. Mehrere uneheliche Kinder und wechselnde Liebschaften sind der Beweis für ihre demonstrativ zur Schau getragene »Beliebtheit beim anderen Geschlecht«, denn daß sie den »großen Tschaikowsky« nicht an sich zu fesseln vermochte, war für dieses einfache Wesen der klare Beweis ihrer femininen Unzulänglichkeit. Hinter die wahren Zusammenhänge hat sie gewiß nicht geblickt, und so war ihr Leben zerstört. 1896 kam sie in eine Irrenanstalt, wo sie erst im Jahre 1917 starb. Daß sie an dem traurigen Ausgang der Ehe mit dem Musiker völlig unschuldig war, hat Tschaikowskys Bruder Modest bestätigt. Peter selbst bekannte gegenüber Frau von Meck: »Sie macht mir viele Vorwürfe, weil ich sie angeblich schamlos hintergangen hätte. Ich bat sie inständig, mir alles Böse zu vergeben, das ich ihr ja doch zugefügt habe.«

Frau von Meck, durch das Vermögen ihres verstorbenen

Gatten unermeßlich reich geworden, Mutter von zwölf Kindern, war neun Jahre älter als der damals gerade sechsunddreißigjährige Tschaikowsky. Da der Meister mildtätig war und zu niemand nein sagen konnte, verbrauchte er viel Geld. Und wenn sich, namentlich im Ausland, die Dirigenten oft wenig geneigt zeigten, Werke des Russen aus der Taufe zu heben, half die »geliebte Freundin« mit klingender Münze nach. Aber nicht nur das; sie stellte ihrem angebeteten Liebling auch die eigenen Landgüter zur Verfügung, wo er ungestört komponieren konnte; sie finanzierte seine Auslandsreisen, wohnte sogar in Florenz längere Zeit in seiner Nähe. Aber einander begegnet sind sich die beiden nach Möglichkeit nie; gesehen haben sie sich nur aus der Entfernung, irgendwo unterwegs oder im Theater, die Operngläser aufmerksam aufeinander gerichtet. Und wenn die ungewöhnlich musikalische Frau »ihre« Sinfonie, nämlich Tschaikowskys Vierte, im Klavierauszug spielte, geriet sie in Ekstase. Wahrscheinlich wußte Nadeshda von Tschaikowskys Veranlagung und wollte durch ihre Distanz jede Problematik vermeiden. Darum brachten sie auch nur in gegenseitigen Briefen ihre tiefe Verehrung zum Ausdruck (»Auf Wiedersehn, mein vergötterter Freund, mein Geliebter, mein Glück!«).

Der übersensible, nervöse und innerlich stets unsichere Mann wurde schon durch eine tickende Uhr gestört; er benötigte zum Schaffen Stille, eine luxuriöse Umgebung und die Schönheiten der Natur. Tschaikowsky rauchte täglich zahlreiche Zigaretten und trank viel (»Es heißt, Alkoholmißbrauch sei schädlich, was ich gern zugebe. Aber ein von seinen Nerven gequälter Mann kann einfach nicht ohne das Alkoholgift leben«, Tagebuch, 1886). Sein Benehmen war sehr korrekt und zurückhaltend; aber niemand, der mit ihm in Berührung kam, konnte sich dem Fluidum seiner Persönlichkeit entziehen. Wenn Tschaikowsky komponierte, verschloß er die Zimmer, wanderte hin und her, zerbiß irgend etwas oder zerbrach einen Gegenstand mit den Händen. Er las viel und schnell, wobei er einen Kneifer aufsetzte. Gerne verrichtete er weibliche Handarbeiten. Beim Sprechen spielte er mit Papierstücken, Briefbogen, Konzertprogrammen und dergleichen, zerriß sie oft und zerkaute sie. Seine Gewitterfurcht war nur ein Teilsymptom einer ungeheuren Lebensangst.

So ist auch Tschaikowskys Krankengeschichte voll von unbestimmten »vegetativen« Beschwerden; wir hören von periodisch auftretendem Kopfweh, unklaren Magen-Darm-Störungen und gelegentlichen »Nervenzusammenbrüchen«. Traten solche Krisen auf, legte er sich zu Bett und nahm Brom ein. Da die Ärzte seine rein funktionellen Störungen meist als solche erkannten und dies ihrem Patienten unverblümt mitteilten, war er von ihnen mitunter enttäuscht: »Sie müssen wissen, ich habe eine abergläubische Abneigung gegen Ärzte... Kaum hatte ich begonnen, ihm meine Krankengeschichte zu erzählen, als er mich kühl und nicht ohne Herablassung mit den Worten unterbrach: ›Ja, ja, ich kenne das alles auswendig. Sie brauchen sich nicht zu bemühen...‹ Schließlich schrieb er eine Verordnung auf, erhob sich und sagte zu mir: ›Mein Herr, Ihre Krankheit ist unheilbar, aber Sie können dabei hundert Jahre alt werden!‹« (an Frau von Meck, Paris, 14. November 1877). Oder: »Zuweilen scheint mir, als ob ich an einer geheimnisvollen körperlichen Krankheit litte... In letzter Zeit glaubte ich, mein Herz wäre nicht in Ordnung. Aber noch vorigen Sommer fand es ein Arzt nach einer Untersuchung ganz gesund. Es sind also die Nerven an allem schuld...« (4. Februar 1880).

Tschaikowsky stand morgens gegen acht Uhr auf, trank seinen Tee und las in der Bibel. »Ich gehe sehr häufig zur Messe... Auch die Abendandachten liebe ich sehr. An einem Samstagabend in ein kleines altes Kirchlein zu gehen, im Halbdunkel zu stehen, das ganz erfüllt ist von Weihrauch, in sich zu blicken und Antwort auf die ewigen Fragen zu suchen: wozu, wann, wohin, warum? Aus dem Nachsinnen zu erwachen, wenn der Chor zu singen anhebt, sich der hinreißenden Schönheit des Psalms hinzugeben ... oh, wie unendlich liebe ich das alles, es ist eine meiner herrlichsten Freuden!« (an Frau von Meck, 1877). Tschaikowsky lebte nicht allzu gern; zu groß war zeitlebens die Zahl seiner beruflichen Mißerfolge, als daß er je frei aufgeatmet hätte.

Die Gemeinsamkeit mit Frau von Meck wurde, nachdem sie ihren stürmischen Höhepunkt um das Jahr 1880 erreicht hatte, zur Selbstverständlichkeit. Tschaikowsky siedelte sich zwischen Petersburg und Moskau an, erst in Maidanowo, später in Klin. Wachsende Erfolge, namentlich durch das b-Moll-Klavierkonzert, die Vierte Sinfonie und die Oper »Eugen Onegin«, machten seinen Namen im Ausland populär, und seit 1887 versuchte sich der Meister – übrigens mit Erfolg – bei seinen Gastspielreisen auch als Dirigent. Je berühmter er nun wird, um so monotoner erscheint die Korrespondenz mit Nadeshda; die Gefühle erkalten allmählich, von Widmungen ist auch keine Rede mehr. Plötzlich brach dann die eigenwillige Frau mit dem Schlußsatz eines Briefes: »Vergessen Sie mich nicht und gedenken Sie meiner zuweilen!« im Jahre 1890 die gesamte Korrespondenz jäh ab. Sie beantwortete kein einziges der flehentlichen Schreiben ihres Freundes mehr, der über dreizehn Jahre lang ihr ein und alles gewesen war. Tschaikowsky hat diesen Schicksalsschlag nie überwunden, zumal der biographisch schwer erklärbare Bruch zu einer Zeit erfolgte, da er selbst wirtschaftlich völlig unabhängig war und ihre Zuwendungen eigentlich nicht mehr benötigte. Der menschliche Verlust war es, der ihn so schwer traf. Dennoch bilden die beiden eine ebenso eigenartige wie einzigartige Einheit, und da Tschaikowsky mit Nadeshdas Namen auf den Lippen starb, war die Liebe schließlich stärker als der Tod!

Frau von Meck soll lungenleidend gewesen sein; sie erlag ihrer Krankheit fern der Heimat in einer Wiesbadener Klinik Anfang Januar 1894, kurz nach dem Tode Tschaikowskys.

»Eine unwiderstehliche Macht schien Gewalt über ihn erlangt zu haben und ihn blindlings hierhin und dorthin zu treiben«, schrieb sein Bruder Modest über die der Trennung folgenden Jahre, welche Tschaikowsky noch viel Ruhm und Anerkennung bescherten. Höhepunkt bildeten die Amerika-Tournee 1891 und die Verleihung des Doktorhutes für Musik der Universität Cambridge im Juni 1893. Doch nichts konnte seine Depressionen beseitigen; oft weinte er schon am frühen Morgen und auch am Abend. »Er war so gealtert, daß ich ihn nur an seinen himmelblauen Augen erkennen konnte. Ein Greis von fünfzig Jahren«, berichtete ein Freund geraume Zeit vor dem Tod. Längst war der Bart schneeweiß geworden, die Haltung gebückt. Sein Testament faßte der Meister bereits im Jahre 1891 ab; dabei stellte sich heraus, daß er praktisch immer von der Hand in den Mund gelebt hatte und über größere Geldreserven nicht verfügte. »Ich habe überaus große Lust, eine grandiose Sinfonie zu schreiben, die den Schlußstein meines ganzen Schaffens bilden soll«, schrieb er 1889 an den Großfürsten Konstantin. Freilich, das Ballett »Der Nußknacker« und die Oper »Pique Dame« brachten ihn zwischenzeitlich von diesem Plane ab, aber aufgegeben hat er ihn nicht, vielmehr sein gesamtes Schaffen mit der im Jahre 1893 entstandenen Sechsten Sinfonie gekrönt. Hierüber teilte er dem Neffen Bob mit:

»Klin, den 23. Februar 1893.
Ich möchte Dir sagen, in welch angenehmer Stimmung ich mich anläßlich meiner Arbeit hier befinde ... Auf der Reise (nach Paris im Dezember 1892) kam mir der Gedanke an eine neue Sinfonie, diesmal eine mit einem Programm, aber einem Programm, das allen ein Rätsel bleiben wird. Mögen sie selber dahinterkommen ... Dieses Programm ist durch und durch von meinem eigensten Sein erfüllt, so daß ich, unterwegs in Gedanken komponierend, oft heftig weinte ...«

Tschaikowsky hielt die Sechste für sein bestes Werk, er erblickte in der »Pathétique« das Kompendium seines ganzen Lebens, und nach eigener Aussage (Brief vom 30. Oktober 1893) war er auf keine Tonschöpfung so stolz wie auf dieses finale Opus (Nr. 74). Die Erstaufführung erfolgte am 28. Oktober 1893 in Petersburg unter der Stabführung des Komponisten, dessen Antlitz ganz blaß war. Wenn nach einer breiten und düsteren Einleitung die Violinen jene liedartige Melodie anstimmen, die mit zum Schönsten gehört, was Tschaikowsky je geschrieben hat, wird die unendliche Weite Rußlands lebendig, und darüber erstrahlt das Bild Nadeshdas, von welcher ihn – Ironie des Schicksals – immer eine Wand aus Eis trennte. Aber hier hat er ihr ein klingendes Denkmal gesetzt und mehrere Motive auf diesen Namen abgestellt. Schließlich münden alle Gedanken in das finale Adagio lamentoso, jene dramatische Aussage von Weltschmerz und widerspruchsloser Ergebenheit in den Willen der Vorsehung (»Gott braucht keine Gebete. Wir brauchen sie . . .«, Tagebuch, 1887). Die letzten fünfundzwanzig Takte, die Tschaikowsky zu Papier brachte, sind wie der Sturm, der aus der Uferlosigkeit des Raumes hervorbricht, in den Geigen, Celli und Kontrabässen seine geballte Resonanz findet und, gleich dem Atem des Menschen, im vierfachen Piano verweht.

Als das Werk zu Ende war, wußte Tschaikowsky, daß sein Publikum ihn nicht – noch nicht – richtig verstand; das sah er an den Gesichtern der Musiker, das entnahm er dem nur mäßigen Achtungsbeifall der Hörer, und es erfüllte ihn mit Traurigkeit. Zwar verbarg er alles nach außen hin geschickt hinter seinem weltmännischen Wesen, innerlich jedoch hatte er mit dem Leben abgeschlossen. Was gab es noch zu tun? War es möglich, das Erreichte jemals zu überbieten? Und war hier in Petersburg nicht seine Mutter an der Cholera gestorben, was sein Leben jahrzehntelang beschattete?

So verwundert es eigentlich kaum, daß bald nach Tschaikowskys jähem Tod am 6. November 1893 das Gerücht auftauchte, er habe Selbstmord begangen. Nach dem Besuch einer Theater-Vorstellung trank er, ehe man es verhindern konnte, am Abend des 1. November im Gasthaus Leiner ungekochtes Newa-Wasser. Damals herrschte in Petersburg eine Cholera-Epidemie, und Tschaikowsky scheint mit voller Absicht das Schicksal herausgefordert zu haben. Bereits am 2. November fühlte er sich morgens elend und blieb daheim. In den Nachmittagsstunden traten Magenkrämpfe, Fieber, Erbrechen und Durchfälle auf, es wurde Cholera diagnostiziert und ein Wärter bestellt, da Peter vor Schmerzen schrie. Hochgradige Atemnot und unlöschbarer Durst kamen hinzu. In dieser Nacht sagte Tschaikowsky mehrmals: »Ich glaube, das ist der Tod!«

Am Freitag, dem 3. November, trat eine vorübergehende Besserung ein, jedoch waren die Lippen trocken und schwarz, um den Mund herum wurden die charakteristischen »Choleraflecke« beobachtet.

Der 4. November brachte eine erneute Verschlechterung, da es nun zur Harnverhaltung kam. Die Ärzte empfahlen, um die Nierentätigkeit in Gang zu bringen, ein warmes Bad, aber der Patient antwortete: »Gern, die Waschung ist mir willkommen, bloß sterbe ich bestimmt wie meine Mutter, wenn sie mich in die Wanne setzen.« Doch er war an jenem Abend viel zu schwach, so daß die Prozedur unterblieb.

Am Sonntag, dem 5. November, hielt die Untätigkeit der Nieren an, Tschaikowsky redete jetzt zeitweise irr, oft rief er Frau Nadeshdas Namen, dann wurde er wieder still, als lausche er ihrer Antwort, zog die Augenbrauen hoch, schien zu lächeln. Um 2 Uhr nachmittags verordnete der behandelnde Arzt, Dr. Leo Bertenson, als ultima ratio das warme Bad. Allein Tschaikowsky bat bald, wieder ins Bett gelegt zu werden, da er sich sehr elend fühle. Von nun an erwachte der Patient nur noch für Augenblicke aus seiner Bewußtlosigkeit, der Puls wurde schwächer, sein ganzer Körper war mit Schweiß bedeckt. Immer wieder rief er Frau Nadeshdas

Namen, und das letzte Wort, das kaum noch verständlich über seine Lippen kam, war »Verfluchte!«. Als der Priester die Sterbegebete las, drang schon kein Wort mehr an das Ohr des Moribunden. Seine Lippen waren schwarz und die Finger mumienhaft abgezehrt.

Am Montag, dem 6. November, frühmorgens um 3 Uhr schlug Tschaikowsky noch einmal die Augen auf; er blickte lange auf seinen Bruder Modest, auf den Neffen Bob und den treuen Diener Alexej – dann kehrte seine Seele zu Gott zurück. Tschaikowsky ist nur 53 Jahre und sechs Monate alt geworden. Der ihn behandelnde Arzt schrieb noch am gleichen Tag an Tschaikowskys Bruder Modest:

> »St. Petersburg, 6. November 1893.
> Mein lieber Modest Iljitsch!
>
> Ich möchte Sie umarmen und Ihnen sagen, wie sehr ich über unser gemeinsames großes Unglück entsetzt bin, jedoch ich vermag kaum auf den Füßen zu stehen und kann nicht ausgehen. Die furchtbare Krankheit, die Ihren geliebten Bruder dahinraffte, hat bewirkt, daß ich mich eins fühle mit ihm, mit Ihnen und mit allen, denen er teuer war. Ich kann mich von dieser furchtbaren Tragödie, deren Zeuge zu sein ich bestimmt war, gar nicht erholen und kann Ihnen all die Qualen nicht schildern, die ich nun durchmache. Nur eines vermag ich, Ihnen zu sagen: Daß ich das gleiche fühle wie Sie.
>
> Ihr treuer und ergebener
> Leo Bertenson.«

Entgegen allen gesetzlichen Vorschriften über Hygiene bei Cholerafällen, deren peinliche Durchführung die Stadtverwaltung sonst forderte, wurde Peters Leiche in der Wohnung seines Bruders aufgebahrt. Hunderte von Trauernden schritten durch das Zimmer, küßten Hände und Stirn des Toten, und die Überlieferung will wissen, daß keiner dieser Trauernden angesteckt worden sei (C. D. Bowen und B. von Meck).

Dann schloß man den Sarg; im Anschluß an die Totenmesse in der Kathedrale von Kasan erfolgte die Beisetzung auf dem Friedhof des Alexander-Newskij-Klosters unter großer Anteilnahme der Petersburger Bevölkerung. So ruht Tschaikowsky gar nicht dort, wo er ursprünglich wollte, nämlich in Maidanowo oder Klin, sondern in der Nähe seiner Mutter!

Obwohl diese Biographie klar vor uns zu liegen scheint, war der Tondichter Tschaikowsky das genaue Gegenteil des Menschen Tschaikowsky (H. Stein). Gewiß – auf dem Sarg fand sich auch ein Kranz von seiner Frau. Aber sie alle, die Mutter, die Sängerin Désirée Artôt, Antonina und Nadeshda von Meck, standen im Grunde unerreichbar über diesem Leben, und er selbst blieb einsam bis zum Tode. Das ist gerade das Unergründliche im Dasein dieses seltsamen Mannes, daß ihm das Schicksal versagte, die Frau als Frau zu erleben, und daß ihn trotzdem das Ewig-Weibliche im faustischen Sinne stets hinanzog!

PETER TSCHAIKOWSKY

1. *Bowen, C. D.* und *v. Meck, B.*, Geliebte Freundin, Leipzig 1938.
2. *Pahlen, K.*, Tschaikowsky. Ein Lebensbild, Stuttgart 1959.
3. *Staehelin, R.*, Cholera. In: Lehrbuch der inneren Medizin, Bd. 1, Berlin 1931.
4. *Stein, R. H.*, Tschaikowskij, Berlin und Leipzig 1927.
5. *Stümcke, H.*, Peter Tschaikowsky, Leipzig 1922.
6. *Walter, A. M.* und *Wurm, K.*, Cholera. In: Heilmeyer, L., Lehrb. d. inn. Med., Berlin–Göttingen–Heidelberg 1955.
7. *Weinstock, H.*, Tschaikowsky, München 1948.
8. *v. Wolfurt, K.*, Peter I. Tschaikowsky, Zürich 1952.

Friedrich Smetana (1824–1884)

FRIEDRICH SMETANA
(1824–1884)

*»In Eile schreibe ich Ihnen, daß mich der
Tod Smetanas sehr ergriffen hat. Er war ja
ein Genius!«*   *F. Liszt an K. Navrátil*

Von F. Smetanas Werken sind im Ausland eigentlich nur
drei populär geworden: seine Oper »Die verkaufte Braut«,
das Streichquartett e-Moll »Aus meinem Leben« und eine
sinfonische Dichtung, betitelt »Die Moldau«. Dennoch ver-
körpern diese Tonschöpfungen lediglich segmentartig Smetanas vielschichtiges Schaffen, dessen Höhepunkte ausnahmslos
in das letzte Lebensjahrzehnt fallen.

Bedřích (= Friedrich) Smetana, geboren in den Vormittagsstunden des 2. März 1824 zu Leitomischl (Tschechoslowakei),
war das elfte von insgesamt achtzehn Kindern und entstammte
der dritten Ehe seines Vaters, der dort als Bierbrauer tätig
war, nebenher aber als gewandter Tänzer und hervorragender
Schütze imponierte. Er vererbte die musikalische Begabung
auf seinen Sohn, der im übrigen ein in sich gekehrtes Kind,
zudem noch hochgradig kurzsichtig war. Mit fünf Jahren
improvisierte der Knabe auf der Violine, mit sechs Jahren
fiel er mit seinem Klavierspiel bei einer öffentlichen Veranstaltung auf.

In Neuhaus, wohin der Vater 1830 übersiedelte, beendete
der Junge die Elementarschule. Während der nun folgenden
Gymnasialjahre ist Friedrich nicht immer erfolgreich, wechselt

453

die Stätten seiner Ausbildung, hält sich vorübergehend in Iglau, in Deutschland und in Prag auf, schwänzt zudem die Schule und spielt Quartett, während die Klassenkameraden griechische Texte übersetzen: »Ich habe gar nichts gearbeitet, ich war ein Prager Nichtstuer.« In Pilsen endlich, unter der Aufsicht des väterlich-strengen Vetters J. F. Smetana, beendete er dann doch im Jahre 1843 die Gymnasialstudien, wo er übrigens bei der Familie Kolar wohnte, deren Tochter Katharina später seine Frau wurde.

Vater Franz Smetana hätte den Sohn am liebsten in einer gesicherten Beamtenposition gesehen. Allein nichts vermochte mit der Zeit den sensitiven Jüngling von dem Entschluß, Künstler zu werden, abzubringen. »O, ich verlasse mich vollkommen auf Dich, mein Gott, der Du mir Tausende Gnaden für Hunderte Sünden erwiesen hast!« Mit nur 20 Gulden Wegzehrung in der Tasche bricht er im Oktober 1843 nach Prag auf, einer gänzlich ungewissen Zukunft entgegen. Vorbei die Zeiten im Elternhaus, da er mit fröhlichen Geschwistern durch die Fluren streifte und in der ländlichen Geborgenheit des Gutshofes ein Allesbesitzender war! Einmal, bald nach der Abreise Friedrichs, hört der Vater am Hoftor einen Wandermusikanten Geige spielen; da kommen ihm die Tränen, und er schluchzt: »So wird auch unser Fritz einmal herumziehen.« Als er im Jahre 1857, fast achtzigjährig, starb, wußte er noch nichts von der Größe seines Sohnes, ebensowenig die Mutter, welche sieben Jahre später im Alter von 74 Jahren ihrem Mann in die Ewigkeit nachfolgte.

In Prag, wo er ein kümmerliches Dasein fristete, wurde Smetana Schüler des hervorragenden blinden Klavierpädagogen J. Proksch, der das überragende Talent des jungen Mannes schnell aufzuspüren wußte. Graf Thun engagierte den bescheidenen, mittelgroßen Eleven als Klavierlehrer, so daß bis zum Jahre 1847 sein Lebensunterhalt gesichert war; denn Beethoven, Schubert und Chopin verstand er ganz unnachahmlich vorzutragen. Dann unternahm er eine Konzertreise nach Eger, die mit einem Mißerfolg endete. Jetzt blieb ihm nur noch die Gründung einer Musikschule als Existenzmöglichkeit. Zum Glück gab ihm Franz Liszt ein Darlehen, und 1848 konnte er Katharina Kolar ehelichen. Durch den Eindruck, den die Revolution vom gleichen Jahr auf ihn ausübte, erhielt Smetana ein neues nationales Bewußtsein, gipfelnd in der Hoffnung der böhmischen Kronländer auf Unabhängigkeit gegenüber Österreich.

Aber in diesem Vaterland, das Smetana, der deutschsprechende Tscheche, über alles liebte, veranschlagte man ihn und seine Kunst nicht hoch. Weil ihm die Tätigkeit als Dirigent verwehrt wurde, nahm Smetana 1856 ein Engagement in Göteborg an, wo er als Orchesterleiter wirkte. Vielleicht wollte er auch von Zuhause weg, weil sein hochbegabtes Töchterchen Friederike kurz zuvor an einer Infektionskrankheit gestorben war. Zwei weitere Geschwister verschieden ebenfalls früh, und nur die Tochter Sophie (1853–1902) überlebte als einziges Kind aus dieser Ehe ihren Vater. – Im Norden war Smetana zwar erfolgreich, seine Frau erkrankte jedoch an Lungentuberkulose; sie erlag ihrem Leiden im April 1859 auf der Heimreise in Dresden. Smetana stand nun völlig allein da; innerlich gebrochen jagte er von Ort zu Ort, doch das Göteborger Engagement rief ihn unerbittlich zurück. Allein wollte er nicht in der Fremde leben, und so heiratete Smetana im Sommer 1860 die etwa sechzehn Jahre jüngere Betty Ferdinandi. »Sie vermochte niemals, die edelmütige und innig liebende Katharina zu ersetzen, und Smetanas inbrünstiges Wesen stieß bei ihr sehr häufig auf die Kühle ihrer Intelligenz, die alle Gefühle überwog« (V. Helfert). Plötzlich konnte Göteborg ihn nicht mehr fesseln; er brachte von dort jene große Neigung mit, die fortan sein Leben beherrschte: die Liebe zur Heimat!

Zunächst sitzt Smetana in Prag und wartet auf den Erfolg, der sich nicht einstellen will. Er muß Konzertreisen unternehmen, um die Familie durchzubringen, und erteilt den verhaßten Musikunterricht. Reumütig eröffnet er, bald vierzig Jahre alt, wieder die einstige Musikschule. Nebenher betätigt er sich als Musikreferent und ist wegen seiner spitzen Feder recht unbeliebt, da er sich auch warm für den »Neutöner« R. Wagner einsetzt. Längst hat Smetana eingesehen, daß sich seine hochfliegenden Pläne (»Mit Gottes Hilfe und Gnade bin ich einst in der Mechanik ein Liszt, in dem Komponieren ein Mozart«) nur zum Teil verwirklichen lassen, daß allein zähe Arbeit ihm den Sieg über das Publikum garantiert.

Endlich bringt dem Komponisten das entscheidende Jahr 1866 mit den Aufführungen seiner Opern »Die Brandenburger in Böhmen« und »Die verkaufte Braut« öffentliche Anerkennung. Das letztgenannte Werk beschert ihm sogar einen Brillantring aus der Hand des Großfürsten Konstantin Nikolajewitsch. Als im Zuge der Kriegshandlungen zwischen Böhmen und Preußen die Truppen nach Prag marschieren und das Theater vorübergehend schließen muß, gelingt es Smetana, die Kapellmeisterstelle an der Oper zu erhalten. Wie sehr mit der Übernahme dieses Amtes sein eigentlicher Passionsweg begann, konnte der Meister nicht ahnen. Schon die Premiere der Oper »Dalibor« am 16. Mai 1868 anläßlich der Grundsteinlegung zum großen tschechischen Nationaltheater wurde ein Mißerfolg. Smetana war seiner Zeit zu weit voraus, und indem er den Kampf mit der Tradition aufnahm, kämpfte er zugleich gegen die eigene Position – wahrscheinlich sind auch politische Motive mit im Spiel gewesen! In dem Musikreferenten Fr. Pivoda erwuchs ihm ein fanatischer Gegner mit deletärem publizistischem Einfluß, der alles, was Smetana tat und schrieb, aufs Korn nahm. »Daß R. Wagner in Wirklichkeit der Reformator der Oper und ein großer Mann ist« – diese Linientreue wurde ihm übel angekreidet. Nur gelegentliche Reisen nach Deutschland zu Premieren von Wagner-Opern und die eigene Arbeit an dem Bühnenwerk »Libussa«, dessen Partitur er neun Jahre lang im Schreibtisch verwahrte, brachten ihm hin und wieder innere Ruhe.

Dabei wird Smetanas Stellung immer unhaltbarer. Man wirft ihm vor, in acht Jahren nur zwei Opern komponiert zu haben; außer der »Verkauften Braut« hätte sich nichts im Repertoire gehalten. Als Dirigent würde er es sich viel zu leicht machen und zu wenig mit dem Orchester proben. Im Anschluß an die Uraufführung seiner Oper »Zwei Witwen« im März 1874 verdichten sich die Intrigen.

Smetana wollte schon an Ostern 1873 sein Amt niederlegen, jetzt spielte er erneut mit diesem Gedanken. In den Sommerferien 1874, die Smetana auf dem Lande verbrachte, übte er wieder intensiv Klavier, weil er meinte, wegen der Polemiken seine Dirigentenlaufbahn aufgeben und Virtuose werden zu müssen. Zuerst plante er eine Rußland-Tournee. Im April des gleichen Jahres war der Komponist laut Tagebuch an »einem Eitergeschwür« erkrankt, im Juni trat eine hartnäckige Halsentzündung hinzu, im Juli folgte ein generalisiertes Exanthem, so daß Smetana zum Arzt nach Prag reiste, der ihn aber beruhigte. Eine Kalendereintragung vom 28. Juli 1874 besagt: »Ich habe zeitweise verlegte Ohren und gleichzeitig dreht sich mir der Kopf, als hätte ich Schwindelanfälle. Diese Beschwerden waren nach einer kleinen Entenjagd aufgetreten, während welcher sich das Wetter plötzlich veränderte.« 8. August: »Meine Gehörerkrankung ist ein innerer Katarrh. Daweil kuriere ich mich bloß mit Inhalationen.«

Während desselben Monats vermeinte Smetana im Wald »eigenartig schöne Flötentöne« zu vernehmen, aber er suchte den Flötenspieler vergebens. Am nächsten Tag wiederholte sich derselbe Vorgang. Diese Gehörtäuschungen traten auch bald in den eigenen vier Wänden auf, weshalb Smetana einen Arzt konsultierte, denn es war auch starkes Ohrensausen hinzugekommen. In seinem Brief mit der Bitte um Beurlaubung vom Kapellmeisteramt hat Smetana am 7. September 1874 nochmals die persönliche Situation geschildert: Bereits im Juli bemerkte der Kranke, daß er in einem Ohr die Töne der höheren Oktave anders gestimmt wahrnahm als im gesunden Ohr, »daß zeitweilig meine Ohren sich verlegen und daß es in ihnen zu summen beginnt, als ob ich bei einem starken Wasserfall stände.« Ende Juli wurde daraus ein Dauerzustand, Schwindel kam verstärkt hinzu, zeitweilig taumelte er. Wenn er einen Chor oder sein Orchester dirigierte, versanken die Einzelstimmen in ein diffuses, unkontrollierbares Klangkonvolut. Der behandelnde Arzt in Prag, Dr. Zoufal, therapierte seinen Patienten mit »Luftinhalationen«, Luftduschen, Tubenkatheterisierungen und »Ätherspritzen«, außerdem verbot er jede musikalische Betätigung. Im September hörte Smetana auf dem rechten Ohr gar nichts mehr, auf dem linken schlecht. Er verwandte jetzt ein Hörrohr.

Smetanas Gehörleiden verlief weiter in Schüben, unterbrochen von kurzen Spontanremissionen. Er klagte über »Zufallen der Ohren«, Ohrensausen, Diplakusis, Gleichgewichtsstörungen und zunehmendes Nachlassen der Hörfähigkeit beiderseits. 8. Oktober: »Zum ersten Male nach langer Zeit höre ich wieder alle Oktaven ausgeglichen. Bisher waren sie in meinem Gehör ganz verworren. Aber auf das rechte Ohr höre ich noch immer nicht.« Allein der Erfolg ist trügerisch und nur von kurzer Dauer. 20. Oktober: »Mein Ohrübel hat sich verschlechtert, ich höre auch auf das linke Ohr nichts mehr.« 30. Oktober: »Schon fast eine Woche sitze ich zu Hause, darf nicht ausgehen. Muß meine Ohren in Watte eingehüllt haben und volle Ruhe bewahren. – Ich befürchte das Äußerste: Daß ich völlig mein Gehör verloren habe. Ich höre nichts. – Wie lange soll dieser Zustand noch währen? Sollte ich nie mehr genesen? – !!! –«

Während ein gnadenloser Zerstörungsprozeß den Komponisten seiner wichtigsten Sinnesorgane beraubt und Smetana den Weg in die Vereinsamung antritt, nehmen in seinem Innern die Umrisse der sagenhaften Ritterburg Vyšehrad, vor deren stolzen Mauern das wehmütige Harfenspiel des Minnesängers Lumir erschallt, tönende Gestalt an. Am Tage der Ertaubung fiel dem Komponisten gerade dieses Motiv ein, und wie bei L. van Beethoven zeigt die Krankheit auch in der Biographie Smetanas ungeahnte schöpferische Elemente, wobei Werke entstehen, die zum Kostbarsten der Musikliteratur zählen. Am 18. November bereits ist die sinfonische Dichtung »Vyšehrad« beendet, zwei Tage später beginnt Smetana mit dem nächsten Werk aus dem sechsteiligen Zyklus »Mein Vaterland«, der »Moldau«. Er stellt die Partitur in weniger als drei Wochen fertig.

Am 30. November notiert er: »Mein Ohrübel ist in dem gleichen Zustand wie zu Beginn des Monats. Ich höre nichts, weder auf das rechte, noch auf das linke Ohr. Wenn nur wenigstens das Sausen aufhören wollte!« Im Februar 1875 nimmt Smetana noch gewisse Geräusche auf dem linken Ohr wahr, beim Sprechen jedoch nur unartikulierte Laute. Wattepackungen wandte er allem Anschein nach den ganzen Winter über an.

Smetana erhält eine jährliche Rente von 1200 Gulden, muß aber die Rechte auf seine bisherigen Opern unentgeltlich an das Theater-Konsortium abtreten. Die Reise zu dem Ohrenspezialisten v. Tröltsch in Würzburg während des Monats April 1875 zeigt keinen Erfolg. Dieser Arzt rät ihm, nach Prag zurückzukehren und sich die Trommelfelle öffnen zu lassen. Am 5. und 6. Mai sucht er dann Dr. Politzer in Wien auf, der eine »Labyrinthlähmung« diagnostiziert und Elektrisieren verordnet. Daß die Ärzte mittlerweile die Ursache von Smetanas Leiden richtig erkannt hatten und entsprechend zu behandeln versuchten (die Lues als auslösender Faktor der Innenohraffektion mit passageren vestibulären Störungen und nachfolgender unheilbarer Taubheit war seit dem Jahre 1868 im otologischen Fachschrifttum bekannt!), geht aus einer Kalendereintragung vom 24. Mai hervor, worin Smetana von einer mehrwöchigen Schmierkur berichtet, während welcher der Patient das Haus nicht verlassen durfte und bei geschlossenen Fenstern leben mußte. Dann folgten nach der vorausgegangenen »Phase des Schweigens« Hörübungen mit ein-

459

*Im Finale des Streichquartetts e-Moll hat F. Smetana
an der mit »Meno presto« markierten Stelle über neun Takte lang
den Eintritt der Taubheit musikalisch darzustellen versucht*

zelnen Tönen des Klaviers und mit Vorsprechen der Buchstaben des Alphabets – alles ohne jeden Erfolg!

Sämtliche Heilungsversuche einschließlich Elektrisieren gaben also Smetana, der sogar zahlreiche ausländische Kapazitäten konsultierte, sein Gehör nicht zurück. Er wie Beethoven investierten ungeheure Summen in die Therapie, und die Mittellosigkeit, in welche beide mit der Zeit gerieten, ist in erster Linie durch ihr Leiden und die zwangsläufig damit verbundenen Unkosten verursacht gewesen. Ab Frühjahr 1875 kann man Smetana als »stocktaub« bezeichnen. Doch beweisen seine Kompositionen – auch während der Taubheit – ein vollkommenes Ton- und Klangvorstellungsvermögen, wie übrigens auch im Falle Beethovens. Beim Sprechen benützte Smetana Täfelchen, um Antworten auf Fragen zu erhalten; gegenüber der eigenen Ehefrau benötigte er sie nicht, weil er bei ihr fast alles vom Munde ablas.

In der Stille des Forsthauses von Jabkenic, wohin Smetana nebst Familie – der zweiten Ehe entstammten noch die Töchter Zdenka und Božena – im April 1876 übersiedelte, begann er mit der Oper »Der Kuß«, wobei er seine Partituren gleich ins reine schrieb, fast ohne Radierung oder korrigierte Noten; denn Smetana hatte nach wie vor das absolute Gehör! Er geht dort viel spazieren, spielt Schach, raucht Zigarren und liest Zeitung – übrigens seine Lieblingsbeschäftigung neben der Musik. Das Antlitz des Meisters, der in einer Welt der Stille lebt, erscheint jetzt noch jenseitiger als früher, das Haar hängt bis auf die Schultern, die traurigen Augen sind hinter der goldenen Brille kaum zu erkennen. Trotzdem entsagt er keineswegs ganz der öffentlichen musikalischen Tätigkeit, tritt noch 1880 als Pianist und 1881 mit der »Libussa«-Ouvertüre als Dirigent auf. Der Tag beginnt für ihn meist erst um 9 Uhr, das Komponieren legt er möglichst ganz auf den Vormittag. Die Premieren seiner Opern »Der Kuß« (1876) und »Das Geheimnis« (1878) sind durchaus erfolgreich. Ende Dezember 1876 beendet er das Quartett e-Moll »Aus meinem Leben«.

Im Finale ist der Eintritt von Smetanas Taubheit beschrieben worden, wovon ein Brief unter dem Datum vom 23. Mai 1880 an A. Kömpel in Weimar Kunde gibt: »Ich wurde nämlich vor dem Eintritt der völligen Taubheit viele Wochen lang zuvor immer des Abends zwischen 6 und 7 Uhr durch den starken Pfiff des Akkordes ais–e–c in höchster Piccola-Lage verfolgt... Dies geschah regelmäßig täglich, gleichsam als warnender Mahnruf für die Zukunft! Ich habe diese schreckliche Katastrophe in meinem Schicksal mit dem hellpfeifenden E im Finale zu schildern getrachtet...«

Zur Eröffnung des tschechischen Nationaltheaters am 11. Juni 1881 wurde die Oper »Libussa« gegeben, welche Smetana bereits 1872 vollendet hatte. In der Pause rief man Smetana und den Architekten in die kronprinzliche Loge. Während des Gespräches trat der Regent ganz dicht an Smetana heran, sprach zu ihm und wartete mit fragendem Blick auf die Antwort. Smetana sagte: »Kaiserliche Hoheit, ich bin so unglücklich, daß ich nichts höre.« Der Kronprinz, von diesen Worten offenbar aufs höchste überrascht, meinte, er habe nicht laut genug gesprochen, und redete daher Smetana von neuem an. Da sagte dieser: »Ich bin vollständig taub, schon sechs Jahre!« (nach E. Rychnovsky). Und damit hatte Smetana durchaus die Wahrheit gesagt, hörte er doch zeitlebens nie die Stimmen seiner Enkel. In dieser Beziehung ist das Leben des böhmischen Komponisten noch weit mehr von Tragik überschattet als dasjenige Beethovens, welcher fast bis zu seinem Tode auf dem linken Ohr immerhin ein wenig die Streichinstrumente vernahm, was ihn zur Komposition von Kammermusik veranlaßte.

Anfang Mai 1882 findet die 100. Aufführung der »Verkauften Braut« statt, ein großer Triumph für Smetana, der jetzt seine nächste Oper, betitelt »Die Teufelswand«, beendet. Sein Zustand verschlechtert sich, das Gedächtnis läßt nach, hartnäckige Larynxkrisen mit stechenden Kehlkopfschmerzen hindern ihn am Sprechen und Arbeiten, obwohl der Meister blühend aussieht. Was er heute schreibt, erscheint ihm in einigen Tagen schon als ganz fremd. Nach einer Stunde Arbeit treten Schwindelanfälle auf, das Ohrensausen wird stärker; dann hört er in diesem Dröhnen ein »Gekreische von Stimmen, das mit einem falschen Pfeifen beginnt und bis zu einem furchtbaren Geschrei ansteigt, als ob Furien und alle bösen Geister auf mich losfahren würden«. Obwohl weder diese letzte Oper noch das Streichquartett d-Moll vom Jahre 1882 ein sichtliches Nachlassen der Kraft aufweisen, berichtet Smetana am 9. Dezember 1882 in einem Brief an seinen Freund Srb von anfallsweise auftretenden aphasischen Störungen: »Mit mir ist eine große Wandlung vor sich gegangen. Vor ungefähr drei Wochen gegen Abend habe ich die Stimme verloren . . . Ja, ich habe nicht einmal das, was ich in die Hände bekommen habe, lesen gekonnt, ich habe die Namen . . . vergessen und nichts als tje – tje – tje geschrieen, dazwischen lange Pausen bei offenem Munde.« Plötzlich habe dieser Zustand aufgehört, sich aber eine Woche später wiederholt. »Es brummt mir nicht nur im Kopfe, sondern es spricht dies in vielen Stimmen, plaudert, pfeift . . .« Gangstörungen treten hinzu: er zaudert, einen Fuß vor den anderen zu setzen, sein Körper sinkt bei jedem Schritt schwerfällig nach vorn. Selbst absolute Ruhe, Beschäftigungsverbot und die Aufgabe jeder künstlerischen Tätigkeit vermögen keine Besserung zu bewirken, erreichen eher das Gegenteil.

Smetana leidet unter einem ständigen Kältegefühl, optische und akustische Halluzinationen folgen. Durch die geschlossene Tür seines Zimmers sieht er einen Zug prächtig gekleideter Frauen treten; er ist von der Wirklichkeit der vermeintlichen Erscheinung felsenfest überzeugt und bittet die Damen inständig, aus dieser Einöde nach Prag zurückzukehren. Dann kommen während des Jahres 1883 wieder völlig beschwerdefreie Intervalle, und er empfängt Besucher in Jabkenic. Oft steht er am offenen Fenster, verneigt sich tief und winkt imaginären Besuchern auf der Straße zu, während im Hintergrund Köchin und Kutscher darauf achten, daß es zu keinem Selbstmordversuch kommt.

Die Oper »Viola« geht Smetana nicht mehr aus dem Kopf. Schon seit 1874 trägt er sich mit dem Plan einer Vertonung von Shakespeares »Was ihr wollt«. Anfang Januar 1884 schreibt er in einem Brief: »Viola! Meine Brust schwillt im Stolz, daß mir diese künstlerische Auszeichnung zuteil wurde! Oh, Viola! Erzähle, bitte, den Herren in Prag, wie bewegt meine Seele ist, wie sie weint – ! – weint! - Ich schicke euch die göttlichen Melodien des ersten Aktes, damit ihr euch an dieser Musik entzückt und sie genießt! Einige machen mich zum – Engel!« Aber »Viola« ist Fragment geblieben, instrumentiert sind nur fünfzehn Seiten; schließlich notiert Smetana ahnungsvoll auf ein fast leeres Blatt: »Letzter Bogen.«

Zu seinem Geburtstag am 2. März 1884 schrieb Smetana eine an sich selbst adressierte Postkarte. Es folgten Mitteilungen an Beethoven und Mozart, alles auf Papierschnitzeln. Dazwischen wieder einigermaßen lichte Momente: »Lieber Freund! Ich schreibe in größter Eile, damit Sie mir kaufen (jetzt in deutscher Sprache) zwanzig- bis dreißigmal Postbriefmarken roth mit großem Fünfer (dazu zeichnet er die Briefmarke auf), wenn ich nach Prag komme, zahle ich die schuldigen 30 Fl (jetzt wieder tschechisch), ich habe so eine Wuth, daß ich am liebsten mit Kanonen hineinschießen würde.« Solchen Ankündigungen folgte in der Tat am 20. April 1884 ein Tobsuchtsanfall, so daß der kranke Meister zwei Tage später zwangsweise in die Prager Irrenanstalt eingewiesen werden mußte. Dort erhielt er das Zimmer Nr. 172, schrie oft stundenlang darin, aß nichts, flüchtete in seinen vier Wänden umher wie ein gefangenes Tier, war unrein, bat um Hilfe. Mitunter führte er Bewegungen aus, als ob er ein Orchester dirigiere. Die linke Gesichtshälfte schien ganz unbeweglich zu sein. Dr. W. Walter, der behandelnde Arzt, schilderte Smetanas letzte Tage: »Auf der Chaiselongue rutschte ein schwatzender Greis hin und her, nie gönnt er ... sich oder seiner Umgebung auch nur eine Weile Ruhe. Er war von vollständig getrübtem Bewußtsein und dabei sehr unruhig, zureden konnte man ihm nicht. Er hörte nicht. Nahrung lehnte er ab, und es war notwendig, ihn zu füttern. Die Rede Smetanas, gleich von Anfang an paralytisch verwischt, verschlechterte sich bis zur Unverständlichkeit. Von den Besuchern erkannte er bereits niemand mehr. Lichte Intervalle hatte er nicht. Nur Ohnmachten und Halluzinationen. Leiblich war der Meister Haut und Knochen ... Langsam verlöschte er. Mit der rechten Hand schlug er Takt, brummte dabei, wobei er sich bemühte, Musikinstrumente nachzuahmen, und in disharmonischen Sequenzen stieß er plötzlich mit ungewöhnlicher Kraft einen Ton aus wie ein heftiger Schlag auf eine türkische Trommel: bumm! Manchmal lachte er mit dem gebrochenen, dem Stöhnen ähnlichen Lachen der Paralytiker ...«

Am 12. Mai 1884 nachmittags um halb fünf Uhr starb Friedrich Smetana. Der Tote lag friedlich in den Kissen, als hätten die Dämonen nie Macht über ihn gehabt. Seine eingefallenen, abgehärmten Züge und der silberne Bart gaben dem kachektischen Antlitz etwas Märtyrerhaftes. Friedrich Smetana war erst 60 Jahre alt, als er von der Welt schied.

Am nächsten Tag wurde die Leiche ins tschechische pathologisch-anatomische Institut überführt, Prof. Dr. Hlava nahm die Sektion vor. Das Protokoll lautete:

»Die Leiche eines etwa sechzigjährigen Mannes ist von kleiner Statur, feinem Knochenbau, schlecht genährt. Die Epidermis am Rumpf eingeschrumpft, im Gesicht gerötet, ebenso die Schleimhaut der Lippen, die Bindehaut jedoch blaß. Der Hals kurz, genügend breit, der Brustkorb flach, kurz; der Bauch eingefallen; um die Kniescheiben zu beiden Seiten Abschürfungen. Der Schädel ist proportioniert, oval, 17 cm lang, 14 cm breit, ungefähr 1 ½ cm dick. Porosität überwiegt. Die Innenfläche ganz glatt. Die Schädelhaut stark gespannt, blaß; im oberen Kanal frisch geronnenes Blut. *Die Gehirnhaut ist verdickt*, und zwar *am meisten oberhalb der linken Stirnseite*, dann auf dem Haupt, wo sich auch unbedeutende Pacchionische Granulierungen finden. Oberhalb des Hinterhauptlappens sind die weichen Gehirnteile fein, die Gehirnwindungen zeigen gegenüber einem normalen Gehirn diese Veränderungen: Vor allem ist auffällig, daß sie mächtiger und weniger zahlreich sind als bei anderen Gehirnen. Die mittlere Gehirnwindung, gewöhnlich ungefähr 1 cm breit, hat hier die Breite von 2 cm. Besonders entwickelt ist die dritte linke Gehirnwindung (locus Broci), die *Gehirnhaut* liegt sehr eng an der Gehirnoberfläche. Ja, sie *läßt sich* an den *verdickten* Stellen *nicht ablösen*. Im Durchschnitt finden wir, *daß die Seitenkammern verbreitert sind* und eine reine Flüssigkeit enthalten; das Ependym zwar glatt, aber fest. *Die Rinde durchwegs verengt*, höchstens 3 mm stark, gebräunt, glänzend und fast wie sklerotisch. Die zentralen Ganglien sind abgeflacht, genug fest. Nucleus caudatus und lentiformis ist von schwarzbrauner Farbe. Claustrum auffallend breit, etwa 4 mm (gegenüber der normalen Breite von 2 mm).

Die dritte Kammer verbreitert, das Ependym fein, rauh, blaß, die kleinen Venen breit und rauh. *Die vierte Kammer verbreitert.* Das Ependym rauh, körnig, glänzend, von gebräunter Farbe. *Die striae acusticae sehr unbedeutend,* auf der rechten Seite zwei, auf der linken nur drei und diese sind auffällig eng, *angegraut.* Das kleine Gehirn weich und blaß. Pons und medulla oblongata fest. Die graue Materie pigmentiert, ähnlich auch im verlängerten Rückenmark. *Die nervi acustici sind zu beiden Seiten dünn, angegraut und enger als de norma.* Die Venen auf der Gehirnbasis sind atheromatos. *Das Gehirn wiegt* 1250 g.

In beiden Lungen lobuläre Hepatisation, das linke Herz etwas vergrößert. Starkes Atherom der Herzhaut und fast aller Arterien. Braune Atrophie der Leber und Nieren. In den übrigen Weichteilen nichts Besonderes. In der verkalkten Oberschenkelarterie ein fest anliegender Thrombus.

Diagnose: *Chronische Entzündung der Weichgehirnhaut,*

insbesondere oberhalb des *Stirnlappens.* Teilweises *Zusammenwachsen der weichen Gehirnhaut mit der Oberfläche des Gehirns.* Wasserhältigkeit in den Gehirnkammern schleppend. Roter *Gehirnschwund.* Körnige Entzündung der inneren Haut der vierten Kammer mit *Schwindsucht des Gehörgewebes. Paralyse der Gehörsnerven.* Beiderseitige Lungenentzündung, zerstreut in den unteren Lappen. Arterienverkalkung, abgefärbtes Gerinnsel an der Wand der linken Schenkelarterie. Allgemeiner Kollaps des Leibes und der Organe.«

Allein aus diesem makroskopischen Befund lassen sich die für ein spezifisches Leiden charakteristischen Veränderungen herauslesen: die Erweiterung der Ventrikel, die (nicht durch eine Sklerose der Gefäße bedingte) Hirnatrophie (Hirngewicht nur 1250 g, normalerweise ca. 1500 g!), Verwachsungen der weichen Hirnhäute mit dem Gehirn, besonders im Frontalbereich, auf der Basis einer typisch spezifischen Leptomeningitis, ferner Markscheidenverlust nebst Atrophie der Gehörnerven, welche »angegraut« erscheinen.

Um obige Befunde abzuschwächen, hat man seinerzeit kein Mittel gescheut; es wurde ein heftiger Druck auf den Sekanten Prof. Dr. Hlava ausgeübt, bis er seine Diagnose »Progressive Paralyse« später zugunsten der von A. Heveroch 1924 inaugurierten Feststellung »Hirnarteriosklerose; doppelseitige Menièresche Krankheit mit Innenohrblutungen« – was völlig absurd ist! – zurücknahm. Da bei Smetana niemals eine plötzliche Taubheit mit Erbrechen im Rahmen eines apoplektiformen Geschehens beobachtet wurde, zudem sich der Prozeß auch noch *bilateral* (also keineswegs, wie die klassische Menièresche Krankheit, einseitig!) *langsam schleichend* entwickelte, kann von dem Vorliegen einer Menièreschen Krankheit überhaupt keine Rede sein. Erst recht nicht von »Hirnsklerose«, denn wie wäre es Smetana sonst möglich gewesen, mit ungebrochener Schaffenskraft gerade erst *nach* dem Ausbruch seines Leidens derart bedeutende Werke zu vollenden? Ferner fehlen im Sektionsbericht völlig Hinweise auf herdförmige Veränderungen (zirkumskripte Erweichungen, Blutungen oder Atrophien), es steht auch nichts von einer Sklerose der Hirnarterien darin.

Wie dem auch sei, die »Sklerose-Theorie« fand ihre begeisterten Anhänger, und sogar im »Zentralblatt für die gesamte Neurologie« pries man 1925 solche Erkenntnisse als der klinischen Weisheit letzten Schluß. Bezeichnend, daß erst kurz zuvor der 100. Geburtstag Smetanas feierlich begangen worden war. Alle, die es wagten, anderer Meinung zu sein – Prof. Dr. L. Haškovec und Dr. phil. Balthasar bestanden nach wie vor auf der Diskussion der früheren Lues-Diagnose – wurden als »Schänder der Ehre Smetanas« angeprangert und anläßlich jener höchst unwürdigen Sitzung der »Gesellschaft der böhmischen Ärzte« vom 23. Februar 1925 abgekanzelt. So mündete die Kontroverse um Smetanas Erkrankung schließlich in ein unerfreuliches Gezänk, was um so peinlicher ist, als es schon damals zweifellos Personen gab, die Smetanas Tagebucheintragungen kannten und trotzdem nicht die Wahrheit sagten.

Als dann während des Zweiten Weltkrieges 1941 Smetanas Tochter Božena in Wien mit fast 80 Jahren an einem Karzinom der Gallenblase unter den Zeichen allgemeiner Verwirrtheit starb, fand die »Sklerose-Theorie« ihre Wiederbelebung (Lhotsky). Man brachte deren Krankheit in Analogie zur Anamnese ihres Vaters und konstruierte ein »Erbleiden«. All diesen Spekulationen setzte die Untersuchung von H. Feldmann, welcher im Herbst 1963 Smetanas unpubliziertes Tagebuch und unveröffentlichte Briefe in Prag einzusehen Gelegenheit hatte, ein Ende. Daraus geht hervor, daß die Symptomatik einer unbehandelt abgelaufenen *Lues* kaum lehrbuchmäßiger und dramatischer verfolgt werden kann, als es hier der Fall ist: Primäraffekt 1874, ferner Angina specifica, Exanthem, Beginn der Ertaubung auf Grund einer spezifisch-entzündlichen Reaktion mit nachfolgender degenerativer Entartung im Bereich des achten Hirnnerven. Von Anfang an schubweiser Verlauf der Krankheit, acht Jahre später passagere Sprachstörungen, Larynxkrisen, Kältegefühl, Erregungszustände, Ataxie. Zehn Jahre nach den Ereignissen von 1874 höchstgradige Abmagerung (Kachexie) sowie Fazialisparese links, schließlich Tod in geistiger Umnachtung unter dem klassischen Bild einer Taboparalyse.

Jahrzehnte sind vergangen, seitdem der Streit um Smetanas Krankheit entbrannte; viel Wasser ist inzwischen die Moldau hinabgeflossen, vorüber an Prag, vorbei am stolzen Vyšehrad und am Vyšehrader Friedhof, wo man den Meister zur Ruhe bettete. Und so wie dieser Fluß aus zwei Quellen gespeist wird, gibt es auch in Smetanas Dasein zwei Strömungen: Die eine, repräsentiert durch das Werk, gehört der Welt, die andere, endigend in Nacht und Grauen, zählt zu dem Bereich der Privatsphäre; hier steht uns über das rein Medizinische hinaus kein Urteil zu. Die Strudel und Stromschnellen, von denen die Partitur Zeugnis ablegt, hat es auch in Smetanas Leben gegeben; trug er doch zehn Jahre lang die Bürde der unheilbaren Krankheit, war doch seine Existenz überschattet von ständigen materiellen Sorgen, beruflichen Intrigen und Zweifeln an der eigenen Sendung. Aber das »Lied von der Heimat« tönte übermächtig in den tauben Ohren fort. Daß er nicht verzweifelte, sondern gerade seine unsterblichen Werke dem Schicksal abtrotzte, stellt ihn in die erste Reihe jener Europäer, welche die Hoffnung auf eine geistige Kontinuität des Abendlandes klingende Wirklichkeit werden ließen!

FRIEDRICH SMETANA

1. *Bartoš, F.,* Smetana in Briefen und Erinnerungen, Prag 1954.
2. *Bürkner, K.,* Lehrbuch der Ohrenheilkunde, Stuttgart 1892.
3. *Feldmann, H.,* Die Krankheit Friedrich Smetanas in otologischer Sicht, Monatsschrift für Ohrenheilkunde und Laryngo-Rhinologie, Wien 1964: 209.
4. *Grünberg, K.* und *Körner, O.,* Lehrbuch der Ohren-, Nasen- und Kehlkopfkrankheiten, München 1930.
5. *Haškovec, L.,* Die Krankheit Smetanas. Rev. v. neurol. a psychiatrii 1925: 211 bis 265. Ref. in Zbl. ges. Neurol. 1926: 593.
6. *Helfert, V.,* Meinungsverschiedenheiten um Smetanas Krankheit, Hudebni rozhledy 1924/25: 159–160.
7. *Helfert, V.,* Die schöpferische Entwicklung Friedrich Smetanas, Leipzig 1956.
8. *Heveroch, A.,* Über die Krankheit Smetanas, Časopis lékarov českých (Zschr. d. böhm. Ärzte) 1925: 370–378. Ref. in Zbl. ges. Neurol. 1925: 332.
9. *Hlava,* Časopis lékarna českých 1884: 823 (Epikrise zum Sektionsbericht von F. Smetana).
10. *Kolle, K.,* Psychiatrie, Berlin–Wien 1943.
11. *Lhotsky, J.,* Psychiatrisches zur Krankheit und Todesursache Friedrich Smetanas, Münchener Medizinische Wochenschrift 1959: 91.
12. *Lhotsky, J.,* Friedrich Smetana, der Streit um seine Krankheit, Münchener Medizinische Wochenschrift 1960: 654.
13. *Rychnovsky, E.,* Smetana, Stuttgart/Berlin 1924.
14. *Šikl,* Časopis lékarov českých 1925: 822.
15. *Wessely, E. A.,* Klinik der Hals-, Nasen- und Ohrenerkrankungen, Berlin–Wien 1942.
16. Smetanas Streichquartett e-Moll i. d. Edition Eulenburg Nr. 275.

Antonín Dvořák (1841–1904)
Foto aus dem Jahre 1901

ANTONIN DVORAK
(1841–1904)

*»Seine Intelligenz war von ganz besonderer
Art. Er dachte ausschließlich in Tönen, an-
deres war für ihn nicht vorhanden.«*
L. Janácek über A. Dvořák

Antonín Dvořáks* Biographie zeigt, wie sehr das Krankheitsgeschehen – in diesem Fall ein Bluthochdruck – das Dasein schöpferischer Menschen zu verändern vermag: Im Zenit
des Schaffens führen die ersten Symptome bald zu einem
langsamen, aber unaufhaltsamen Rückgang der komposito-
rischen Leistung, und schon im Alter von zweiundsechzig Jahren beendet ein Schlaganfall dieses ungewöhnlich reiche, von
rastloser Arbeit erfüllte Leben!

Gleich G. Verdi blieb auch A. Dvořák zeitlebens ein bescheidener Mann, der seine Kräfte aus der Natur und jener
tief innerlichen Religiosität schöpfte, die letztlich seinen gesamten künstlerischen Werdegang richtunggebend bestimmte.

Anton Dvořák (geb. 8. Sept. 1841) war das älteste Kind
des Gastwirtes Franz Dvořák. Er hatte noch sieben Ge-
schwister und wuchs in dem kleinen tschechischen Dorf
Nelahozeves (= Mühlhausen) bei Prag heran. Die musikalische
Begabung, die sich schon bald bemerkbar machte, hatte er vom
Vater geerbt, und als der dunkelhaarige Knabe mit acht Jah-

---

* deutsch: Anton Dvorak.

ren die Dorfschule besuchte, fand er in dem dortigen Organisten einen tüchtigen Lehrer, der ihm das Violinspiel beibrachte. Auch in Zlonice, wohin man Anton 1853 zur Beendigung seiner Schulausbildung schickte, stand ihm – wie ein Steigbügelhalter der Vorsehung – im Rektor Anton Liehmann ein väterlicher Freund zur Seite, der seine Anlagen erkannte, ihn förderte und mehrere Instrumente beherrschen lehrte.

Nach langem Widerstreben willigten die Eltern schließlich ein, daß Anton ab 1857 die Prager Orgelschule besuchte, deren Hauptaufgabe es war, Nachwuchs für den Kirchendienst heranzubilden. Zähe Energie sowie unbegrenztes Zielbewußtsein sind die Kennzeichen von Dvořáks Erfolg, und er besaß ebenso großen Mut, Neuartiges zu Papier zu bringen, wie auch das Geschriebene wieder zu vernichten, wenn es seiner Kritik nicht standhielt. Als sich seine materiellen Verhältnisse dauernd verschlechterten, verlegte sich Dvořák aufs Stundengeben, wurde Mitglied einer Kapelle, die in Gasthäusern spielte, und lebte in bitterer Armut. Erst 1873 stellte sich der ersehnte Erfolg im Anschluß an die Aufführung eines »Hymnus« für Chor und Orchester in Prag ein. Nachdem auch F. Smetana durch die Wiedergabe seiner Es-Dur-Sinfonie den Boden für ihn vorbereitet hatte, heiratete Dvořák am 17. November Anna Čermák. Im Alter von 32 Jahren beginnen sich also die Konturen des Aufstieges abzuzeichnen, und da ihm die Organistenstelle an der St.-Adalberts-Kirche angeboten wurde, war es Dvořák möglich – nach über zehn Jahren! –, seine Tätigkeit als Bratschist im Theaterorchester aufzugeben.

Anton Dvořáks weiterer Lebensweg ähnelt dem eines Bergsteigers, der sich Schritt für Schritt in zähem Kampf dem Gipfel nähert. 1875 erlangte er den österreichischen Staatspreis mit den materiellen Zuwendungen eines Stipendiums, das er nicht zuletzt durch die Fürsprache von J. Brahms, dem er zeitlebens in Freundschaft verbunden war, erhielt. Mag sein, daß Dvořáks bodenständige Kunst, die zutiefst in der

474

STABAT MATER.

pro Soli a Sbor

s průvodem velkého orkestru

složil

ANTONÍN DVOŘÁK

Opus 21

*Titelblatt der Partiturhandschrift
des »Stabat Mater« von A. Dvořák*

tschechischen Volksmusik verwurzelt war, den Wiener Meister in ihren Bann schlug; jedenfalls ist ohne Brahms und dessen gute Beziehungen zu Kritikern und namhaften Verlegern der stete Aufstieg Dvořáks nur schwer zu begründen. Dennoch kamen die Auslandserfolge erst vom Jahre 1884 an, als er eine England-Reise unternahm und sein Oratorium »Stabat Mater« mit einem Riesenchor vor fast 12 000 Zuhörern in der Albert Hall dirigierte. Damals schrieb er folgenden Brief:

>»London, Freitag, 21. März 1884.
>
> Lieber, teuerer Vater!
> ... Ich kann Ihnen gar nicht sagen, wie sehr mich die Engländer auszeichnen und ehren ... In einigen Zeitungen war auch von Ihnen die Rede, daß ich von armen Eltern stamme und daß mein Vater, der Fleischer und Gastwirt in Nelahozeves war, alles darangesetzt hat, um seinem Sohn die entsprechende Erziehung zu geben. Seien Sie gepriesen dafür! ...
>
> Ihr dankbarer Antonín.«

Im Alter von 42 Jahren wurde Dvořák endlich wirtschaftlich unabhängig, so daß er ein Haus auf dem Lande, in Vysoká, bauen konnte. Spätere England-Fahrten und auch die Rußland-Tournee von 1890 befestigten seinen Ruhm. Und Dvořák schuf Werk auf Werk, denn sein Kopf war immer voller Musik. Täglich schrieb er grundsätzlich etwa 40 Takte nieder und instrumentierte sie. Allerdings bemerkte er gegenüber J. Sibelius: »Ich habe zuviel komponiert.« Der untersetzte, stämmige Meister mit den klugen braunen Augen fühlte sich am ungebundensten in der ländlichen Stille des Dorfes, ging ganz in seiner Familie auf, wirtschaftete sehr sparsam und widmete sich in der Freizeit seiner Taubenzucht. Die Vorliebe für Eisenbahnen und für Lokomotiven läßt andererseits darauf schließen, daß Dvořák mit beiden Füßen auf dieser Welt stand, und wenn es ums Geld ging, war er ein harter

Verhandlungspartner. Aber er dürfte wohl zu lange arm gewesen sein, als daß er den späten Wohlstand, zu dem er schließlich gelangte, bewußt genossen hätte.

Gerade Dvořáks dreijähriger Amerikaaufenthalt muß unter diesen Gesichtspunkten betrachtet werden. Waren ihm ab 1889 Auszeichnungen und Ehrungen (Orden der Eisernen Krone durch den Kaiser von Österreich, Ehrendoktor der Musik an der Universität Cambridge, Ehrendoktor der Philosophie an der tschechischen Universität Prag, Übernahme der Professur für Komposition, Instrumentation und Formenlehre am Prager Konservatorium) in reichem Maße zuteil geworden, so bedeutete doch die Berufung an das New Yorker Nationalkonservatorium (1892–1895) für den Fünfzigjährigen nicht nur einen Prestigegewinn, sondern auch einen materiellen Aufstieg, zumal sein dortiges jährliches Einkommen mehr als das Zwanzigfache des bisherigen betrug.

Dvořák verließ Europa Mitte September 1892 mit seiner Gattin und zwei Kindern und traf zum Monatsende in den Staaten ein. Der Empfang war freundlich; die Presse gab zu, daß er keineswegs so hinterwäldlerisch sei, wie man hätte erwarten können. In seiner Freizeit besuchte der Meister die Docks, die Bahnstationen und den Zentralpark, meist in Begleitung, da er schon jetzt an Platzangst litt. Gesellschaftliche Anlässe, Konzerte und Opernaufführungen, die mit seiner regelmäßigen Schlafenszeit in Konflikt gerieten, mied er (A. Robertson). Die Tätigkeit beschränkte sich wöchentlich auf sechs Unterrichtsstunden in Komposition, außerdem dirigierte er regelmäßig das Konservatoriumsorchester.

Anton Dvořáks fünfte und letzte Sinfonie e-Moll »Aus der Neuen Welt« entstand von Januar bis Mai 1893 in New York. Wenn auch überseeische Kommentatoren diesem Werk wegen der darin verwandten »amerikanischen Originalmelodien« im Sinne von »Negro-Spirituals« sogar jetzt noch, zum Teil aus rassischen Gründen, skeptisch gegenüberstehen – unter Dvořáks Schülern befanden sich mehrere Farbige! –, so kann doch nicht geleugnet werden, daß gerade dieses Werk zu seinen stärksten Eingebungen zählt und besonders durch den Reichtum an Kontrasten seine Jugendfrische behält. Letzten Endes ist die »Fünfte« jedoch eine Liebeserklärung an die eigene Heimat, und besonders im Largo ahnt man die heimlichen Tränen, die aufs Papier fielen.

Wie einsam sich Dvořák in Amerika gefühlt haben muß, geht aus der Tatsache hervor, daß er schon bald nach Beendigung der Partitur, als er die Worte »Gott sei Dank!« eingetragen hatte, seine vier Kinder, die aus Böhmen nachkamen, in den kleinen Ort Spillville mitnahm, eine Auswanderersiedlung seiner Landsleute, wo tschechisch gesprochen wurde, wo es ruhig, friedlich und schön war und ihn keine Großstadt entnervte. Dort unternahm er längere Spaziergänge, rauchte seine Pfeife, war wortkarg wie immer und notierte plötzliche Einfälle auf die gestärkten Manschetten.

Die Uraufführung seiner Sinfonie »Aus der Neuen Welt« erfolgte am 16. Dezember 1893 in der Carnegie Music Hall unter Anton Seidl. »Der Erfolg war ein großartiger; die Zeitungen sagen, noch nie hätte ein Komponist einen solchen Triumph gehabt. Ich war in der Loge; der Saal war mit dem besten Publikum von New York besetzt; die Leute applaudierten so viel, daß ich aus der Loge wie ein König alla Mascagni in Wien (lachen Sie nicht!) mich bedanken mußte. Sie wissen, daß ich solchen Ovationen mich gern entziehen kann, aber ich mußte es tun und mich zeigen« (an F. Simrock, seinen Verleger).

Ende Mai 1894 kehrte Dvořák nach Prag heim; kurz zuvor war sein Vater im Alter von achtzig Jahren gestorben. Aber noch einmal wagte er den Sprung über den Atlantik und traf am 26. Oktober wieder in New York ein. Sein zweiter Amerika-Aufenthalt verlief unbefriedigend. Er nahm nur ein Kind mit und litt schrecklich an Heimweh; alle Briefe sind voll davon. Sein Gesundheitszustand war nicht gut. Eine große seelische Unruhe hatte Dvořák erfaßt, er fühlte sich entwurzelt, war mittlerweile auch älter geworden; so fiel ihm das Arbeiten schwerer.

Im Jahr zuvor hatte er auf dem Weg von Spillville nach New York die Niagarafälle gesehen: »Als der Meister dieses Weltwunder erblickte, blieb er gute fünf Minuten stehen, ohne ein Wort zu sagen und starrte wie gebannt auf die riesigen Wassermassen, die aus der Höhe von 165 Fuß niederstürzten – endlich fand er die Worte: Herr Gott, das wird eine Sinfonie in h-Moll!« Zu der Zeit, da er vom November 1894 bis zum Februar 1895 am Cellokonzert h-Moll, op. 104, arbeitete, verewigte Dvořák dieses Naturerlebnis zu Anfang während der breiten Orchester-Einleitung, und *vor* der Markierung »Grandioso« glaubt man das Brausen und Tosen der niederstürzenden Fluten aus den Noten der Partitur zu vernehmen. Das war aber wohl eine der letzten amerikanischen Impressionen, die er festhielt. Im gesamten Cellokonzert und besonders im langsamen Satz nimmt Dvořák die Zukunft vorweg – er ist im Geiste schon daheim! Jetzt hielt ihn nichts mehr dort zurück, auch keine Ehrungen vermochten seine Abreise zu verhindern. Mitte April 1895 verließ Dvořák New York, die Rückkehr vollzog sich diesmal in aller Stille. Auch die Uraufführung des in den USA fertiggestellten Cello-Konzerts erfolgte nicht dort, sondern 1896 in London, was wohl auf mittlerweile aufgetretene gegenseitige Mißverständnisse zurückzuführen ist. Der Meister war müde und ruhte zunächst lange Zeit in seiner Villa von aller Arbeit aus; es schien, als hätte er jeden Schwung zum Komponieren verloren (A. Robertson). Echte menschliche Zuneigung spiegelt sich in den zwar etwas provinziellen, aber von Herzen kommenden Versen des Freundes H. Salus:

> »Ich seh' ihn oft durch die Straßen geh'n,
> Nicht eben ansehnlich anzuseh'n,
> Wie etwa ein Amtmann, ein früh entgleister,

Oder ein mäßiger Landbürgermeister.
Auf dem Kopf einen Glanzhut, geht er einher,
Als wenn er ein rechter Philister wär,
Und wer ihn so sieht unter all' den Leuten,
Dem wird er wohl kaum was Besondres bedeuten –
Nur freilich, reißt er den Hut von der Stirne,
Dann merkst du: Die Stirn gehört einem Hirne!
Das ist fürwahr nicht die Stirn eines Krämers
Oder gewesenen Steuereinnehmers ...
Und meine Seele freut sich zu denken,
Wem doch ihre Gunst die Musen schenken ...!«

Wien nahm begeistert am 16. Februar 1896 seine von
H. Richter dirigierte »Amerikanische Sinfonie« auf; Dvořák
saß neben Brahms in der Direktionsloge. Im März 1896 besuchte Dvořák England zum neunten und letzten Mal, in der
Queen's Hall leitete er die Aufführung seines Cellokonzertes;
aber auch hier fühlte er sich diesmal nicht mehr so wohl wie
früher. Was viele Freunde überraschte, war die Tatsache, daß
sich Dvořák jetzt von der klassischen Form ab- und der sinfonischen Dichtung zuwandte. Bedeutenderes hat er sicher in
den absoluten musikalischen Gestaltungsbereichen geleistet
(H. Sirp). Es erhob sich der Vorwurf, er verkenne die Grenzen seiner Begabung, er sei kritiklos von dem einen Lager in
das andere hinübergewechselt. Op. 107–110 stellen program-
matische Tonwerke nach Volksballaden von J. K. Erben dar,
betitelt »Der Wassermann«, »Die Mittagshexe«, »Das goldene
Spinnrad« und »Die Waldtaube«. In allen vier Märchen spielen Mord und Tod eine wesentliche Rolle; in der »Mittagshexe« bringt Dvořák zum Ausdruck, daß das Dämonische
auch am hellichten Tag seine Stunde wahrzunehmen weiß.
Die Aufführungsdauer dieser einzelnen Orchesterwerke
schwankt zwischen dreizehn und dreißig Minuten, am besten
ist dem Tonmeister noch »Die Waldtaube« gelungen. Keine
dieser Schöpfungen hat den Siegeszug über die Landesgrenzen

hinaus angetreten, geschweige denn dem Komponisten neue internationale Anerkennung eingebracht; schon gar nicht das nachfolgende »Heldenlied« von 1897, obwohl Gustav Mahler es in Wien am 4. Dezember 1898 selbst dirigierte.

Ohne daß er es zu merken schien, wurde es nun um Dvořák stiller. Vom Frühjahr 1898 bis Ende Februar 1899 arbeitete er an der Oper »Die Teufelskäthe«, die nach anfänglich gutem Erfolg in Prag, Wien, Deutschland und England bald wieder gänzlich von allen Spielplänen verschwand. Wegen eines »Nervenanfalles« sah er sich gezwungen, auf die Stabführung von »Heldenlied« bei der Berliner Aufführung zu verzichten:

»Ich muß Ihnen auch sagen, daß ich in Berlin war. Die dortige Philharmonie gab am 13. November mein ›Heldenlied‹, Nikisch aus Leipzig leitete es, und ich sollte es tags darauf selbst leiten, aber ich war so schlecht disponiert, daß ich mit meiner Frau aus Berlin abreisen mußte –«

(Brief vom 27. November 1899 an A. Göbl)

Den »späten Dvořák« umgibt eine echte Tragik: Vom Verlangen getrieben, eine Oper zu schaffen, die wie Smetanas »Verkaufte Braut« ihm überregionale Geltung auch auf der Bühne verschaffen sollte, durchsuchte er Textbuch für Textbuch, ohne einen geeigneten Stoff zu finden, ohne zu erkennen, daß seine eigentliche Begabung auf anderen Gebieten lag und er bereits mit dem Violinkonzert, dem Cellokonzert und der e-Moll-Sinfonie in die Unsterblichkeit eingegangen war. In der geplanten Oper sah er das Nonplusultra der persönlichen Berufung, eine Vorstellung, die fast an Starrsinn grenzte und weniger seine künstlerischen Ambitionen charakterisiert, als vielmehr Ausdruck seiner Krankheit war: ein Bluthochdruck, dessen somatische Krisen schon den zweiten Amerikaaufenthalt beschatteten und der für seine Rastlosigkeit, seine labile Stimmung und den finalen apoplektischen Insult verantwortlich gemacht werden muß. Dabei fällt auf, daß man die Mutter fast im gleichen Alter zu Grabe trug wie später ihn, daß ferner zwei seiner Töchter – Dvořák hatte insgesamt sechs Kinder – nur ein mittleres Alter erreichten. Da aber um die Jahrhundertwende noch keine Blutdruckmessungen in der ärztlichen Praxis vorgenommen wurden, kann man leider die Familienanamnese nicht weiter verfolgen. Lediglich an Hand der auf uns gekommenen biographischen Dokumente über Dvořák selbst läßt sich rückblickend die Diagnose »Bluthochdruck« mit an Sicherheit grenzender Wahrscheinlichkeit stellen, und ohne Übertreibung darf gesagt werden, daß er auf Grund seiner guten Konstitution unter moderner Therapie vielleicht noch achtzig Jahre alt geworden wäre und der Welt die ersehnte Oper geschenkt hätte. Denn daß Dvořák während neun langer Jahre vor seinem Ende gesundheitlich irgendwie »blockiert« gewesen ist, müssen selbst die größten Enthusiasten einräumen.

Der Rest des Jahres 1899 verstrich, ohne daß sich Dvořák zu einem neuen Werk hätte aufraffen können. Von Mai bis November 1900 entstand als nächstes die Oper »Rusalka«, op. 114, inhaltlich dem »Undine«-Stoff nahestehend. Diese Schöpfung erzielte in der Tschechei einen beachtlichen Erfolg, im Ausland aber hielt sich dieses Bühnenwerk ebensowenig wie alle früheren.

Kurz vor dem sechzigsten Geburtstag wurde Dvořák lebenslängliches Mitglied des Österreichischen Herrenhauses, im Juli 1901 ernannte man ihn zum Prager Konservatoriumsdirektor. Mit glanzvollen Feierlichkeiten wurde er geehrt, er mußte ans Fenster treten und danken. Wütend, jedoch mit Tränen der Rührung in den Augen, brüllte er, als die Hochrufe kein Ende nahmen: »Sagen Sie ihnen doch, daß sie schon aufhören sollen mit dem Schreien!« (P. Stefan). Aber all diese äußeren Erfolge, »weder Gartenarbeit noch Taubenzucht konnten seinen brennenden Wunsch nach einem neuen Textbuch betäuben« (A. Robertson). Nach der »Rusalka« verharrte Dvořák vierzehn Monate in völliger Untätigkeit, eine Schaffenspause, die in seinem ganzen Leben ohne Gegenstück war (O. Šourek).

»Liebwerter Freund!

Wie gern ich Ihnen willfahren und Sie wieder in K. besuchen würde, kann ich gar nicht sagen – aber jeder derartige Entschluß ist unmöglich – ich bin bereits mehr als vierzehn Monate ohne Arbeit, kann nichts unternehmen und weiß nicht, wie lange mein jetziger Zustand noch dauern wird ...«
(Brief an Dr. E. Kozánek vom 11. Februar 1902)

Das Foto aus dem Jahre 1901 läßt einen hochgradig verbrauchten, frühzeitig gealterten Mann erkennen, und 1903 fiel selbst Außenstehenden sein »vor Erregung gerötetes Gesicht« auf.

Im März 1902 begann A. Dvořák mit der letzten Oper »Armida«, welche die Liebesgeschichte der Damaszenerprinzessin Armida, des Kreuzritters Rinaldo und des syrischen Zauberers Ismen aus Torquato Tassos »Befreitem Jerusalem« zum Inhalt hat. Warum er gerade diesen Stoff wählte, an dem sich schon Lully, Gluck und Händel mit wechselndem Erfolg versucht hatten und folglich zum Vergleich herausforderten, ist unerfindlich; vielleicht wollte er über das lokale Kolorit seiner früheren Themen hinauswachsen und der Musik ein Libretto von allgemeiner Gültigkeit zugrundelegen. Nur langsam ging die Arbeit voran; »Vollendet in Vysoká am 30. Juni nach der Kirchweih bei großer Hitze« liest man am Schluß des ersten Aktes. Am 22. August 1903 wurde die Partitur beendet. Aber seit Beginn der Proben war das Werk vom Unglück verfolgt: Niemand begeisterte sich dafür, Dvořák konnte krankheitshalber der Premiere nicht bis zum Ende beiwohnen, und bis heute soll die »Armida« nicht einmal vollständig gedruckt worden sein, zumal die »Anleihen« bei Richard Wagner allzusehr auffielen. »So unsicher ist seine Feder geworden« (A. Robertson) – wir möchten eher sagen: So sehr ist Dvořák nun Patient!

Im Hinblick auf diesen Mißerfolg plante Dvořák nach der »Armida« keine neue Oper mehr; den letzten, verzweifelten

Versuch, auf diesem Gebiet etwas Neues zu schaffen, muß man als gescheitert betrachten. »Er litt an Urämie und fortschreitender Arteriosklerose, Krankheiten, deren wahre Natur man aber vor ihm verbarg« (A. Robertson). Herzkomplikationen traten hinzu: »Anfangs des Jahres 1904 saßen wir im Imperial, als Dvořák kam. Er schaute finster drein und klagte über Seitenstechen...« Seine Gemütsverfassung war völlig unberechenbar, schnell geriet er in Wut und beschimpfte seine Umgebung. Das erste tschechische Musikfest, das während des Monats April 1904 zu Prag stattfand, konnte er nicht mehr besuchen, eine Grippe fesselte ihn schon geraume Zeit ans Bett. Am 1. Mai ging es ihm viel besser; der Arzt ließ ihn zum Mittagessen aufstehen, die Gattin und der Sohn Otakar halfen ihm beim Ankleiden. Er unternahm, um wieder ins Gleichgewicht zu kommen, einen Rundgang durchs Zimmer, setzte sich in den Lehnstuhl und aß mit ungewöhnlichem Appetit einen Teller Suppe. Doch dann sagte er plötzlich: »Mir dreht sich der Kopf, ich werde mich lieber niederlegen – «; das waren seine letzten Worte. Gleich darauf erbleichte er, dann wurde sein Antlitz blutrot; er sank in den Stuhl zurück und verlor das Bewußtsein. Einmal wollte er noch sprechen, aber nur unverständliche Laute drangen aus seiner Kehle. »Dr. Hnátek, der im Haus gegenüber wohnte, eilte sogleich herbei, konnte aber nur feststellen, daß sein großes und edles Leben durch einen Gehirnschlag sein Ende gefunden hatte. Es war am frühen Nachmittag des 1. Mai 1904...«

Zahllose Menschen säumten am 5. Mai den Weg der Trauerprozession, denn alle wußten, daß in diesem schlichten, erdverbundenen Mann eine einzigartige Persönlichkeit dahingeschieden war, der repräsentativste Vertreter der tschechischen Musik. »Er sprach von seinem Genie als einer Gabe Gottes... und befürchtete nach der Beendigung eines großen Werkes immer, diese Stimme möchte nicht mehr zu ihm sprechen... daß ihn das Gnadengeschenk seiner schöpferischen Kraft verließe...« (K. Hoffmeister). Und in der Tat, über

Dvořáks letzten Lebensjahren liegt die Tragik, daß dieser innere Anruf mehr und mehr verstummte, daß er von den Zinsen seines Ruhmes lebte; schuld daran war eine tückische Krankheit, die in ihrem chronischen Verlauf seine Kräfte aushöhlte. »Was Dvořák mit dämonischer Beharrlichkeit angestrebt hatte – die große Oper –, blieb ihm bis zum Schluß versagt« (A. Robertson). Darum wirkt Dvořáks Ende, ähnlich dem Smetanas, wie ein Finale in Moll, und wie Smetana fand auch er seine letzte Ruhestätte auf dem Vyšehrader Friedhof von Prag.

Auf einem Heuwagen war Dvořák fast ein halbes Jahrhundert zuvor in die »goldene Stadt« gekommen, und kaum jemand hätte es damals gewagt, seinen kometenhaften Aufstieg vorauszusagen. Aber er, der unbeirrbar an sich und die eigene Sendung glaubte, folgte ein Leben lang wie ein treuer Knecht dieser inneren Weisung. Er wucherte mit dem ihm anvertrauten Pfund, und so trug diese einmalige, überreiche Begabung hundertfältige Frucht. Denn für alle, die mit dem inneren Ohr zu hören vermögen, birgt Dvořáks Musik einen Orgelton, der nicht von dieser Welt ist!

ANTONIN DVORAK

1. *Abraham, G.*, Einleitung zur Sinfonie Nr. 5 e-Moll, »Aus der Neuen Welt«, op. 95, Edition Eulenburg Nr. 433.
2. *Cherbuliez, A. E.*, Einleitung zum Violinkonzert a-Moll, op. 53, Edition Eulenburg Nr. 751, Zürich 1946.
3. *Cherbuliez, A. E.*, Einleitung zum Cello-Konzert h-Moll, op. 104, Edition Eulenburg Nr. 785, Zürich 1946.
4. *Dvořák, A.*, Werke. Souborné vydáni, Gesamtausgabe, Praha 1955.
5. *Dvořák, A.*, Thematisches Verzeichnis mit Bibliographie und Übersicht des Lebens und des Werkes von J. Burghauser, Praha 1960.
6. *Robertson, A.*, Antonín Dvořák, Leben und Werk, deutsch von A. E. Cherbuliez, Rüschlikon-Zürich 1947.
7. *Sirp, H.*, Anton Dvořák, Potsdam 1939.
8. *Šourek, O.*, Antonín Dvořák in Briefen und Erinnerungen, Prag 1954.
9. *Šourek, O.*, Dvořákovy Sinfonie, Praha 1943.
10. *Šourek, O.*, Antonín Dvořák, sein Leben und sein Werk, Prag 1953.
11. *Šourek, O.* und *Stefan, P.*, Dvořák, Leben und Werk, Wien–Leipzig–Prag 1935.
12. *Stefan, P.*, Anton Dvořák, New York 1941.

Anton Bruckner (1824–1896), Foto um 1892

ANTON BRUCKNER
(1824–1896)

»Er ist ein heiliger Mann. Er ist ein Mann,
der Gott geschaut hat.«

O. Wilde, »Salome«

Wer in die Welt von Bruckners Wesen und Werk ein-
zudringen versucht – und es ist in der Tat Neuland, das man
betritt –, muß sich mit einigen ungewöhnlichen Gegebenheiten
abfinden. Während andere Komponisten mitunter schon in
der Kindheit oder frühen Jugend die Zeitgenossen aufhorchen
ließen, fällt Bruckners eigentlicher schöpferischer Durchbruch
in die fünfte Lebensdekade. Er wurde vierzig Jahre alt, ehe er
Überragendes zu schreiben begann, sein Name wurde weltbekannt, als er über sechzig war. Der entscheidende Aufstieg
zur »Hochform« fand im Alter von zweiundvierzig Jahren
statt, verbunden mit einer schweren gesundheitlichen Krise,
deren Symptome in den Formenkreis der Psychoneurosen gehören. Viele sind daher der Auffassung, Bruckner habe zuvor
wenig oder gar nichts geschrieben – aber das ist falsch! Er war
schon als Knabe hochbegabt; ehe er Sinfoniker wurde, konnte
Bruckner auf ein großes Werksverzeichnis verweisen. Daß er
fast alle seine früheren Schöpfungen in Anbetracht jener gewaltigen späteren Erleuchtung verwarf – darunter befindet
sich auch die Sinfonie Nr. 0 –, steht auf einem anderen Blatt.
Selbst heute ist Bruckners Musik jenseits der deutschsprachi-
gen Länder ziemlich unbekannt. Obwohl er fast ein Drei-

vierteljahrhundert tot ist, zählt er in der übrigen Welt, besonders in Britannien und Amerika, zu jenen Klassikern, von denen sich höchstens eine oder zwei Sinfonien im Repertoire der Orchester befinden. Viele Kritiker sprechen ihm noch jetzt die Fähigkeit zum Komponieren ab. Je weiter man sich von seinem heimatlichen Wirkungsbereich entfernt, um so mehr verschwimmen die Konturen: In England beispielsweise betrachten nicht wenige Menschen Mahler und Bruckner als siamesisches Zwillingspaar.

Die dritte Besonderheit, die erwähnt werden muß, betrifft seine Musik. Es gibt »in Bruckners Sinfonien ein Geheimnis, aber nur der Dirigent kann es entfalten, nicht der Biograph« (E. Doernberg). Bruckners Tonwerke unterscheiden sich von den Tonwerken anderer großer Musiker wie Heilige Schriften von den Texten hochkarätiger Bühnenwerke. Das ist kein Qualitätsurteil, sondern beleuchtet die Verschiedenheit der Standpunkte; denn Bruckner ist mehr Prediger als Sinfoniker!

Noch eins: Bruckner war keine Kämpfernatur. Er brachte allen Menschen eine derart große Ehrfurcht entgegen, daß es ihm unmöglich schien, seine Position mit Hilfe der üblichen Mittel oder durch Intrige abzusichern. Aber er war unendlich zäh und hartnäckig in der Verfolgung seiner Ziele. Rastlos tätig, hat er den größten Teil seines Œuvre neben der vielschichtigen beruflichen Inanspruchnahme als Lehrer unter ständigen persönlichen Verfolgungen, aber ohne Zweifel an seinem Auftrag und seiner Sendung zu Papier gebracht. Daß Bruckners Gesundheit schließlich unter dieser Belastung zerbrach, kann nicht überraschen. Das Rätsel, welches Bruckners Vermächtnis umgibt, wird bis zu einem gewissen Grad gelöst, wenn wir bedenken, daß es in seinem Leben nie eine religiöse Krise gab. »Er gehörte zu jenen überaus seltenen Menschen, von denen man sagen kann, sie lebten ständig im Zustand der Gnade« (E. Doernberg). –

Anton Bruckner (* 4. Sept. 1824) war das erste von elf Kindern eines in Ansfelden (Oberösterreich) tätigen Dorfschullehrers. Viele seiner Geschwister starben schon früh; außer Anton erreichten nur drei Schwestern ein höheres Lebensalter sowie der zweifellos debile Bruder Ignaz, der achtzig Jahre alt wurde. Beide Brüder starben unvermählt; mit ihnen erlosch eine jahrhundertealte Familie. A. Göllerich weist darauf hin, daß in ihr mehrere Fälle von Melancholie vorgekommen sind.

Mit vier Jahren spielte Anton schon Geige, bald auch Spinett. Weil sich die musikalische Begabung derart früh bemerkbar machte, wurde der Knabe im Alter von elf Jahren zu Johann Baptist Weiß, einem Vetter des Vaters, nach Hörsching gebracht; dieser war ebenfalls Schulmeister und ein tüchtiger Musiker. Doch schon nach einem Jahr mußte er zurück, um dem kranken Vater, der im Juni 1837 im Alter von knapp 46 Jahren an »Lungensucht und Auszehrung« starb, zu helfen. Bei seinem Tod sank Anton Bruckner ohnmächtig zusammen; er schien zu fühlen, daß die Zeit der Geborgenheit im elterlichen Hause zu Ende war, und weil nun das Schulhaus von der Familie geräumt werden mußte, kam der Junge von 1837 bis 1840 als Sängerknabe ins Stift St. Florian bei Linz. Der herrliche Prunkbau mit Bibliothek und Gemäldegalerie und den ernsten, düsteren Stiftsgängen, die Zusammenarbeit mit hervorragenden Musiklehrern, die ihm auch das Orgelspiel beibrachten – dies alles legte mit den Grundstein zu seinem späteren Wirken. Weil er jedoch noch immer unter dem Eindruck der väterlichen Autorität stand, wählte Bruckner den Lehrerberuf. Nach einem zehnmonatigen Präparandenkurs in Linz war er zunächst in kleinen Dörfern (Windhaag, Kronstorf) als Schulgehilfe tätig, kehrte jedoch 1845 als Lehrer für die Stiftsknaben, die er auch stimmlich ausbildete, nach St. Florian zurück.

»Ich sitze immer arm und verlassen ganz melancholisch in meinem Kämmerlein«, klagte er 1852 in einem Brief. Da sich mitunter die Widerstände zu häufen schienen, wollte Bruckner in den Staatsdienst treten und Justizbeamter werden. Erst seine Berufung nach Linz als Domorganist setzte diesen Bestrebungen ein Ende; als Bruckner im Alter von 32 Jahren St. Florian verließ, hatte er schon fast ein halbes Hundert Werke geschrieben.

Ab 1857 unternahm Bruckner regelmäßige Ferienreisen nach Wien, um bei Simon Sechter Unterricht in Harmonie- und Generalbaßlehre zu nehmen, studierte mehr als gewissenhaft den Kontrapunkt und sammelte alle erdenklichen Zeugnisse, als traue er der eigenen Sendung nicht und wolle sein überängstliches Wesen durch Zertifikate aus der Hand von Autoritäten beruhigen. Vom Wiener Konservatorium wurde eine Kommission von fünf Prüfern eingesetzt; am 21. November 1861 kam es zu dem berühmten Examen in der Piaristenkirche über Stegreifverarbeitung einer Doppelfuge, welches mit dem ungewohnten Vorgang schloß, daß einer der Prüfer äußerte: »Er hätte *uns* prüfen sollen!«

Im selben Maße, in dem sich Bruckners Ruhm als Organist mehrte, bemächtigte sich seiner zeitweilig eine beängstigende Ruhelosigkeit. Alle, die ihn damals beim Phantasieren hörten, bekannten, wie von einem Wunder oder Naturereignis getroffen zu sein (E. Kurth). Bischof Rudigier, sein persönlicher Freund, hielt stets die Hand über den Schutzbedürftigen, der sich in dieser Welt so schwer zurechtfand und in der Kirche den Ersatz für das fehlende Zuhause suchte. Im Jahre 1864 trug sich Bruckner mit dem Plan, eine Anstellung in Mexiko als Mitglied der Hofkapelle des Kaisers Maximilian durchzusetzen; dann nahm er wieder Unterricht beim Linzer Theaterkapellmeister Otto Kitzler, wurde durch das Erlebnis von Wagners »Tannhäuser« zuinnerst aufgewühlt und brachte – nach mehreren Vorversuchen – die 1. Sinfonie in c-Moll zu Papier, die er im Frühjahr 1866 beendete. Seine Stellung wurde, ähnlich wie zuletzt in St. Florian, immer verzweifelter; eine innere Stimme schien ihm zu sagen, daß er einen Kreuzweg betrat. Die »Zerrüttung seiner Physis infolge Überarbeitung« und enttäuschter Liebe – Bruckner verliebte sich oft und wurde fast ebenso häufig abgewiesen! –, wie es Göllerich vermutet, kann kaum als ausreichende Erklärung für die nun ausbrechenden Wesensveränderungen angesehen werden. Schon 1864 hatte er dem Freund R. Weinwurm mitgeteilt: »Was ich unter Melancholie verstand – ich drückte mich nur schlecht aus – es ist zum größten Teile nur Feindschaft gegen die Menschheit, deren Liebenswürdigkeit, Aufrichtigkeit und Treue gewiß auch ich bisher genug so oft empfinden mußte und noch empfinden muß.«

Das Jahr 1865 begann mit »schrecklichem Kopfweh«. Bruckner fing an, die Blätter an den Bäumen zu zählen, die Fenster an Häuserfassaden – immer von neuem beginnend –, die Perlen an Damenkleidern, die Punkte in Unterschriften, die Scheite in einem Holzhaufen, ja selbst Sandkörner und Sterne. Dazwischen folgte ein selbstquälerisches, durch alle Fegefeuer gehetztes Abbeten des Rosenkranzes (E. Kurth). Ferner peinigte ihn die fixe Idee, er müsse die Donau ausschöpfen. Bruckner unterzog sich vom 8. Mai bis zum 8. August 1867 in Bad Kreuzen einer Kaltwasserbehandlung; Bischof Rudigier gab ihm wohlweislich einen Priester zur Pflege mit, denn Bruckner wollte »aus der Welt gehen«. Im Unterbewußtsein fühlte er die grauenhafte Vereinsamung, in die ihn sein Weg und sein Werk führen würde. Eines Tages kamen böhmische Musikanten in die Heilanstalt und spielten mittags vor dem Speisezimmer. »Plötzlich stand Bruckner auf und lief rasch davon. Nach langem Suchen fand ihn das Personal später in der ungangbaren Wolfsschlucht am rauschenden Bach weinend auf einem Baumstumpf sitzen. Leiter und Seile wurden herbeigeschafft, um Bruckner aus seiner gefährlichen Lage zu befreien« (A. Göllerich). Wie er in diese völlig unzugängliche Gegend geraten war, wußte er selbst nicht anzugeben. Feuchte Packungen, Sitz- und Fußbäder, Brunnenkuren und ein strenger Tagesplan, der schon morgens um vier Uhr abzurollen begann, sowie die warmherzige Führung seitens des Badearztes Dr. M. Keyhl, den Bruckner sehr schätzte, gaben ihn dem Leben wieder. Doch stellten sich die vorbeschriebenen Symptome später noch öfter ein, wenn auch in abgeschwächter Form, besonders intensiv dann wieder im hohen Alter.

»Magst Du Dir denken oder gedacht haben – oder gehört haben was immer !–! Es war nicht Faulheit! – es war noch viel mehr!!! – !; es war gänzliche Verkommenheit und Verlassenheit – gänzliche Entnervung und Überreiztheit!! Ich befand mich in dem schrecklichsten Zustande; Dir nur gestehe ich's – schweige doch hierüber. Noch eine kleine Spanne Zeit, u. ich bin ein Opfer – bin verloren. Dr. Fadinger in Linz kündigte mir den Irrsinn als mögliche Folge schon an. Gott sei's gedankt! Er hat mich noch errettet... Seit einigen Wochen geht's mir etwas besser. Darf noch gar nichts spielen, studieren oder arbeiten. Denke Dir welch ein Schicksal! Ich bin ein armer Kerl!... – Lieber Freund, schreib mir doch einmal in meinem Exil, mir Armen, Verlassenen« (an R. Weinwurm am 19. Juni 1867 aus Bad Kreuzen). Obwohl Bruckner jede Tätigkeit verboten wurde und er im Jahre 1868 wieder in Kreuzen weilte, schuf er doch die große Messe in f-Moll, ja er fand erst auf der Suche nach dem vertonten sakralen Text die Kraft zur Überwindung dieser Lebenskrise, indem er schon im September 1867 mit dem Kyrie begann: »I hab' müß'n!«

Nach dem Tode von Simon Sechter bewarb sich Bruckner dank der Vermittlung seiner Freunde erfolgreich um dessen Nachfolge als Lehrer am Wiener Konservatorium. Dort sollte er Theorie-Unterricht erteilen und gleichzeitig die zweite Hoforganistenstelle bekleiden (E. Kurth). Endloses Zögern und quälende Selbstvorwürfe gingen diesem Entschluß voraus, ehe er im Herbst 1868 gegen schlechte Bezahlung in der Donau-Stadt zu wirken begann. Bruckner zog mit dem Gedanken dorthin, daß Redlichkeit, Gewissenhaftigkeit und Fleiß ihm den Weg zum Erfolg ebnen würden; darum wohnte er auch sehr zurückgezogen und emsig arbeitend mit seiner Schwester in einem kleinen Haushalt. Aber schon rein aspektmäßig hinterläßt der Meister trotz seiner Größe und der korpulen-

ten Erscheinung keinen suggestiven Eindruck, zumal er auch
rhetorisch ungewandt ist. Dabei muß Bruckners Schulbildung
als gut bezeichnet werden; er besaß die Lehrbefugnis für
Hauptschulen, die man mit unseren Mittelschulen vergleichen
kann, und lernte auch Latein. Aber er ist »kein Akademiker«;
wenn Bruckner liest – langsam, bedächtig –, folgt er den Zeilen mit dem Finger. Auf Frauen wirkt er gar nicht, seine Kleider sind altmodisch, er vermag weder eindrucksvolle Briefe
zu schreiben noch gängige Artikel zu verfassen. Voller Angst
steht er allem, was irgendwie mit Journalismus zusammenhängt, gegenüber, auch mit dem Taktstock in der Hand ist er
kein Magier. Bruckner versäumt, sich die entsprechenden »Beziehungen« zu verschaffen, und da er seinen Horizont wenig
oder gar nicht erweitert, macht er neben den anderen Komponisten eine schlechte Figur. Er wird von den Lauen und
Schwankenden auf dem glatten Wiener Parkett rasch als »Ein-
faltspinsel« und »Hinterwäldler« abgetan. Der Bruckner-
Biograph W. Wolff begegnete ihm, als er selber noch ein kleiner Junge war, um 1890:

»Sein kurzer, schwarzer Rock und die übermäßig weiten
Hosen erinnerten an Bauern, wie man sie in den Alpen sah.
Als die Schwester kam, fiel er ihr zu Füßen und sagte in
echtem Dialekt: ›Jessas, das gnädige Fräulein!‹ Beim Mittagessen nahm er den Fisch in die Finger und brach die Gräte mit
den Händen entzwei...«

So ging Bruckner wie ein Fremder durch diese Gesellschaft
hindurch; seine privaten Gepflogenheiten waren durchaus
nicht angetan, ihn anziehender zu machen. Zu allem, was mit
Leid und Tod verbunden war, verspürte er eine ungesunde
Affinität. Als die Leiche des ermordeten Kaisers Maximilian
von Mexiko 1868 nach Wien überführt wurde, schrieb er aufgeregt an den Freund R. Weinwurm, »ob der Leichnam zu
sehen sein wird, also offen im Sarg oder durch Glas... Laß’
es mir dann gütigst telegraphisch anzeigen, damit ich nicht zu
spät komme...« Bei der Exhumierung und Umbettung der

Gebeine Schuberts und Beethovens war er zugegen, nicht allein aus Pietät oder Neugier, sondern um seine Hand an ihr Haupt zu legen. Richtete er ja auch an die Behörden eine Eingabe mit der Bitte, den Totenschädel seines Musikerziehers J. B. Weiß besitzen zu dürfen – was natürlich abgelehnt wurde. Mit nervöser Hast verschlang Bruckner Zeitungsberichte über Kriminalaffären, Morde und Hinrichtungen, verzehrte in kultischer Ergriffenheit die Henkersmahlzeit eines Mörders mit. Jahrelang notierte er pedantisch die täglich verrichteten Gebete. Mit magischer Gewalt zog es ihn auf Friedhöfe; Besucher beobachteten, wie er lange Zeit mit dem Zeigefinger auf einen Punkt von Jean Pauls Grabstein tippte. Oder er floh in den anderen äußersten Bereich des irdisch Erreichbaren, nach oben: »Verzeihen Sie: noch eine Bitte! Ich möchte so gerne wissen, woraus die Spitzen oberhalb der Kuppel der beiden Stadttürme (wo wir waren) bestehen. Nächst der Kuppel ist a) der Knopf; dann b) die Wetterfahne mit Verzierung, nicht wahr? dann – – – c) ein Kreuz??? und Blitzableiter o. was sonst? Ist ein Kreuz? Was ist bei dem Turme der kath. Kirche? Glaube nur Wetterfahne ohne Kreuz? Bitte, notieren (Sie) sich *das alles* auf ...« (an A. Göllerich, am 12. August 1889 aus Wien). Nachts sah er die Geister der Toten, die bei dem großen Brand des Wiener Ringtheaters am 8. Dezember 1881 ganz in der Nähe seiner Wohnung ums Leben gekommen waren, und als das Bayreuther Festspielhaus gebaut wurde, stieg Bruckner in den Keller und stopfte sich die Taschen des Anzugs mit Erdreich voll. –

Dennoch war Bruckners Tätigkeit in Wien zunächst durchaus erfolgreich, wenn auch die Quertreibereien bereits 1872 bei der Aufführung der f-Moll-Messe begannen. Als er sich aber um ein – zunächst unbesoldetes – Lektorat für Harmonielehre und Kontrapunkt an der Universität bewarb, wo der gefürchtete Kritiker E. Hanslick lehrte, erwuchs ihm in dessen Person etwa ab 1876 ein gefährlicher Gegner, der ihn wie ein Dämon bis zu seinem Tode verfolgte. Anfänglich hatte Bruckner noch Hanslicks Vorlesungen über Musikgeschichte besucht, doch Hanslick war ein Freund von J. Brahms, und Brahms sah in dem Sinfoniker Bruckner einen ernstzunehmenden Rivalen, dem er in instinktiver Abwehr sofort entgegentrat. Er betrachtete »diese sinfonischen Riesenschlangen« als einen »Schwindel, der bald vergessen sein wird«. Trotzdem hat sich Brahms mit Bruckners Werken eingehend beschäftigt, er soll auch unter Kollegen bisweilen voller Hochachtung über ihn gesprochen haben. »An den Verbrechen, die in Wien gegen Bruckner begangen wurden, ist Brahms einer der Hauptschuldigen; er war nur auf sich bedacht und wollte keinen neben sich dulden« (M. Auer). Da Brahms als publizistisch legitimierter »Erbe Beethovens« einen ganzen Stab von Künstlern, Dirigenten und Presseleuten an der Hand hatte, ist es von vornherein ein ungleicher Kampf gewesen. Fast fatal, möchte man sagen, wirkte sich ferner Bruckners Zuneigung gegenüber Richard Wagner aus; er verkündete seine Ergebenheit bei jeder passenden und unpassenden Gelegenheit. Im Jahre 1875 hatte Wagner, dem Bruckner seine 3. Sinfonie widmete, beim Empfang auf dem Wiener Bahnhof in aller Öffentlichkeit gesagt: »Die Sinfonie *muß* aufgeführt werden«, und, zu den Umstehenden gewandt: »Da steht Bruckner, das ist mein Mann!« Bruckners Selbstvertrauen erhielt hierdurch einen ungeahnten Auftrieb; was der »Meister aller Meister« gutgeheißen hatte, würde zum sicheren Erfolg führen. Allein die Erstaufführung am 16. Dezember 1877 war ein vollständiges Fiasko. Nach jedem Satz verließen ganze Scharen den Saal, beim Finale waren nicht mehr als ein Dutzend Personen anwesend. Schließlich stand Bruckner allein auf dem Podium, denn selbst die Orchestermitglieder suchten das Weite. Nur ein paar Schüler, unter ihnen Gustav Mahler, sprachen dem weinenden Bruckner Mut zu. Aber in dieser Stunde der tiefsten Erniedrigung geschah doch ein Wunder: Der Musikverleger Th. Rättig bot ihm auf eigene Kosten die Drucklegung der »durchgefallenen« Sinfonie an. Trotzdem hat

Bruckner diesen Schicksalsschlag nie überwunden – bei jeder späteren Erstaufführung eines seiner Werke fürchtete er Ähnliches!

Wer glaubt, daß sich nun Bruckners allgemeine Lage irgendwie geändert hätte, irrt – die Wende kam bei ihm erst kurz vor Sonnenuntergang. Er mußte seine Kräfte auf mehrere Aufgabengebiete verteilen, er verzettelte sie um des Broterwerbes willen in zahllosen Ämtern und Ämtchen, die Honorare hingegen blieben schmal. Als Komponist nahm man ihn nicht mehr ernst. »Die Vorfälle bei der Aufführung der Dritten waren das äußere Zeichen ständiger persönlicher Herabsetzung. Sie wuchs mit seiner Wehrlosigkeit« (E. Kurth). Bruckner mußte Privatstunden geben, um leben zu können, aber zur Empörung seiner Gegner hörte er nicht auf zu komponieren. Da er sich seiner Sache oft nicht ganz sicher war und auf Anraten der Freunde umfangreiche Überarbeitungen vornahm, gingen kostbare Jahre verloren.

Freilich, 1869 und 1871 hat er als reisender Orgelvirtuose ausgedehnte Konzertreisen nach Frankreich und England unternommen, fuhr noch bis kurz vor seinem Tod zur Aufführung der eigenen Werke in die Städte Europas und erschien auch öfter bei den Bayreuther Festspielen – nach dem Tode R. Wagners betete er lange an dessen Grab –, aber im Grunde blieb für ihn die Uhr in Wien stehen. Nicht einmal eine Tageszeitung abonnierte er; Wurzeln hat Bruckner dort nie getrieben (E. Decsey). Wäre er irgendwo auf dem Lande Dorfschullehrer gewesen, sein Alltag hätte kaum andere Akzente aufgewiesen. Wenn M. Auer feststellt: »Bruckner mußte auf alles verzichten, was die Großstadt zu bieten vermochte. Er wurde ganz einseitig, ganz einsam«, so ist hierzu zu sagen, daß seitens des Komponisten keinerlei außermusikalische Antennen vorhanden waren. Bruckner führte mit voller Absicht das Leben eines Mönches; selbst seine Virtuosität auf der Orgel mag er als Sünde empfunden haben, wenn sie nicht in den Dienst sakraler Handlungen gestellt wurde.

498

Es ist also unsinnig, Bruckners Persönlichkeit nach der geringen Anzahl von Büchern zu beurteilen, die sich in seinem Nachlaß fanden; sein Reich war eben nicht von dieser Welt. Nur das »Tagespensum« erinnerte daran, daß er in Wien wirkte:

Montag 5–7 Universität,
Dienstag 9–2 und 5–7 Konservatorium,
Mittwoch 11–1, 5–7, 7.30–9.30 Privatschüler,
Donnerstag 9–2 und 5–7 Konservatorium,
Freitag 10–1 Privatschüler,
Samstag 9–12 Privatschüler, 5–7 Konservatorium.

Noch dreizehn Jahre vor seinem Tode sagte Bruckner der Schwester, Rosalie Hueber: »Liebe Schwester! Mit dem Gelde geht es heuer gar nicht glänzend. Ich habe Schulden und warte zuweilen auf Stundengeld . . .« Über bescheidene Mietswohnungen, die eine weibliche Kraft – erst die Schwester Anna, dann nach deren Tod Frau Kathi Kachelmayr – versorgte, ist Bruckner nie hinausgekommen; der Eindruck, den seine zwei Zimmer, von denen das eine tiefblau angestrichen war, bei Besuchern hinterließ, war trist. Hier verbrachte er die Abende, sofern er nicht in seinem Stammlokal weilte, beim flackernden Schein zweier Wachslichter – und schrieb. »Wenn ich einmal nicht mehr bin, dann erzählt der Welt, was ich gelitten habe und wie ich verfolgt worden bin.« Seitdem ein Pfarrer seines Heimatortes den Knaben auf dem Totenbett wegen dessen »Wahrheitsliebe und Ergriffensein von Gott« gesegnet und vor aller Welt ausgezeichnet hatte, blieb der Hang zum Geheimnis in seinem Gemüt, das allen Schauern zugänglich war (E. Kurth), für immer verankert. So entstanden nicht nur die Messen und das Streichquintett F-Dur, sondern auch Bruckners Sinfonien. Niemals trieb ihn dabei Ehrgeiz, nur die Liebe zu seiner Kunst trug den Komponisten fast wider seinen Willen aufwärts. Man hat in diesem Zusammenhang von der orgelhaften Majestät, der Geborgenheit im Glauben und der barokken Größe gesprochen, welche die einzelnen Sätze, besonders die langsamen, ausstrahlen. Allein er hatte auch »den anderen Gott« in seinen klingenden Visionen geschaut; die eruptiven Entladungen, die an kosmische Katastrophen erinnern und namentlich die Durchführungen der Allegro-Sätze bestimmen, bezeugen es. Dies wird fast bedrückend deutlich im ersten und letzten Satz der Achten Sinfonie, in allen drei Sätzen der Neunten, sogar hier noch im Scherzo: Während andere Komponisten mit zunehmenden Jahren an Abklärung gewinnen, wachsen bei Bruckner die Beunruhigungen und Beängstigungen, die bis ins Adagio seines letzten Werkes reichen. Und doch beinhalten alle neun Sinfonien, schon von der ersten Note an, ein weihevolles Mysterium: Sie beginnen ausnahmslos piano, wie von fern her, in unaussprechlicher Schönheit. »Die allerersten Klänge einer Bruckner-Sinfonie verpassen, heißt, unwiderruflich ein großes Erlebnis versäumen« (E. Doernberg). So fiel ihm beispielsweise das Anfangsthema der Siebten Sinfonie im Traum ein, und er notierte es sofort nach dem Erwachen. –

Im Jahre 1881 führte H. Richter endlich die vierte Sinfonie in Wien auf, Bruckner verehrte ihm zum Andenken und aus Dankbarkeit einen Mariatheresientaler; aber jeder Erfolg wurde durch den Widerhall in den Zeitungen zunichte gemacht. Erst als Arthur Nikisch 1884 die Siebte Sinfonie in Leipzig aus der Taufe hob, hat man Bruckner langsam »vom Ausland her« entdeckt. Noch bis zum Ende dieses Jahres war Bruckner in Wien gänzlich unbekannt, und Hugo Wolf schrieb im »Wiener Salonblatt«: »Bruckner? Bruckner? Wer ist er? Wo lebt er? Was kann er?« Die letztgenannte Sinfonie widmete er König Ludwig II. von Bayern, die Achte dem Kaiser Franz Josef und die Neunte »dem lieben Gott«. Aber eingetragen haben sie ihm auf dieser Welt so gut wie nichts. Laut eigener Angabe verdiente Bruckner »nicht einen Kreuzer« an seinen Kompositionen, auch den Erben hinterließ er später kaum etwas.

500

Von 1891/92 an wurde Bruckner durch ein Ehrengehalt von den lästigen Unterrichtsverpflichtungen am Konservatorium entbunden und auch als Hoforganist in den Ruhestand versetzt. Hartnäckige Kehlkopfkatarrhe und eine ungeheure innere Unruhe hinderten ihn an jeder öffentlichen Tätigkeit, auch häuften sich jetzt wieder die schon früher beobachteten Migräneanfälle. Die Wiener Universität verlieh ihm den Dr. phil. h. c., der akademische Festakt erregte ihn sehr (»Ich, der Rector Magnificus der Universität Wien, beuge mich vor dem ehemaligen Unterlehrer von Windhaag!«), und Bruckner ließ alle Visitenkarten neu drucken. Als nun schließlich, kurze Zeit vor seinem Tode, der allgemeine Widerstand gegen seine Kunst nachzulassen begann, geschah dies zu spät, um seinem Leben eine neue Richtung zu geben (W. Wolff). Bei der Erstaufführung der Achten Sinfonie im Jahre 1892 war Bruckner schon hochgradig wassersüchtig. »Die Todesverkündigung«, die das Hauptthema des ersten Satzes zum Ausdruck bringt, trägt bereits autobiographische Züge.

Seit 1887 arbeitete Bruckner an seinem letzten Werk, welches er dem Allerhöchsten darbrachte, an der Neunten Sinfonie, und den Zeitpunkt der endgültigen Niederschrift hat er dem Freunde Th. Helm am 18. Februar 1891 als »Geheimnis« mitgeteilt. A. Göllerich berichtet, daß Bruckner von Gott nur im Flüsterton sprach, und seine Umgebung weiß von unzähligen heißen Gebeten, er möge nicht vor der Erfüllung seiner Mission sterben. Da im Lateinischen und in mehreren Weltsprachen der Gottesname mit einem D beginnt, wird Bruckner wohl die Tonart d-Moll gewählt haben, und gleich zu Anfang intonieren »feierlich, misterioso« die Hörner über einem achtzehn Takte langen Orgelpunkt auf D die Noten des Dreiklangs. Auch das Hauptthema atmet den Geist der Trinität, unisono erscheint fortissimo das dreifache D, ehe in statuarischer Majestät die Tonleiter durchmessen wird: Die Erscheinung des bildlosen Gottes vollzieht sich im Rahmen einer grandiosen Doppeloktave, welche die Grenzen des Herkömmlichen sprengt und den Hörer in die Knie zwingt! Weil Bruckner »in nomine Patris et Filii et Spiritus sancti« komponierte, endet sein Werk auch nach drei Sätzen; am Schluß des Adagios tauchen Themen aus der Achten (langsamer Satz) und Siebten Sinfonie (erster Satz) auf, so daß die Frage, ob Bruckner im Ernst noch ein Finale geplant habe, müßig erscheint. »Für die Neunte ist gesorgt«, bemerkte er einige Zeit vor dem Tode, und wenn sich auch im Nachlaß 181 Skizzenblätter (R. Haas) zu einem letzten Satz gefunden haben sollen, wird man schwerlich zu der Überzeugung gelangen können, Bruckner habe ihn wirklich vollenden wollen: Ihm kam es weit mehr darauf an, daß das Geheimnis Geheimnis blieb!

Während Ludwig van Beethoven noch den triumphalen Erfolg seiner letzten Sinfonie erleben konnte, hat Anton Bruckner weder die Fünfte noch die Neunte je gehört. Nur langsam und zögernd hielt er Einzug in die Konzertsäle. In der vierten Dekade des zwanzigsten Jahrhunderts wurde der Meister allmählich populärer, bis zum Jahre 1930 notierten die Kataloge der Schallplattenfirmen eigentlich nur die Siebte und vereinzelt die Vierte Sinfonie, sogar nach dem Zweiten Weltkrieg gab es zunächst keine Aufnahme der Achten Sinfonie. Selbst Kassetten mit dem Gesamtwerk sind erst ein Ergebnis der sechziger Jahre. Hinzu kommt, daß die Klavierauszüge von Brucknersinfonien denjenigen, die nicht mit seinem Schaffen vertraut sind, meist unspielbar erscheinen; viele Dirigenten und Hörer schrecken noch heute vor der Überlänge seiner Sätze zurück. Es gab keine eigentliche Bruckner-»Schule«, und selbst die Anekdote machte ihn nicht anziehender: Da erschien er als seltsamer Gast in Bayreuth, Friedhofsbesucher wollten ihn am Allerseelentag am Grabe seiner Schwester auf den Knien gesehen haben, und als er im Jahre 1885 in München dem Maler H. Kaulbach Porträt saß, sei sein Zählzwang und die Punktmanie plötzlich wieder hervorgebrochen. –

»Höre: ich war seit Mitte Jänner an der Wassersucht erkrankt; die Füße schrecklich geschwollen; das Wasser drang bis an die Brust, daher bittere Atemnot! Prof. Schrötter kommandierte mich ins Bett und durfte ich durch Wochen nichts als Milch (ohne Brot) genießen. Stehe noch unter seiner Obhut – kein Bier etc., möglichst keine Aufregung u. dgl. Prof. Schrötter sagt – keine Lebensgefahr; und wenn ich ihm so gehorche, kann ich sehr alt werden. Auch in der Hofkapelle bin ich vom Dienste enthoben, wie ich wegen Halsleiden vom Konservatorium austreten mußte ... Vielleicht hat die Aufregung auch beigetragen zu meiner bitteren Erkrankung ...« (Brief vom 14. März 1893). Ruhe, Diät, Flüssigkeitskarenz und wahrscheinlich auch Herzglykoside führten bis zum Jahresende zu einer wesentlichen Besserung von Bruckners Gesundheitszustand. Er reiste sogar im Dezember mit Hugo Wolf nach Berlin, wo Werke von ihm aufgeführt wurden, hielt auch noch Vorlesungen an der Universität, und am 30. November 1894 beendete er das Adagio der Neunten Sinfonie. Im Dezember dieses Jahres mehrten sich die Symptome, welche auf Brustwassersucht hindeuteten, man diagnostizierte eine »Rippenfellentzündung«; die Ärzte gaben ihn schon auf, Bruckner erhielt die Sterbesakramente. Doch er genas wider Erwarten, und die Vermutung liegt nahe, daß es sich bei dem Hydrothorax um kardial bedingte Stauungstranssudate handelte. Aber Orgel konnte er nicht mehr spielen, weil seine angeschwollenen Füße die Pedale verfehlten – es zog ihn schon lange nicht mehr so stark wie früher zur Königin der Instrumente. Selbst die wenigen Freunde von einst sehnte er kaum noch herbei, er löste sich völlig von der Welt. Mit dem Nachlassen der physischen Kraft wuchs seine religiöse Ekstase; wenn in der Ferne eine Votivkirche läutete, hielt der Greis mitten im Gespräch inne und betete. Der Passionsgedanke nahm für ihn eine alles beherrschende Größe an (E. Kurth).

Im übrigen verlief das Jahr 1895 ohne besondere gesundheitliche Störungen, und Bruckner ist in seiner neuen Woh nung, dem »Kustodenstöckl« neben dem kaiserlichen Schloß Belvedere, wo er zu ebener Erde wohnte und bei seiner Kurzatmigkeit keine hohen Treppen mehr bewältigen mußte, recht glücklich gewesen. Doch hatte er erhebliche finanzielle Belastungen zu tragen, weil ihn drei Ärzte behandelten. In einem Tragsessel brachte man den sehr abgemagerten Patienten im Januar 1896 zur Aufführung seiner Vierten Sinfonie und des »Tedeum«. Anfang Juli erkrankte er erneut an einer Lungenentzündung, von der er sich nicht mehr recht erholen konnte. Parkbesucher sahen ihn später mitunter noch auf seiner Lieblingsbank in der Sonne sitzen, gänzlich entrückt. »Ich habe auf Erden meine Schuldigkeit getan, ich arbeitete, soviel ich konnte« (zu A. Göllerich).

»Kurz vor seinem Tode ist Hugo Wolf noch einmal bei ihm gewesen, doch war er nicht mehr bei klarem Bewußtsein. In einem einfachen Metallbett, ganz in die Kissen vergraben, lag er mit schmal gewordenem, blassem Antlitz, den Blick starr und unbeweglich zur Decke gerichtet, auf den Lippen ein verklärtes Lächeln ... und schlug mit dem ausgestreckten Zeigefinger den Takt zu einer Musik, die nur er zu hören vermochte.« Seine ganze Sorge galt dem Bruder Ignaz. Die letzten, unkoordinierten Zeilen vom 7. Oktober bezeugen es:

> »Sr. Wohlgb. Hr. Ig. Bruck-
> im löbl. Stifte zu St. Flor.
> bei Linz.
>> Dein Bruder Anton
> 1896.
>> Dein Bruckner.
> TT A. Br ...
> Ignaz, leb lebe wohl!
> Leb webel woll wohl.
> Hochl leb wohlf!«

An einem Sonntag, am 11. Oktober 1896, ist Anton Bruckner still entschlafen, 72 Jahre alt. Keine prominente Persön-

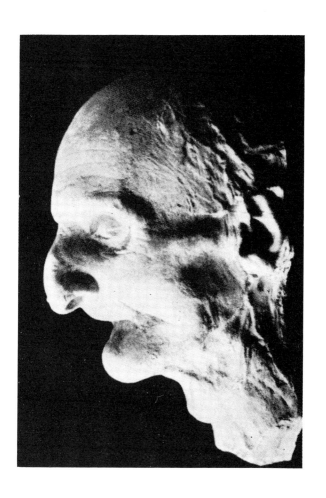

Bruckners Totenmaske

lichkeit gab ihm das Geleit. Obwohl die Exequien feierlich
gestaltet waren und aus diesem Anlaß die Richard Wagner
zugedachte Trauermusik aus dem Adagio der Siebten Sinfonie
erklang, fiel im Grunde sein Scheiden kaum auf. »Er war in
der Tat ein überaus einsamer Mann. Er wünschte es so, denn
er fühlte, er müsse es sein, um sein Werk zu vollbringen«
(W. Wolff). Und der Bruckner-Dirigent Franz Schalk fügt
hinzu: »Eine ungeheure Kluft trennte ihn von seiner Umgebung. Er ging nicht in Gesellschaften, er hatte keinen Kreis
gleichgesinnter Freunde wie Schubert, keine welterschüttern-
den Pläne wie Beethoven, keinen königlichen Gönner wie
Wagner und keine Familie wie Bach.« Er wollte auch nicht in
der Nähe anderer begraben werden . . .

Den Leichnam hat man, gemäß dem Letzten Willen, einbalsamiert und im unversenkten Sarkophag in der Krypta
von St. Florian unter der großen Orgel beigesetzt. Etwas entfernt von den Gebeinen unzähliger Namenloser ruht Anton
Bruckner dort, wo er schon als Kind immer am liebsten weilte,
in ständiger Begegnung mit dem Erlebnis des Todes. Vielleicht
erwuchs ihm erst aus jener Bedrohung die Kraft zur Verkündigung des göttlichen Mysteriums, und weil er sich trotz
aller irdischen Bedrängnis im höheren Sinne geborgen wußte,
schenken seine Partituren allen, die ihn lieben, ein Stück
Erlösung!

ANTON BRUCKNER

1. *Abendroth, W.,* Bruckner. Eine Bildbiographie, München 1958.
2. *Auer, M.,* A. Bruckner, 6. Aufl., Wien–München–Zürich, o. J.
3. *Braun, A.,* Krankheit und Tod im Schicksal bedeutender Menschen, Stuttgart 1940.
4. *Bruckner, A.,* Gesammelte Briefe, neue Folge, gesammelt und herausgegeben von M. Auer, Deutsche Musikbücher, Bd. 55, Regensburg 1924.
5. *Decsey, E.,* Bruckner, Berlin o. J. (1919 ?).
6. *Doernberg, E.,* Anton Bruckner, München–Wien 1963.
7. *Göllerich, A.* und *Auer, M.,* Anton Bruckner, 4 Bde. in 9 Büchern, Regensburg 1922–1936.
8. *Gräflinger, F.,* Anton Bruckner, Regensburg 1921.
9. *Grüninger, F.,* Der Ehrfürchtige. Anton Bruckners Leben dem Volke erzählt, Freiburg i. Br. 1935.
10. *Haas, R.,* Anton Bruckner, Potsdam 1934.
11. *Hartmann, K. A.* und *Wahren, W.,* Briefe über Bruckner. NZ/Musik 1965, Heft 7–9.
12. *Hebenstreit, J.,* Anton Bruckner, Dülmen 1937.
13. *Kinast, E.,* Imanuel Kant, Anton Bruckner. Das Psychogramm des Philosophen und des Künstlers. Zbl. ges. Neurol. 46: 900 (1930).
14. *Klose, F.,* Meine Lehrjahre bei Bruckner (Erinnerungen und Betrachtungen), Regensburg 1927.
15. *Kurth, E.,* Bruckner, 2 Bde., Berlin 1925.
16. *Lange-Eichbaum, W.* und *Kurth, W.,* Genie, Irrsinn und Ruhm. München–Basel 1967.
17. *Laux, K.,* A. Bruckner, Wiesbaden und Leipzig 1947.
18. *Loerke, O.,* Anton Bruckner. Ein Charakterbild, Berlin 1938.
19. *Orel, A.,* Vorwort zur Studienpartitur der 9. Sinfonie (Originalfassung), Wien 1934.
20. *Redlich, H. F.,* Vorwort zur 7. Sinfonie (Taschenpartitur) in der Edition Eulenburg, London–Zürich–New York 1958.
21. *Tessmer, H.,* Anton Bruckner, Regensburg 1922.
22. *Wetz, R.,* Anton Bruckner. Sein Leben und Schaffen, Leipzig o. J. (wohl um 1922).
23. *Wolff, W.,* Anton Bruckner, Zürich 1942.

Richard Wagners Totenmaske

RICHARD WAGNER
(1813–1883)

> *»Deutsch sein, heißt eine Sache um ihrer*
> *selbst willen, nicht wegen eines dadurch zu*
> *erringenden Nutzens oder Vorteils willen*
> *treiben.«*   *R. Wagner*

Richard Wagners qualvoller Herztod im sogenannten »Status anginosus« am 13. Februar 1883 stellt eigentlich nur den Schlußakkord seiner jahrelangen kardialen Beschwerden dar, von denen die breite Öffentlichkeit kaum etwas weiß.

Dieses Leiden kündigte sich bald nach den ersten Bayreuther Festspielen des Jahres 1876 an, deren Turbulenz die Kräfte des Meisters in solchem Maße absorbierte, daß er vom September bis Dezember mit seiner Familie eine Erholungsreise nach Italien unternahm. Wagner lebte von nun an, da seiner Gesundheit das nördliche Klima immer unverträglicher erschien, mit Vorliebe im sonnigen Süden.

In Sorrent, am Golf von Neapel, begegnete er in der Villa der Malvida von Meysenburg zum letzten Male dem Freund Friedrich Nietzsche. Er hatte ihn schon 1868/69 während der Zeit des Schweizer Asyls in Triebschen näher kennengelernt, und für den um einunddreißig Jahre jüngeren Basler Hochschullehrer war Wagner »ein Mensch, der wie kein anderer das Bild dessen, was Schopenhauer ein Genie nennt, offenbart«. Allein der anfängliche Enthusiasmus des Philosophen, welcher seinen deutlichsten Niederschlag in dem Buch »Geburt

der Tragödie aus dem Geiste der Musik« fand, war bereits
merklich abgekühlt, da ihre Wege sich nun als zu wenig kon-
gruent erwiesen. Der junge Polemiker stand einem alternden
Tonschöpfer gegenüber, der im »Parsifal« seinen Frieden mit
sich und der Welt zu schließen bemüht war; er erkannte
schmerzlich, daß der Begleiter sieben glücklicher Jahre, den
er für einen »freien Geist« hielt, jetzt müde nach Güte und
Mitleid suchte und als »ein morsch gewordener, verzweifeln-
der Romantiker . . . vor dem christlichen Kreuz niedersank.«

Aber Nietzsche war schon damals von seinem deletären
Leiden, einer progressiven Paralyse, gekennzeichnet. Wenn
Nietzsche vier Jahre nach Wagners Tod in Pamphleten über
ihn herfiel, so muß man das seiner Krankheit zugute halten,
die ihn 1879 zur Aufgabe der Basler Professur zwang. »Ach
dieser alte Zauberer! Dieser Klingsor aller Klingsore! . . . Man
muß Zyniker sein, um hier nicht verführt zu werden . . .« Und
dennoch hat der »Fall Wagner« sein Denken und Fühlen wie
ein Schatten begleitet, kommt er sogar in seinen ersten »Wahn-
sinnszetteln« vom 3. Januar 1889 aus Turin, die an die Witwe
Cosima gerichtet sind, wieder auf ihn zurück:

»Ich bin unter Indern Buddha, in Griechenland Dionysos
gewesen – Alexander und Cäsar sind meine Inkarnationen,
desgleichen der Dichter des Shakespeare Lord Bakon. Zuletzt
war ich noch Voltaire und Napoleon, vielleicht auch *Richard
Wagner* . . . Diesmal aber komme ich als der siegreiche Dionysos, der die Erde zu einem Festtag machen wird . . . Ich habe
auch am Kreuze gehangen. Dies breve an die Menschheit sollst
Du herausgeben von Bayreuth aus, mit der Aufschrift ›Die frohe
Botschaft.‹« Wenige Tage später wurde F. Nietzsche in Turin
von einem Freund abgeholt und in die Psychiatrische Klinik
der Stadt Basel gebracht, bald aber nach Jena verlegt. Ab
März 1890 übernahmen Mutter und Schwester seine Be-
treuung, bis ihn der Tod am 25. August 1900 in Weimar er-
löste. Es wird berichtet, daß Nietzsche aus der Umnachtung
für kurze Zeit erwacht sei, wenn man ihm den Namen Wagner

nannte; er habe dann aufgehorcht, wie im Wiedererkennen gelächelt und endlich gesagt: »Den habe ich sehr geliebt.«

Im Hinblick auf Richard Wagner erhebt sich die Frage, ob die Darstellung seines Lebensbildes heute überhaupt erschöpfend möglich ist. Man stößt da auf zuviel Widersprüchliches und biographisch Zweideutiges aus der Feder selbst renommierter Autoren. Die Unklarheiten beginnen schon bei der Geburt am 22. Mai 1813: War der Leipziger Polizeiaktuarius Friedrich Wagner sein Vater oder der Maler und Schauspieler Ludwig Geyer, was Wagner später mitunter selbst zugegeben haben soll? Für den Arzt ist es deshalb wichtig, sich auf das rein Fachliche zu beschränken. Da wichtiges biographisches Material noch immer absichtlich zurückgehalten wird und laut Verfügung die Tagebücher seiner Frau Cosima erst 1972 zur Einsichtnahme frei sind, kann das Wagner-Problem gegenwärtig nur eine Teillösung erfahren. »Wie es war«, dürfte man später nur fragmentarisch erfahren, weil Wagner als Politiker viele Menschen an sich zu binden wußte, deren Lebensdaten künftig teilweise im Schweigen der Archive versanden werden. Der ungeheuer vitale, extrem egozentrische, kleingewachsene Mann, dem die Fähigkeit gegeben war, jegliche Umgebung mit hypnotischer Gewalt unter den eigenen Willen zu zwingen, besaß eine enorm gruppenbildende Kraft, deren Kristallisationskern sein Gesamtwerk bildete. So wie er alle Menschen beiderlei Geschlechts, die seinen Weg kreuzten, rigoros in den Dienst seines künstlerischen Fernzieles stellte, unterwarf er auch sich selbst bis zur physischen Selbstverleugnung dieser einmal gewählten Forderung. Wagner wurde zum dämonischsten und repräsentativsten deutschen Tonschöpfer nach Beethoven. Er war nie chronisch krank wie so viele Komponisten, sondern im Grunde von eiserner Gesundheit. Manche, die sich seinem rätselhaften Wesen, das wie ein Meteor in die Ära der Spätromantik eintauchte, allzu intensiv verschrieben hatten, gingen daran wirtschaftlich und nicht zuletzt auch seelisch zugrunde – man denke nur an Nietzsche, v. Bülow, Baudelaire und König Ludwig II. von Bayern!

Wagners Opernschaffen mutet wie ein erratischer Block an, dessen Analyse viele auf eigene Weise und je nach Temperament mit mehr oder weniger Glück versucht haben – die schier ins Unendliche angeschwollene Fachliteratur zeugt davon. Auf eine einfache Formel gebracht, bewegen sich die Inhalte der meisten selbstverfaßten Textbücher auf derselben Linie: Es ist das gleiche Mysterium von Liebe und Tod, von Selbstopfer und Erlösung, das sich dem Betrachter und Hörer, wenn auch in wechselnden Kostümen, offenbart. Da Wagner hierbei an die Urphänomene jeglicher menschlichen Existenz rührt, garantierte er seinem Schaffen über das rein Musikalische hinaus einen geistigen Fortbestand, wenn auch manches darin auf dem Boden des romantischen Gefühlsüberschwanges sphinxartig oder widersprüchlich wirkt. Eingebettet in »kosmogonische Klangmagie«, erscheinen Wagners Titelgestalten in einer Feierlichkeit und überzeitlichen Größe, die manche Mühseligkeit des Textes völlig vergessen läßt.

Zwischen der Venus aus dem »Tannhäuser« und der Gestalt Kundrys aus dem »Parsifal« besteht nur ein gradueller, aber kein prinzipieller Unterschied. Ähnliche, wenn auch wieder anders gelagerte Parallelen gibt es zwischen Senta, Elsa und Isolde. Dasselbe gilt für die männlichen Hauptpersonen, die alle einem irrationalen geistigen Fernziel zustreben und dabei – sogar die Götter in der »Götterdämmerung« – in die Fallen des Fatums geraten. Da ihr Ende jedoch stets von höherer Ordnung bestimmt erscheint und dem Tod meistens das Prädikat des Versöhnlichen anhaftet, durchzieht die Wagnerschen Libretti ein Hauch von beglückender Selbstbejahung und jene Gewißheit, daß der Mensch keineswegs hinabgestoßen ist in das Nichts einer todverfallenen Existenz, sondern an ihm die Liebe »von oben« teilgenommen hat: Am Schluß der »Götterdämmerung«, wenn die Wogen des Rheines, wie auch zu Anfang des »Rings«, über die Bühne strömen, endet

514

der musikalische Ablauf nicht in chaotischer Weltuntergangs-
stimmung, sondern mit Brünhildens Erlösungsthema in strah-
lendem Dur!

So wirkt Wagner gerade im »Parsifal« numinos für viele,
die in der Kunst einen Religionsersatz suchen und dabei die
Bühne in die Kirche versetzen. Denn sein Werk ist die aus der
Trias von Wort, Bild und Ton entstandene Einheit und dadurch letztlich ein psychologischer Gesamteffekt! Wagner
sollte man daher als Schlußpunkt auffassen, jedenfalls für
seine Zeit. Hier gilt das Wort von Richard Strauss: »Es muß
ein für allemal festgehalten werden, daß . . . Wagners dramatische Dichtungen und allerdings nur dem höchststehenden
Musiker ganz verständlichen Wunderpartituren dem germa-
nischen Mythos die endgültige künstlerische Gestalt gegeben
haben . . .«

Daß ein Komponist, dessen Operndramen in Wort und Ton
die eigene Wiedergeburt aus dem Geiste der Musik beinhalten,
beim Schaffen ungeheuren seelischen Spannungen unterworfen
war, die ihn von einer Zerreißprobe zur anderen trieben,
versteht sich von selbst. So bleibt dahingestellt, inwieweit viele
der uns bekannten Krankheiten Richard Wagners überhaupt
als Leiden sui generis aufgefaßt werden können oder nur
Blitzableiter für psychische Ausnahmezustände waren. Das
gilt sowohl für die nervösen Darmerscheinungen wie auch für
die Exazerbationen der Gesichtsrose, die man meist in Krisen-
zeiten, da die Einheit von Künstler und Werk gefährdet
schien, beobachtete. Wohl am besten diagnostizierte Dr. Vail-
lant 1856 in Genf Wagners Beschwerden, als er ihm, besonders im Hinblick auf dessen Kaltwasserkuren, versicherte:
»Monsieur, vous n'êtes que nerveux. Dies alles wird Sie nur
noch mehr aufregen; Sie bedürfen nichts als der Beruhigung.«
Sicher gehört auch Wagners Überempfindlichkeit gegen gewisse Stoffe, seine Angst vor Lärm und seine Abhängigkeit
von Farben und Gerüchen hierher. »In der Tat fühle ich mich
nur wohl, wenn ich ›außer mir‹ bin; dann bin ich ganz bei

mir« (R. Wagner an A. Roeckel, 1854). Unter völliger Verkennung dieser Zusammenhänge haben selbst Ärzte (Th. Puschmann, 1873) den exzentrischen, prunkliebenden und verschwendungssüchtigen Komponisten, dessen Leben im Vergleich mit dem der meisten anderen Musiker schockierend unbürgerlich verlief, für geistesgestört gehalten.

Darüber hinaus gibt es bei ihm aber erwiesenermaßen noch seelische Ausnahmezustände, die mit dem üblichen Schulwissen nicht mehr zu erklären sind. In der Autobiographie »Mein Leben« schildert Wagner jenen »somnambulen Zustand«, in welchen er 1853 in Genua verfiel, wobei er den Eindruck hatte, als schlügen die Wogen eines Flusses über ihm zusammen – das 136taktige Vorspiel zu »Rheingold« war geboren. In welche Trance Wagner dann beim Komponieren geriet, beschreibt sein Freund Weißheimer, der ihn in der Biebricher Villa öfter während der Arbeit an den »Meistersingern« besuchte und mit eigenen Augen sah, daß sich Wagner, wenn er »mitten drin« war, völlig geistesabwesend wie ein Schlafwandler benahm und ausdruckslos auf den Strom oder die Mainzer Domtürme starrte. Bei der ersten Ankunft in Venedig am 29. August 1858 erschrak Wagner zutiefst vor den schwarzen Gondeln – als blicke er auf einen Trauerkondukt, als sähe er bei dieser ersten Begegnung mit der Lagunenstadt seine letzte Heimfahrt 1883 in der Totengondel visionär voraus. Und noch am Vorabend des Todes zog es ihn unwiderstehlich an den Flügel, als er die Klage der Rheintöchter aus dem »Rheingold« wiederholte:

> »Traulich und treu
> Ist's nur in der Tiefe;
> Falsch und feig ist,
> Was dort oben sich freut!«

Ja, sogar sein Lieblingssternbild, den Großen Bären, von ihm gerne »Wotans Wagen« genannt, bezog er auf sich – nicht zuletzt, weil er eben Wagner hieß. Dann hob er beschwörend die Hände zum Himmel und sprach: »Beschütze mein Weib und meine Kinder, du guter Stern! Mit mir mache, was du willst.« Und über sich selbst, ein Jahr vor dem Tode: ... »nur etwas bleibt in mir jugendlich lebensvoll wie am ersten Tage, da mir ein prophetischer Überblick meines Lebens aufging. Noch losch das Licht nicht aus!«

In der Stille von Wahnfried, meist nur vormittags arbeitend, war Wagner während des ganzen Jahres 1877 mit dem »Parsifal« beschäftigt, sofern er nicht anderweitigen Verpflichtungen nachzukommen hatte. Am 17. Mai wurde der Meister bei seiner England-Tournee im Schloß Windsor von der Königin Victoria empfangen. Als erstes beendete er dann im September die Bleistiftskizze des Vorspieles. Mannigfache Verdauungsstörungen und Stiche in der Brust veranlaßten ihn zu der angstvollen Äußerung: »Wenn ich nur kein Herzleiden habe!« Die Worte aus dem Monolog des Titelhelden im zweiten Akt des »Parsifal«: »Hier, im Herzen der Brand ...!« tragen förmlich autopathographische Züge. Denn Herzstiche beim Bergsteigen und sogar während des Essens auftretende pektanginöse Beschwerden behinderten ihn sehr. Die Behandlung bestand dann vornehmlich in Einreibungen mit Öl und Franzbranntwein. Im April 1879 war er trotzdem mit der Konzeption seines letzten Bühnenwerkes fertig, über welches er schon viele Jahre zuvor, am 30. Mai 1859, an Mathilde Wesendonck geschrieben hatte: »Genau betrachtet ist Amfortas der Mittelpunkt und Hauptgegenstand ... Mir wurde es plötzlich schrecklich klar: Es ist mein Tristan des dritten Aktes mit einer undenklichen Steigerung.«

Die vorgenannten Beschwerden und eine neue Erkrankung an Gesichtsrose veranlaßten Wagner im Jahre 1880 zu einer weiteren Italienreise. Anfang Januar traf er in der bei Neapel hoch auf dem Berge gelegenen Villa d'Angri ein, umgeben von Zypressen und Pinien, stets das weite Meer und den feuerspeienden Vesuv vor Augen. Als sie später nach Amalfi und Ravello fuhren, sah Wagner im Garten des alten Palazzo

Rufolo viele Meter über dem lichtgrünen Schimmer der Bucht von Salerno eine Terrasse voll blühender Rosen: »Klingsors Zaubergarten ist gefunden! Richard Wagner mit Frau und Familie. 26. Mai 1880«, lautet die Eintragung in das Fremdenbuch. Doch die ersehnte Erholung wollte sich nicht einstellen; auch hier überfiel ihn wiederholt die Gesichtsrose, im Anschluß an zahlreiche Seebäder trat ein lästiger Hautausschlag auf, begleitet von Schlaflosigkeit. Über Siena reiste Wagner dann nach Venedig weiter, wo er am 4. Oktober eintraf. Seitdem er 1858 in dieser damals noch lebensfernsten und geräuschlosesten Stadt der Welt geweilt und in der nächtlichen Stille den klagenden Ruf der Gondolieri vernommen hatte, zog es ihn des öfteren dorthin, wo er einst nach der Vollendung des zweiten »Tristan«-Aktes zu einer neuen geistigen Seinsweise gereift war und wo ihn einige Jahre später auch der leibliche Tod ereilen sollte. Nach der Ankunft in München leitete Wagner am 12. November im leeren Haus des Hoftheaters eigens für König Ludwig II. in einer Separataufführung das Vorspiel zu »Parsifal«.

Die Zuneigung des um zweiunddreißig Jahre jüngeren Monarchen erfuhr Richard Wagner erstmals im Mai 1864, als er ohne Heim, ohne Geld und ohne Aussichten (»Ich bin am Ende – ich muß irgendwo von der Welt verschwinden«) in einem Stuttgarter Hotel abgestiegen war und ganz unerwartet bei ihm der Kabinettssekretär des Königs von Bayern vorsprach, der einen kostbaren Brillantring und eine Fotografie überbrachte. Seitdem der König in Wien den »Lohengrin« gesehen hatte, suchte er die Bekanntschaft mit Wagner, und aus der ersten Begegnung am 4. Mai wurde eine Freundschaft fürs Leben. Wagner war damit vieler materieller Sorgen enthoben, ohne Ludwig gäbe es keinen »Ring« und kein Bayreuth! Allerdings spielt Wagner in dem Tagebuch des erotisch seltsam veranlagten und psychisch alterierten Königs eine zwielichtige Rolle; neben diffusen Reminiszenzen an Theater-Aufführungen und Textbuch-Zitaten aus Wagner-Opern finden sich immer neue verzweifelte Keuschheitsgelübde zur Überwindung der Homosexualität, wie auch die Eintragungen auf Blatt 19 bezeugen, wo Ludwig sein Bekanntwerden mit dem Meister erwähnt. Da die unten wiedergegebene Notiz mit einer Eintragung von 1877 zusammenfällt, darf die Zahl 77 nicht überraschen; offenbar wurde das Tagebuch nicht in unmittelbarem Zusammenhang mit den angeführten Daten, sondern später aus der Erinnerung ergänzt. Der Text wirkt zwar stets exaltiert und verschroben, läßt aber nirgendwo Anhaltspunkte für eine manifeste Geisteskrankheit erkennen, die man nach seinem mysteriösen Ende im Starnberger See am 13. Juni 1886 hie und da vermutete. Ludwig schrieb:

»10 (Jahre) seit Richard gesehen u. ihn kennen gelernt. Definitives, *letztes* Streifen an Fall! – jour de St. Louis 77 entsühnt durch Versailles! Rheims! *Keinen* Kuß mehr, gar keine Aufregung, nicht im *Sprechen*, nicht im *Schreiben*, nicht in *Werken*.« Unterzeichnet ist diese Seite mit den Worten »Ludwig« und »Richard«; nicht weniger intime Eintragungen folgen auf dem nächsten Blatt. –

Ergriffen lauschte der menschenscheue König den feierlichen Klängen der Ouvertüre und bat dann noch um eine Wiederholung. »Am Nachmittag zweimal das wunderbar herrliche vom Schöpfer selbst dirigierte Vorspiel zu Parsifal gehört! Tief bedeutungsvoll«, notierte Ludwig. Es war das letzte Wiedersehen. Der »Parsifal«-Aufführung selbst hat der König nicht mehr beigewohnt. Sein leidenschaftliches Eintreten für Richard Wagner, viele ungerechtfertigte Ehrenerklärungen zugunsten des reisenden Musikers und vor allem die für ihn verausgabten horrenden Summen nährten permanent die Opposition. Aber nichts hat eine solche Freundschaft, die sogar das Grab überdauerte, ernsthaft gefährden können, und beim Tode Wagners durfte der Monarch mit gutem Recht von sich sagen: »Den Künstler, um welchen jetzt die ganze Welt trauert, habe ich zuerst erkannt, habe ich der Welt gerettet.«

Wieder in Bayreuth angelangt, beschäftigte sich Wagner trotz wiederholter Brustbeklemmungen pausenlos mit der Instrumentierung der »Parsifal«-Partitur. Bei den Ovationen nach der Berliner Aufführung seiner »Götterdämmerung« im Frühjahr 1881 mußte sich Wagner, extrem blaß, plötzlich von der Bühne zurückziehen. Er sagte zu dem Theaterdirektor Angelo Neumann, indem er dessen Hand auf sein Herz legte: »Wenn Sie wüßten, wie es da arbeitet, wie ich da leide!« Die Oper »Parsifal«, sein selbstgewähltes »Welt-Abschiedswerk« unterschrieben mit der Widmung an Cosima »Für Dich! R. W.«, beendete er am 13. Januar 1882 in Palermo. Mit ungeheurer Willenskraft, die schmalen, sinnlichen Lippen meist von einem sarkastischen Lächeln umspielt, »die blauen Augen aber wie traumbefangen fest auf ein fernes Ziel gerichtet«, hatte der greise Komponist diese Partitur dem sichtlich geschwächten Organismus abgetrotzt, wobei er allerdings nie auf seinen geliebten Schnupftabak und erlesenen Champagner verzichtete. Während ihn jedoch zwischen dem dreißigsten und fünfzigsten Geburtstag wiederholt Todesahnungen überkamen und er dann allemal fürchtete, er werde seine gerade in Arbeit befindliche Oper nie vollenden können, war er jetzt völlig gelassen. Über Messina, Neapel und Venedig wieder nach Bayreuth zurückgekehrt, brachten ihn die Proben zum »Parsifal« bis an den Rand der Erschöpfung. Die sechzehn Aufführungen hinterließen beim Publikum nachhaltigen Eindruck. Am letzten Abend führte Wagner im dritten Akt selbst den Stab.

Während der Augusttage wurde der Bassist E. Scaria in Wagners Bühnensalon unfreiwillig Zeuge von dessen Stenokardie: »Da sei, zu seiner peinlichsten Überraschung, Wagner plötzlich im Gesicht ganz blau geworden, von einem Herzkrampf befallen auf das Sofa hingesunken und habe mit den Händen so lebhafte Bewegungen gemacht, als ränge er buchstäblich mit einem unsichtbaren Feinde. In seiner Ratlosigkeit habe Scaria schleunigst den Kammerdiener Wagners aus dem

Vorzimmer herbeigerufen und den vereinten Bemühungen beider sei es, mit Anwendungen von Essenzen gelungen, den Ohnmächtigen ins Leben zurückzurufen. Nach einigen Minuten sei dann Wagner plötzlich vom Sofa aufgesprungen und habe mit erschöpfter Stimme, aber wie von einer schweren Last befreit, ausgerufen: ›Na, ich bin dem Tode doch entronnen!‹«

Am 14. September 1882 reiste Wagner mit seiner Familie nach Venedig ab und wählte die achtzehn Zimmer im Zwischenstock des Palazzo Vendramin zum Daueraufenthalt. Seit langem zum erstenmal trug er sich nicht mehr mit Opernplänen, sondern wollte nur noch Instrumentalmusik komponieren. Er hatte seinen gewaltigen Lebensring geschlossen und das »Gesamtkunstwerk« beendet – die Bußklänge des Pilgerchores aus dem »Tannhäuser« kehren im Karfreitagszauber des »Parsifal« wieder. Doch wie sehr er um die Zukunft dieses letzten künstlerischen Vermächtnisses besorgt war, besagt ein Brief vom 29. September an Angelo Neumann:

»Der ›Parsifal‹ kann ausschließlich nur meiner Schöpfung in Bayreuth angehören . . . Mit dem ›Parsifal‹ steht und fällt meine Bayreuther Schöpfung. Allerdings wird diese vergehen, und zwar mit meinem Tode; denn wer in meinem Sinne sie fortführen sollte, ist und bleibt mir unbekannt und unerkenntlich. Nähmen meine Kräfte . . . in der Weise ab, daß ich mich nicht mehr mit diesen Aufführungen beschäftigen könnte, so hätte ich allerdings auf die Mittel zu sinnen, durch welche ich mein Werk möglichst rein der Welt erhielte.«

Rascheres Gehen verursachte jetzt schon Atemnot; als die Kapelle auf dem Markusplatz eines Tages Sätze aus dem »Lohengrin« vortrug und Wagner von fern her diese Klänge vernahm, eilte er ihnen in freudiger Erregung entgegen, mußte sich aber, um Luft ringend und mit schwerem Druck auf der Brust, in die Konditorei Lavena setzen. Besonders die Nächte, in welchen ein großer Komet am Himmel stand, waren unerträglich, auch am Tage trat jetzt der »Brustkrampf« bis zu viermal auf. Dann gab es wieder völlig beschwerdefreie Intervalle. Am Heiligabend fuhr die ganze Familie nebst Freunden nach dem Theater La Fenice, wo Wagner seine Jugendsinfonie aus dem Jahre 1832 in einer Privataufführung anläßlich von Cosimas Geburtstag dirigierte. »In der Stille glitten wir zurück, aber in einem Mondduft, wie man ihn vielleicht nur in Venedig sieht«, schrieb seine Gattin – über ihnen der weite Sternenhimmel, unter ihnen das Meer! Bald darauf, am 13. Januar 1883, nahm Franz Liszt, der wie üblich längere Zeit bei Wagner als Gast geweilt hatte, Abschied. Der Meister schien sehr erregt, als sie sich trennten. Liszts Gondel war schon in Bewegung, da rief Wagner sie noch einmal zurück und drückte den Freund mit einer langen, innigen Umarmung an sich.

Von nun an verschlechterte sich der Zustand des Kranken in beängstigender Weise. Immer häufiger stellten sich in den Vormittagsstunden, wenn er am Schreibtisch saß, die Beschwerden ein, welche von seinem behandelnden Arzt, Dr. Kurz, als Magenneuralgien aufgefaßt wurden. »Amico mio, il carnevale e andato«, sagte Wagner zu seinem Diener am Aschermittwoch, dem 7. Februar, gerade von der feierlichen Verbrennung des Prinzen Karneval auf dem Markusplatz heimgekehrt. Er unternahm gelegentlich noch kürzere Spaziergänge, kam aber meist bald verstimmt zurück, beide Hände auf die Brust gedrückt. Viel sprach Wagner in diesen letzten Lebenstagen von seiner verstorbenen Mutter. Völlig wesensverwandelt, verklärt, mild und gütig erschien er dem Besucher E. Humperdinck bei seinem damaligen Aufenthalt in Venedig.

Schon frühmorgens am 13. Februar 1883 sagte Wagner beim Ankleiden zum Diener Georg: »Heute muß ich mich in acht nehmen!« Nach dem Frühstück arbeitete er an dem Aufsatz »Über das Weibliche im Menschen«, welcher mit den bezeichnenden Worten »Liebe – Tragik« abbricht. Draußen regnete es ununterbrochen; da kehrten gegen zwei Uhr mittags die alten Herzbeschwerden in ungeahnter Stärke wieder. Eine

Der Palazzo Vendramin, Richard Wagners Sterbehaus in Venedig, nach einem zeitgen. Stahlstich aus dem 19. Jahrhundert

Angestellte des Hauses fand Wagner barhäuptig an seinem Schreibtisch, aufstoßend und stöhnend. Plötzlich zog er mit dem Ausruf »Meine Frau und der Doktor!« heftig die Klingel. Cosima traf ihn in Schweiß gebadet; diesmal versagten die üblichen Medikamente, sogar die sonst als angenehm empfundenen Umschläge auf die Herzgegend wies er heute zurück. Ermattet und stöhnend brach der moribunde Patient im Ankleideraum auf dem kleinen Sofa zusammen. Als der Diener ihn von beengenden Kleidungsstücken befreien wollte, vernahm man nur noch als Letztes: »Meine Uhr!« Dann ist Richard Wagner in den Armen Cosimas gestorben, wenige Monate vor seinem siebzigsten Geburtstag. Ein Herzinfarkt, wahrscheinlich sogar ein Reinfarkt, hatte das rastlose Herz zum Stehen gebracht.

Mit Windeseile verbreitete sich die Nachricht vom Tode des Bayreuther Nestors in der ganzen Welt, von überall trafen Beileidsbezeugungen ein. »Traurig! Traurig! Traurig! Wagner ist tot!!! Als ich gestern die Depesche las, war ich, das darf ich wohl sagen, niedergeschmettert! Keine Diskussion. – Es entschwindet eine große Persönlichkeit! Ein Name, der in der Geschichte der Kunst eine großmächtige Spur hinterläßt!!!«, schrieb G. Verdi am 15. Februar an seinen Verleger G. Ricordi. Nachdem der Bildhauer Benvenuto Augusta die Totenmaske abgenommen hatte, wurde der Leichnam gewaschen und einbalsamiert, Cosima ließ ihr langes blondes Haar abschneiden und gab es ihrem Mann mit auf den letzten Weg. Sie selbst überlebte, ähnlich wie Constanze Mozart, Clara Schumann und Alma Mahler, ihren Lebensgefährten um Jahrzehnte und starb, ebenso wie Wagners einziger Sohn Siegfried, im Jahre 1930.

Am 16. Februar traf der schwere gläserne Prunksarg, welcher außen von einer Bronzehülle umschlossen war, ein. Die Freunde schmückten ihn mit Palmen und Lorbeer, dann geleiteten sie ihn aus dem Palazzo Vendramin. Voraus fuhr die große Totengondel mit dem goldenen Löwen von San Marco, dann folgte die Witwe mit den Familienangehörigen, zuletzt kamen die Freunde.

Strahlende Sonne lag auf dem Trauerzug; man hörte das Wasser an die gebogenen Schiffsschnäbel schlagen; die pompösen Blumenarrangements dufteten betäubend. Sechs Gefährten hoben die Bahre von der Barke und trugen sie in den schwarz ausgeschlagenen Eisenbahnwagen, der auf dem Bahnhof bereitstand und zusammen mit einem Salonwagen, in dem die Witwe und die Kinder Platz nahmen, an den um 2 Uhr abgehenden Schnellzug gehängt wurde. An jeder Station wurde der Leichenkondukt von einer schweigenden Menge ehrfürchtig begrüßt. In München säumten bei Fackelschein Tausende von Verehrern den Bahnsteig; während der Abfahrt, als sich Hunderte von Fahnen senkten, erklang Richard Wagners Trauermarsch aus »Götterdämmerung«.

Die Totenehrung bei der Ankunft in Bayreuth überstieg alles bislang Dagewesene, kein Haus in der Stadt war ohne schwarze Fahne; die Laternen blieben ebenfalls umflort. Unter dem Geläut sämtlicher Glocken schritt ein riesiges Gefolge langsam hinter dem Sarg her, auf dem nur die beiden Kränze des Königs von Bayern lagen. Im Garten der Villa Wahnfried, wo die Kinder warteten, wurde der Schrein in das Grab gesenkt, das Wagner bereits anläßlich seines Hausbaues hatte vorbereiten lassen.

Eine Marmorplatte ohne Inschrift und Zeichen deckt die sterblichen Überreste des Mannes, welcher kraft des ihm von der Vorsehung verliehenen unbeugsamen Willens jenes höchste Ziel der Vollendung erreichte, das vielen Gleichwertigen versagt geblieben ist, und dessen Name schon zu Lebzeiten vom Mythus der Legende umgeben war, weil er das Menschenunmögliche möglich gemacht hatte!

RICHARD WAGNER

1. *Abell, M. A.*, Gespräche mit berühmten Komponisten, Garmisch-Partenkirchen 1962.
2. *Adorno, T. W.*, Versuch über Wagner, Frankfurt 1952.
3. *d'Annunzio, G.*, Feuer. Roman, 2 Bde., Berlin o. J.
4. *Armando, W. G.*, Richard Wagner, Hamburg 1962.
5. *Bekker, P.*, Wagner. Das Leben im Werke, Stuttgart–Berlin–Leipzig 1924.
6. *Bory, R.*, Richard Wagner. Sein Leben und sein Werk in Bildern, Frauenfeld–Leipzig 1938.
7. *Fuchs, H.*, Richard Wagner und die Homosexualität, Berlin 1903.
8. *Glasenapp, C. Fr.*, Das Leben Richard Wagners, 6 Bde., Leipzig 1911.
9. *Grein, E.*, Tagebuchaufzeichnungen von Ludwig II., König von Bayern, Liechtenstein 1925.
10. *Hacker, R.*, Ludwig II. von Bayern in Augenzeugenberichten, Düsseldorf 1966.
11. *Hartwich, A.*, Friedrich Nietzsche. Ciba-Symposium, Basel 1962: 149.
12. *Hausner, M. H.*, Ludwig II. von Bayern. Berichte der letzten Augenzeugen. Gedenkschrift zum 75. Todestag, München 1961.
13. *Loos, P. A.*, Richard Wagner. Vollendung und Tragik der deutschen Romantik, München 1952.
14. *Mayer, H.*, Richard Wagner in Selbstzeugnissen und Bilddokumenten, Hamburg 1960.
15. *Nietzsche, F.*, Werke in 12 Bänden, Stuttgart 1930.
16. *Schuh, W.*, Renoir und Wagner, Zürich–Stuttgart 1959.
17. *Strobel, O.*, König Ludwig II. und Richard Wagner. Briefwechsel, 5 Bde., Karlsruhe 1936–1939.
18. *Spatz, H.*, Bernhard v. Gudden (1824–1886). Zur 75. Wiederkehr seines Todestages. Münchener Medizinische Wochenschrift 1961: 1280.
19. *Ullmann, W. H.*, Warum kennen wir Richard Wagner nur in Samt und Seide? Die Medizinische Welt 1962: 1629.
20. *Wagner, R.*, Die Hauptschriften, herausgegeben von E. Bücken, Leipzig 1937.
21. *Wagner, R.*, Mein Leben, München 1963.
22. *v. Westernhagen*, C., Richard Wagner, Zürich 1956.
23. *v. Westernhagen*, C., Vom Holländer zum Parsifal. Neue Wagner-Studien, Freiburg–Zürich 1962.

526

Giuseppe Verdi (1813–1901) in seinen letzten Lebensjahren

GIUSEPPE VERDI
(1813–1901)

> *»Sie wissen, wie meine Absichten und meine*
> *Hoffnungen sich gewendet haben..., näm-*
> *lich unter den Menschen etwas zu werden*
> *und nicht wie so viele andere ein unnützes*
> *Werkzeug zu sein.«*
>
> *Aus einem Brief des jungen Verdi*

Es sind mehrere Photographien auf uns gekommen, welche
aus Verdis letzten Lebensjahren stammen und den greisen
Meister inmitten der Parklandschaft seines Gutes Sant' Agata
erkennen lassen. Der Betrachter sieht ihn verloren auf einer
Bank sitzen, den Blick zu den Kronen jener Bäume empor-
gerichtet, von denen er viele noch eigenhändig gepflanzt hat.
Fast ein Säkulum durchlebte dieser Mann, der buchstäblich
zum Repräsentanten des 19. Jahrhunderts wurde. Zuletzt
wartete Verdi bewußt nur noch auf das Ende. Als der Tod
im 88. Lebensjahr ihm für immer die Feder aus der Hand
nahm, trauerte nur seine Adoptivtochter am offenen Grabe.
Einsam, wie Verdi immer war und sein wollte, ist er auch
verschieden.

Die Vorliebe dieses italienischen Opernfürsten für kon-
trastreiche Textbücher ist nicht zuletzt durch äußere Ereignisse bedingt – Verdis Leben stellt nicht nur ein Stück Thea-
tergeschichte dar, es ist auch voller dramatischer Akzente.
Die frühen Jahre des Knaben, der ein Sonntagskind war und

am 10. Oktober 1813 unweit von Parma in dem Landflecken Le Roncole als erstes Kind jungvermählter Eltern zur Welt kam, fielen in die Zeit der Not und der Kriegswirren. Fremde Soldaten hausten dort, Napoleon wurde von der Koalitionsarmee aus Oberitalien vertrieben. Als die Truppen näherrückten, verbarg sich Verdis Mutter mit ihrem Söhnchen im Glockenturm der Kirche.

Verdis Vater wurde 82 Jahre alt, seine Mutter 64 Jahre. Sie betrieben eine kleine Gastwirtschaft und lebten in sehr bescheidenen Verhältnissen. Verdi hatte noch eine knapp drei Jahre jüngere Schwester, die schwachsinnig war und schon mit siebzehn Jahren starb.

Der ernste, in sich gekehrte Knabe wurde von Musik zutiefst beeindruckt; ab und zu kam ein Wandermusiker in das Dorf, und seine Geige verzauberte den Kleinen. Als er etwa sieben Jahre alt war, kaufte ihm sein Vater ein gebrauchtes Spinett in Tafelform. Unter den Hämmerchen finden sich die Worte: »Ich, Stefano Cavaletti, habe das Hammerwerk dieses Instrumentes erneuert und mit Leder beschlagen, auch habe ich ein neues Pedal angebracht. Ich habe das Hammerwerk umsonst gemacht, da ich die guten Anlagen sah, welche der junge Giuseppe Verdi für das Studium der Musik auf dem besagten Instrument zeigte, was mich vollkommen befriedigt. – Anno Domini, 1821.«

Der alte Dorforganist von Roncole überwachte gewissenhaft die ersten musikalischen Gehversuche von Vater Carlos Sohn. Seit 1823 besuchte dieser dann das Gymnasium im nahegelegenen Busseto. Sein Gönner Barezzi, der zuständige Grossist für Carlo Verdis Spirituosenhandlung – übrigens ein Musikenthusiast im edelsten Sinne –, veranlaßte während dieser acht Jahre den Unterricht in der dortigen Musikschule, welchen der Organist Ferdinando Provesi übernahm. Verdi studierte Kontrapunkt und Harmonielehre, Instrumentation und Klavierspiel; ab 1824 war er nebenher als Organist in seinem Heimatort tätig. 1831 nahm Barezzi den jungen

Musikus ganz in sein Haus, denn das zarte Verhältnis, das sich zwischen dem Eleven und seiner hübschen Tochter Margherita zu entwickeln begann, war seinem aufs Praktische gerichteten Blick nicht entgangen.

»Als mein Vater mir nach Beendigung meiner Studien am Gymnasium von Busseto erklärte, er habe keine Mittel, mich an der Universität Parma studieren zu lassen, und als ich beschloß, in mein Geburtsdorf zurückzukehren, sagte der alte Barezzi: ›Du bist für etwas Besseres geboren, bist nicht dafür gemacht, Salz zu verkaufen und auf dem Acker zu arbeiten... Du gehst ans Konservatorium in Mailand... Stelle einen Antrag auf das magere Stipendium von 25 Franken im Monat für vier Jahre, alles übrige mache ich...‹«

Verdi entfaltete sich ziemlich leicht – also keinerlei häusliche Schwierigkeiten und nur verständnisvolle Förderer überall, die auch an seiner wahren Begabung nicht zweifelten, als ihm 1832 trotz eines Stipendiums die Aufnahme ins Konservatorium versagt blieb. Verdi, immer sehr anpassungsfähig, nahm sich einen Privatlehrer, wurde schon 1836 Musikdirektor in Busseto und heiratete am 4. Mai die Tochter seines Gönners Barezzi. Aber nur wenige Jahre vermochte ihn der dortige kleinstädtische Musikbetrieb zu binden. Anfang 1839 verließ er Busseto, um sich als Komponist in Mailand »die Scala zu erobern«.

Über die Primadonna Giuseppina Strepponi, die damalige Geliebte Merellis, des Impresarios der Scala, von dem sie ein Kind hatte, gewann Verdi die Gunst des Theatermannes, so daß die Premiere seines Erstlingswerkes »Oberto« am 17. November 1839 immerhin einen gewissen Achtungserfolg beim Publikum zeitigte. Aber dunkle Wolken hatten sich bereits auf Verdis Leben gesenkt: Im August 1838 starb sein Töchterchen, Ende Oktober 1839 das Söhnchen, beide im zartesten Kindesalter. Während der Pause nach dem ersten Akt eilte Verdi nach Hause, um die in ihrem Schmerz dumpf dahinbrütende Margherita zu trösten, dann jagte er wieder zurück

in die Oper. Aber Margherita fand innerlich nicht mehr zu
Verdi; sicher fühlte sie, daß sie ihn längst an eine ándere verloren hatte. Sie starb im Juni 1840 an einer Hirnhautentzündung. Innerhalb von knapp zwei Jahren hatte die Macht
des Schicksals Verdis ganze Familie ausgelöscht. Es war die
schwärzeste Zeit im Dasein des Komponisten, und trotz
seines unerschütterlichen Gottvertrauens hat dieses Ereignis
sein ganzes weiteres Leben überschattet. Weder die vorübergehende Flucht in sein Heimatdorf noch die Komposition
einer komischen Oper konnten Verdi von seiner Trauer ab-
lenken; das Bühnenwerk erlitt zudem am 5. September 1840
eine grausame Niederlage. Zutiefst deprimiert wollte Verdi
keine Note mehr niederschreiben. Wie es dann doch zur Komposition der Oper »Nabucco« (= Nebukadnezar) kam, hat
er uns selbst mitgeteilt:

»Ich war niedergeschlagen und hatte kein Vertrauen mehr
zu mir selbst und dachte nicht mehr an die Musik, als ich eines
Abends im Winter Merelli begegnete, welcher in sein Theater
ging.

Es schneite in großen Flocken; ich erinnere mich genau
daran. Merelli legte nach seiner Gewohnheit seinen Arm auf
den meinigen und lud mich ein, ihn in die Scala zu begleiten.
Während des Weges kam er auf die große Verlegenheit zu
sprechen, welche ihm eine neue Oper bereitete. Im Theater
angelangt, erfaßte Merelli ein Manuskript und zeigte es mir
mit den Worten:

›Sieh her, hier ist es, das Libretto von Solera! Du kannst es
mitnehmen und durchlesen.‹

›Was soll ich denn damit anfangen! Nein, nein, ich habe
keine Lust, Textbücher zu lesen.‹

›Aber ich bitte dich, das wird dir doch nicht schaden . . .!
Lies es durch und bringe es mir dann zurück!‹

Ich stecke es gegen meinen Willen in die Tasche und kehre
in meine Wohnung zurück. – Während des Weges befiel mich
ein unbeschreibliches Unwohlsein, eine tiefe Traurigkeit, eine

Todesangst, die mir durchs Herz ging. Zu Hause angekommen, schleudere ich das unwillkommene Libretto mit Gewalt auf den Tisch und bleibe vor demselben stehen. Es war ein dicker Band, welcher, nach der damaligen Gewohnheit, mit großen Buchstaben geschrieben war. Im Fallen hat es sich geöffnet; ich werfe das Auge darauf, lese genau die Verse:

›Steig, Gedanke, auf goldenen Schwingen.‹

Es war die Paraphrase des wundervollen Psalmes ›Super flumina Babylonis‹. Ich lese weiter und empfinde einen großen Eindruck. Es waren die Sätze der Bibel, die da standen, jener Bibel, welche mir so lieb und geläufig war. Ich lese einen Teil, dann einen anderen; endlich, um meinem Vorsatze, nicht mehr zu schreiben, gerecht zu werden, tue ich mir Gewalt an, schließe das Manuskript zu und gehe zu Bette. Es war mir unmöglich, zu schlafen. Der ›Nabucco‹ trabte mir im Gehirne herum. Ich erhebe mich wiederum von meinem Lager und lese mir jetzt das Libretto nicht mehr einmal, sondern zwei- bis dreimal durch, und zwar mit solchem Eifer, daß ich am folgenden Morgen das ganze Werk Soleras auswendig kannte. Trotzdem wollte ich meinen Vorsatz nicht aufgeben, und an demselben Tage noch kehrte ich ins Theater zurück, um Merelli das Manuskript zurückzuerstatten.

›Ist das nicht schön, wie?‹, sagte mir der Impresario.

›Sehr schön!‹

›Nun, wenn es so schön ist, vertone es.‹

›Keine Spur . . . ich würde nichts daraus machen.‹

›Vertone es, sage ich dir, vertone es!‹

Und mit diesen Worten nimmt er das Manuskript, läßt es mir in die Tasche gleiten, setzt mich mit einem Stoße vor die Türe und schließt sie mir vor der Nase zu. Was konnte ich dabei tun? Wohl nichts anderes als schweigen und mit dem ›Nabucco‹ in der Tasche nach Hause zurückkehren. Heute einen Vers, morgen einen anderen, einen Takt heute, einen Satz morgen; und binnen kurzer Zeit war die ganze Oper vollendet . . .«

Die Uraufführung am 9. März 1842 mit Giuseppina Strepponi in der Hauptrolle brachte den endgültigen Sieg des erst
neunundzwanzigjährigen Komponisten, dessen Genius selbst
die Skeptiker in die Knie zwang. In der ersten Reihe saß
G. Donizetti, welcher nun in Verdi seinen legitimen Erben erblickte. »Mit dieser Oper begann meine eigentliche Laufbahn
als Künstler«, schrieb Verdi. Ein halbes Jahrhundert lang hat
er von souveräner Warte aus allen Modeströmungen getrotzt,
ist er von Erfolg zu Erfolg geeilt.

Um Verdi richtig zu begreifen und die fast kindliche Liebe
zu verstehen, mit der ihn seine Landsleute nach wie vor verehren, müßte man eigentlich selbst Italiener sein. Zu sehr war
das Wirken dieses auch in musikalischer Beziehung als »Pater
patriae« anzusprechenden Mannes mit politischen Ereignissen und mit dem Freiheitskampf seines Volkes verbunden, als
daß man ihn isoliert als Künstler unter Ausklammerung des
Patrioten, dessen Brust die höchsten Auszeichnungen vieler
europäischer Staaten zierten, betrachten könnte. Von seinen
insgesamt sechsundzwanzig Bühnenwerken haben etwa neun
die Zeiten überdauert. Erfolge wie Anfeindungen nahm Verdi
gleichmütig hin, und um seine Opern zu verbessern oder um-
zuarbeiten, ließ er nichts unversucht; denn Genie ist gerade
bei Verdi letzten Endes auch Fleiß! In dem unerschöpflichen
Reichtum seiner Einfälle, gepaart mit bodenständiger Vitalität und mitreißender Rhythmik, spürt man die Urkraft des
Lebens, welche nirgendwo rastet und über alles hinwegfegt –
eine durch und durch männliche Musik! Darum braucht Verdi
auch nicht den Vergleich mit Richard Wagner zu scheuen, an
dessen Schaffen, wie Franz Werfel sehr richtig erkannte,
Verdi zweifellos gelitten hat. Erwuchs ihm in dem Bayreuther
Titanen doch der einzige ernstzunehmende Konkurrent, mit
dessen Existenz sich Verdi abfand, ohne ihn zu ignorieren
oder abzulehnen. Heimlich kam Verdi im November 1871 zu
einer »Lohengrin«-Aufführung nach Bologna; zwei Freunde
setzten sich schützend vor ihn, aber das Publikum erkannte

ihn doch! Und eingehende Notizen im Klavierauszug dieser Oper, von Verdi selbst eingetragen, bekunden, wie sehr er sich mit der Welt dieses Rivalen auseinandersetzte.

Aber man sollte nicht versuchen, Verdi mit Wagner zu vergleichen, und nicht die Entwicklung der Oper nur vom »Fortschritt« der Tristan-Partitur aus beurteilen; mit anderen Worten: Wagners »unendliche Melodie« kommt der italienischen Psyche ebensowenig entgegen wie seine Leitmotivik oder die sinfonische Behandlung des Orchester- und Sänger-Ensembles. Im Grunde liebt der Südländer eine deftige Handlung, eine eindeutige Thematik und »Melodie« – das Orchester als Begleiter des Sängers und *nicht* umgekehrt! – über alles. Und der Musikfreund findet im Verdischen Opernrepertoire zahlreiche ausschließliche Instrumentalstücke, die im Klavierauszug gut reproduzierbar sind; nämlich brillante Ouvertüren, hinreißende Trauer- und Triumphmärsche sowie packende Zwischenaktsmusiken.

Das Wort »Krankheit« wird bei Verdi eher klein geschrieben. Selbst ein so kluger Kopf wie W. Lange-Eichbaum streckte vor ihm die Waffen, und C. Lombroso, welcher in dem Dogma befangen zu sein schien, daß jedes schöpferisch tätige Individuum irgendwie krank sei, fühlte sich fast gedrängt, Verdi deswegen das »Genie« abzusprechen. Und dennoch haben Krankheiten mannigfacher Art den Meister sein Leben lang begleitet; er litt von frühester Jugend an unter rezidivierenden Halsentzündungen, langfristigen Kopfwehattacken, nervösen Magenbeschwerden und Rheuma.

»Aber was könnte ich tun (zur Verteidigung des Vaterlandes), der ich nicht imstande bin, einen Marsch von drei Meilen zu machen, dessen Kopf nicht fünf Minuten lang die Sonne verträgt, bei dem ein bißchen Wind oder ein wenig Feuchtigkeit ein Halsweh hervorruft, das ihn mehrmals wöchentlich ins Bett jagt? Wie armselig ist meine Natur! Zu nichts gut!«, klagt er einmal der Gräfin C. Maffei in seiner Korrespondenz. Vor allem während der »Galeerenjahre«

seiner Jugendzeit, da Verdi Oper auf Oper türmte und vom frühen Morgen bis in die tiefe Nacht hinein oft nur mit einer Tasse Kaffee im Magen arbeitete, stellten sich derartige Beschwerden ein. Sie besserten sich erst, nachdem Verdi das Gut Sant'Agata in der Nähe seines Heimatortes erworben hatte und in der Freizeit ganz zum Landwirt wurde.

Obwohl er selbst aufs Feld ritt, die Äcker bestellte und mit Vieh handelte, haben somatische Krisen den Meister bis zuletzt verfolgt: 1877 veranlaßte ihn eine chronische Bronchitis, in Monte Carlo Heilung zu suchen, schon 1846 hielt ihn die Welt während einer Kur in Bad Recoaro für tot oder »vergiftet«, seit dem Jahre 1884 traten wiederholt kurzdauernde Schwindelanfälle auf, im Winter 1891/92 setzte ihm die Influenza arg zu. Auch Herzstörungen wurden in den letzten Lebensjahren beobachtet, weshalb Verdi im Sommer 1898 und 1899 wieder nach Bad Montecatini ging.

Bei ihm scheint alles so klar, so einfach, so schlicht zu sein – und doch trägt dieses Porträt einen Januskopf, dessen zweites Antlitz er zeitlebens geschickt zu tarnen verstand. Wie sehr Verdi am Dasein litt und die Einsamkeit suchte, bezeugen schon die tieftragischen Stoffe eines Shakespeare und Schiller, die ihn magisch anzogen; das beweist ferner die Tatsache, daß er nach dem Tod von Frau und Kindern fast zwanzig Jahre lang wartete, ehe er 1859 sein Leben offiziell mit dem der Sängerin Giuseppina Strepponi verband.

Wenn Verdi auch in zahlreichen europäischen Großstädten herumgekommen war, in Sant'Agata mit dem düsteren Park fühlte er sich doch stets am wohlsten. Seine Augen haben nicht nur den Glanz dieser Welt gesehen, sondern auch viel geweint. Der wortkarge, in sich gekehrte und oft sehr bissige Mann verstand es, eine Zone des Schweigens um sich und sein Privatleben zu legen – im Grunde blieb er der kühle, unnahbare Verdi, der still und versonnen über den See ruderte, vor Tagesanbruch schon auf den Feldern weilte und die Kraft zum Schaffen in der Stille der Natur fand. Aber – und das ist das Wunderbare an ihm – er stand nicht unter dem dämonischen Einfluß der Musik, sondern konnte sich kraft seines Willens jederzeit von allem, was mit Kunst zusammenhing, befreien. Monatelang blieb der Flügel geschlossen; von Musikalien, gleich welcher Art, hielt er überhaupt nicht allzuviel, und wahrscheinlich war sein Notenschatz viel kleiner als derjenige manches gebildeten Laien.

Der etwas über mittelgroße, schlanke Herr mit dem dunklen Bart, den grauen Augen, der markanten Adlernase und dem gütig-wissenden Alterslächeln (das aber immer noch einen Schuß Pfiffigkeit enthielt) hat auch sonst manches Geheimnis mit ins Grab genommen. Es heißt, Verdi sei der Ruhm gleichgültig gewesen – aber von kaum einem Musiker gibt es derart viele und hochwertige Photographien wie von ihm. Es heißt, Verdi habe sich gar nichts aus Titeln gemacht – und doch hörte er nichts lieber, als wenn man ihn mit »Maestro« ansprach. Es heißt, Verdi habe nichts mehr verabscheut als den Personenkult – und doch hat er testamentarisch die Errichtung eines Verdi-Denkmals in Mailand verfügt. Das alles wird nur verständlich, wenn man die fast mythische Verehrung berücksichtigt, die Verdi schon zu Lebzeiten genossen hat. Sind doch bereits seit den achtziger Jahren des vorigen Jahrhunderts Verdi-»Biographien« auf den Markt gekommen, erfüllte man doch widerspruchslos seine enormen Honorarwünsche (z. B. 150 000 Franken für die »Aida«-Partitur anläßlich der Eröffnung des Suez-Kanals). Denn Verdi war, was immer wieder betont werden muß, ein Komponist, der die breite Masse zu faszinieren verstand, und, was noch viel bemerkenswerter ist, diese seine Popularität bis heute bewahren konnte!

Nachdem am 24. Dezember 1871 in Kairo die »Aida«-Premiere vor einem polyglotten Publikum mit größtem Erfolg stattgefunden hatte, wollte Verdi zunächst keine Textbücher mehr vertonen. Wie um zu zeigen, daß er »auch anders« komponieren könne, stellte er 1873 das Streichquartett e-Moll und im Jahre 1874 sein »Requiem« fertig. Am 21. Mai 1877 dirigierte Verdi in Köln diese ursprünglich als »letztes Werk« gedachte Totenmesse, und die Damen des Chores verehrten ihm einen Taktstock aus Gold und Elfenbein.

Erst nach dem Tode Richard Wagners im Jahre 1883 nahmen neue Opernpläne konkretere Formen an: »Othello ist vollständig beendet!! Wirklich beendet!!! Endlich!!!!!!!!«, verkündete er am 1. November 1886 dem Verleger G. Ricordi – acht Ausrufungszeichen zeugen vom abgeworfenen Arbeitsjoch, erleichtert atmet der dreiundsiebzigjährige Meister auf. Dem Publikum aber, das vergeblich auf Glanzarien im Stile von »Holde Aida« wartet, offenbart sich ein neuer Verdi, ein nach innen blickender Komponist; geht doch jegliche Wandlung zum Altersstil auf Kosten der Unmittelbarkeit und Sinnenfreudigkeit vor sich. Nicht nur aus Italien kommen Stimmen, daß im »Othello« der Komponist eine entscheidende Wendung zu Richard Wagner hin vollzogen habe. »Für die Volksüberlieferung endet G. Verdi mit der Aida«, klagt G. Monaldi 1898, und wenn das vom Sachlichen her gesehen sicher auch nicht ganz richtig ist, so enthält diese Festellung doch einen wahren psychologischen Kern.

»Also soll ich diese Oper beenden? Aber warum? Für wen? Für mich ist es gleichgültig! Für das Publikum noch mehr«, hatte Verdi vor der Fertigstellung des »Othello« gestöhnt. Und während der Arbeit am »Falstaff« spürt Verdi ganz besonders die drückende Bürde des Alltags. Daß er als Abgesang von der Bühne einen Komödienstoff wählt, muß als großer Versuch, seinen Mißerfolg von einst auf diesem Gebiet auszugleichen, gewertet werden. Mitunter legt Verdi jetzt die Partitur zur Seite und greift, wie in jüngeren Jahren, zur Bibel: »Ich will wieder im Buch Hiob lesen, um Kraft zu finden.«

Verdi trinkt auch jetzt noch täglich sein Glas Wein, raucht Zigarren und spielt in aller Gemütsruhe Karten. Am 9. Februar 1893 findet die Premiere seiner letzten Oper in Mailand statt, unter den Hörern sitzt Puccini. In Rom wartet der König auf den fast Achtzigjährigen, um ihn zum Ehrenbürger der Ewigen Stadt zu ernennen; aber Verdi weiß, daß auch der größte Applaus einmal endet. Viele Jahre später wird A. Toscanini in der Originalpartitur einen Zettel mit folgenden Worten finden: »Die letzten Noten des Falstaff. Alles ist vollendet! Geh deinen Weg, solange du kannst... Geh!... geh... Mach dich fort... Addio!«

Bereits Anfang 1897, zehn Monate vor dem Tode seiner zweiten Lebensgefährtin, erlitt Verdi einen gesundheitlichen Zusammenbruch. Als die Gattin im November nach einer schweren Lungenentzündung die Augen für immer schloß, stand er völlig einsam da. Ihr ganzes Leben hatte sie in den Dienst dieses unvergleichlichen Mannes gestellt, stets bemüht um Kontakte zur Außenwelt und Zeugin vieler genialer Momente, wenn Verdi zu nächtlicher Stunde an den Flügel eilte und sie mit den Worten weckte: »Höre zu, paß auf!«

Noch einmal greift Verdi zur Feder, um mit den Vier geistlichen Stücken (Quattro pezzi sacri) für Chor und Orchester der Vorsehung jenes Dankopfer darzubringen, zu welchem er sich am Ende seiner Tage verpflichtet fühlte. Aus dem Jahre 1896 stammt das »Tedeum«, noch vor »Quattro pezzi sacri« entstanden, und Verdi äußerte den Wunsch, man möge es ihm unters Haupt legen, wenn er seinen letzten Weg anträte. In diesem etwa zwanzig Minuten währenden Tonwerk begegnet uns ein neuer, völlig verklärter Tonmeister, für den seine Musik zur unwiderruflichen Aussage wird. Wenn am Anfang der Chor ohne Orchesterbegleitung einsetzt, scheint es, als seien die Kuppelbilder eines Domes zu klingendem Leben erweckt. Wiederholt intoniert am Ende die Menschenstimme »In te, Domine, speravi«; dann vernimmt man nur noch ein paar Takte aus dem Orchester, und mit dem hohen E der Streicher verlieren sich die letzten Noten im Unendlichen.

Einige weitere Jahre bewegt sich Verdi, langsam verfallend, zwischen Sant'Agata, dem Hotel in Mailand, dem Palazzo in Genua und dem Kurhaus in Montecatini (H. Kühner). Seine ganze Sorge gilt den von ihm gestifteten karitativen Einrichtungen, dem Spital von Villanova und der Casa di Riposo, einem Altersheim für Musiker in Mailand, wo er auch an der Seite von Giuseppina beigesetzt zu werden wünscht. In seinem Testament vom Mai 1900 vergißt er ebensowenig das Armenasyl in Genua wie das dortige Heim für Rachitiskranke, auch nicht die Blinden und die Taubstummen von Genua.

Seine Adoptivtochter Maria Carrara-Verdi, der die Hälfte des fürstlichen Vermögens von über sieben Millionen Lire nach seinem Tode zufallen wird, bringt etwas Licht in die letzten Tage des »Gran Vegliardo«, der fast als einziger von seiner Generation noch lebt, ». . . weil schon mein Name nach Mumien-Vorzeit riecht – ich selber trockne aus, wenn ich ihn nur vor mich hinspreche« (Brief vom 15. Dezember 1898). Denn: »Das Leben ist Schmerz. Wenn man jung ist, wiegt einen die Lebensunerfahrenheit, das Bewegte, mancherlei Zerstreuung, Ausschweifung, in Schlummer, der Zauber wirkt, man erträgt das bißchen Gute, bißchen Böse und merkt nichts vom Leben. Jetzt kennen wir es, spüren es, und der Schmerz bedrückt und zermartert uns. Was tun? Nichts, nichts. Wir müssen weiterleben, krank, müde, enttäuscht, bis daß . . .« (Aus einem Brief vom gleichen Jahr.)

Um Verdi existiert bloß die Vergangenheit, er lebt nur noch im Gewesenen: Die Ringe, die er einst mit Margherita Barezzi wechselte, ein paar Flechten ihres blonden Haares, etwas Schmuck – alles ist noch da, und doch: Vorbei! Um Mitternacht erst geht der Meister zu Bett, da er keinen Schlummer findet. Wenn es still geworden ist in seinem Landhaus, hört das Personal, wie er mit schwacher Stimme Selbstgespräche führt. Hin und wieder nimmt er vor dem großen Erard-Flügel Platz und improvisiert die Einleitungstakte zur

540

düsteren 18. Szene des »Don Carlos«: Der Monarch erwacht, schaut auf die heruntergebrannten Kerzen, draußen graut schon der Morgen.

> »Schlaf find' ich erst, wenn man mich hat geschmückt
> Zum letzten Gang am Ende meiner Tage,
> Schlaf find' ich erst, wenn enden alle Qualen . . .«

Und die folgenden Worte – sind sie vielleicht nicht ein heimliches Selbstbekenntnis?

> »Ach, könnte die Macht mir die Zauberkraft verleih'n,
> Zu sehn ins Menschenherz, wie Gott allein es vermag!
> Schlafe nicht, König, rings lauern die Verräter,
> Man raubt die Macht dem Fürsten
> Und dem Gatten die Ehre! –
> Sie hat mich nie geliebt, nein, ihr Herz blieb kalt,
> Sie liebt, sie liebt mich nicht,
> Hat mich auch nie geliebt!
> Schlaf find' ich erst, wenn man mich hat geschmückt
> Zum letzten Gang am Ende meiner Tage . . .«

Verdi bat seine Adoptivtochter, alle seine privaten Dokumente nach seinem Tode zu vernichten. Von Musik ist kaum mehr die Rede. Als König Umberto I. im Juli 1900 zu Monza ermordet wurde, versuchte der Meister die Vertonung eines kurzen Gebetes, das dem Toten gewidmet sein sollte; aber die Komposition blieb unvollendet. »Ich bin allein! Traurig, traurig, traurig!« heißt es am 13. November. Und bald darauf: »Wenn mir auch die Ärzte sagen, daß ich nicht krank bin – ich spüre doch, wie mich alles müde macht: Ich kann nicht mehr lesen, nicht schreiben, die Augen versagen, das Gefühl läßt nach, und gar die Beine wollen mich nicht mehr tragen. Ich lebe nicht, vegetiere nur eben. Was soll ich noch auf dieser Welt!« (Anfang 1901.)

Das letzte Weihnachtsfest verlebte Verdi in den altvertrauten Zimmern des »Hotel Milan«. Vom beginnenden neuen Jahrhundert erwartet Verdi nichts mehr. In den an ihn gerichteten Glückwünschen des Mailänder Erzbischofs zum Jahreswechsel erblickt Verdi seltsamerweise kein gutes Vorzeichen. Hatte er nicht stets, seiner inneren Erleuchtung vertrauend, in scheinbar unwichtigen äußeren Ereignissen den Finger der Vorsehung wahrgenommen? Fühlte er sich doch schon vor dem Mißerfolg der am 8. Dezember 1849 in Neapel erfolgten Premiere seiner »Luisa Miller« durch den sogenannten »bösen Blick« eines Theaterbesuchers ungünstig beeinflußt! Auch jetzt verliert er allen Lebensmut, geht nicht mehr aus und fährt nicht mehr fort.

Am Vormittag des 21. Januar 1901 (nach anderen Berichten bereits am 18., was aber weniger wahrscheinlich ist), kurz nach dem Besuch des Arztes, der mit Verdis Gesundheitszustand zufrieden war, fand ihn die alte Kammerfrau des Hauses, die ihm beim Ankleiden half, bewußtlos auf dem Rand des Bettes. Leichtere Schwächeanfälle infolge von Durchblutungsstörungen im Gehirn hatte man bei ihm in den letzten Jahren schon öfter beobachtet. Jetzt aber kommt Verdi nicht mehr zu sich, eine Massenblutung im Bereich der Capsula interna links führt zu einer Lähmung der ganzen rechten Körperhälfte. Die Adoptivtochter und der zurückgerufene Arzt sowie zwei weitere Mailänder Kollegen und ein Professor aus Florenz bemühen sich um den Patienten. Draußen harrt Tag und Nacht eine schweigende Menge der Nachrichten, die aus dem Krankenzimmer kommen. Am 24. Januar erhält der Moribunde die Letzte Ölung. Am 26. Januar öffnet Verdi noch einmal die Augen, kann zwar nicht mehr sprechen, dankt aber dem Priester mit einem tiefen Blick und einem langen Händedruck seiner Linken. Gegen Mitternacht setzt der Atem aus, das vorher fiebrig gerötete und krampfhaft gespannte Antlitz des Meisters ist jetzt bleich und starr; er röchelt. Am 27. Januar 1901 um 2.50 Uhr verkündet Professor Grocco den Anwesenden: »Meister Verdi ist gestorben.« Die Züge des Toten sind friedlich.

Der entseelte Körper wird gewaschen und im Frack aufgebahrt; man legt ihm ein Kreuz aus Ebenholz auf die Brust und schmückt das Sterbebett mit zwei Kandelabern und Palmzweigen. Die Komponisten des neuen Italien, an ihrer Spitze R. Leoncavallo, übernehmen die Totenwache. Der Bildhauer L. Secchi modelliert das letzte Antlitz. »Ich bestimme, daß mein Begräbnis ganz bescheiden sei und bei Tagesanbruch stattfinde oder beim Ave-Maria-Läuten. Zwei Priester, zwei Kerzen und ein Kreuz mögen genügen... An die Dorfarmen von Sant' Agata sollen den Tag nach meinem Tod 6000 Lire verteilt werden.«

Diesem Wunsche Rechnung tragend, bewegt sich in den frühen Morgenstunden des 30. Januar in aller Stille ein Trauerzug zum Mailänder Monumentalfriedhof. Doch als seine und Giuseppinas sterbliche Überreste knapp einen Monat später von dort in die »Casa di Riposo« überführt werden, erweisen ihnen Hunderttausende die letzte Ehre, stimmen 900 Sänger unter A. Toscaninis Leitung jenen Chor aus der Oper »Nabucco« an, dessen Textworte dem Meister damals aus tiefster Verzweiflung den Weg zum Licht gewiesen hatten: »Flieg, Gedanke, auf goldenen Schwingen!« So hat Verdi in Mailand, der Stätte erster triumphaler Erfolge, wo er einst an der Seite von Margherita lebte, auch seinen Frieden gefunden.

GIUSEPPE VERDI

1. *Braun, A.,* Krankheit und Tod im Schicksal bedeutender Menschen, Stuttgart 1940.
2. *Gerigk, H.,* Giuseppe Verdi, Potsdam 1932.
3. *Grüninger, F.,* Giuseppe Verdi, Potsdam 1953.
4. *Holl, K.,* Verdi, Berlin 1939.
5. *Kühner, H.,* Giuseppe Verdi in Selbstzeugnissen und Bilddokumenten, Hamburg 1961.
6. *Lange-Eichbaum, W.* und *Kurth, W.,* Genie, Irrsinn und Ruhm, München–Basel 1967.
7. *Monaldi, G.,* Giuseppe Verdi, Stuttgart–Leipzig 1898.
8. *Perinello, C.,* Giuseppe Verdi, Berlin 1900.
9. *Pougin, A.,* Verdi, Leipzig 1887.
10. *Seifert, W.,* Giuseppe Verdi, Leipzig 1955.
11. *Verdi, G.,* Briefe, Berlin–Wien–Leipzig 1926.
12. *Verdi, G.,* Briefe zu seinem Schaffen, Frankfurt a. M. 1966.
13. *Weissmann, A.,* Verdi, Stuttgart–Berlin 1922.
14. *Werfel, F.,* Verdi, Roman der Oper, Frankfurt a. M., 1962.
15. *Bolletino Quadrimestrale dell'Istituto di Studi Verdiani,* Bd. 3, Parma–Busseto 1960.
16. *L'Illustrazione Italiana* vom 29. Januar 1941.
17. *Lo Smeraldo,* »Nel cinquantenario della morte di G. Verdi«, Anno IV, Numero 6, 30. November 1950.

Giacomo Puccini (1858–1924)

GIACOMO PUCCINI
(1858–1924)

»Ich kam vor langer Zeit zur Welt . . . und
Gott berührte mich mit dem kleinen Finger
und sprach: ›Schreibe fürs Theater; merke
Dir: nur fürs Theater‹ – und ich habe des
Höchsten Rat befolgt.«

G. Puccini an G. Adami, 1920

Es gibt Bilder vom greisen Verdi, die ihn aufmerksam lauschend in einer Theaterloge zeigen, umgeben von den ersten Musikern Italiens und an seiner Seite G. Puccini. Als Verdi starb, waren nämlich schon »Manon Lescaut«, »La Bohème« sowie »Tosca« über die Bühne gegangen, und stets hat der Ältere ein offenes Ohr für den jungen Maestro gehabt.

Giacomo Puccinis Ahnen waren Kapellmeister und Komponisten in Lucca, auch sein Vater hatte es dort zum Generalmusikdirektor gebracht. Der Ehe mit Albina Puccini-Magi, welche ebenfalls zahlreiche Künstler in ihrer Familie vorweisen konnte, erwuchsen fünf Töchter und zwei Söhne. Musik hat also den kleinen Giacomo (* 22. Dezember 1858) seit frühester Jugend umgeben; aber der Genius begleitete hauptsächlich ihn, während sein Bruder Michele als junger Mann in Argentinien, wo er Gesangsunterricht erteilte, elend zugrunde ging.

Die musikalische Begabung trat bei Puccini nicht mit der zu erwartenden Vehemenz zutage. Recht unwillig spielte er unter des Vaters Anleitung Orgel; doch wurde dieser begraben, als Giacomo sechs Jahre alt war. Der Knabe kam dann zu Carlo Angeloni, einem Schüler seines Vaters, der am Istituto Musicale lehrte. Mit zehn Jahren sang er im Chor von San Martino und San Michele, und im Alter von vierzehn Jahren begann er, als Organist an diesen wie auch an anderen Kirchen in der näheren und weiteren Umgebung von Lucca zu wirken (M. Carner). Zeitlebens fand jene Tätigkeit in Puccinis Schaffen ihren Nachhall, denn er komponierte geistliche Werke und vollendete beispielsweise 1880 eine Messe. Zu Fuß pilgerte er 1876 den vierzig Kilometer langen Weg nach Pisa, um Verdis »Aida« zu hören, und in diesen Stunden scheint er seine wahre Bestimmung erkannt zu haben. Nun konnte ihn nichts mehr daran hindern, schöpferisch tätig zu werden. Sein Großonkel, der Arzt N. Cerù in Lucca, nahm sich seiner an, allerdings mit sparsam dotierten Zuschüssen. Und Puccinis Mutter, die keine Möglichkeit ungenützt ließ, ihr Lieblingskind zu fördern, verstand es, durch die Fürsprache einer ihr bekannten Gräfin von der Königin Margherita eine monatliche Studienhilfe von 100 Lire zu erlangen, welche begabten Söhnen aus unbemittelten Musikerfamilien bewilligt wurde. Doch vergingen noch Jahre, ehe Puccini endlich im Herbst 1880 aufs Mailänder Conservatorio Reale kam.

Weil Puccini von dem schmalen Stipendium noch den Lebensunterhalt seines Bruders Michele und den eines armen Vetters bestreiten mußte, führte er anfangs ein kümmerliches Hungerleben, und wenn er abends vor der Scala die sogenannte »elegante Welt« bewunderte, sehnte er sich nicht nur nach der Aufführung eigener, unsterblicher Werke, sondern auch nach Luxus und Reichtum. Das alles hat er, sehr im Gegensatz zu den meisten anderen großen Musikern, in verhältnismäßig kurzer Zeit erreicht. Aber dieser Aufstieg war viel steiniger, als man auf den ersten Blick ahnt. Die Erfolge hatte er sowohl seiner Begabung als auch seinem un-

ermüdlichen Fleiß sowie seiner robusten Gesundheit zu ver-
danken. Dazu besaß Puccini – was vielen Komponisten in
diesem Maß versagt geblieben ist – eiserne Nerven und ein
unbeirrbares Selbstbewußtsein, so daß er schließlich den Sieg
über Kollegen, Rivalen, Theaterdirektoren und Verleger
davontrug.

Am Mailänder Konservatorium studierte er bei A. Pon-
chielli und A. Bazzini, im Juli 1883 legte er sein sinfonisches
»Capriccio«, das eine außerordentliche Begabung erkennen
ließ, als Prüfungsarbeit vor. Hingegen gelang es ihm nicht,
mit der Oper »Le Villi«, die er großenteils daheim in
Lucca bei seiner Mutter fertigstellte, im Rahmen eines
Wettbewerbes einen Preis zu erringen. Obwohl der Einakter
vom Prüfungsgremium abgelehnt wurde, konnte das Werk
doch noch 1884 im Mailänder Teatro dal Verme aufgeführt
werden und erzielte einen sensationellen Erfolg. »Ein großer
Komponist ist in Sicht!« stellten die Kritiker fest, und er
erhielt von seinem Verleger Ricordi sogleich einen weiteren
Opernauftrag. »Aber die Mutter, die an jenem Abend der
›Villi‹ allein und fern gewacht und für ihren Sohn, der seine
erste Schlacht schlug, gebetet hatte, die Mutter war tot«
(A. Fraccaroli).

Puccinis nächste Oper »Edgar« ist nicht vom Glück be-
günstigt gewesen. Obwohl er mehrere Jahre daran arbeitete,
scheiterte das Bühnenstück an dem mäßigen Libretto. Von
nun an war der Meister höchst kritisch beim Vertonen von
Textbüchern; im stillen beneidete er Richard Wagner, der sie
sich selbst schrieb. Puccinis Gesamtwerk umfaßt ein Dutzend
Opern in einem Leben von sechseinhalb Jahrzehnten, und da
er die Einmaligkeit seiner Begabung ebenso klar erkannte
wie deren Grenzen, hat er sich, von Gelegenheitsarbeiten abgesehen, auch nie auf andere musikalische Gebiete vorgewagt.
Viele unfreiwillige Pausen in Puccinis Schaffen sind durch
die Säumigkeit der Autoren entstanden und durch eine
scharfe Selbstkritik, der alles Mittelmäßige in Wort, Bild,

Erste Takte zu »Tod der Liu«
aus dem dritten Akt von Puccinis Oper »Turandot«

Regie und Ton zum Opfer fiel. Dichter von Format konnte er leider nie gewinnen. Je berühmter Puccini wurde, um so mehr Literatur kam mit der Post ins Haus, Werke von echten und falschen Poeten, die durch den Maestro eine klingende Wiedergeburt ihrer Gedanken erhofften – aber er ist diesen Verlockungen nur selten erlegen.

Als am 1. Februar 1893 »Manon Lescaut« im Turiner Teatro Regio in Szene ging, wurde Puccini durch diese Premiere weltberühmt. Die Zeiten drückender Armut waren vorüber. Seit Jahren schon lebte er mit Elvira Gemignani aus Lucca, der Tochter eines Großwarenhändlers, zusammen. Im Jahre 1886 kam der Sohn Antonio zur Welt, aber heiraten konnte er Elvira erst nahezu zwei Jahrzehnte später, als ihr Mann, den sie Puccini zuliebe verlassen hatte, gestorben war. Sie begleitete Puccini, der ihre Tochter Fosca adoptierte, durch alle Höhen und Tiefen seines Künstlerdaseins und verzieh ihm, wenn auch nicht immer leichten Herzens, seine zahllosen privaten Eskapaden, weil er ohne das »weibliche Element« weder zu komponieren noch zu leben vermochte. Im Mittelpunkt der bedeutendsten Puccini-Opern steht ja auch meist eine Frau, welche sich – im Gegensatz zu den heroischen Männergestalten – irgendwie opfert: Manon, Tosca, Butterfly, ja sogar noch die Liu in seinem letzten Werk »Turandot«. Hellsichtig schrieb ihm der Erfinder Th. A. Edison: »Menschen sterben und Regierungen wechseln, aber die Gesänge aus ›La Bohème‹ werden immer leben.«

Puccini ist dennoch ein viel hintergründigerer Mensch gewesen, als zahlreiche Biographen vermutet haben, die ihn früher oft zum musikalischen Epigonen mit Neigung zu exotischen Motiven abstempelten. Nach außen strahlte er eine ungeheure, belebende Wärme aus; er war ein großherziger Mensch, den jeder, der ihm nahen durfte, unwillkürlich geliebt hat (H. J. Moser). Dabei trieb ihn eine seltsame innere Unruhe immer wieder in die Verlockungen dieser Welt; aber wirklich zu schaffen vermochte er nur in der Stille, in Torre del Lago, wo er ein Haus am Ufer des Sees bewohnte. Dann, wenn er komponierte, ging Puccini umher wie in Hypnose, beschrieb mit dem Bleistift große Notenbögen, sprach halblaut vor sich hin, beantwortete keine Fragen, aß fast nichts, trank literweise schwarzen Kaffee und rauchte täglich mehrere Dutzend Zigaretten. Trauer war in seinen Zügen. Zwischendurch wanderte er, ging auf die Jagd, fuhr über den See. Nachts konnte er am besten arbeiten, immer sehr langsam und mitunter selbstquälerisch: Ob zum Beispiel von den drei Trompeten am Schlusse des zweiten Aktes von »La Bohème« eine gestopft und zwei offen blasen sollten oder umgekehrt, beschäftigte den Meister vielleicht länger als manchen anderen die Niederschrift einer ganzen Oper (W. Seifert). Im Frühjahr 1935 besuchte Frau Alma Mahler-Werfel Puccinis Wahlheimat:

»Bald rief der Kanzler Kurt von Schuschnigg uns an, von dem wir wußten, daß er in Italien sei, und wir vereinbarten einen Besuch bei ihm in Viareggio, wohin er sich zurückgezogen hatte. Er schlug uns vor, mit ihm in seinem italienischen Staatswagen nach Pisa und von dort über Viareggio an den kleinen See Torre del Lago zu fahren, an dem das Wohnhaus des früh verstorbenen Giacomo Puccini liegt. Wir erstaunten sehr über die Einfachheit, ja Ärmlichkeit dieses Häuschens, in dem er auf einem klapprigen Pianino seine göttlichen Melodien ersann. Die Einrichtung des kleinen Musikraums war eine grüne und rote Plüschgruft, mit braunen dumpfen Ölbildern an der Wand. Absolute Kleinbürgerei! Puccini war einer der schönsten Menschen gewesen, die ich je gesehen habe. Er war ein Don Juan, und die Weiber zerrissen sich seinetwegen. Man kann sich vorstellen, daß er nach all diesem Ruhmrausch und den Liebesangeboten Sehnsucht nach dem kleinen bescheidenen Haus und seiner zurückgezogen lebenden Hausfrau hatte, wo er in klösterlicher Stille ausschließlich seiner Arbeit lebte.«

Er, der »von der Schönheit des Lebens in geradezu heidnisch anmutender Stärke ergriffen war« (F. Thiess), wirkte, zumal seine Werke – von »Schwester Angelica« abgesehen – eigentlich wenig christliches Gedankengut erkennen lassen, auf seine Feinde wie ein Apostel des Bösen. Zweifellos hat kaum jemand die dunklen Mächte eindringlicher zu beschwören verstanden als er; in den Folterszenen der »Tosca« oder dem Henkerchor aus »Turandot« bricht diese Nachtseite durch, so daß die Musik stellenweise in ein magisch-dämonisches Licht getaucht scheint und vielleicht erst hierdurch ihre geheimnisvolle Faszination erlangt. In seinem Heimatland sah man es nicht allzu gern, daß Puccini Freimaurer wurde und in der Loge einen hohen Grad innehatte. Als im Januar 1909 eine Hausangestellte Puccinis ihrem Leben mit Sublimatpastillen ein Ende setzte und sich der Komponist während der nachfolgenden Gerichtsverhandlungen mit Scheidungsabsichten trug, erregte er erneut sensationelles Aufsehen. Der Dorfpfarrer hielt Puccini für den personifizierten Satan, der nach Torre del Lago gekommen sei, um das einfache Bauernvolk zu verwirren und sich als Götzen anbeten zu lassen (J. von Bókay).

Zahlreiche Schwierigkeiten, mit denen er zu kämpfen hatte, wie etwa die Androhung eines Bombenattentates anläßlich der »Tosca«-Premiere in Rom am 17. Januar 1900, sind wahrscheinlich seinem extravaganten Privatleben zuzuschreiben und weniger als Affront gegen das Werk aufzufassen. So gesehen, war auch der Skandal bei der Uraufführung von »Madame Butterfly« manipuliert. Schon von Anfang an stand das Werk unter keinen günstigen Vorzeichen. Als er den zweiten Akt komponierte, erlitt Puccini einen schweren Autounfall – er war begeisterter Kraftfahrer und besaß auch mehrere Motorboote – und zog sich dabei einen Bruch des rechten Schienbeines zu. Puccini blieb monatelang ans Bett gefesselt, man stellte bei ihm vorübergehend sogar einen Diabetes fest. Die »Butterfly«, von der er sich einen außerordentlichen Erfolg erhoffte, wurde unter Schmerzen geboren, doch war er sich seiner Sache so sicher, daß er zur Erstaufführung am 17. Februar 1904 mehrere Angehörige in die Mailänder Scala einlud, die Zeugen seines Erfolges werden sollten. Puccinis Schwestern und der siebzehnjährige – übrigens ganz unmusikalische – Sohn Antonio waren anwesend, als sich schon bald nach dem Beginn Gejohle und Gepfeife erhoben. Die Zeitschrift »Musica e musicisti« schrieb später: »Nach diesem Höllenspektakel, während dem man nahezu nichts hören konnte, verließ das Publikum seelenvergnügt das Theater. Und niemals sah man so viele frohe Mienen, so freudig zufriedene Gesichter, als hätte die Menge einen Sieg errungen. In der Vorhalle des Theaters erreichte die Freude ihren Gipfel, und man sah die Leute sich die Hände reiben, wobei sie ihre Befriedigung mit den Worten unterstrichen: ›Es ist um ihn geschehen: Friede seiner Asche.‹« Noch am gleichen Tag telegrafierte Puccini seinen Verwandten nach Lucca: »Butterfly ein Mißerfolg, aber mein künstlerisches Gewissen ist ruhig.« Puccini ließ sich nicht entmutigen, zog das Werk zunächst zurück, erweiterte die Oper von zwei auf drei Akte, veränderte das Libretto, und schon am 28. Mai 1904 trat »Butterfly« von Brescia aus ihren Siegeszug um die Welt »und zu den Sternen« an. –

Puccini reiste nun durch Italien und Frankreich, besuchte mit seiner Frau Elvira Ägypten sowie Südamerika und ließ sich überall gebührend feiern. In den nächsten Werken bewies er eine weniger sichere Hand; mit der für die Metropolitan Opera in New York bestimmten Vertonung von »Das Mädchen aus dem goldenen Westen« (1910) sowie der 1916 fertiggestellten »Schwalbe« konnte er auf den Bühnen der Welt nicht recht Fuß fassen. Es folgten drei Kurzopern (»Der Mantel«, »Schwester Angelica«, »Gianni Schicchi«), welche er in zusammenhängender Folge trotz der daraus resultierenden Überlänge am 11. Januar 1919 aufführen ließ; denn der kumulative Effekt der ganzen Trilogie übertrifft die Wirkung der musikalisch nicht gleichwertigen einzelnen Stücke bei weitem. Puccini suchte nach neuen Ausdrucksformen; unerträglich schien ihm der Gedanke, daß er vielleicht jetzt, da er sichtlich zu altern begann, von der Welt scheiden sollte, ohne die wahre Krönung seines Schaffens gefunden zu haben. Er war ebenso berühmt wie vermögend; abends hörte er über sämtliche Radiostationen die Spitzenarien aus seinen Opern.

Nun wollte und sollte er alles Geschriebene in einer grandiosen Zusammenfassung überbieten. Ungefähr vier Jahre währte die Arbeit an der »Turandot«. Das Britische Museum stellte ihm hierfür eigens das einzige vorhandene Exemplar altchinesischer Rhythmen und Tonstücke zur Verfügung. Die Oper gründet sich auf Schillers Dramatisierung von C. Gozzis italienischer Turandot-Komödie; in dem Libretto von G. Adami und R. Simoni, das sie in großen Intervallen dem Komponisten zustellten, finden sich aber erhebliche Veränderungen der Handlung. Mit einem Elan, der ans Hektische grenzte, trieb Puccini immer wieder seine säumigen Autoren zur Arbeit an. Ohne Drogen vermochte er nicht mehr zu schlafen, tagsüber nahm er alle erdenklichen Stimulantien ein und magerte sehr ab. Am Anfang seines letzten Lebensjahres schrieb der Meister: »Ich denke Stunde um Stunde, Minute um Minute an ›Turandot‹, meine ganze bisherige Musik ... gefällt mir nicht mehr.« Große Angst befiel ihn. Sollte diese Oper, an deren Libretto er bis zuletzt oft zweifelte, ein Mißerfolg werden, dann wäre das Gesamtwerk gefährdet. »Ich bin mit meiner Arbeit gestrandet. Ich bedarf der Ermutigung eines Menschen, der mich versteht«, schreibt er am 20. Juni 1921 an G. Adami. Später: »Bin ich am Ende? Bin ich gerichtet? ... Ich sehe Nebel über ›Turandot‹.« Obwohl die Arbeit trotz zwischenzeitlicher Pausen ständig Fortschritte macht, verzweifelt Puccini an sich selbst: »Nein! Nein! Nein! ›Turandot‹ – nein! Ich habe den dritten Akt durchgesehen. Es geht nicht. Vielleicht und auch ohne vielleicht bin ich es selbst, mit dem es nicht mehr geht!« Wahrscheinlich ahnte Puccini die Diskrepanz, an welcher das

Werk stets krankte und die selbst wohlwollende Kommentare nicht zu vertuschen vermögen: daß die Liebe zu dem unbekannten Prinzen bei der exzentrischen Prinzessin erst durch das Selbstopfer der Liu entflammen soll, nachdem zuvor zweieinhalb Akte lang keinerlei diesbezügliche Anzeichen zu erkennen waren. Einem Theaterpraktiker wie Puccini mußte eine solche Version viel zu weit hergeholt und psychologisch unglaubhaft erscheinen. Er hat dann auch keine Mühe gescheut, um wenigstens durch klangliche Akzente jenen jähen Umschwung glaubhafter zu gestalten. Sechsunddreißig Blätter mit hinterlassenen Skizzen bekunden einen verzweifelten Wettlauf mit der Zeit, den er nicht mehr gewinnen sollte. Vielleicht hätte sich sonst alles nahtlos zum Ganzen gefügt.

Puccini wurde immer fahriger und nervöser, er hielt es an einem Ort nicht länger als zwei Wochen aus. Da in Torre del Lago eine Torffabrik in der Nähe seiner Villa errichtet wurde, deren Sirene ihn störte, war er in das nahegelegene Viareggio verzogen und bewohnte dort inmitten von Pinien ein bungalowähnliches Haus. »Alles vergeht, was einmal schön war, sogar mein geliebtes Torre del Lago! Alles, alles ist zu Ende ... Mein Hals schmerzt und meine Stimmung ist trostlos, mein Glaube hat mich verlassen, das Leben macht mich müde, – nichts mehr bereitet mir Freude auf dieser Welt ... Ich bin vollkommen gebrochen. Mir scheint, als habe ich mein ganzes Selbstvertrauen verloren. Meine Arbeit schreckt mich, an nichts finde ich etwas Gutes ...« Und: »Diese Oper vollende *ich* nicht.« Bald hielt er »Turandot« für sein bestes Werk, dann wiederum verdammte er alles Geschriebene und wollte die Partitur für immer zur Seite legen.

Im Frühjahr 1924 verspürte Puccini einen unbestimmten Schmerz in der Kehle. Er selbst datierte in einem Brief den Beginn seiner Krankheit auf den Monat März. Zunächst maß er diesen Beschwerden keine besondere Bedeutung bei, denn als Kettenraucher war er seit Jahren an Heiserkeit und chronische Bronchitis gewöhnt. Anfang Mai fuhr er nach Mai-

land, um einen Arzt aufzusuchen, denn nun nahm seine Baß-
stimme mitunter Tenorlage an. Im Sommer traf er während
eines Urlaubsaufenthaltes die Königsfamilie; der König empfahl ihm Gurgeln mit Salzwasser, denn »manchmal sind die
einfachen Heilmittel die besten«. Erleichtert teilte er am
1. September G. Adami mit: »Heute fange ich wieder an zu
schreiben. Ich habe furchtbare Krisen durchgemacht – auch
mit meiner Gesundheit. Dieses Kehlkopfleiden, das mich seit
März quält, schien sich zu einer schlimmen Sache auswachsen
zu wollen. Jetzt fühle ich mich besser.« Der Dirigent Arturo
Toscanini besuchte ihn in diesen Tagen und war bestürzt über
Puccinis Heiserkeit und Magerkeit. Er hustete unaufhörlich,
hatte aber die Oper bis zu Lius Todesarie in der Mitte des
dritten Aktes weiter komponiert – jene seltsam verschwebenden, unirdisch wirkenden Klänge wurden sein Schwanen-
gesang.

Als Puccini Anfang Oktober zum Senator ernannt wurde,
glaubte er in allem an eine Wendung zum Guten. Allein
schon in der Mitte dieses Monats verspürte der Patient erneut starke Schmerzen, so daß er sich in ärztliche Behandlung
begab; man fand aber nichts Besonderes und verbot ihm das
Rauchen. In Florenz wurde dann im Rahmen einer eingehenden Untersuchung eine Neubildung unter dem Kehldeckel
beobachtet, das Konsilium mit den Professoren Torrigani,
Toti und Gradenigo ergab die Notwendigkeit eines sofortigen
chirurgischen Eingriffes, nachdem durch Probeexzision die
Malignität des Tumors feststand. Gradenigo riet, sich an eine
Klinik nach Brüssel zu wenden, wo man über besondere Erfahrungen in der Radiumkur verfügte.

Obwohl sie nur den Sohn Tonio in die Diagnose »Kehl-
kopfkrebs« einweihten und der Meister selbst im ungewissen
blieb, scheint er doch die Bedrohlichkeit seines Zustandes geahnt zu haben. Aber letztlich weilten seine Gedanken anders-
wo; bis zu Lius Worten »Denn durch mein Schweigen schenk
ich ihm deine Liebe, dich Prinzessin schenk ich ihm . . .« war

die Instrumentation des dritten Aktes gediehen. Er ging in Torre del Lago noch einmal um das Haus herum, an den See, nahm Abschied von allem und reiste am 4. November mit dem Wagen an der Seite seines Sohnes nach Mailand. Von dort fuhr er mit dem Expreßzug nach Brüssel; er hatte sich ein eigenes Abteil reservieren lassen und nahm sofort wieder die Partitur der »Turandot« vor. Unterwegs trat starker Husten auf, und Tonio warf die blutgetränkten Taschentücher aus dem Fenster. »Wie demütigend, häßlich und ekelhaft ist es, krank zu sein«, flüsterte Puccini, »gebt acht, daß mich niemand so sieht!«

In Brüssel wurde Puccini von einem Arzt aus der Klinik des Dr. Ledoux erwartet und in das Institut Chirurgical, Avenue de la Couronne 1, gebracht. Von dort schrieb er an seinen Textbuchautor und Freund G. Adami:

»Lieber Adamino, jetzt bin ich hier! Ich Ärmster! Man sagt, ich werde ungefähr sechs Wochen benötigen. Das habe ich nicht verdient! Und ›Turandot‹? . . .«

Vater und Sohn wurden in zwei kleinen Zimmern der Klinik, welche miteinander verbunden waren, untergebracht. Herz, Blut und Lungen untersuchte man eingehend. Da es zu einer raschen Vergrößerung der malignen Neubildung gekommen war, hat man das Radium zunächst zwölf Tage lang äußerlich in Form von Kompressen (». . . sono in croce come Gesù! Ho un collare che è una specie di tortura.«) angewandt. Die Blutungen standen, die Schwellungen gingen zurück, Puccini durfte wieder rauchen und die Klinik vorübergehend verlassen. Er versuchte sogar zu komponieren, kam aber mit der Arbeit nicht recht voran. Im Theater Monnaie sah der Meister mit seinem Sohn noch einmal »Madame Butterfly«. Seinen letzten Brief schrieb er am 22. November:

»Lieber Adamino, bisher ist die Kur nicht schlimm. Äußerliche Behandlung. Aber Gott weiß, was sie am Montag mit mir machen werden, um nach innen unter den Kehldeckel zu kommen! Sie behaupten, ich werde nicht zu leiden haben – und sie sagen auch, ich kann geheilt werden. Jetzt beginne ich zu hoffen. Vor einigen Tagen hatte ich jede Hoffnung auf Heilung verloren. Was für Stunden, was für Tage! Ich bin zu allem bereit. Schreiben Sie mir einmal.

Herzlichst der Ihre . . .«

Am Montag, dem 24. November, um 8 Uhr morgens bekam Puccini eine Morphiuminjektion. Dann wurde er in den Operationssaal gefahren; da die Bahre zu kurz war, mußte Puccini seine Beine in der Schwebe halten. Draußen warteten Tonio und Fosca, die ebenfalls in Brüssel weilte, voller Spannung. Wahrscheinlich hat Dr. Ledoux auch in diesem Fall seine operative Methode, nämlich eine chirurgische Fensterung des Larynx mit nachfolgender Einlagerung von radiumhaltigen Hohlnadeln in den Tumor, zur Anwendung gebracht. Mehrere Ärzte bemühten sich um Puccini, aber die Geschwulst lag ungünstig und war schwer zugänglich. Der Eingriff wurde in Lokalanästhesie durchgeführt; als Puccini nach dreieinhalb Stunden aus dem Operationsraum gebracht wurde, ragten sieben lange Nadeln, welche mehrere Milligramm Radium zur Zerstörung der Geschwulst enthielten, aus seinem Hals. Der Kranke atmete durch eine silberne Kanüle, man führte ihm lediglich flüssige Nahrung durch die Nase zu. Puccini litt unter einem ständigen Durstgefühl, das man mit kaltem Champagner zu lindern versuchte. Er bat um einen Bleistift und schrieb auf ein Blatt Papier: »Es ist eine Schmach!«

Doch dann setzte eine deutliche, allerdings trügerische Besserung ein. Seine Widerstandskraft war erstaunlich, das Herz schlug regelmäßig. Dr. Ledoux verkündete bereits: »Puccini wird die Klinik verlassen!« Er selbst sagte am Donnerstag: »Fosca, ich bin gerettet!« Zum Mittagessen stand der Meister schon auf, rauchte wieder, legte seine abgemagerten Hände um Tonio und Fosca und sprach: »Vergeßt nie, daß Eure

Mutter eine große Frau war ... Ich hatte geglaubt, ich müßte sterben. Ich habe Opern geschrieben – wie klein ist das alles, aber etwas ist es immerhin doch ...« Am 28. November teilte Fosca hoffnungsvoll mit: »...il radium ha distrutto i tumori«, Puccini sei zwar nur noch ein Schatten seiner selbst, aber in wenigen Tagen würden die Nadeln entfernt werden. Da gab ein Telegramm vom gleichen Freitagabend zu größter Besorgnis Anlaß: »Schwere Herzkrise hinzugekommen – befürchten Katastrophe – sind fassungslos ...«

Tatsächlich war Puccini am Nachmittag des 28. November in seinem Lehnstuhl ohnmächtig zusammengesunken; man rief sofort nach dem Chefarzt und ließ die Nadeln entfernen. Gleichzeitig trat Fieber auf als Symptom des Tumorzerfalls, der Puls kletterte von 60 auf 105 Schläge in der Minute. Ein Kreislaufkollaps kam hinzu. Während der letzten Nacht vor dem Tode wälzte sich Puccini im Bett und bat den Sohn mit heiser zirpender Stimme, schlafen zu gehen. Eine schreckliche Unruhe erfaßte den Kranken, er wollte in den Lehnstuhl gehoben werden, verlangte dann aber wieder nach seinem Bett, rang verzweifelt die Hände, neigte den Kopf zur Seite, stöhnte und schlug mit den Unterarmen einförmig auf die Knie.

Am nächsten Morgen besuchten ihn der italienische Gesandte Orsini-Baroni und der Apostolische Nuntius Monsignore Micara, der ihm den letzten Segen erteilte. Starr saß der Meister im Bett, dann wich langsam die Verzweiflung von ihm. Seine Züge entspannten sich, wie zum Abschied hob er stumm die Hand gegen Sohn und Tochter, wandte sich ab. Dann war es noch, als ob er Akkorde greifen oder irgend etwas aufschreiben wolle. Puccini starb am Sonnabend, dem 29. November 1924, kurz vor 12 Uhr mittags, fast sechsundsechzig Jahre alt. –

Die ganze Welt beklagte den Verlust des Komponisten, die großen Opernhäuser sagten ihre Vorstellungen ab. Bei der Trauerfeier im Mailänder Dom dirigierte A. Toscanini die

Trauermusik aus »Edgar«. Die Gedenkrede hielt Benito Mussolini. An Puccinis Arbeitszimmer in Torre del Lago angrenzend wurde eine Kapelle errichtet und der Leichnam, welcher zunächst zwei Jahre lang in der Familiengruft Toscaninis beigesetzt war, dorthin überführt. Seit dem Jahre 1930 ruht Elvira an der Seite ihres Mannes, den das Schicksal zum Anwalt der Frau im Reich der Töne erkoren hatte.

Während der letzten Zeit seines Lebens überfiel Puccini weniger die Furcht vor dem Sterben als die Angst, er könne das, was ihm zu vollenden aufgegeben war, nicht mehr zu Ende bringen. Als er nach Brüssel kam, erkundigte er sich gleich: »Wieviel Zeit geben Sie mir noch? Ich benötige ungefähr zwanzig Tage. Ich muß meine Oper fertigstellen.« Und sofort nach der Operation: »Wie lange werde ich noch leben? Ich brauche noch 12 Tage.« Diese Sorge bedrückte ihn ständig, das war alle Morgen seine erste Frage an die behandelnden Ärzte. Puccini starb schreibend, in des Wortes wahrstem Sinne; »Turandot« griff nach seinem Leben.

Am 25. April 1926 wurde das Werk in der Mailänder Scala uraufgeführt. Die Männer kamen in schwarzen Anzügen, die Frauen in schwarzen Abendkleidern ohne Schmuck. Die berühmten Künstler der Welt erschienen, auf den mit Samt überzogenen Geländern der Logen fehlten die rosa Nelkensträuße. Ohne jeden Beifall sollte die Premiere zu einer Gedächtnisfeier für Puccini werden. Viele weinten. Toscanini dirigierte an diesem Abend die Oper noch nicht in der von Franco Alfano vollendeten Fassung, sondern nur bis dahin, wo der Tod den Meister abberufen hatte. Im dritten Akt, wenn unter Flötenklängen der Leichnam der kleinen Liu fortgetragen wird und die Menge allmählich die Bühne verläßt, legte Toscanini den Stab nieder und sagte mit tonloser Stimme:

»Hier starb der Maestro . . .«

Dann senkte sich langsam der große Vorhang . . .

GIACOMO PUCCINI

1. *Adami, G.,* Puccini, Stuttgart 1943.
2. *Adami, G.,* Giacomo Puccini. Briefe des Meisters, Lindau 1948.
3. *v. Bókay, J.,* Maestro Puccini. Ein Leben in Melodien, Stuttgart 1964.
4. *Carner, M.,* Giacomo Puccini. Biografia Critica, Milano 1961.
5. *Carner, M.,* G. Puccini. In: »Die Musik in Geschichte und Gegenwart«, Bd. 10, Kassel 1962.
6. *Fellerer, K. G.,* Giacomo Puccini, Potsdam 1937.
7. *Fraccaroli, A.,* Giacomo Puccini, Leipzig–Wien–New York 1926.
8. *Mahler-Werfel, A.,* Mein Leben, Frankfurt a. M. 1963.
9. *Marotti, G.* und *Pagni, F.,* Giacomo Puccini intimo, Florenz 1926.
10. *Moser, H. J.,* G. Puccini. In: Musikgeschichte in 100 Lebensbildern, Stuttgart 1964.
11. *Nettl, P.,* Musik und Freimaurerei, Eßlingen 1956.
12. *Sartori, C.,* Puccini, Milano 1958.
13. *Scherle, A.,* Einführungen zu »Tosca«, »Madame Butterfly« und »Turandot« (Ricordi-Textbücher), Frankfurt a. M. 1966.
14. *Seifert, W.,* G. Puccini, Leipzig 1957.
15. *Specht, R.,* Giacomo Puccini. Das Leben – Der Mensch – Das Werk, Berlin 1931.
16. *Thiess, F.,* Puccini. Versuch einer Psychologie seiner Musik, Hamburg 1947.
17. *v. Zallinger, M.,* Einführung zum zweihändigen Klavierauszug von »Madame Butterfly«, Frankfurt–Mailand 1966.
18. »Mißerfolge erobern die Opernbühne«. Epoca 10: 64 (1968).